L

Née à Douala, au Cameroun, en 1973, Léonora Miano vit en France depuis 1991. Saluée par la critique et plébiscitée par le public, elle reçoit en 2005 le prix Révélation de la Forêt des Livres, ainsi que le prix Louis Guilloux en 2006 pour son premier roman, *L'Intérieur de la nuit* (Plon, 2005). Centrés sur l'intimité des êtres, ses textes mettent en scène des personnages subsahariens et afrodescendants en leur conférant une portée universelle. Léonora Miano est le premier auteur de fiction à désigner les identités afropéennes dans le texte littéraire, donnant ainsi une épaisseur à cette nouvelle ethnicité. En quelques années, cette défricheuse d'espaces nouveaux a su tracer un sillon unique. Léonora Miano a reçu le prix Goncourt des lycéens en 2006 pour *Contours du jour qui vient* (Plon, 2006), le Prix Seligmann contre le racisme en 2012 pour *Écrits pour la parole* (L'Arche Éditeur, 2012), le Grand prix du roman métis et le prix Femina en 2013 pour *La Saison de l'ombre* (Grasset, 2013). En 2016, elle publie chez Grasset un roman choral dédié au vécu féminin, *Crépuscule du tourment : Melancholy*, sacré meilleur roman français par le magazine *Transfuge*. Le second volume, *Heritage*, paraît en 2017. Attachée au dialogue des cultures, Léonora Miano choisit le metteur en scène Satoshi Miyagi pour monter sa pièce *Révélation – Red in blue trilogie* (L'Arche Éditeur, 2015) au Théâtre national de la Colline en 2018. *Rouge impératrice*, roman d'anticipation dans lequel l'Afrique incarne pour la première fois l'amour et la puissance, a paru en 2019 chez Grasset.

ROUGE
IMPÉRATRICE

DU MÊME AUTEUR
CHEZ POCKET

LÉONORA MIANO

ROUGE
IMPÉRATRICE

ROMAN

BERNARD GRASSET
PARIS

p. 544 : *You Go To My Head*, paroles de Haven Gillespie,
composée par J. F. Coots, 1938 © Warner/Chappell Music, Inc.

© Éditions Grasset & Fasquelle, 2019.

ISBN : 978-2-266-30810-6
Dépôt légal : août 2020

As you enter positions of trust and power, dream a little before you think.

Toni MORRISON

We face neither East nor West: we face forward.

Kwame NKRUMAH

1

Debout à quelques mètres de la place Mmanthatisi, l'homme n'avait d'yeux que pour la femme. Celle qui se tenait au centre, tel un soleil couchant ayant déposé son rougeoiement sous la verrière. La veille, lors d'une de ces sorties officieuses dont il ne pouvait se passer, la marche du mokonzi l'avait mené à cette place. Il y en avait un peu partout à travers Mbanza, en dehors de certains quartiers résidentiels. Leur concepteur avait observé les habitudes populaires dans cette partie du Continent, une propension à délaisser les espaces prévus aux fins de réunion ou de flânerie. Dans les métropoles d'autrefois, seuls quelques fantaisistes prenaient plaisir à arpenter les nzela nettes des parcs et jardins publics. Les autres, plus nombreux, s'attroupaient de préférence sur le côté, le long des murs, au bord des trottoirs. Cette façon de regarder les choses depuis la marge, de rendre cette dernière centrale en s'y regroupant, n'avait pas changé avec les décennies. Aussi l'urbaniste avait-il eu l'idée de végétaliser des pans de mur, de fixer au-dessus des verrières de forme convexe. Par temps de pluie, une trentaine de personnes pouvaient s'abriter dessous. Quand il faisait beau, les places accueillaient toutes sortes de rassemblements. On y venait aussi en passant, pour le plaisir de voir les autres, d'être en leur compagnie. Ilunga aimait à se tenir aux abords de ces lieux, sur les branches basses de l'un des grands arbres bordant la chaussée. L'homme pouvait ainsi entendre parler les gens, ne pas attendre les rapports de la Sécurité intérieure ou des mikalayi sur l'état de l'opinion. Il en profitait aussi pour se rendre compte par lui-même de la qualité des relations sociales, observant en particulier le comportement des agents de l'administration. L'avènement du Katiopa unifié était récent, il importait que la population n'ait à formuler que des reproches mineurs. Pour cela, les fonctionnaires, quels que soient leurs grade et attributions, devaient faire preuve de souplesse, de patience. Il s'agissait d'accompagner la mise en place de nouvelles règles. Plus que des codes à respecter dorénavant, elles participaient d'une vision de soi plus saine. Comme tous les membres de l'Alliance qui avait pris le pouvoir quatre années plus tôt, Ilunga était déterminé à réussir là où la fédération précédant le Katiopa unifié avait échoué. Elle avait en partie aboli les frontières héritées de l'ère coloniale, ce qui était, depuis l'époque de la toute première Chimurenga, l'une des aspirations les mieux partagées par les combattants pour la souveraineté du Continent. La fédération avait cependant failli, n'ayant pas assez travaillé à obtenir l'adhésion des masses à cette partie cruciale du projet de libération.

Au fil des décennies, les habitants du Continent avaient assimilé un ordre des choses bénéficiant à d'autres. Beaucoup avaient foi en la nation telle qu'elle leur avait été imposée, et s'accrochaient à cette conception belliciste de l'appartenance à un territoire. Les temps ancestraux avaient été balayés, ne laissant, dans le sillage de leur disparition, que des identités fissurées. Les fédéralistes avaient caressé le rêve de la restauration, se heurtant à une aporie. Ils avaient cru remonter les siècles, vivre l'histoire à rebours. Leur aveuglement, la violence de leurs méthodes, avaient fait naître çà et là des frondes d'envergure variable. Tous s'accordaient sur les problèmes, s'affrontant quant à la manière de les résoudre. La fédération avait ajouté du chaos au chaos, ne se donnant d'autre option que celle d'un totalitarisme qui précipiterait sa chute. De son côté, l'Alliance s'était constituée avec patience, ses théoriciens faisant le choix d'inscrire, dans l'appellation du mouvement, la volonté qu'il convenait de mettre en œuvre. Une vision tenant compte de la réalité, un rêve pragmatique. Surtout, cesser de propager l'idée d'un lien organique, charnel, entre les peuples de Katiopa. Qu'il y ait eu là une vérité ou qu'il se soit agi d'un fantasme n'était pas la question. Il fallait au contraire assumer les différences, les inviter, pour des raisons objectives, à se joindre les unes aux autres sous une même bannière. Forger une conscience nouvelle. La Première Chimurenga avait eu lieu bien avant la venue au monde d'Ilunga, dans des temps troubles pour le monde. L'humanité, à la fois affolée par les conséquences de ses actes et infatuée d'elle-même, se croyait l'origine d'un nouveau temps géologique. Elle en était terrifiée, elle s'en félicitait. L'humanité… Enfin, ceux qui s'étaient arrogé le droit de parler et d'agir en son nom. Cette période s'était néanmoins révélée féconde pour le Continent, dont la conscience désapprenait, après la haine de soi, la vaine exaltation de soi autant que la crainte d'être soi. Ces batailles du début avaient été celles de l'imaginaire. Une reconquête du champ des possibles par la pensée. On avait alors du recul sur les modèles encore en vigueur, on distinguait les empilements de déchets sous les dorures, les coulées de sang dans les avancées technologiques, la vénalité homicide et suicidaire des maîtres d'un monde à la dérive. On ouvrait les yeux sur ces bizarres modalités du progrès dont la prospérité exigeait le sacrifice de l'être à l'avoir, le caprice individuel érigé en principe, l'institutionnalisation des déviances, la destruction de la nature. La Chimurenga dite conceptuelle avait constitué l'incontournable étape sans laquelle aucune autre n'aurait pu être réalisée.

En cette veille du San Kura 6361, alors que les citadins se pressaient dans les magasins ou couraient pour attraper le baburi n° 18, Ilunga contemplait le chemin parcouru. Il y avait encore à faire, le Continent n'était pas tout à fait pacifié, mais une heureuse vibration parcourait la ville. Elle était dans le scintillement de l'idzila à la cheville d'une jeune fille, dans l'émotion du garçon qui lui lançait : *Mwasi, ne bouge plus, celui que tu cherches est ici...* Elle était dans le balancement de mishanana revisités qu'arboraient des femmes hautes, dans le chant d'un tambourinaire annonçant le programme des festivités organisées par la municipalité. On redécouvrait la douceur de vivre. Ilunga aurait voulu croire qu'il en était ainsi en maints autres endroits, que la kitenta ne jouissait d'aucune attention particulière. Mais les grandes régions de l'État, qui s'étaient formées en agrégeant les nations coloniales du passé, n'avançaient pas à la même allure dans tous les domaines. Cet après-midi, le mokonzi préférait congédier ces préoccupations. Elles étaient son pain quotidien. Sur la place, il y avait cette femme aperçue la veille, comme ses déambulations l'avaient conduit au cœur d'un quartier désaffecté. L'habitat n'y avait pas été réhabilité, c'étaient encore ces immeubles à trois étages construits en béton. Leurs propriétaires y louaient autrefois des appartements meublés, destinés à une clientèle de touristes étrangers. La plupart donnaient maintenant sur l'océan qui, depuis, avait dévoré la berge, si bien que les constructions les mieux situées jadis subissaient désormais l'attaque constante des vagues. À marée haute, les eaux s'y engouffraient, débordant ensuite dans une nzela puis dans une autre, jusqu'à l'inondation complète de la zone. Il fallait évacuer les errants qui continuaient de s'y installer au mépris du bon sens. Une femme dans son genre n'avait rien à faire dans ces parages, à moins d'avoir à traiter des affaires pour le moins obscures. Elle ne pouvait résider là. Non qu'elle semble faire partie des nantis, mais son élégance naturelle détonnait au milieu de ces vieux cubes. La vie dans un tel environnement ne pouvait qu'éroder toute beauté. Il n'y avait pas de détritus au sol, cette architecture offensait assez la terre, en plus de polluer l'atmosphère. Pourtant, elle s'était dirigée d'un pas assuré vers l'un des immeubles avant de reparaître au tout dernier étage, resserrant autour d'elle l'étoffe qu'elle s'était jetée sur les épaules à la manière d'une nguba, cape empruntée à des femmes de la KwaKangela pour devenir un vêtement à la mode. Dans le temps, les plus luxueuses parmi les résidences de ce quartier disposaient d'une terrasse avec vue sur le grand fleuve, le majestueux Lualaba.

À l'époque, on ne voyait pas l'océan. La femme était restée là-haut, les yeux tournés vers le large, immobile, seule. Ilunga n'aurait pu dire pourquoi il l'avait attendue, suivie, tandis qu'elle se hâtait vers l'arrêt du baburi n° 22, le train de ville qui passait non loin des bâtisses abandonnées.

Elle avait rangé sa nguba, l'étoffe dépassait d'un sac de toile lui caressant la hanche gauche à mesure qu'elle avançait. Contrairement au style actuel, c'était au bras qu'elle portait son idzila, un bijou en argent formé de plusieurs anneaux. D'ordinaire, il était d'or massif ou en laiton selon la classe sociale de celle qui l'arborait. L'argent était jugé sans éclat. Elle ne l'avait pas vu, ne s'était pas doutée qu'il l'entendait alors que, pressant le pas à la vue du véhicule de transport en commun, elle hélait une passante : *Bikuta, nous devons nous voir. Je serai demain place Mmanthatisi, pour le San Kura des Sinistrés. Viens m'y retrouver à partir de…* Ilunga n'avait pas pris le baburi. En un battement de paupières, il avait regagné ses quartiers. Il n'abusait ni de ce moyen de déplacement, ni du pouvoir de se rendre quasiment invisible. Dans les rues, lorsqu'il était statique, il ne s'autorisait qu'un camouflage un peu amélioré. Parce qu'il prenait soin de se tenir à contre-jour, les badauds n'apercevaient qu'une silhouette, une ombre, sans être certains de l'avoir vue. Quand il marchait, on ne le remarquait pas, les détails de sa physionomie, de ses vêtements même, ne laissaient qu'une vague impression. On ne pouvait donner, au sujet de son passage, que cette information sans intérêt : *J'ai cru voir un homme, mais c'était peut-être autre chose, je ne sais pas…* Jamais il n'était surpris sortant de ses appartements ou y retournant.

Son absence ou sa présence étaient simplement consta-
tées. Ce jour-là, dans son ndabo, la pensée de cette
femme ne l'avait pas quitté. Il s'était demandé pourquoi sans trouver la réponse. Il l'avait sentie plus qu'il
ne l'avait vraiment regardée, la couleur de ses yeux lui
était inconnue. Elle portait en tunique un bùbá dont la
couleur jaune rehaussait le rouge de sa complexion, la
rousseur de sa chevelure. Ses jambes pleines étaient
celles d'une divinité de la terre, son port de tête celui
d'une guerrière parée pour la bataille. Il ne l'aurait
pas dite belle, ce terme lui semblait dérisoire. Elle
était passée près de lui, impavide et incandescente.
Une femme-flamme, peu soucieuse des embrase-
ments semés sur son passage. Elle avait évoqué le
San Kura des Sinistrés. Hum. Une militante politique.
Probablement proche des Gens de Benkos. Qui d'autre
pouvait se soucier des Sinistrés ces jours-ci ? Au fil du
temps, il s'en était créé plusieurs catégories proches
de celle-là sur le Continent. Des groupes constitués
de personnes que leur ascendance rattachait à Pongo.
D'abord, il y avait eu les fermiers dépossédés de la
pointe sud de Katiopa, qu'une migration avait conduits
dans la région centre de la Terre Mère où leurs compétences étaient bienvenues. À ceux-là, Ilunga n'avait
rien à reprocher. Ne cherchant aucunement à réim-
planter la ségrégation raciale dont la fin avait causé
leur exode, ils s'étaient donné de la peine pour réaliser quelque chose qui aurait bénéficié à tous et se
réclamaient du Continent. Si parfois leurs entreprises
avaient périclité, c'était qu'ils avaient été mal accom-
pagnés. Ils s'étaient fondus dans le paysage, dans
les cultures, laissant les idiomes locaux modeler leur
esprit. Ensuite, il y avait eu ceux de Mputu qui avaient

15

dû plier bagage après plusieurs siècles de prospérité coloniale à Katiopa. Le déclin de leur patrie jadis impériale provoquant en duel les nations paupérisées de la planète pour leur ravir la palme de la souffrance, les avait poussés à revenir là où ils avaient été grands. C'était ainsi que des flots de sans-emploi originaires de Mputu s'étaient déversés sur les territoires autrefois conquis par leurs aînés. Ils allaient s'y faire à leur tour une place au soleil, combler les désirs consuméristes d'une bourgeoisie locale impatiente d'épouser le mode de vie qu'avaient adopté ses homologues aux quatre coins du monde. Les déchus de Pongo avaient un temps réalisé leur rêve et celui des nantis de la postcolonie. Puis, la chute des cours du pétrole avait fait mordre la poussière à tout ce beau monde. La descendance des colons avait décampé la tête basse, l'empire ne serait pas rebâti, elle ne régnerait plus. Ceux de ses membres restés sur place n'avaient pas jugé utile d'entonner la complainte de ceux qui, nés trop tard, seraient voués à ne pas connaître la gloire.

Mais il y avait ce dernier groupe. Les Sinistrés. Des Fulasi que la détresse identitaire avait forcés hors du pays ancestral vers la fin de la Première Chimurenga. Certains avaient lucidement préféré se rendre dans l'est de Pongo, cette aire leur promettant de rester à l'abri du choc en retour colonial et de la miscégénation. D'autres, souvent plus âgés à l'heure du départ, craignaient la rudesse des hivers autant que l'obligation qui leur serait faite d'apprendre une nouvelle langue. Les anciennes colonies étaient, de plus, aux mains de régimes toujours prêts à leur dérouler le tapis rouge. Ils y mèneraient des existences auxquelles ils n'auraient pu rêver chez eux. C'était cocasse, mais c'était ainsi : la présence trop nombreuse de Katiopiens à Pongo menaçait de mort leur culture, et seul le Continent leur offrait la possibilité de la sauvegarder parce qu'ils y jouissaient encore d'un certain prestige, parce qu'ils avaient pris l'habitude d'y vivre en communauté sans être dérangés. Ils s'y étaient donc établis, serrant contre eux leur identité, comme un morceau de terre sacrée qui permettrait de faire un jour renaître la patrie perdue. À présent, leurs rejetons les avaient remplacés. Peu parmi eux avaient eu l'occasion de fouler des pieds le sol du pays fulasi, de vivre au rythme de ses saisons. Cet éloignement ne faisait que renforcer l'attachement au paradis perdu, le refus d'incorporer les mœurs locales. Ils n'étaient pas maltraités, mais leur comportement pouvait constituer une nuisance pour le Katiopa nouveau qu'Ilunga devait ériger. On avait bien assez de plaies à panser, les priorités étaient ailleurs, mais sans doute faudrait-il envisager de les renvoyer d'où leurs ancêtres étaient venus. La pensée de Katiopa avait toujours ignoré la race telle que la comprenaient ces Sinistrés, l'individu n'étant pas ici le produit de ses gènes mais celui de son environnement. Le problème avec cette population était précisément celui-ci : drapée dans l'amertume d'avoir vu disparaître ce dont elle procédait, jamais elle ne s'était enracinée dans la terre de Katiopa. Aussi ces gens vivaient-ils en marge de la société, vénérant un messie sourd à leurs prières, s'exprimant dans une langue à l'agonie depuis que les peuples du Continent s'en étaient affranchis. Peu nombreux en réalité, ils occupaient tout de même des espaces dont auraient pu bénéficier des ressortissants de régions devenues arides, difficilement habitables. Ilunga pensait, par exemple, aux autochtones des zones de l'est. Bien qu'elles n'aient pas été intégrées au Katiopa unifié, elles avaient vu quantité de leurs habitants s'établir ailleurs sur le Continent, espérant ainsi échapper aux chaleurs homicides qui les accablaient. C'était à l'un de leurs ingénieurs que l'on devait la conception du baburi, le train de ville qui sillonnait Mbanza.

À l'ouest du Continent, l'érosion côtière avait sévi pendant des décennies, effaçant ce qui avait été la côte atlantique, si bien qu'une ville comme Mbanza, la kitenta du Katiopa unifié, qui se nichait jadis à quelques encablures de Kinkala, donnait dorénavant sur l'océan. Plus que partout ailleurs, les vagues y avaient avalé la terre, les dirigeants successifs de la région étant trop occupés à se gaver de truffes et d'ortolans dans les restaurants huppés du pays fulasi, avant de s'endormir dans les hôtels particuliers qu'ils y possédaient, la peau du ventre bien tendue, la conscience tranquille. La superficie du Continent restait considérable, mais elle avait diminué et les terres englouties par les eaux avaient emporté dans leur noyade une partie des ressources agricoles. Ces Sinistrés devaient libérer les concessions qui leur avaient été laissées par pure charité. D'ailleurs, Ilunga ne comprenait pas qu'un reste de dignité ne les ait pas amenés à quitter le Continent après la Chimurenga de la reprise des terres, lorsque l'on avait rompu toute relation avec les institutions étrangères. Il faudrait le faire dans le respect des règles, mais l'idée de les expulser n'embarrassait pas le mokonzi qui pensait en soumettre à nouveau le projet au Conseil. Ces gens n'étaient pas heureux sur le Continent. Les pousser vers la sortie les revigorerait, faisant renaître en eux un souffle de vie.

En réalité, ce serait à leur égard un geste fraternel, un témoignage de respect.

L'humanité n'avait rien à gagner à voir certains s'inventer des ontologies victimaires, câliner une douleur dont ils avaient fait leur unique possession. Qu'ils s'en aillent et se reconstruisent sur leur demeure ancestrale. Ce ne pouvait être que bénéfique pour qui révérait tant la souche dont il était issu. Si rien n'était fait, ces dépouilles ambulantes parasiteraient l'énergie des populations locales. Encore acéphale, cette communauté ne constituait qu'une force endormie, mais cela pouvait changer. Une vie passée au sein de l'Alliance lui avait enseigné que la patience était un glaive tranchant pour qui entendait refonder un monde, que ceux qui s'étaient extirpés en rampant du caveau où l'histoire les avait oubliés pouvaient avec vaillance se redresser. Il était peu probable que les Sinistrés y parviennent. Ils n'avaient pas d'adversaires plus déterminés que leurs semblables, selon la conception qu'ils se faisaient des rapports humains. Leurs frères les avaient précipités sans ciller dans les mâchoires d'un monstre aux mille appellations, l'une des plus fameuses étant celle de : globalisation. Leur exode avait commencé peu avant l'attaque nucléaire lancée par Chosǒn sur les berges de l'Hudson River, décapitant les épandeurs de civilisation. Depuis, les Fulasi étaient là, venus se terrer en ce cœur ardent de Katiopa, y mener une existence commémorative. Ils n'avaient plus d'histoire, que des ruminations.

Était-ce pour rencontrer certains de ces Sinistrés que la femme-flamme s'était rendue dans la zone désaffectée où ne rôdaient, tard le soir, que des errants ou des individus recherchés par les agents de la Sécurité intérieure ? Elle avait passé un long moment sur la terrasse, le regard tourné vers l'océan, dans une conversation sans paroles. Nul ne l'y avait rejointe, elle avait ensuite quitté les lieux. La côte était longue. La kitenta regorgeait de lieux bien plus agréables pour entrer en communion avec l'océan. C'était ce qu'elle avait semblé faire. Il y avait à cela des raisons, l'homme aurait voulu les connaître. Il savait, bien sûr, ce que représentaient ces eaux dans la mémoire du Continent. Mais pour elle, cette femme dont la complexion portait le nom de clarté rouge ? Quittant ses vêtements, Ilunga se dirigea vers la salle de bains. C'était là qu'il réfléchissait le mieux. Sa promenade bimensuelle ne lui avait rien appris de neuf sur l'état de l'opinion. L'Alliance pouvait avancer sur la voie des réformes. Les étapes avaient été définies, il fallait maintenant passer à l'action. On ne pouvait attendre que les conditions idéales soient réunies, qu'il n'y ait plus, nulle part, la moindre opposition. Il s'en remettait à son kalala pour contenir les révoltes. Igazi avait toute sa confiance. C'était son frère. Ils avaient toujours su que le projet de l'Alliance dérangeait les aliénés, ceux qui craignaient la liberté, son cortège de responsabilités. Ceux qui se laissaient gouverner par le ventre, la peur du manque. Il en restait quelques-uns, de prétendus adeptes de l'unité, tant qu'elle leur garantissait des privilèges. Pour faire couler son bain, il n'avait appelé personne. Ilunga avait besoin, autant que possible, de rester un homme ordinaire. Ne pas se couper de la réalité. Telle était souvent l'erreur des puissants qui devenaient vite des gouvernants hors-sol. Déjà, son statut le contraignait, à son corps défendant, à dissimuler sa présence lorsqu'il se trouvait dans les rues, parmi les siens. Y ayant incorporé des plantes qu'une vieille sangoma cueillait et faisait sécher à son intention, l'homme se glissa dans l'eau tiède. Ses pensées ne purent s'attacher à rien d'autre qu'au souvenir de la femme. Traversant le puits de lumière creusé au milieu du plafond, les rayons du soleil, rougissant à cette heure, semblaient dessiner la silhouette de l'inconnue. Il lui faudrait prendre, le lendemain, un autre bain revitalisant. Il prévoyait une promenade le long du boulevard Chivambo Mondlane qui le mènerait, peu avant l'heure dite, devant la place Mmanthatisi.

Quelqu'un s'était raclé la gorge. Il avait reconnu la présence discrète de Kabeya, son majordome et garde du corps. Levant les yeux vers la pendule fixée au-dessus de la porte, il n'eut pas besoin d'explications, sortit prestement du bain, clama : *Retiens-le un instant, frère. Je me dépêche.* Il avait failli oublier ce rendez-vous. Pourtant, le San Kura que l'on célébrerait le lendemain aurait un éclat particulier. Ce serait la première fois que la dernière des contrées de l'Autre bord à rejoindre l'Alliance y prendrait part. Il en restait quelques-unes encore, peu, mais le ralliement de toutes était un objectif. Pour Ilunga et ses compagnons, ces territoires étaient indispensables à l'épanouissement de Katiopa. La question n'était pas matérielle, le Continent n'avait besoin de personne sur ce chapitre. Il lui fallait simplement récupérer partout ce qui lui appartenait, quitte à violer dans l'allégresse des accords autrefois ratifiés, des ventes réalisées aux dépens des populations. Cette nécessité avait guidé la récupération de terres agricoles ou de concessions minières cédées plusieurs décennies auparavant par des gouvernants félons. Cela avait donné lieu à des batailles sales. Très sales. Il n'avait à cet égard que peu d'émotion. Les ancêtres ne pouvaient lui tenir rigueur des actes posés dans ce contexte. La divinité elle-même ne devait pas y voir d'objection. Le lion avait trop longtemps revêtu la peau du mouton. Ses compagnons et lui n'avaient fait que leur devoir, puis il s'était adressé aux gouvernants du monde, au nom du Katiopa unifié. Lorsqu'il reparut dans son ndabo, Ilunga s'assit avant de passer la main sous la table, actionna le mécanisme signalant sa présence à Kabeya.

Celui qu'il devait voir pénétra dans la pièce, son parfum emplissant l'espace. Comme à son habitude, il était très apprêté, n'avait laissé au hasard aucun détail. Voyant le kurta cramoisi qu'avait revêtu Kabundi, le mokonzi se félicita d'avoir opté pour un agbada noir, porté sur un sokoto étroit. Son chargé des Affaires diasporiques avait eu toutes les peines du monde à renoncer aux redingotes qu'il portait jadis par-dessus son sokoto. Il ne l'avait fait que pour adopter cet habit, que seul portait le mokonzi, en souvenir de séjours de jeunesse à Bhârat. Arborerait-il bientôt un agbada ? Ce serait de sa part une déclaration d'amour tardive à l'esthétique ancienne du Continent. Ilunga se leva pour l'accueillir, permettant ainsi à son vêtement de déployer son ampleur. L'homme était pieds nus, il lui arrivait d'omettre de se chausser quand il se trouvait dans ses quartiers privés. Cela choquait parfois ses visiteurs, mais il n'en faisait pas grand cas, savourant la sensation de bien-être que cela lui procurait. Le sol de son ndabo était couvert de dalles en terre crue. Les sentir sous la plante de ses pieds lui donnait le senti- ment de faire corps avec la matrice, d'en éprouver les palpitations dans chaque diastole, chaque systole de son cœur. Dans cette partie du Continent, on avait autrefois jugé néfaste que les pieds du souverain touchent le sol. D'après lui, on avait gravi là des sommets de connerie. Il se gardait de formuler ce point de vue, se contentant de se rendre coupable d'une transgression trop désinvolte en apparence pour être soupçonnée. Comprendre en profondeur la tradition, c'était aussi savoir l'interpréter au mieux. Faire corps avec la terre allait dans ce sens. Elle enseignait le mouvement, la recréation constante, tant de choses encore. Pieds nus devant ses visiteurs, Ilunga se remémorait les paroles de Ntambwe, son premier instructeur au sein de l'Alliance. L'ancien se plaisait à rappeler que les racines connaissaient une dégénérescence toute naturelle. Il leur fallait faire place à d'autres afin que la plante subsiste et se perpétue.

Kabundi prit place face à lui, ses doigts effilés reposant sur ses genoux, ses bagues de bronze scintillant sous la lumière. Cette attitude lui donnait l'air d'un mannequin de cire. Il lui importait tant de ne pas froisser son costume. Ilunga sourit intérieurement, songeant que c'était là un des plus vieux traits de caractère des enfants de Katiopa : l'amour de la parure et du style. Il se concentra pour écouter ce qu'avait à dire le diplomate. Le représentant de Kiskeya avait communiqué les grandes lignes du discours qu'il comptait prononcer pour accueillir les nouveaux-venus au sein de l'Alliance, où il siégeait comme membre de plein droit depuis qu'elle s'était formée. Fidèle à son histoire, Kiskeya avait abrité les combattants de l'Alliance, alors que ces derniers n'en étaient qu'aux balbutiements de leur mission. Ilunga accorda la plus grande attention au document dont lecture lui fut donnée. Quand il fallut passer en revue les autres aspects de la cérémonie, ses pensées s'évadèrent à nouveau pour retrouver la femme rouge. L'entretien prit fin à son insu. Il se leva au moment où Kabundi s'inclinait devant lui pour prendre congé. *Pas de ça entre nous, frère. C'est inutile quand nous sommes seuls.* Puis, sans s'émouvoir du regard effaré de son interlocuteur, il lui apprit qu'en tout début d'après-midi, alors que les étudiants katiopiens de l'étranger viendraient présenter leurs vœux, il serait absent. Kabundi n'était pas du genre à manifester bruyamment son inquiétude. D'un ton égal, il se contenta de rappeler que certains de ces jeunes gens venaient de Bhârat et de Hanguk, ce qui n'était pas la porte à côté. Puis, il interrogea : *Par qui devons-nous te remplacer ?* Ilunga improvisa : *Tu devrais très bien t'en sortir. Si tu penses que cela ne suffira pas, vois avec Zama.* Afin d'adoucir un peu la déception des jeunes, Ilunga proposa de dîner avec quelques-uns. Le chargé des Affaires diasporiques n'émit pas d'objection. S'inclinant à nouveau, il recula de trois pas avant de tourner les talons. Ce soir-là, le mokonzi se passa de repas. Il s'attarda en vain à son bureau, consentit à délaisser l'écritoire où la procrastination ne produirait rien qui vaille, pas une idée neuve, pas de solution aux problèmes de l'État. Sur sa couche, il tenta de se divertir en écoutant des musiques anciennes mais ne pensa qu'à la femme rouge. Le sommeil l'emporta à la manière d'un rapace fondant sur une proie facile. Elle fut dans ses rêves, du début à la fin. Ils se tenaient par la main pour enjamber, en un interminable saut, un ravin sans fond. Lorsqu'il s'éveilla, les dernières images du songe lui apparaissaient encore. Ils étaient de nouveau sur la terre ferme, enlacés. Tendant le bras, la femme rouge l'invitait à contempler l'étendue entière de Katiopa : *Tu vois*, disait-elle, *ce n'était pas si difficile. Regarde...* Au-dessus d'eux, un arc-en-ciel s'était formé, qui traversait les nuages.

Chaque instant de la matinée lui avait semblé un concentré d'éternité. Une question n'avait cessé de tournoyer dans son esprit. Quel sens cela avait-il de rêver d'une inconnue ? D'une personne n'ayant aucune raison de vous ouvrir la porte de ses propres songes ? Elle n'avait même pas supposé sa présence. Elle ignorait que, pour la revoir ce jour, il mettrait sens dessus dessous une organisation réglée depuis des mois, un protocole établi depuis qu'il occupait ses fonctions. Maintenant il se trouvait là, présence imperceptible sur les branches basses d'un flamboyant, à peine un point bleu dans l'air pour l'œil insistant des curieux. De l'autre côté, au centre de la place Mmanthatisi, la femme rouge s'affairait à distribuer des écuelles aux Sinistrés, ayant pour chacun une parole aimable. Jamais encore Ilunga ne s'était soucié de savoir comment ces gens passaient les fêtes marquant le début de l'année. Jamais on ne les avait vus s'associer à ces réjouissances. Englués dans leurs superstitions, ils vivaient selon un calendrier d'après lequel l'année en cours n'était pas 6361, mais 2124. Ilunga se souvenait des réactions, lorsqu'il avait suggéré de les renvoyer d'où étaient venus leurs procréateurs. Après plusieurs générations de présence sur le Continent où ils avaient vu le jour, leur appartenance à ce sol demeurait conflictuelle. Alors, oui, il avait prôné l'expulsion. Le Conseil avait décrété qu'une telle mesure serait trop cruelle, indigne des valeurs de Katiopa. Il importait, quoi qu'il en coûte, de leur reconnaître une part d'humanité. D'autres dispositions pourraient être prises, mais des urgences autrement plus pressantes accaparaient le gouvernement. Le mikalayi de la région habitée par les Sinistrés avait, de son côté, fait remonter les réticences de sa population à l'idée de ce bannissement. Il y avait donc de sérieuses oppositions à son vœu. Ilunga ne méprisait pas la gêne que représentait cette présence inamicale en Katiopa. Il faudrait y accorder une attention plus soutenue, le Continent avait avant tout besoin de gens entretenant avec lui un lien d'amour, un rapport charnel, d'où qu'ils soient venus. Les yeux rivés sur la femme rouge qui faisait maintenant des pitreries pour distraire les enfants, le mokonzi tentait d'imaginer un moyen de l'approcher. Il ignorait combien de temps durerait la fête organisée sur la place. C'était modeste, mais on y mettait du cœur. Se souvenant de la passante hélée la veille, celle à qui l'on avait donné ce rendez-vous qu'il s'était permis de prendre pour lui, l'homme la chercha du regard. Si d'aventure elle apparaissait, cela créerait une césure dans le déroulement des festivités. Peut-être pourrait-il en profiter, bien que ne sachant trop comment. Il semblait assez peu approprié de se glisser sous la verrière, de s'incliner pour saluer, de se présenter. D'abord, l'idée le fit sourire. Qu'il lui soit impossible d'agir ainsi l'attrista. Il aurait voulu n'être qu'un homme désireux d'aborder une femme. Si rien ne venait interrompre cette partie, s'il ne parvenait pas à connaître son nom, elle serait perdue pour lui. Il lui faudrait regagner sa résidence en acceptant de ne pas la revoir.

Ilunga descendit dans un souffle, une bise légère qui secoua à peine le feuillage du flamboyant. Il fut vite sur la place, le plus près possible encore de la chaussée. Au moins, entendre son nom. Ce serait suffisant pour la retrouver. Plus tard, parmi les personnes réunies sur la place Mmanthatisi l'après-midi du San Kura 6361, certaines jureraient qu'un voile bleu avait soudain recouvert les lieux. Cela n'avait duré que le temps d'un battement de paupières. Il s'en alla, emportant l'amyris et le vétiver de son parfum, le nom étrange de la femme, qu'il était certain de ne pas oublier. Nulle autre ne pouvait le porter. Ilunga sut aussi qu'il devrait recourir à des moyens disproportionnés pour l'approcher, savoir ce qui l'attirait tant, la nature même de ce désir. Il n'avait pas vraiment le choix, ne tergiversa pas. Moins d'une semaine plus tard, la femme rouge, qui venait de quitter le campus universitaire situé au nord de la kitenta du Katiopa unifié, s'apprêtait à monter sur une passerelle mécanique menant au terminus du baburi 30. Là, un homme vêtu d'un sokoto noir et d'un agbada rouge sombre l'appela par son nom. La femme se retourna, confirmant qu'elle était bien celle que l'on cherchait. L'inconnu vint vers elle, s'inclina, la pria de le suivre. Celui qui avait été élevé désirait la rencontrer. Pour preuve de ses dires, il lui tendit une enveloppe scellée de bleu, contenant un carton d'invitation en bonne et due forme, comme on n'en faisait plus. Quelque chose dans cette sollicitation dut lui déplaire, car elle n'y souscrivit pas, expliquant que ce n'étaient pas des manières, que l'identité de l'émetteur n'était pas garantie, que d'ailleurs… Elle n'eut pas le loisir de protester plus avant, même poliment, d'exiger des explications. Un autre individu se tenait derrière elle, qui ne lui laissa aucune chance. Les envoyés d'Ilunga avaient reçu pour consigne d'insister avec courtoisie, de convaincre par la parole. Or, les femmes, ils le savaient, pouvaient déverser des mots en rafales, vous étourdir avant qu'une esquisse de raisonnement se soit formée dans votre esprit. Ils avaient donc préféré éviter une épuisante joute oratoire. La femme rouge avait perdu connaissance quand on la transporta dans un véhicule de couleur sombre, aux vitres teintées. Il y avait en elle plus de fureur que de peur quand elle ouvrit les yeux sur le visage de la gouvernante, au premier étage de la résidence du mokonzi.

Sans demander ni où elle était ni ce qu'on lui voulait, la femme rouge se leva, vérifia que rien n'avait été retiré de son sac. Se le passant en bandoulière, elle adressa ces mots à celle qui se tenait là, haute et massive : *Comment sort-on d'ici ?* Son interlocutrice répliqua par des gestes, pensant couper court à la discussion. Mais contrairement à la plupart des personnes que l'on avait vues passer par là, la femme rouge connaissait la langue des signes. Cela rendit affable la gouvernante qui, d'habitude, goûtait peu la conversation. Elle répondit à des questions que la femme rouge n'avait pas posées, lui apprit qu'elle était chargée de l'habiller pour un dîner avec le mokonzi. Il était peu probable qu'elle soit reconduite à son domicile aussitôt après, une chambre lui était d'ores et déjà réservée. *D'accord*, dit-elle. *On lui livre de la chair fraîche à demeure, c'est ça ?* La gouvernante tint à lui faire savoir qu'il n'en était rien, il ne fallait pas accorder tant de crédit aux commérages. De la part du mokonzi, un tel comportement était une chose impensable. C'étaient les soupirantes qui se jetaient au cou d'Ilunga ou à ses trousses, selon le tempérament. L'employée ne put en dire davantage, il ne lui appartenait pas de faire ces révélations. La femme rouge resta pensive. Au terme de sa réflexion, elle se croisa les bras sur la poitrine. Que l'on vienne la chercher, qu'il se présente lui-même, puisque c'était comme ça. La gouvernante secoua la tête. Elle ne pouvait rien faire. Devant l'attitude de l'invitée, il ne lui restait qu'à lui indiquer sa chambre. Elle y demeurerait jusqu'à nouvel avis. Comme la femme rouge restait immobile, elle la pria de l'excuser, se baissa pour l'empoigner par les jambes, la jeter sur son épaule comme un vulgaire sac de tubercules. L'étrangère en fut si surprise qu'elle n'eut pas le temps de réagir. Quittant le vestibule, elles traversèrent un couloir pour atteindre une salle circulaire sur laquelle donnaient plusieurs portes. Cinq en tout, dont deux, ouvertes, laissaient entrevoir des appartements qu'occupaient des figures invisibles. Peu meublé, l'endroit comportait en son centre des arbustes d'intérieur, eux-mêmes entourés d'une banquette de pierre qui aurait mieux trouvé sa place dans un véritable jardin. Depuis les hauteurs lointaines de la bâtisse, un puits de lumière devait faire descendre sur les plantes l'éclat de l'astre diurne. À cette heure, d'imposantes lanternes avaient pris le relais. Il y en avait trois, disposées en triangle à quelques mètres les unes des autres, formant autour du cercle des pointes dont on tentait de déchiffrer le message.

Le regard accroché aux portes entrouvertes derrière lesquelles remuaient des silhouettes, la femme rouge murmura : *Tu prétendais qu'il n'avait pas de harem.* La gouvernante secoua une fois de plus la tête. Quand elles furent arrivées, qu'elles poussèrent la cinquième porte en partant de la gauche, elle mit à terre son fardeau, reprit son souffle et signa : *Si tu restes, tu comprendras vite.* De la main droite, elle indiqua la salle de bains. De l'autre, le dressing où se trouvaient des vêtements neufs, une coiffeuse comme en possédaient les bourgeoises de la région au siècle précédent. Trois miroirs, dont celui du centre était le plus large, surplombaient des plateaux recouverts de cuir brun. Le meuble comportait plusieurs tiroirs qui lui parurent immenses. La gouvernante poursuivait sa présentation. L'éclairage se mettait en marche à partir d'une certaine heure, dès que l'on pénétrait dans les lieux. Pour en diminuer l'intensité ou l'éteindre, il suffisait d'approcher les doigts de l'un des boîtiers situés à l'entrée ou sur la table de chevet. Il y avait aussi une tablette à commande vocale pour faire fonctionner cet équipement et d'autres. Cet outil était muni d'une touche permettant de l'appeler, elle accourait aussitôt. Un bar réfrigérant, dont la forme s'inspirait d'anciennes poteries des Grands Lacs, contenait des boissons diverses. De loin, on l'aurait pris pour une jarre, de taille certes conséquente et au style particulièrement raffiné. Les repas étaient servis dans une pièce commune qu'elle lui ferait découvrir, mais on pouvait les lui porter dans son appartement si tel était son désir. La gouvernante allait tourner les talons quand la femme rouge la retint par le bras : *Je sais que tu n'y es pour rien. Merci. Quel est ton nom ?* En général, celles qui étaient reçues dans cette partie de la résidence n'avaient à son endroit que peu d'égards. Aucune ne s'était souciée de son identité lors de son arrivée. Il avait fallu qu'un service leur soit rendu, qu'elle seule soit en mesure de le faire, pour être enfin traitée comme un être humain. Pensant dissimuler son émotion, la gouvernante baissa la tête. Elle s'appelait Zama, et ferait de son mieux pour que l'invitée n'ait pas à se plaindre de son séjour entre ces murs. Que souhaitait-elle que l'on lui serve pour son dernier repas ? Puisqu'elle refusait de le prendre en compagnie de son hôte, il faudrait lui porter quelque chose. On tiendrait compte de ses préférences alimentaires, cela allait sans dire.

La femme rouge répondit qu'elle n'avait pas faim, remercia à nouveau, laissa la porte se refermer sur sa captivité. Bien sûr, il était exclu de tenter une évasion. Cette résidence, elle s'en doutait, devait être un des lieux les mieux gardés de tout Katiopa. Incrédule, elle promena son regard dans la pièce pour en examiner le contenu. Le petit appartement était confortablement meublé. Un large shoowa habillait le sol en dalles de terre crue. Un imposant pouf en cuir y avait été placé, séparé de la causeuse par une table basse d'argile cuite. On redécouvrait la terre comme matériau pouvant servir de diverses manières, et ces meubles lourds trouvaient leur place dans les intérieurs élégants. Quelques mètres plus loin, dans la même pièce, un lit à deux places, orné d'une couverture ndebele à motifs marron et jaune attendait de l'accueillir. Il n'y avait là rien qui puisse tenir lieu de bureau, on ne venait pas ici pour s'adonner aux plaisirs de l'intellect. Pas à tous, du moins. Elle soupira, se dirigea vers ce qu'elle pensait être une fenêtre faisant face à la couche, tira le rideau pour découvrir une baie vitrée donnant sur une terrasse privée. Elle s'y aventura sur la pointe des pieds avant de mesurer l'inanité de cette précaution. Une ancienne lampe à gravité pendait au centre du plafond. Elle en souleva le poids, un éléphant taillé dans un épais morceau de roche poli par l'usage, un de ces galets denses dont on faisait encore les pierres à écraser pour les cuisinières traditionalistes. Tel un petit soleil emprisonné dans une calebasse ouvragée, l'ampoule diffusa aussitôt sur les lieux un doux éclat, les motifs de l'abat-jour se répercutant tout autour d'elle et sur elle, tatouages indolores lui courant sur le corps. La femme rouge s'émut de ce spectacle. Elle affectionnait ce dispositif d'autrefois, la descente poétique du luminaire vers le sol qu'il n'atteindrait jamais, tout avait été bien étudié. Sa demeure était équipée de lampes semblables, coiffées le plus souvent de raphia travaillé.

Chassant la mélancolie, elle avança vers la rambarde, s'y appuya pour contempler les alentours. Il n'était pas encore si tard, mais une nuit déjà épaisse s'était saisie du monde, ne se laissant creuser que par quelques failles à travers lesquelles se précipitaient des rais de lumière blanche. Parmi ces comètes rasant la cime des arbres, caressant des touffes d'herbe à fleurs, des ombres se faufilaient, qu'elle devina celles de gardes. L'un d'eux portait, fixée à l'avant de son couvre-chef, une torche fendant l'obscurité à mesure qu'il progressait vers des zones non éclairées. La femme rouge se demanda ce que faisait le mokonzi en cet instant, comment il appréciait qu'elle ait décliné son *invitation*, puisque c'était ainsi que l'on désignait ce rapt. Elle aurait eu à son égard un peu moins de mépris si, averti de sa réticence, il avait donné l'ordre de la reconduire, la priant d'accepter ses excuses. Mais non, rien de tel, et l'homme ne s'était même pas donné la peine d'affronter son regard. Il courait au sujet de cet Ilunga toutes sortes de bruits sur lesquels jamais la femme rouge ne s'était attardée. On disait notamment que, à l'orée de son règne, des femmes originaires de diverses régions de l'État lui avaient été offertes. Les médias avaient brossé le portrait de quelques-unes, les moins discrètes, celles qui semblaient avoir tout fait pour se donner elles-mêmes au héros de la dernière Chimurenga. Sans doute pensaient-elles, en se faisant connaître de tous, acquérir une forme de légitimité prévenant leur éviction ou autorisant les esclandres qu'elles ne manqueraient pas de faire en cas de répudiation. On ne savait trop ce qu'elles étaient devenues. La parole poursuivait sa course effrénée le long des ruelles des quartiers populaires, s'enrichissant de fantasmes, de faits aussi étonnants qu'invérifiables. À présent, elle se trouvait là, se demandant encore ce qui lui était arrivé.

Alors que Zama l'avait chargée sur son épaule, elles étaient passées devant des portes ouvertes sur des appartements tels que celui-ci, du moins était-ce son impression. Il lui était impossible de savoir si ceux aux portes closes étaient occupés, mais d'autres femmes étaient logées dans cette aile de la résidence du chef de l'État. Dans le pays, tous connaissaient son épouse, Seshamani. Si la rumeur disait vrai, cette dernière semblait s'accommoder de la présence en ces lieux de celles qu'il fallait sans doute qualifier de concubines. Sans paraître dénuée de tempérament, elle composait avec la situation. Reculant de quelques pas, la femme rouge prit place sur la banquette en rotin qui meublait la terrasse, enfouit sa tête entre ses mains comme elle le faisait toujours pour examiner un sujet se dérobant à sa pensée. L'Alliance, qui gouvernait le Katiopa unifié, était emmenée par une caste de traditionalistes éclairés. Ils avaient eu l'intelligence de ne pas congédier tout apport allogène, d'adapter au mode de vie actuel les pratiques anciennes qu'ils avaient conservées ou revitalisées. La femme rouge, qui se tenait en général loin de la politique, avait été agréablement surprise de constater qu'une méthode nouvelle était mise en œuvre. Pour une fois, les gouvernants ne se piquaient pas de mysticisme dans le seul but de manipuler les foules. Épousant la volonté des populations d'être réhabilitées dans leur être profond, les membres de l'Alliance s'étaient préparés, dès la Première Chimurenga, à répondre aux obstacles dressés devant eux par la postcolonie. Il n'était aucun domaine pour lequel ils ne soient outillés. En matière culturelle et cultuelle, ils faisaient preuve de bon sens. La femme rouge pensa que, dans le contexte de la fondation d'une nation, refuser des femmes offertes par les régions que l'on souhaitait fédérer aurait pu être mal perçu. Une sorte d'erreur diplomatique.

Se remémorant les articles de presse consacrés à ces femmes-cadeaux, il lui apparut que ces dernières posaient seules sur les rares photographies publiées d'elles. Aucune n'était vue au bras d'Ilunga. Elle ne s'était guère appesantie sur leurs propos, se contentant de confisquer les communicateurs et tablettes de ses étudiants distraits par ces commérages. Il leur était interdit d'en faire usage pendant les cours, comme on leur imposait encore de rendre des travaux manuscrits quand il ne s'agissait pas de rapports ou de mémoires. Elle faisait rigoureusement respecter cette mesure. Par chance, elle ne dispensait pas de cours avant quelques jours, on était en fin de semaine. Toutefois, son travail de recherche l'attendait, il y avait cet article à rédiger, cette conférence à présenter lors d'un prochain colloque. Elle n'avait pas de temps à perdre dans le quartier des concubines d'Ilunga. La femme rouge quitta la banquette dans un mouvement brusque et crut tomber à la renverse en croisant le tranchant d'un regard posé sur elle. En se glissant hors de la chambre pour découvrir la terrasse, elle n'avait pas remarqué cette mitoyenneté, l'autre balcon collé au sien. Une femme était là, dont la lampe à gravité éclairait la moitié du visage, les dessins de l'abat-jour lui traçant des courbes sur la peau. Étouffant un juron dans son effort pour ne pas tomber, elle ne la vit pas disparaître mais bientôt, un hurlement creva la nuit. Une porte claqua, les cris redoublèrent, on appelait Zama, la gouvernante.

La femme rouge s'aperçut qu'elle tremblait lorsqu'elle regagna son appartement, ouvrit pour risquer au-dehors un regard. Une des concubines se trouvait là, l'air amusé. Ce n'était pas celle dont les pupilles enflammées s'étaient posées sur elle. Vêtue d'une simple étoffe nouée sous les bras qu'elle avait croisés, l'inconnue rit : *Folasade est d'une jalousie maladive. Si Zama ne la calme pas, personne ici ne fermera l'œil. Et pendant plusieurs jours.* Ayant communiqué cette précieuse information à celle qui ne pouvait être qu'une nouvelle venue au harem, elle se dandina prestement vers le bout du couloir où la dénommée Folasade avait disparu sans pour autant se taire. La femme rouge l'entendait proférer injures et imprécations, sans bien savoir lesquelles lui étaient destinées. Décontenancée, elle referma la porte, s'y adossa, se demandant quel était ce cirque. Se battait-on ici pour les faveurs du prince ? C'était probable. Devrait-elle à son tour prendre part à ces affrontements ? Il n'en était pas question. Il fallait quitter cet endroit au plus vite. Quel homme avait besoin d'arracher à elles-mêmes des femmes ne lui ayant rien demandé ? Comment cette folie s'était-elle abattue sur elle ? Jamais ils ne s'étaient rencontrés. Elle n'avait pas décacheté l'enveloppe contenant le carton d'invitation. Y avait-il un mot exposant les mobiles du mokonzi, les raisons pour lesquelles il avait jeté son dévolu sur elle ? Ses sbires l'avaient appelée par son nom, le prononçant afin de vérifier son identité. S'il lui était étranger, elle ne l'était pas pour lui. Perdue dans ses pensées, elle n'avait pas remarqué le silence retombé sur les lieux, et ne s'en aperçut qu'en entendant frapper trois coups à la porte. Hésitant à ouvrir, elle resta un instant là, debout au milieu de l'appartement. La femme rouge refusa de se laisser envahir par la peur. Qui que ce soit, elle redirait haut et fort qu'on l'avait contrainte à venir là, qu'elle n'avait rien à y faire, que ses droits les plus élémentaires avaient été bafoués, que c'était une honte, qu'il fallait s'assurer d'en finir avec elle car s'il lui restait un souffle après cet épisode, l'affaire n'en resterait pas là.

Elle ouvrit la porte d'un geste sec, prête à toutes les démonstrations de puissance. Elle n'en revenait pas de s'être laissé impressionner, de s'être ainsi avachie. C'était Zama, la gouvernante, apparemment embarrassée, qui demandait la permission d'entrer. Elle s'était changée, son repos avait sans doute été interrompu. La femme rouge s'écarta pour la laisser passer. Sans se départir de sa modestie, Zama lui apprit que sa présence avait été mal interprétée, mais que tout était rentré dans l'ordre. Folasade ignorait qu'elle se trouvait ici à la demande d'Ilunga. Elle en avait été rassurée. *Pourquoi ? N'est-elle pas dans la même situation ?* Zama sembla chercher ses mots, les choisir avec soin. Non, Folasade n'était pas l'invitée d'Ilunga. Comme d'autres, elle était, en quelque sorte, sa protégée. *Que veux-tu dire, Zama ? Nous sommes tous sous sa protection.* Zama, qui était encore plus haute de taille que son interlocutrice, posa les mains sur les épaules de la femme rouge, enfonça les yeux dans les siens. Elle réclamait sa confiance. *D'accord. Je te crois. Seulement, accorde-moi une faveur. Emmène-moi où tu restes. Je ne pourrai pas dormir ici.* Les bras de Zama retombèrent aussitôt le long de son corps tandis que, baissant la tête, elle se dirigea vers la causeuse. Elle s'y assit, visiblement préoccupée par la requête de l'étrangère. Cette femme rouge n'était décidément pas comme les autres. Ce n'était pas surprenant, les conditions de son arrivée étant elles-mêmes inédites. Depuis qu'elle était au service du mokonzi, c'était la première fois qu'il levait les yeux sur une autre que Seshamani. Bien qu'ayant perdu son caractère romantique, leur relation demeurait forte, et le mokonzi s'en satisfaisait. Lorsque la chair émettait ses appels, son fidèle Kabeya se chargeait de lui procurer le remède adéquat. D'ailleurs, cela ne se déroulait pas à la résidence. Jamais il n'avait eu d'invitée, jamais il n'avait approché les femmes dont elle avait la charge. De plus, Ilunga ignorait que l'étrangère avait été amenée de force, au mépris de ses consignes. L'excès de zèle dont ses émissaires avaient fait preuve était compréhensible : d'abord, l'homme avait murmuré le nom de cette femme, ordonnant qu'elle soit trouvée ;

ensuite, il avait rédigé un billet puis l'avait enfoui dans une enveloppe cachetée de bleu. Cette femme rouge était une affaire d'État avant même qu'il ait été possible de mettre un visage sur son nom, et cette histoire ne faisait que commencer, Zama en était convaincue. Bien sûr, ces imbéciles de la garde avaient réfléchi en chemin, après l'avoir jetée sur la banquette arrière du véhicule. Les vitres fumées les protégeaient, mais on aurait pu les voir s'en prendre à elle. Ils s'étaient assurés qu'elle ne crie pas, mais on ne savait qui pouvait traîner par là. Ces agents s'étaient aussi rappelé les mots du mokonzi : convaincre par la parole. C'était le plus important. Qu'elle consente à la rencontre.

À vrai dire, Zama se représentait sans mal la scène et comprenait que les malheureux envoyés d'Ilunga aient perdu leurs moyens. Cette femme rouge était autre chose, un cas. En principe, elles n'auraient pas dû se voir. L'invitée d'Ilunga était attendue dans ses quartiers à lui, où Kabeya devait l'introduire. Rien ne disait d'ailleurs qu'elle doive s'y présenter aussitôt le carton reçu. Tout cela leur était venu à l'esprit, et ils n'avaient vu qu'elle pour accueillir l'enlevée. *Fais de ton mieux pour la persuader de le voir*, avaient-ils bafouillé. Ils étaient jeunes, de nouvelles recrues qui apprendraient sans tarder à se dominer. Cette bourde leur resterait en mémoire, on ne les y reprendrait pas. Ils avaient tourné les talons avant qu'un embryon de pensée se soit formé en elle. Situé au rez-de-chaussée de la résidence, son logement communiquait avec l'aile des femmes par un élévateur privé. C'était elle qui l'avait portée jusque-là, attendant à ses côtés que les effets du gaz se dissipent. C'était la meilleure décision à prendre, il convenait de s'y tenir. Zama ne pouvait rien révéler de ce qu'elle savait. Les envoyés du mokonzi perdraient la face, elle n'y gagnerait rien de conséquent et se reprocherait les déconvenues dont ils feraient les frais. Mais en les protégeant, elle contribuait à dégrader l'image d'Ilunga aux yeux de la femme rouge. Il lui faudrait trouver une solution, elle verrait cela plus tard. Pour l'heure, il importait de résoudre le problème qui venait de lui être posé. Ramenant entre ses jambes les pans du long agbada vert sombre qui magnifiait sa carrure imposante, Zama leva la tête, puis les mains qu'elle avait larges et ponctuées par des ongles courts. Il lui était impossible d'accéder à la demande de l'étrangère, mais si cette dernière le lui permettait, elle passerait la nuit dans cet appartement. La femme rouge acquiesça d'un hochement de tête, surprise à son tour mais visiblement rassurée. La gouvernante la pria de l'excuser, une tâche la requérait qui ne pouvait attendre, elle ne tarderait pas. Quittant prestement la pièce, Zama traversa le couloir dont toutes les portes étaient closes à présent, bien que l'on entende la musique qu'écoutait Nozuko.

Le volume était toujours un peu trop élevé, elle le faisait exprès pour attirer l'attention. Chacune ici se faisait remarquer à sa manière et, en l'absence de la personne dont toutes souhaitaient conserver les faveurs, c'était elle, Zama, qui subissait l'agitation des résidentes. Elle se ferait violence pour ne pas aller voir Nozuko, qui s'était bien sûr précipitée hors de son appartement pour savoir ce qui suscitait la rage de Folasade. Elle ne manquait pas une occasion de railler sa rivale, ce qu'elle faisait bien sûr sans mot dire, il lui suffisait de promener ici et là sa jeunesse et sa grâce. Inutile d'être perspicace pour comprendre que Nozuko n'en menait pas large. Elle s'interrogeait sur le mystérieux pouvoir d'une femme de quinze ans son aînée qui ne prenait pas la peine de dissimuler ses cheveux grisonnants ni ne se maquillait. Où l'avait-on rencontrée, quels pouvaient-être les ressorts de sa séduction ? Contrairement à elle qui s'était jetée sur ce qui lui avait semblé une chance à saisir, Folasade vivait une passion véritable. Nozuko lui enviait jusqu'au manque qui la torturait lorsque l'objet de son amour se dérobait à sa vue. Oublieuse d'elle-même, tout entière gouvernée par ses sentiments, Folasade avait renoncé à la lumière du jour pour des étreintes intermittentes. La gouvernante l'avait rassurée quand elle était accourue, le cœur déjà en lambeaux, pour savoir qui était la nouvelle, cette femme là-bas, dont la peau était de cette clarté rouge. Elle lui avait dit la vérité, autant que possible : l'étrangère ne lui disputerait pas ce cœur volage qui, en ce moment même, ne savait rien de sa présence. *Vous n'êtes pas là pour la même raison, sois tranquille.* Zama avait recouru à sa prothèse, le son rocailleux de sa voix dans l'appareil lui blessant les oreilles et l'âme. Puis, ayant reconduit Folasade, elle lui avait promis de transmettre un message – le même que la veille et l'avant-veille. C'était alors qu'elle s'était présentée chez la femme rouge. Dans la pièce commune de l'aile des femmes, une salle de séjour qu'elles occupaient rarement en dehors des repas, la gouvernante ne se félicitait pas vraiment de son initiative. Ce n'était pas ainsi qu'elle aurait aimé voir s'achever cette journée. En réalité, tout avait commencé plusieurs jours auparavant.

Lorsque le chargé des Affaires diasporiques l'avait convoquée dans le pavillon administratif de la résidence où jamais elle n'avait à se rendre, Zama ignorait ce qui lui tomberait dessus. Ce n'était pas la première fois qu'elle rencontrait le célèbre Kabundi, mais l'occasion de s'entretenir ainsi ne leur avait pas été donnée. Il avait fallu cette situation improbable, le chef de l'État décrétant du jour au lendemain qu'il serait absent l'après-midi du San Kura, pour que son ministre se trouve dans l'obligation de requérir l'aide de la gouvernante. *Seshamani n'écoutera que toi*, avait-il déclaré. Ce n'était pas faux. Rares étaient ceux qui pouvaient se permettre d'interrompre les pérégrinations de l'épouse d'Ilunga. Son emploi du temps officiel était connu plusieurs mois à l'avance et elle s'y pliait de façon scrupuleuse. Seshamani voudrait connaître avec précision les raisons empêchant le mokonzi de saluer en personne des étudiants venus de l'étranger. Elle chercherait à le joindre. Kabundi serait présent lors des festivités, mais les jeunes visiteurs seraient contrariés, on pouvait le comprendre. En acceptant de passer un moment avec eux, Seshamani laverait l'affront. On restait très attaché aux symboles, sur le Continent. San Kura, depuis l'avènement du Katiopa unifié, représentait bien plus que les anciennes festivités du nouvel an. Cette célébration marquait aussi la volonté pour la Terre Mère d'habiter à nouveau sa propre temporalité. Il ne s'agissait pas d'une revendication identitaire, d'un refus de cheminer avec le reste de l'humanité. San Kura signifiait qu'en ce qui concernait ses choix fondamentaux, Katiopa serait seul juge. Pour les étudiants expatriés, constamment confrontés aux pratiques majoritaires d'autres pays, c'était une période de ressourcement. La rencontre avec Ilunga en était le point d'orgue, après les célébrations communautaires, les rituels d'ancrage dans le sol ancestral, les soins purificateurs, les recommandations aux mânes. Accueillis par un des plus illustres combattants de la dernière Chimurenga, ils prenaient des forces, repartaient convaincus que le monde était à la fois ancien et inachevé, qu'il leur revenait d'y imprimer leur marque. *Tu comprends donc mon embarras*, avait conclu le chargé des Affaires diasporiques. Il importait d'avoir pour la nouvelle génération des égards particuliers, c'était Ilunga lui-même qui l'avait souligné en instaurant ce rendez-vous. Pendant trop longtemps, les gouvernants du Continent avaient négligé leurs devoirs vis-à-vis de cette partie de la population dont ils avaient d'ailleurs férocement réprimé l'expression. Ce temps n'était plus, il importait de le démontrer. Kabundi ne s'expliquait pas la défection d'Ilunga, mais supposait qu'un cas de force majeure la motivait.

La question ne se posait plus, la réponse ayant les traits d'une femme rouge dont les bijoux d'argent accentuaient la complexion. San Kura s'était déroulé il y avait peu, lui imposant un surcroît de travail, puisqu'elle s'occupait des réceptions données chez le mokonzi. Cela ne l'aurait pas gênée de s'accorder un jour ou deux de repos. La gouvernante soupira. Il lui arrivait de se sentir plus seule qu'elle ne l'avait craint autrefois, quand elle avait supplié qu'on la prenne, qu'on l'emmène. Surtout quitter la terre d'alors, partir sans se retourner. Ilunga et son épouse l'avaient engagée bien des années plus tôt, après la naissance de leur fils. Quand ils avaient dû se rendre dans une autre région, elle avait saisi l'occasion de faire ses adieux aux jours aigres de ses jeunes années. Délaissant fauteuils et canapés dont le confort l'aurait ramollie, elle posa une demi-fesse sur le bord de la table à manger dont le bois dur lui tortura les chairs. La douleur lui remit les idées en place. Passant la main dans l'échancrure de son habit, elle extirpa le communicateur qui la reliait en permanence aux habitants comme au personnel de la résidence, composa le code correspondant à Kabeya. De tous ceux qu'elle pouvait joindre ainsi, il était le seul avec lequel la visioconférence ne soit jamais possible. L'homme recevait de sa part un signal, à travers un dispositif logé dans le large iporiyana qu'il arborait sur son torse nu. Il se produisait ensuite ce phénomène auquel elle ne s'était toujours pas habituée : sans quitter l'endroit où il se trouvait, Kabeya se présentait devant elle, inclinait la tête en guise de salut, attendait de connaître les circonstances requérant sa présence. Ces moments étaient les seuls au cours desquels Zama voyait dans son mutisme un avantage, celui de ne pas se mettre à bafouiller. Elle savait garder une contenance, ne pas ciller, ne pas remuer même. Pourtant, et la chose était éminemment désagréable, il lui semblait que l'homme voyait à travers elle, se riant de son émotion sans rien en laisser paraître. Zama prit son temps, signa par des gestes lents, relata les événements. Comme il le savait, de jeunes agents de la garde placée sous son commandement avaient été envoyés à l'invitée d'Ilunga. Ils lui avaient fait tenir le carton d'invitation. La situation avait dégénéré, mais elle le priait de ne pas les sanctionner. Cette mission délicate et inattendue avait dû les impressionner, ils s'étaient un peu emportés. *Enfin, l'invitée se trouve ici, dans une des chambres du quartier des femmes. Je crois utile d'en aviser Ilunga.* Si la nouvelle le surprit, cela ne se vit pas. Kabeya prit la parole, à voix basse comme d'habitude, pour dire que cela tombait mal. Bien sûr parce que les choses n'étaient pas supposées se dérouler ainsi, mais surtout parce que le mokonzi ne serait pas à la résidence avant le lendemain, en milieu d'après-midi. Il l'informerait sur-le-champ et, si elle le permettait, il ferait son affaire des agents de la garde. L'étrangère recevrait les excuses d'Ilunga aux premières heures du jour. C'était le mieux qu'il ait à proposer. Sans attendre la réaction de la gouvernante, il disparut comme il était venu.

Laissée seule avec ce fardeau à peine allégé, la gouvernante fit le choix de ne rien révéler à la femme rouge. Elle s'en remettait pour cela à l'aurore. Ce qu'elle savait pour l'instant, c'était que la nuit serait interminable. Hors de son lit, il lui serait impossible de dormir. S'il en était de même pour la femme rouge, il lui faudrait peser chacun de ses mots car des questions ne manqueraient pas de lui être posées. Une idée lui vint, qui la rasséréna. Elle savait quoi faire. À la femme rouge qu'elle connaissait à peine, il serait malvenu de proposer ce massage qui endormait Folasade, les soirs de grande agitation. Elle le lui administrait après avoir fait couler un bain dans lequel la femme se plongeait longuement, éructant ou se lamentant selon le cas. Peu à peu, elle se détendait, maugréait tout juste, se taisait en fin de compte. Jadis, on incorporait à l'eau un mélange d'herbes choisies. Il suffisait alors d'inhaler la vapeur qui s'en dégageait pour se sentir soudain dolente. Le massage à l'huile tiède qui suivait durait bien moins longtemps que ne le pensait la femme. Elle s'éveillait au point du jour dans son lit, après une nuit sans rêve. Par souci de discrétion, Zama ne recourait pas à la méthode ancestrale. Cela lui vaudrait d'avoir à expliquer quelles étaient ces plantes, pour quelle raison elle avait cru bon de les mêler à l'eau du bain. Dans une vie antérieure, la gouvernante avait observé l'extraction d'une huile essentielle qui, versée dans la baignoire, produisait le même effet. Elle la préparait seule, dans ses appartements, à l'abri des regards. Les femmes en appréciaient le parfum, ne se doutaient de rien, s'en remettaient à la gouvernante muette dont l'existence se passait à les servir. Quittant la salle commune, elle se dirigea vers le vestibule. Là, elle se glissa dans l'élévateur menant à son logement, un cylindre de verre muni d'un système de reconnaissance faciale et digitale. Seules les empreintes du mokonzi et de ses proches étaient enregistrées. Quand elle rejoignit l'inconnue, celle-ci ne présentait aucun signe de fatigue. Puisqu'il n'était pas question de lui prodiguer un massage, Zama résolut de doubler la dose d'huile essentielle. S'inclinant avec respect devant l'étrangère, elle signa : *Laisse-moi te préparer un bain*. Quand elle était nerveuse comme à présent, le plus grand calme guidait ses gestes, sa concentration devenait inébranlable.

La femme rouge était seule lorsque retentit le chant de l'oiseau du matin. Étendue sur le dos, les yeux ouverts, elle tenta de se remémorer les derniers instants de la soirée. Rien ne lui vint que le souvenir de la haute silhouette de la gouvernante se pressant d'autorité vers la salle de bains. Elle n'avait pas voulu la contrarier, s'était tue, plutôt que de faire connaître sa préférence pour les douches fraîches, surtout en fin de journée. Son anxiété s'était dissipée lors du retour de Zama, mais là non plus, elle n'avait pas voulu se montrer inconvenante en la renvoyant à ses quartiers. C'était elle qui lui avait demandé de rester. L'avait-elle fait ? La femme rouge en doutait. Parce qu'elle fréquentait depuis des années une Maison des femmes, parce qu'elle avait été initiée à de nombreuses pratiques anciennes, l'idée que l'eau du bain ait contenu des essences soporifiques lui vint spontanément. Jadis, elles avaient servi à apaiser des personnes souffrantes, jusqu'au jour où des rivalités entre coépouses en avaient fait une arme destinée à écarter les gêneuses. Feignant l'amitié, on préparait le bain de l'ennemie, le soir où venait son tour de rejoindre la couche de l'époux. Il semblait que Zama se soit montrée habile à recycler le procédé. Tout devait être bon pour maintenir un semblant de paix dans cette demeure. Des hurlements tels que celui de Folasade pouvaient en effet fendre la nuit, et que savait-on encore de ce qui se passait là. Le parfum flottant dans la pièce quand elle y avait pénétré l'avait frappée, mais elle ne s'était pas méfiée, ne constatant pas la présence d'herbes, ni même de coloration particulière. La fragrance rafraîchissante d'agrumes qui l'avait enveloppée était plutôt agréable, elle aurait pu émaner du bouquet de fleurs laissé là, d'un onguent quelconque, d'un savon même. C'était léger, c'était doux. Attentive aux messages de son corps, à ce que lui disaient ses sensations, elle n'éprouva pas le sentiment d'avoir été l'objet d'abus. Zama avait simplement voulu dormir tranquille chez elle, c'était compréhensible. Repoussant les draps, elle entreprit de se lever. La nuisette qui l'habillait n'était pas le genre de vêtement qu'il lui aurait plu de revêtir, ce qui confirma ses soupçons. La pauvre gouvernante ne méritait pas ses reproches, mais il lui fallait à présent retrouver une vie normale.

Le communicateur permettant de joindre Zama avait été déposé sur la table de chevet. Elle allait s'en saisir lorsque l'engin s'illumina. La femme rouge ne put réprimer un mouvement de recul. Se traitant d'idiote, elle se pencha prudemment vers l'écran : *Vous avez reçu un message.* Était-ce déjà la gouvernante ? L'appareil indiquait six heures, ce qui lui sembla tôt pour annoncer que le petit déjeuner était servi. Haussant les épaules, elle se dit que l'on ne s'attendait probablement pas à ce qu'elle prenne tout de suite connaissance de la communication. On la lui avait peut-être laissée dans la nuit. Le signal lumineux ne l'avait frappée que parce qu'elle était réveillée. S'adossant à la tête du lit, la femme rouge prit dans ses mains l'appareil, posa le bout de l'index sur l'icône qui menaçait de clignoter le jour durant si elle prétendait l'ignorer. Elle imaginait un message visuel, une vidéo sur laquelle Zama apparaîtrait. Au lieu de cela, une voix se fit entendre. Ces inflexions et ce timbre étaient connus de chacun à travers les neuf régions du Katiopa unifié, mais peu avaient eu l'occasion de les entendre ainsi. La voix qui s'adressait à elle n'était pas celle de l'un des plus illustres refondateurs du Continent et donc du monde. C'était celle d'un homme élégant dont l'embarras était si évident qu'elle n'eut pas besoin de l'entendre dire qu'il n'avait pas ordonné son rapt. Lorsqu'il déclara : *Vous êtes libre de ne pas m'attendre et de ne donner aucune suite à mon invitation*, la femme rouge découvrit qu'elle ne souhaitait rien faire de ce qui lui était proposé. Ce n'était pas parce qu'il gardait la main, ne se soumettant pas à la conversation puisqu'il laissait un message, se montrant peu explicite quant à son désir de la voir rester. Ce qu'il ne disait pas était dans le ton de sa voix, dans les points de suspension séparant les mouvements de la phrase. *Zama me fera part de votre décision. Je vous présente mes excuses pour ce qui est arrivé...* Cette façon de parler avait tout de la stratégie guerrière, elle avait deux mots à lui dire, et c'était bien ce qu'espérait cet homme. *Crapule*, laissa-t-elle échapper, convaincue qu'il ne fallait surtout pas se laisser aller à une curiosité frisant l'acceptation. Consentir, n'était-ce pas aussi se rendre ? Il n'était pas assez confus pour oublier de lui faire du charme, en témoignait la suavité dont il enrobait ces paroles simples.

En proie à un trouble qui l'étonnait autant qu'il l'agaçait, elle se leva, arpenta nerveusement la chambre, ouvrit d'un geste machinal le bar réfrigérant, agrippa une bouteille de jus de fruit qu'elle avala sans en sentir la saveur. Il ne s'était même pas soucié de lui apprendre ce qu'il attendait d'elle ni pourquoi. D'accord, il n'était pas adepte de l'enlèvement de femmes, pratique autrefois courante chez certaines peuplades du Continent. Et peut-être ne possédait-il pas de harem, puisque Zama l'avait affirmé. Dans ce cas, que lui voulait-il ? Pourquoi cette douce chaleur pour lui dire ces quelques mots ? Pourquoi avoir tenu à le faire lui-même ? L'heure et le lieu conféraient de plus à la situation une coloration intime. La femme rouge se trouvait dans une des chambres de la maison qu'habitait l'homme. L'éclat du jour naissant ne l'avait pas encore effleurée. Vêtu comme il l'était malgré elle, son corps retenait la nuit et ce qui s'y déroulait dans le secret des demeures aux portes closes. La scène de la veille lui revint en mémoire, le visage des hommes de la garde qui l'avaient approchée. Son identité avait été confirmée, son nom était écrit sur le carton d'invitation. À la main. Peu de gens faisaient encore cela, et jamais il ne lui serait venu à l'esprit qu'un guerrier y prenne plaisir. La femme rouge n'avait que peu d'estime pour l'engeance baroudeuse, même si l'on devait à celle-ci d'avoir unifié une grande partie du Continent et de faire régner la paix à l'intérieur des frontières. L'homme dont elle venait d'écouter les propos n'était pas un soudard. D'ailleurs, elle pouvait bien se l'avouer, c'était par pure mauvaise foi qu'il lui plaisait de le voir ainsi. Les nombreuses sorties publiques d'Ilunga depuis qu'il avait pris ses fonctions de mokonzi offraient à cette vision le plus cinglant démenti. La femme rouge n'y avait guère prêté attention jusque-là, mais il ne lui avait pas échappé que l'homme présentait une allure différente de celle des combattants habituels. Repoussant les questions qui l'assaillaient, elle se dit que cela n'avait pas de sens de se les poser, c'était déjà lui accorder trop de place. Elle devait partir, et vite. Sortir de cette bulle, retrouver sa vie. Elle allait appeler la gouvernante quand on frappa à la porte.

Le bruit la fit sursauter. Elle jura en allant ouvrir, se promettant d'avoir regagné la rue dans moins d'une demi-heure, le temps pour elle de répondre à l'importun, de se débarbouiller puis de se rhabiller. Devant son mouvement un peu brusque, Zama recula d'un pas, baissa la tête en signe de salutation. Comment l'étrangère était-elle sortie de la nuit ? Que prendrait-elle pour son premier repas ? Le silence régnait dans l'aile des femmes, les autres devaient dormir. L'attitude modeste de la gouvernante la contraignit à se radoucir.

Se croisant les bras sur la poitrine, la femme rouge ne répondit pas. Nommant le mélange d'herbes assoupissantes, elle dit : *Il n'est pas aisé de s'en procurer sous forme d'huile essentielle, mais j'imagine que rien ne résiste à ceux qui vivent ici.* La gouvernante ne se déroba pas, ne se perdit pas en vains mensonges, confessa avoir recouru au produit : *Je ne voulais que t'assurer un sommeil paisible. Avec les événements d'hier, j'ai craint que le repos ne se refuse à toi.* La femme rouge aima qu'on ne lui mente pas. Pour ne pas sembler approuver que son avis n'ait pas été requis, elle se contenta de hocher la tête. La gouvernante poursuivit, dessina des cercles dans l'air, baissa les bras une fois sa phrase terminée. Elle était venue demander quoi dire au mokonzi. La femme rouge écarquilla les yeux. Zama précisa alors son propos : Ilunga était absent de la résidence. Il rentrerait plus tard et souhaitait la recevoir ce soir, à l'heure usuelle du dernier repas dans cette partie du Continent. Il espérait vivement qu'elle oublie le malentendu de la veille. Bien sûr, on passerait la prendre où elle voudrait. Zama la scrutait du regard, semblant déchiffrer les interrogations silencieuses qui se bousculaient dans l'esprit de l'étrangère, des questions n'ayant que peu à voir avec le désir de l'homme. C'était ce qu'elle ressentait qui la perturbait en cet instant, l'étrange façon dont l'énergie de cet homme l'avait atteinte. Elle ne l'avait pas vu. Lui, de son côté, ne connaissait même pas le son de sa voix. Elle se ravisa, pensant qu'un homme dans sa position pouvait tout ou presque, espionnage, filatures, rien n'était hors de sa portée. Mais une fois encore : pourquoi cela lui tombait-il dessus ? Ses activités ne représentaient aucune menace pour l'État. Ses compétences n'étaient certes pas inintéressantes, mais des méthodes plus civiles n'auraient pas empêché d'y accéder. Les yeux plongés dans ceux de son interlocutrice, la femme rouge voyait s'amenuiser la demi-heure, l'ultimatum qu'elle s'était posé. Elle soupira. D'accord, elle rencontrerait cet homme dans la soirée. Le plus tôt serait le mieux, pour tirer tout cela au clair. En revanche, elle viendrait par ses propres moyens, si ce n'était pas trop demander. Les véhicules de l'État ne lui avaient pas laissé le meilleur souvenir.

La journée fut perdue pour le travail, son esprit ne se fixant sur aucun de ses sujets de recherche. Le crépuscule la trouva fébrile, incapable de choisir une toilette adéquate, de décider ou non de se glisser dans les cheveux des perles baoulé ou une épingle à tête d'argent. En fin de compte, elle opta pour une tenue simple, un ensemble de couleur jaune, coupé dans une étoffe fluide. Il lui arrivait de le porter pour se rendre à la faculté, et ses sandales de tous les jours conviendraient aussi bien. L'orage qui s'était levé en elle invitait à la recherche du confort. La femme rouge marmonna un salut à l'attention de Zanele, sa voisine, qui prenait l'air dans la cour commune. Sans pouvoir dire comment elle s'était rendue au plus proche arrêt du baburi ni par quel miracle elle n'avait pas manqué sa station, la femme rouge fut à l'heure au rendez-vous. Prévenues de son arrivée, deux sentinelles avaient été postées sur l'avenue Ménélik II. Son identité fut contrôlée, on échangea des mots avec les collègues restés à l'entrée de la résidence. Ceux-ci l'accueillirent en silence, l'un d'eux se chargeant d'informer Zama : *L'étrangère est venue.* Elle eut alors l'impression de voir léviter à sa rencontre la gouvernante vêtue d'un costume de couleur prune dont les manches chauve-souris semblaient des ailes de soie. Un sourire bienveillant sur les lèvres, Zama la conduisit au dernier étage et la confia à l'imperturbable Kabeya dont le grand iporiyana scintillait sous l'éclairage feutré. Elle ne sut s'il lui parla, s'il lui sourit, à quel moment il fit coulisser la porte. Elle se trouva de l'autre côté sans s'en être aperçue, son corps se rappelant soudain à elle par un flageolement inopportun des genoux. La femme rouge leva le menton, espérant de ce geste un effet sur la mollesse de ses jambes, tandis que son regard embrassait la vaste pièce. Dans le ndabo du mokonzi, la table avait été mise pour deux. Il se leva tandis qu'elle approchait, attendit que la femme rouge prenne place, ce qu'elle ne fit pas. Ilunga sourit : *Je vous en prie. Cette situation m'embarrasse autant que vous. Jamais je n'ai donné l'ordre de vous contraindre.* Il voulait simplement la connaître, lui parler, regrettait sa maladresse, mais peu d'options s'offraient à une personne dans sa position. D'autres pouvaient aborder une femme aperçue dans la rue, pas lui. Encore moins quand il avait pris le risque de déambuler incognito dans le centre de la kitenta. Voulait-elle oublier la faute de ces jeunes agents de sa garde ?

L'homme n'était pas préparé à entendre les mots qui suivirent. Qu'elle l'avait vu, elle en était certaine, à deux reprises. Enfin, ce n'était pas le mot. Voir. Ce n'était pas cela. Elle l'avait senti. C'était cette certitude qui l'avait figée à l'instant : mettre un visage sur cette vibration, ce souffle bleu. Elle garda pour elle la conviction que c'était sans doute cela qui l'avait tant troublée lorsqu'elle avait entendu sa voix plus tôt dans la journée. Cette sensation encore qu'elle avait emportée, la traînant avec elle jusqu'à ce soir. À présent, elle se sentait mieux, plus légère. Sans révéler ce qu'elle avait perçu de l'aura d'Ilunga en dehors de sa couleur, la femme rouge se déchaussa et s'installa sur le large shoowa déplié pour le repas. Les appartements d'Ilunga disposaient d'une salle à manger ordinaire, ne servant que pour les réceptions. C'était une pièce élégante mais dénuée d'intimité. Il souhaitait que son invitée rencontre l'homme, pas le mokonzi. Il la sentait assez subtile pour décrypter les signes, faire la différence, exprima sans emphase son plaisir de la voir en ces lieux. Il se saisit de la cruche laissée à cet effet, versa l'eau citronnée sur les mains de la femme. Elle se les frotta au-dessus d'une calebasse. Quand elle eut terminé, il prit un linge prévu à cet effet, lui sécha les doigts, répéta l'opération pour lui-même. Les assiettes contenant les mets avaient été déposées sur des chauffe-plats en terre, des couverts en bambou avaient été préparés pour le service, mais aussi pour qui préférait en utiliser lors du repas. Lorsqu'elle eut fait son choix, que les bols furent garnis et les coupes pleines, l'homme invita : *Parlons, à présent.* La femme rouge se présenta, cela semblait une entrée en matière convenable : *Je m'appelle Boyadishi. Tout le monde dit : Boya.* Il hocha la tête : *Je sais. Ce n'est pas d'ici.* Non, en effet. Une aïeule avait en quelque sorte inventé ce nom. En réalité, elle avait entendu prononcer celui d'une reine étrangère du passé. Sa langue l'avait remanié afin de le rendre dicible, puis de l'investir d'une puissance nouvelle. L'ancienne avait voulu que l'identité de cette femme illustre soit transmise au sein de sa lignée, sous une forme à ses yeux améliorée et dans des conditions précises.

Il fallait attendre la génération désignée pour accomplir à nouveau l'œuvre de Nana Buruku. *Mettre au monde l'Univers*, ponctua l'homme, plissant les yeux. *Et vos parents l'ont approuvée ?* La mère de Boya, qui l'avait élevée seule, s'était pliée aux volontés de cette aïeule dont la présence avait toujours été un bienfait pour ses descendantes.

Ilunga voulut savoir comment on vivait avec une identité de cette nature, un nom qui ne voulait rien dire au sein de la communauté. La femme haussa les épaules, elle ne s'était jamais interrogée à ce sujet, c'était son nom, elle le portait, pas l'inverse. Le sens, c'était elle. Ce qui l'animait, les actes qu'elle posait. Il n'y eut dans leur échange aucune animosité. Simplement, de part et d'autre, une appétence pour la découverte d'un être singulier. Peut-être était-ce un besoin de nommer le magnétisme émanant de leurs présences conjuguées. Ils produisaient ensemble une énergie peu commune, le constataient sans savoir encore à quelles fins la destiner. Il arrivait que l'on se trompe à ce propos, que l'on voie des amants là où étaient des frères, des époux là où passaient des géniteurs. Les âmes-sœurs étaient de plusieurs sortes, longue la liste des éventuelles méprises, les conséquences de ces malentendus toujours douloureuses. Ilunga n'était pas pressé. Il ne pensait pas se tromper, mais la précipitation n'était pas dans son tempérament. D'ailleurs, il n'était pas seul concerné. La gouvernante des femmes ne revit Boya qu'au cœur de la nuit. Cela ne devait pas se passer ainsi, mais ni l'une ni l'autre ne trouvèrent d'inconvénient à ce qu'elle regagne la chambre qui l'avait accueillie la veille. Traînant dans son sillage un Kabeya aussi vif qu'à la première heure du jour, le mokonzi l'avait raccompagnée jusque dans le vestibule. Il ne descendait pas d'habitude, l'employée fut gênée de l'étoffe nouée sous ses aisselles, de l'attaché primaire de sa coiffe. Le lendemain, en fin de matinée, la femme rouge partagea le premier repas d'Ilunga. Ne faisant que parler, ils avaient à peine touché aux victuailles servies lors du dîner et dévorèrent sans manières celles présentées en ce jour neuf. Cela se passa dans le jardin végétal de la résidence. Boya voulut le découvrir un peu avant de s'en aller. Ilunga fit signe à Kabeya de ne pas les suivre. Il ne lui prit pas la main, ne l'embrassa pas. Elle ne lui prit pas la main, ne l'embrassa pas.

Lorsqu'ils se séparèrent, l'homme dit : *Tu sens cette force, n'est-ce pas ? Elle n'est pas entre nous, c'est nous.* Il voulait qu'elle choisisse de le revoir. Les questions encore sans réponse resteraient telles si la femme ne revenait pas. Ilunga ne lui avait pas demandé ce qu'elle faisait au bord de l'océan, ni auprès des Sinistrés. Il ne s'était pas inquiété de ses convictions politiques, de sa probable adhésion aux thèses des Gens de Benkos. C'était pour l'heure secondaire. Il entendait apprendre cela de sa bouche, pas des agents de la Sécurité intérieure qui pouvaient lui fournir ces renseignements. Ilunga l'avait contrainte une fois – ses émissaires ayant agi en son nom –, ce serait la dernière. Si cette femme ne devait plus seulement habiter ses songes, il voulait qu'elle l'ait décidé. Elle ne pourrait pas le contacter, cela ne se faisait pas, un trop grand nombre de personnes avaient déjà un œil sur ce qui passait pour une tocade du mokonzi. Il la pria, si cela ne la dérangeait pas trop, de prendre langue avec la gouvernante des femmes. On pouvait se fier à elle. Boya pencha la tête sur le côté, baissa les yeux, réfléchit un instant. Le regard dans celui de l'homme, elle proposa : *Disons que je viendrai frapper à ta porte ?* Ce qu'ils feraient ensemble ou pas ne concernerait qu'eux. Les sentinelles postées à l'entrée de la résidence et au bout de la nzela débouchant sur l'avenue Ménélik II se souviendraient longtemps de la femme rouge. Les hommes de garde se chargeraient de signaler sa venue, elle n'en doutait pas. Si les choses se déroulaient différemment, une solution serait vite trouvée. Ilunga hocha lentement la tête, se préparant, s'ils se revoyaient, à n'avoir sur elle aucun contrôle. Cela déplairait à son entourage. Cela provoquerait une révision des habitudes. L'homme comprenait ceci : pour obtenir de Boya un semblant de tempérance – ce qui serait nécessaire –, il fallait accepter ses possibles débordements. Il n'allait pas l'administrer comme on le ferait d'un domaine quelconque. Des secousses étaient à prévoir, cela ne l'effrayait pas, il était sorti victorieux de plus rudes batailles. *Écoute*, dit-il d'un ton égal, *je préfère le savoir avant les sentinelles. Voici comment me joindre.* Il lui indiqua aussi la procédure à suivre pour crypter sa communication, la regarda se diriger vers la sortie, une brise matinale faisant flotter le bùbá jaune qu'elle portait sur un iro assorti. Toutes les couleurs dù feu. Ce serait bien. Entre eux. Il y avait en lui assez d'air pour attiser les flammes, assez d'eau pour éteindre l'incendie. Elle tanguerait un peu au début, puis il la verrait se redresser et se déployer. Il avait hâte.

2

Boya ne se retourna pas. Elle sentait dans son dos le regard d'Ilunga, celui aussi des employés de la résidence, où qu'ils se trouvent. Tous se faisaient une idée, un peu la même, de ce qui se jouait devant eux. Les sentinelles lui ouvrirent les grilles, ne la quittèrent pas des yeux. Prenant acte de son passage, les gardes qu'elle trouva à l'orée de l'avenue Ménélik II ne lui posèrent pas de question. Ceux du soir qu'ils avaient remplacés connaissaient leur travail. Ayant vérifié l'identité de la femme à son arrivée, ils avaient laissé une note à son sujet. Un arrêt du baburi se trouvait à cinq cents mètres environ, un peu plus peut-être, sur une place dont elle avait oublié le nom. La distance ne devait rien au hasard. On devait être en mesure de voir distinctement qui s'aventurait en ces parages. Des systèmes de surveillance devaient être dissimulés dans les arbres proches, on disait que même les lézards pouvaient en être équipés. Elle ne venait pas souvent dans ce quartier de Mbanza, mais retrouva la place baptisée en hommage à Ndete Yalla, reine du Waalo. Des fleurs bleues avaient été choisies pour honorer sa mémoire : ipomées grimpant le long des parois, rothecas importées de l'est du Continent pour égayer le mur végétalisé. Elles s'étaient bien acclimatées. La femme aimait l'idée que l'on s'échange des fleurs, il n'en avait pas toujours été ainsi. La couleur la ramena auprès d'Ilunga, l'homme bleu en tous points. Parce qu'il avait été paré d'une complexion d'un noir profond qui bleuissait dans la lumière. Parce que son énergie avait elle aussi cette teinte. Parce qu'un lapis sertissait l'écarteur qu'il arborait à l'oreille droite et qu'une tanzanite brillait au bas de l'une de ses bagues longues. Avant de le rencontrer, elle ne savait de lui que ce que disaient les gens, la rumeur. Elle n'écoutait tout cela que de loin, ne lisait guère la presse. Comme bien des habitants de Katiopa, elle avait accueilli l'avènement du nouveau régime avec une circonspection mêlée d'espoir. Il n'y avait pas eu de contestation.

Les combattants de l'Alliance, qui venaient de renverser plusieurs chefs d'État illégitimes, s'étaient appuyés sur ceux de leurs membres qui, au sein des différentes régions, avaient gagné la confiance des populations. On en trouvait dans toutes les catégories sociales, l'organisation ayant su tisser, au fil des décennies, un maillage de militants enracinés dans leur terroir. Ils avaient été efficaces pour apaiser les inquiétudes. Lorsque l'Alliance avait fait connaître les structures de l'État : le Conseil, le Gouvernement, l'Assemblée des mikalayi, on s'était davantage rassuré. Boya s'en souvenait, Ilunga avait été désigné par ces diverses instances. Il ne s'était pas imposé comme souvent les vainqueurs, les conquérants. D'ailleurs, dans les régions du Katiopa unifié, on avait pris le temps de consulter les notables des plus petites communautés. La parole de chacun avait été entendue.

Personne sur le Continent ne gardait en mémoire l'image, même fugace, d'un temps où l'on avait joui d'une telle considération. Un temps où l'on ne s'était plus cru un invité dans sa propre demeure. Le mokonzi avait reçu la mission de pacifier, de protéger, d'élever, d'honorer. Il s'y était engagé lors d'une cérémonie à la fois sobre et émouvante, retransmise par les médias. Cela faisait maintenant cinq années que l'Alliance avait commencé son œuvre de refondation. La bouillonnante kitenta du Katiopa unifié offrait une préfiguration de l'unité réalisée, avec ses habitants issus de tout le territoire, le brassage de leurs cultures, le mélange de leurs caractères. Elle avait été conçue pour être un miroir dans lequel chacun reconnaîtrait son visage. Les autorités mettaient un point d'honneur à soigner leur nouvelle vitrine, la ville faisait l'objet d'une surveillance de tous les instants. Mais Mbanza, la kitenta, ne représentait qu'une infime partie d'un territoire pouvant contenir sans effort plusieurs des grandes régions du monde. Cette recréation incomberait à plusieurs générations. Ici, ce n'était pas un continent : c'était l'univers.

L'arrivée du baburi la tira de ses pensées. Elle y pénétra par les portes qui coulissèrent au centre, s'installa près de la vitre, s'isola mentalement des autres voyageurs. Le véhicule s'ébranla, faisant défiler les arbres bordant les rues, les potagers communaux qui remplaçaient çà et là les anciens jardins publics. Il s'agissait encore d'une expérimentation. Chacun le savait, c'était une idée d'Ilunga, ramener au cœur des villes un rapport concret à la terre. Les parcs, plus vastes, avaient été convertis en espaces dits de *La mémoire heureuse*. Rendus aux ancêtres valeureux depuis l'antiquité jusqu'aux temps de la Première Chimurenga, ils attiraient désormais les populations qui en dédaignaient autrefois la fréquentation. On s'y promenait le long d'une nzela bordée de statues rappelant la lignée des candaces, ces puissantes reines de Méroé. On s'y installait pour pique-niquer non loin d'un kiosque proposant des brochures historiques et des souvenirs. On y venait aussi pour étreindre un grand arbre ayant vu passer les âges, et qui pouvait être le double végétal d'une personne arrachée aux siens par la Maafa. Ceux qui savaient écouter accédaient à la parole de ces arbres qui détenaient bien plus de connaissances que les livres d'histoire. Les deux grands parcs de Mbanza, l'un consacré aux femmes quand l'autre célébrait les ancêtres masculins, avaient trouvé une place dans le cœur des citadins. Ne les désignant jamais par leur nom officiel, ils ne les appelaient que : *le jardin de nos mères* ou *la vallée de nos pères*. Des répliques avaient été créées dans tout l'État, avec le même résultat. Ces réalisations illustraient la relation d'Ilunga avec la terre vivante de Katiopa. Un lien charnel et spirituel. Le mokonzi était un homme étonnant. Jusque-là, elle n'avait vu en lui qu'un guerrier, un stratège assez fin pour remporter les victoires les plus inattendues, un combattant déterminé. C'était sous son commandement que les soldats de l'Alliance avaient réussi cette action d'éclat qui avait en une nuit changé la face du monde. En y pensant, Boya se dit qu'elle reverrait volontiers la déclaration d'Igazi, l'actuel kalala, le matin qui avait suivi la chute des pourris. Ilunga ne s'était présenté que dans un second temps. La sensibilité profonde de cet homme lui était soudain apparue lors de cette rencontre durant laquelle les plats avaient refroidi, la conversation se déroulant avec fluidité, sans pour autant que certaines questions soient abordées. Elle ne lui avait pas demandé ce qu'il faisait dans la zone désaffectée, ni sur la place Mmanthatisi. Il lui suffisait que l'homme n'ait pas nié s'être trouvé en ces lieux quand elle avait dit y avoir senti sa présence. La sienne, très précisément. Cette force l'avait à nouveau parcourue lorsque, la voyant pénétrer dans ses appartements, il s'était levé. Elle l'avait reçue pour ainsi dire en pleine figure.

Boya avait une intuition quant au procédé auquel il avait recouru. Les membres les plus importants de l'Alliance passaient pour être de grands initiés. Bien sûr, on l'avait toujours dit des puissants, non sans raison. Cependant, les nouveaux-venus n'étaient pas connus pour appartenir aux loges du passé, lesquelles regroupaient jadis une mafia transnationale. Elle ne savait encore de quoi il retournait. Tout ce qu'il lui était possible de dire, c'était qu'elle n'avait pas eu le sentiment, au cours des heures passées avec cet homme, de se trouver en compagnie ténébreuse. Son radar intérieur ne s'était pas affolé. Ce n'était pas une raison pour se croire hors de danger. La menace ne venait pas vraiment de l'extérieur, c'était en elle que cela se passait, c'était elle qui avait été trop vite séduite par un homme lui ayant envoyé des agents de sa garde. Pour lui parler. À elle en particulier. Il était passé près d'elle à deux reprises. Cela n'avait pas pu suffire pour lui indiquer où envoyer ses sbires. Il l'avait donc fait surveiller ou rechercher, ce qui revenait au même. Deux lectures des faits s'offraient à elle : soit la situation était follement romantique, soit il fallait s'en inquiéter. Était-elle suivie en ce moment ?

Le serait-elle dans les jours à venir ? Boya décida de se fier à sa première impression, au fait que la moindre angoisse l'ait quittée sitôt qu'elle s'était trouvée près de lui. Elle s'était sentie à la maison. Mais de quoi cette bâtisse était-elle faite et quelle y était sa place ? Il lui faudrait avoir répondu à ces interrogations avant de le revoir ou pas. Savoir cela, savoir aussi ce qu'elle comptait y apporter.

Entrer dans l'existence d'un être conférait des responsabilités. On n'y venait pas pour soi-même. Et quand on avait affaire à un homme tel que lui, il était exclu de nourrir quelque attente. Ces hommes-là n'étaient pas faits pour avoir des compagnes. Les tâches qui les occupaient étaient telles qu'à peine arrivés, ils avaient disparu. La femme se reprit. Son imagination l'entraînait trop loin déjà, ils n'en étaient pas là. Elle se promit de réfréner sa spontanéité. Elle ne vivait pas un rêve, mais une réalité complexe qui requérait de la prudence. Même une aventure avec Ilunga ne la laisserait pas intacte, elle en était persuadée. Certes, toutes les rencontres imprimaient leur marque sur les individus. Celle-ci pouvait être plus ou moins profonde, érafler des organes vitaux ou ne provoquer que la sensation fugace d'un effleurement de plume sur la peau. Le baburi s'arrêta près des *Stèles de la Maafa*. Elle descendit là, passa sous le jardin suspendu, emprunta une des sorties latérales, traversa la rue adjacente. Quelques mètres plus loin, elle prendrait un autre train de ville pour regagner le quartier excentré où était sa maison. Il n'y avait plus de véhicules particuliers dans la ville, en dehors de motos électriques que la municipalité louait à prix d'or, de bicyclettes et de voitures réservées à certaines administrations et aux secours : ambulances, pompiers. Un service municipal se chargeait des livraisons utiles aux commerçants, le matin uniquement, et contre le paiement d'une taxe. On avait redécouvert la marche à pied, les transports en commun pour tous. Ils avaient été améliorés, déjà un peu à l'époque de la Fédération Moyindo, dite F.M. par les populations de Katiopa. Bien sûr, on s'était rebiffé. On refusait que torchons et serviettes soient ainsi mélangés. Alors, les nantis avaient obtenu de posséder des cars pour leurs déplacements, à condition de s'acquitter d'une taxe. On se plaignait d'avoir son pain si brutalement ôté de la bouche, l'État n'ayant pas d'emploi à proposer à ceux qu'il sommait d'abandonner leurs taxis. Alors certains, un faible nombre, avaient été embauchés dans la fonction publique. Boya ne regrettait pas le temps de la pollution aux gaz d'échappement. Cette ère lui convenait. C'était, à ses yeux, la fin d'un cycle de gestation que les différentes phases de la Chimurenga avaient marqué.

Le soleil caressait paresseusement les nuages. Il était encore Etume, celui qui, s'extirpant en triomphe du monde souterrain, s'avançait tranquille vers le centre de la scène céleste. Ce serait sous le nom de Ntindi qu'il y flamboierait, paradant jusqu'à la mi-journée, dispensant aux vivants sa puissance vitale. À cette heure encore matinale, les citadins quittaient leurs pénates, se pressaient vers les arrêts du baburi, le long des trottoirs, sur les passerelles mécaniques. Il fallait désormais se lever tôt pour arriver à temps où l'on était attendu. Nul ne s'en plaignait, pas même les rescapés de l'ère révolue de l'autonomie automobile. Une coureuse fonça près de l'arrêt du train.

Un cycliste plus véloce la dépassa, un cartable dans le porte-bagages. Quand arriva le baburi, elle sourit à la vue des images formant une frise au bas des portes. Les dessins représentaient les objets, denrées ou animaux qu'il était interdit d'emporter à l'intérieur : régimes de plantains, sacs de tubercules, poissons ou écrevisses, moutons morts ou vifs… Il avait fallu du temps pour faire respecter cette règle. Les contrevenants n'étaient pas rares aux abords des marchés, à la sortie de la ville où l'on se fournissait en vivres frais auprès de paysans. Ils attendaient de pied ferme le passage des contrôleurs, prêts à réciter une litanie d'excuses ou de lamentations afin d'éviter l'amende. On vivait ici sous la juridiction de la parole. Nul ne devant perdre la face, les pourparlers étaient parfois interminables, d'autant que certains voyageurs s'en mêlaient. Des horaires étaient désormais dévolus au déplacement des vivres et des bêtes, la compagnie des transports déclinant toute responsabilité en cas de dévoration des uns par les autres. Dans les véhicules prévus à cet effet, les sièges avaient été retirés. On s'y tenait debout. Le relatif inconfort de ces engins rendait impérative la brièveté des trajets.

L'astre du jour se faisait moins timide quand Boya arriva dans le quartier où elle résidait. Distant du centre-ville et de ses constructions en briques de terre, il comprenait de nombreuses habitations en bois. Certaines avaient été rénovées selon les critères de l'habitat bioclimatique. Elles conservaient alors leur ossature végétale, laquelle avait été recouverte d'un enduit couleur de latérite. La municipalité pensait réhabiliter toutes les demeures des environs sous un délai de cinq ans. En attendant, des femmes en robe d'intérieur balayaient encore devant leur maison, s'interrompant pour se saluer, bavarder un peu. La boutique cumulant les fonctions d'épicerie et de petit restaurant avait ouvert ses portes. Quelques décennies plus tôt, des touristes se présentaient là en grand nombre, attirés par la perspective d'une expérience spirituelle dans un lieu encore préservé. C'était, à leurs yeux, une espèce d'outre-monde sur la terre, le jardin d'avant la chute. Une guérisseuse officiait alors là, qui s'était fait une spécialité de traiter dépressions et addictions fréquentes à cette époque. Ces maux sévissaient de façon tragique parmi les visiteurs étrangers. À l'inverse d'autres parties anciennes de la ville, le quartier avait conservé son nom originel. Ici, c'était toujours : Vieux Pays. Il ne s'y trouvait plus de sangoma attitrée mais une communauté d'initiées y résidait, gardienne de l'esprit féral qui avait enfanté ce village urbain.

Boya vivait là, dans une maison rénovée de deux pièces située au fond d'une cour partagée, à l'extrémité d'une nzela plantée d'arbustes à fleurs. Derrière l'habitation, un bukaru lui permettait de réunir, trois après-midi par mois, un groupe de petites orphelines qui venaient prendre le goûter. Elle était pressée de rentrer. Le travail devant l'occuper la veille au soir restait à effectuer. S'y plonger l'aiderait à éloigner le souvenir d'Ilunga, faire refluer des questions ne devant encore se poser. Lorsqu'elle pénétra dans la cour pour se diriger vers sa case située au fond, la fenêtre de la demeure voisine grinça, s'ouvrit, laissant apparaître la tête ébouriffée de Zanele. Un masque à l'argile sur le visage, se passant vigoureusement son mswaki sur les dents, elle darda sur l'arrivante un de ces regards tout à fait neutres dont elle avait le secret. Zanele affichait souvent cette mine lorsque, taraudé par la curiosité, son être entier se jetait sur le sentier de l'investigation. Le léopard n'attaquant jamais de face, elle ôta de sa bouche le bâtonnet de bois et lança : *Comment es-tu sortie de la nuit, Boya ?* Zanele savait se montrer inexpressive, aussi le ton de sa voix épousa-t-il l'indifférence de ses yeux. L'interpellée en profita pour donner à sa réponse un caractère analogue, tandis qu'elle introduisait le bout de l'index dans la serrure à reconnaissance digitale : *Et toi-même, Zanele ?* Se tournant vers la femme qui n'avait pas dû fermer l'œil de la nuit, elle attendit. C'était maintenant à son interlocutrice de s'exprimer. À moins qu'il ne se soit produit un cataclysme, son propos hâterait la fin de la conversation. C'était cela ou relancer l'échange, finir par se dévoiler. Zanele resta donc tapie dans les fourrés, prenant son mal en patience, car elle saurait le fin mot de l'histoire. Impassible, elle haussa les épaules : *Nzambi nous a fait la grâce de nous réveiller ce matin encore.* Le mswaki retrouva sa place, Boya conclut par la formule d'usage : *Soyons-en dignes*, et pénétra chez elle.

Son ndabo était une pièce aux dimensions moyennes, meublée sans extravagance. Il tenait lieu de salle de séjour et de bureau. Elle déposa sur l'écritoire la tablette contenant les informations compilées l'avant-veille et qu'elle n'avait pu relire. Il y avait aussi des entretiens enregistrés au cours de la semaine écoulée auprès d'un groupe de Sinistrés. Ses travaux de recherche portaient sur la communauté fulasi installée seulement dans cette partie du Continent. S'y maintenant en dépit des secousses de l'histoire, elle y avait perdu toute autorité, mais croyait au retour de l'âge d'or. Boya trouvait émouvante cette manière de se cramponner à des temps révolus, que beaucoup n'avaient pas vécus, mais dont ils prétendaient percevoir au fond d'eux l'écho. Il y avait une beauté triste dans la mélancolie des Sinistrés. Elle colorait l'essentiel de leur culture actuelle, de leur être au monde, se caractérisant par une incurable nostalgie. L'aventure humaine était faite de disparitions, d'évolutions. Il en avait toujours été ainsi. Les Sinistrés, cependant, peinaient à faire le deuil de ce qui ne serait plus. Chaussant les lunettes du passé pour observer le présent, ils ne le toléraient qu'en tenant le registre des avancées que leur devait l'humanité. Leur condition du moment était trompeuse. Ils avaient été les plus puissants, redeviendraient à coup sûr les ordonnateurs du monde. Se préparant à ce futur grandiose, ils s'évertuaient à conserver les restes les plus chétifs de leur civilisation défunte, voyaient, dans la faible proportion de mélanine contenue dans leur corps, le signe d'une élection divine. Aussi s'interdisaient-ils le séjour en plein soleil comme les unions exogamiques. En tout cela, Boya lisait une douleur qu'elle avait à cœur de faire comprendre. Ce n'était pas simple. Les Sinistrés avaient le chagrin arrogant et restaient prompts à transférer, sur les autres, leur propre vulnérabilité : ils avaient gardé l'habitude de blesser pour croire encore à l'éminence de leur rang. Leur comportement général au sein de la société témoignait de cela, même si les moyens mis en œuvre n'étaient plus ceux d'autrefois.

Il ne lui avait pas été aisé de se faire admettre parmi eux. Elle n'y était parvenue, au terme d'une longue période d'approche, qu'en laissant planer le doute sur l'origine de sa carnation. Cette remarquable clarté rouge pouvait être le fruit d'une ascendance mêlée. Il n'en était rien, son teint résultait d'une forme incomplète d'albinisme. Cela lui avait donné une peau de cuivre brut, une chevelure rousse. Les Sinistrés accordaient une importance immodérée au phénotype qu'ils investissaient de significations les plaçant au sommet de l'espèce humaine. On ne savait trop d'où cela leur était venu. Le Sinistre, vers lequel ils s'étaient dirigés au fil des siècles sans s'en apercevoir, avait aussi eu sa source dans cette perception erronée de soi et des autres : l'invention de la race. Pouvait-on guérir d'une pathologie de l'âme aussi ancienne ? Boya l'ignorait. Faisant défiler d'abord les documents enregistrés sur la tablette, la femme s'arrêta sur une page manuscrite qu'elle avait numérisée. Une citation placée en exergue d'un journal intime. Elle n'avait pu avoir accès au contenu du cahier, mais on avait tenu à lui faire appréhender ce qui guidait, au quotidien, l'écriture de ces pages. Elle lut à voix basse :

Pour liquider un peuple, on commence par lui enlever la mémoire. On détruit ses livres, sa culture, son histoire. Puis quelqu'un d'autre lui écrit d'autres livres, lui donne une autre culture, lui invente une autre histoire.
Ensuite, le peuple commence à oublier ce qu'il est, et ce qu'il était.
Et le monde autour de lui l'oublie encore plus vite.

D'après ce document, un certain Milan Hübl était l'auteur de ces mots. Il faudrait en apprendre davantage sur lui, connaître le contexte dans lequel ces lignes avaient été rédigées, trouver l'ouvrage dont le journal ne mentionnait pas l'intitulé. Car quelque chose précédait ces phrases. Elle y reviendrait plus tard. *Liquider un peuple.* Des termes forts, un peu trop, dans le cas des Sinistrés. Elle revit le visage de la vieille dame ayant pris la peine de recopier cela à la main malgré l'arthrose qui lui déformait les phalanges. Se servir d'un stylo était dorénavant un acte militant, l'affirmation de la permanence des choses. On pouvait déplorer qu'il ne s'agisse pas simplement d'un choix esthétique, il y avait quelque chose de risible dans cette manière de conférer, au moindre geste, une dimension politique. La vie elle-même n'était plus qu'une longue protestation. Boya laissa la tablette sur la causeuse basse de la partie séjour du ndabo, dans l'intention de s'y installer pour écouter les entretiens. D'abord, elle voulait se changer, revêtir une tenue fraîche. Posé près d'elle, son communicateur clignota, émit un son strident. Elle se pencha pour lire le message d'alerte. Le visage de Kabongo apparut. La femme ouvrit le courrier qui datait de la veille et qu'elle n'avait pas vu. On l'avait cherchée. Et même attendue. Elle allait répondre : *Mais nous n'avions pas rendez-vous.* Ce n'était pas urgent. L'histoire en question se déroulait jusqu'ici sans ces alarmes, ces besoins de se voir. Elle n'était pas éprise de cet homme. Pourtant, il ne lui plaisait pas de traiter ses amants comme de vulgaires objets sexuels, trouvant cela dégradant pour elle-même. Kabongo était de plus un cadeau pour les femmes. Il les aimait de toutes les tailles, corpulences et générations. Elle n'aurait pas été surprise de le trouver un jour en compagnie d'une octogénaire, prêt à l'honorer la nuit durant si les forces de l'intéressée lui permettaient de recevoir ses hommages.

Parce qu'il ne craignait de nager dans aucun marigot et que cela ne pouvait être sans conséquences, Boya ne le voyait que de façon très épisodique. La plupart du temps, c'était elle qui prenait contact. L'occasion ne lui ayant pas été donnée de se lasser d'elle, il se rendait en général disponible. Avec ses autres partenaires, Kabongo laissait libre cours à son tempérament de prédateur. La chasse était pour lui l'expression du désir, posséder était sa manière d'aimer. C'était là une nature comme une autre, ni pire, ni meilleure. Il fallait seulement en comprendre les mécanismes. C'était Boya qui l'avait pris dans ses rets, il s'était laissé attraper. Aussi comptait-elle garder la main, ne lui répondre que plus tard. Elle ferait cela à tête reposée, après avoir pris soin de choisir ses mots. Leurs natures sexuelles s'accordaient à merveille, elle le voyait toujours avec plaisir. Il la remettait en place chaque fois que nécessaire, lui restituait sa chair quand une pratique intellectuelle excessive l'avait figée. Cela méritait bien quelques égards.

Du premier tiroir de la commode, elle tira une étoffe tissée à la main, dont elle affectionnait la matière. C'était une cotonnade mandjak héritée de sa mère, un peu usée mais toujours aussi élégante. La couleur avait passé sur les bords, le tissu s'effilochait un peu à l'endroit où il était le plus souvent plié. Seule chez elle, Boya se le nouait sous les aisselles, ne portait rien dessous. Ses pensées la ramenèrent auprès des Sinistrés. Elle se félicitait d'être parvenue à en entraîner un petit nombre sur la place Mmanthatisi, à l'occasion des célébrations du San Kura. Il s'agissait pour eux d'une hérésie, mais Boya avait déterré une de leurs anciennes maximes : *À Rome, fais comme les*

Romains. Ils se plaignaient en effet du peu de considération que leur témoignaient désormais les populations autochtones. Cependant, ils donnaient peu de gages de bonne volonté, ne maîtrisaient toujours pas les idiomes locaux quand leur langue, tombée en désuétude, n'était plus connue que de vieux salonnards ou d'universitaires comme elle. Ce qu'ils pensaient du San Kura leur appartenait, mais partager la joie des habitants de la kitenta ne pouvait leur causer de tort, au contraire. Le concours des enfants lui avait été précieux pour mener à bien l'opération. Beaucoup parmi eux souffraient de l'ostracisme frappant leur famille. Ils étaient venus, la petite fête s'était assez bien déroulée. Cela n'avait duré qu'un après-midi, elle s'était chargée de tout, allant jusqu'à faire des simagrées pour amuser la compagnie. Boya n'espérait convertir personne à des coutumes jugées ridicules. Elle avait toutefois mesuré la volonté des plus jeunes de vivre en harmonie avec leur environnement. Ils sauraient dépasser les aigreurs rivant leurs aînés à des âges enfuis, inventer leur manière d'appartenir à Katiopa. Quelqu'un devait leur tendre la main, les autoriser à aimer ce qui en eux se réclamait de cette terre. Elle avait certainement outrepassé ses prérogatives d'universitaire mais n'avait pu se résoudre à l'indifférence devant la situation préoccupante de ces gamins.

La démographie du Continent le protégeait d'une éventuelle submersion par les Sinistrés ou par quiconque. La puissance de ses cultures permettait aussi que l'on se rassure quant à la capacité d'autres à dominer. Cependant, il pouvait se révéler néfaste pour la société d'abriter en son sein un groupe humain amer et revanchard. Les parents sinistrés ne pouvaient instiller, dans le cœur de leur progéniture, que des sentiments contradictoires : être de quelque part tout en ne le supportant pas, guerroyer sans fin avec une part de soi-même dont il était impossible de se défaire. Cela engendrerait une inextinguible rage, un feu que l'on voudrait propager alentour afin de n'être pas consumé par lui. C'était cet incendie qu'il convenait de prévenir. Ce ne serait pas chose facile, la plupart des Sinistrés ne pourraient ni assimiler des usages qu'ils méprisaient, ni se faire accepter de ceux qui chérissaient ces pratiques. Or, le pays qu'avaient quitté leurs ancêtres s'était transformé, si bien qu'il ne s'y trouvait pratiquement plus de populations présentant leur physionomie. Leur langue elle-même, le fulasi, y était moins parlée que d'autres. Après s'être imposés dans les cours de récréation, le soninké et la darija ne se contentaient plus de saupoudrer leurs épices sur l'idiome canonique, lui disputant désormais son statut officiel. Cette mutation s'était bien sûr traduite dans de nombreux domaines, il avait fallu s'exiler pour lui échapper. À l'époque, certaines régions de Katiopa pouvaient encore leur apparaître comme des territoires conquis, des lieux où fortune et vestiges de la puissance coloniale leur promettaient de s'épanouir. Imbus d'eux-mêmes, ils n'avaient pas compris ce qui se jouait alors, la Chimurenga conceptuelle ne leur apparaissant que comme une compilation de discours éculés, mille fois rabâchés. Ils connaissaient par cœur la longue plainte des descendants de déportés réduits en esclavage, les gémissements des petits-fils de colonisés. Jusque-là, ces lamentations n'avaient produit qu'une littérature inaccessible aux masses qu'elle voulait célébrer, un peu de musique, pas de quoi changer le monde. Persuadés qu'il n'y avait là rien qui puisse les ébranler, ils n'avaient pas perçu la remontée à la surface du Katiopa des profondeurs. La houle tapie dans les entrailles de peuples depuis trop longtemps assujettis, écartés d'eux-mêmes.

La Chimurenga de la reprise des terres les avait surpris comme une occultation aussi totale qu'imprévue du soleil. Pour eux, il ne s'était plus levé depuis. Que deviendrait leur descendance née de cette nuit infinie ? C'était, aux yeux de Boya, la seule question qui vaille. On ne les voyait pas sur les bancs des écoles, encore moins dans les universités. Ils vivaient loin du présent, hors du temps. Les enseignements dispensés à domicile par leurs parents ne leur étaient d'aucune utilité pour se faire une place dans la société. On tenait si peu compte de leur présence que la scolarisation, obligatoire pour tous les jeunes du Continent jusqu'à l'âge de vingt et un an, ne l'était pas pour les étrangers. Or, ils se revendiquaient tels, ou du moins, leur parents le faisaient-ils pour eux. Ces cerveaux encore malléables pouvaient pourtant adhérer aux idéaux et valeurs animant le Katiopa unifié. Leur inclusion dans les espaces d'apprentissage était aussi le meilleur moyen de dompter cette communauté, de l'intérieur. Boya s'étonnait que cela ne saute pas aux yeux des autorités. Sans doute y avait-il trop de guerriers à la tête de l'Alliance. Elle soupira, ouvrit celle des fenêtres du ndabo qui donnait sur un bout de son jardin végétal, le minéral se limitant à un carré de la cour commune. Les pierres qui s'y trouvaient avaient été choisies par d'autres et ne convenaient pas à un espace partagé. Se lovant sur la causeuse dont elle aimait l'assise ferme, Boya reprit sa tablette pour écouter, dans l'ordre, les entretiens réalisés depuis le début de la semaine. Ils avaient été filmés, mais elle n'entendait pas les visionner dans un premier temps. Posant l'appareil sur la natte en raphia tenant lieu de carpette, elle tendit l'oreille. Sa capacité d'écoute s'accroissait lorsqu'elle ne se laissait pas distraire par les mouvements, les détails de l'image. La première voix fut celle de Charlotte, la matriarche de la communauté. Cette ancienne dont le journal, comportant plusieurs cahiers, attisait sa convoitise. Il y avait peu de chance pour que Boya mette la main dessus.

Le point de vue n'était pas vraiment nouveau. Elle avait déjà entendu des Sinistrés évoquer les grandes réalisations que leur devait le genre humain et Katiopa en particulier, que l'on avait trop hâtivement tiré de la sauvagerie. De grands singes, on avait cru faire des hommes. On leur avait appris l'hygiène, l'amour du prochain, la valeur des ressources de leur terre. On leur avait apporté des langues sans lesquelles ils auraient eu toutes les peines du monde à se comprendre les uns les autres, et grâce auxquelles ils avaient pu élever leur pensée. On leur avait donné le goût de la liberté, quand ils ne savaient que la résignation sous la férule de despotes esclavagistes et assoiffés de sang… Boya avait enduré sans ciller cet amical propos. On lui parlait librement parce que, disait-on : *Vous n'êtes pas comme les autres.* Son intérêt n'était pas pour ces récriminations, ce mépris figurant en bonne place dans les annales, bien avant l'occurrence du Sinistre. Elle avait intitulé son travail : *Assuétude à la nostalgie.* Un sous-titre manquait encore, afin de préciser qu'il s'agissait d'étudier l'économie de la perte, telle que l'on pouvait l'observer chez les Sinistrés. Douleur et

identité entraient en fusion, avec une intensité telle
que l'on se plaçait à l'écart de la famille humaine, que
l'on repoussait aussi toute espèce d'empathie. Occupé
à panser ses propres blessures et à parachever sa pacification, Katiopa se souciait peu de ce groupe humain
qui, en son sein, cheminait tout droit vers une forme
de psychose. Les Sinistrés avaient établi leur résidence
dans un univers parallèle leur procurant réconfort et
sécurité. Les plus radicaux n'exprimaient pas ouvertement leur détestation du monde qui les entourait.
Revendiquer, faire entendre sa colère dans l'espace
public, c'était encore reconnaître que l'on entretenait
avec les autres une relation, même viciée. Se can-
tonner à des espaces communautaires, c'était tourner
pour jamais le dos à ceux dans lesquels on refusait de
voir des semblables. Or, ces gens continuaient de procréer, la consanguinité ne leur posant pas problème,
aveuglés qu'ils étaient par leur obsession de pureté
raciale. Ils résistaient à l'évidence : Katiopa était dans
leur chair comme ils étaient dans la sienne ; plus rien
ne les attendait ailleurs. Des rires lui parvinrent depuis
la cour, un groupe de jeunes filles chahutant l'une
des leurs. Boya coupa les enregistrements, cherchant
à connaître, sans avoir à se déplacer, ce qui motivait
cette irruption de joie. Celle que l'on fêtait entonna un
chant auquel répondirent ses compagnes qui tapaient
maintenant des mains. Reconnaissant la mélopée, elle
sourit.

D'ici quelques jours, une jeune fille serait admise
dans la Maison des femmes. Entre autres privilèges,
elle serait autorisée à avoir des relations sexuelles.
Autrefois, la cérémonie succédant aux chants et danses
de ce matin réunissait toutes les adolescentes d'une

classe d'âge. Aujourd'hui, la chose était plus rare. Il était fréquent que les jeunes filles se passent du rite et décident seules de se donner le nom de femmes. Boya ne les en blâmait pas, déplorant malgré tout qu'elles se privent de l'expérience et de la bienveillance des aînées. Celles qui ne souhaitaient pas se soumettre au rituel n'entreprenaient pas le voyage dans la mémoire ancestrale, traversée au cours de laquelle leur raison d'être était révélée. Dans Mbanza tout entier et bien au-delà, Vieux Pays était connu pour la transmission des savoirs féminins. Il se trouverait toujours des femmes pour les rechercher, les chérir, les partager avec celles qui le méritaient. Boya sentit monter en elle une vive émotion, se remémorant sa propre entrée dans la Maison des femmes. Fredonnant la chanson qu'avaient entonnée les jeunes filles, elle quitta la causeuse, ouvrit la porte, tapa des mains à son tour. Funeka, qui était au centre des réjouissances, recevait des présents de ses sœurs d'âge. Chacune déposait à ses pieds un objet fait de ses mains à partir de maté-riaux naturels. Quelque chose que l'amie conserverait et qui la relierait à celles de sa génération. Les filles s'étaient surpassées. Elles offraient vêtements, bijoux, coiffes, pièces de vannerie ou de poterie. L'une d'elles, la dernière à dévoiler le cadeau qu'elle avait apporté, déplia une somptueuse parure de lit brodée à la main : *Chère, pour ta première fois.* Funeka la serra un long moment dans ses bras, puis déclara en riant : *Je la garderai pour moi. Rien ne dit que cela se passera sur un lit.* Les rires des jeunes filles réson-nèrent de plus belle. Par la fenêtre restée ouverte de sa maison, Zanele lança : *C'est bientôt fini, ce tinta-marre ?* Les adolescentes rappelèrent qu'il leur était permis de se présenter dans les cours communes. Elles n'auraient d'ailleurs que ce moment à passer ensemble avant le rite, puisqu'il fallait aller en classe. Dans le temps, elles auraient disposé de plusieurs jours. On pouvait leur laisser ces quelques instants.

Boya se dit qu'il serait bon qu'une date soit choisie, pendant les vacances scolaires, pour l'entrée des appelées dans la Maison des femmes. Peut-être pourrait-elle en dire un mot à Ilunga. Constatant la spontanéité de cette pensée, elle cessa de chantonner. Pour chasser de son esprit l'homme qui s'y incrustait, elle se concentra sur l'événement du jour, sur les étapes qui suivraient. Des initiées devaient prendre en charge la cérémonie. Des aînées ayant pour mission d'accueillir les nouvelles-venues dans la demeure. Retournée de plain-pied dans le moment présent, la femme rouge se souvint que l'entrante et ses sœurs d'âge faisaient la tournée des cours jusqu'à la dernière où les cadeaux étaient offerts. Le choix du lieu ne devait rien au hasard. Si l'on s'y arrêtait, c'était qu'une initiée résidait là. De cette femme, il était attendu qu'elle prenne la tête des trois officiantes chargées d'accueillir la nouvelle-venue. Seule Boya répondait aux critères. Il lui reviendrait de désigner ses partenaires. Celles qui pouvaient prendre part à la cérémonie se connaissaient bien. Les plus anciennes avaient coopté les autres. Les liens les unissant n'étaient pas d'amitié au sens usuel du terme. Il s'agissait d'une bienveillance sororale, fondée sur le devoir d'entraide et sur une claire conscience de leurs responsabilités à l'égard de la communauté des femmes. Elles pouvaient avoir toutes sortes d'activités dans le monde profane, dès lors que cela n'entrait pas en contradiction avec les missions dévolues au cercle. Il leur fallait laisser hors du temple leurs êtres sociaux. Si Funeka montrait les dispositions nécessaires, peut-être ferait-elle partie du groupe d'ici quelques années. Boya étreignit l'adolescente qui s'était avancée vers elle et fut entraînée dans la ronde. Chants et danses reprirent, elle fut heureuse d'y prendre part.

3

Ilunga s'inclina devant Kabeya. Ils venaient de terminer leurs séries de katas, la journée pouvait commencer. Tous deux se séparèrent devant le dojo, chacun vaquerait sous peu aux occupations qu'imposait sa fonction. Pour Ilunga, ces moments durant lesquels ils redevenaient des frères n'avaient pas de prix. Ils se connaissaient depuis toujours, avaient quitté ensemble l'état de musuba pour satisfaire au rite du bwende, devenant ainsi des hommes. Débarrassés du prépuce, la cicatrisation achevée au bout de quelques jours, ils avaient creusé un trou dans la terre et simulé la copulation. Sans cette étape, la circoncision, incomplète, ne les aurait pas autorisés à approcher des femmes. Ilunga aimait penser que ce jour-là, ils s'étaient réellement unis à la terre de Katiopa. Elle avait été leur première amante, leur initiatrice. Les femmes connues par la suite n'avaient pu les ravir à cette première étreinte. Ils n'avaient pas été de jeunes circoncis comme les autres. Des aînés les avaient introduits au sein de l'Alliance. Ils avaient quinze ans. Ce souvenir restait intact dans sa mémoire. Un matin de vacances scolaires, alors que Kabeya et lui s'apprêtaient à rejoindre ceux de leur classe d'âge, le vieux Ntambwe les avait appelés, de ce geste nonchalant qu'on lui connaissait. Ils avaient à son égard le respect des jeunes pour les anciens, sans lui trouver d'éclat particulier. L'homme, enseignant à la retraite, passait encore beaucoup de temps à lire, à écrire, à dispenser des leçons non sollicitées, si l'on avait le malheur de passer trop près de sa maison. Les adolescents l'avaient rejoint, marmonnant pour eux-mêmes une prière pour que cela ne dure pas des siècles, que le vieux ne les saoule pas comme il savait si bien le faire, en leur assénant une série de questions auxquelles lui seul pouvait répondre. Les malchanceux qui se trouvaient pris dans ses filets n'avaient d'autre choix, à moins de faire preuve d'inconduite extrême, que de lui accorder un instant.

Contrairement à leurs frères d'âge, Ilunga et Kabeya ne se permettaient jamais d'interrompre l'ancien. Ils enduraient son verbiage, faisant de leur mieux pour en tirer quelque chose d'utile, ce qui se produisait parfois. Ce jour-là, Ntambwe n'avait pas d'exposé magistral à délivrer. S'adressant à eux la mine grave, il les avait priés de le suivre à l'intérieur, dans son ndabo dont la table croulait sous des piles de livres et de documents jaunis par le temps. Ils étaient certes à la campagne, mais la technologie était arrivée là aussi il y avait belle lurette, et les rares amoureux de la lecture disposaient de liseuses contenant les volumes qu'il leur plaisait de parcourir. L'antre de Ntambwe était donc un lieu exotique, doté d'un charme désuet qu'accentuait l'odeur âcre du vieux papier. Leur indiquant une causeuse dénuée de coussins dont le bois épais promettait de leur martyriser le postérieur, il prit soin de fermer la

80

porte donnant sur l'extérieur, non sans avoir jeté alentour un regard prudent. Ntambwe avait un petit-fils de leur âge venu lui rendre visite pour les vacances, mais qu'il n'avait pas convoqué. L'heureux jeune homme devait être avec les autres, préparant la reconstitution d'épisodes de la vie de Yanga qu'ils présenteraient lors de la veillée célébrant leur entrée dans l'âge d'homme. Un tirage au sort devait déterminer, entre les plus vaillants de la troupe, celui qui jouerait le rôle du fondateur des *palenques* situés dans la région de Veracruz. Ilunga et Kabeya seraient écartés. C'était ce qui les dérangeait le plus. Comme Ilunga se penchait vers son ami-frère pour mettre au point un plan de fuite digne du grand marron, Ntambwe dit à voix basse : *Hum. Vous voudriez rejoindre les autres. Et vous mériteriez tous les deux d'incarner ce grand homme. Laissez cet honneur à l'un de vos frères. Vous avez mieux à faire. Désormais, vous apprendrez à préférer l'ombre à la lumière. Votre initiation n'est pas achevée. Elle commence à présent. D'abord, voyons si je vous ai bien jugés.*

Celui qui s'adressait à eux n'était pas le vieillard qui rasait le plus petit être vivant de la contrée avec ses longs discours. C'était un homme aux propos mesurés, pesés avec soin, qui ne poursuivit pas avant de leur avoir posé trois questions aussi précises qu'inattendues. Ils y répondirent de façon satisfaisante et leur vie prit un autre tournant. Les adolescents qu'ils étaient en ce temps-là se tenaient encore à distance des questions politiques. Ils savaient néanmoins avec quelle force la répression s'abattait sur les contestataires, aussitôt que ceux-ci voyaient croître leur audience. Pendant longtemps, la zone du Continent dont ils étaient originaires avait été aux mains d'entrepreneurs du pouvoir, souvent des chefs de milice armés de l'extérieur pour semer le désordre jusqu'au jour où il leur était donné d'occuper un siège au gouvernement. Ailleurs, ce n'était pas plus brillant, seulement moins sanglant si l'on ne disposait pas de ressources susceptibles d'attiser les convoitises. Aux émigrés de la faim ou des conflits, s'étaient ajoutés ceux du climat, des cohortes de gens déterminés à survivre dans un Katiopa hors-sol, puisque c'était ainsi. Les peuples caressaient secrètement le rêve de l'unité qu'avaient porté leurs aïeux, mais beaucoup s'étaient résolus à ce qu'il ne soit jamais réalisé. Ceux qui les avaient précédés ne leur avaient laissé que des noms, des figures de grands défunts à vénérer. Ils ne leur avaient pas enseigné ce que Ntambwe et les membres de l'Alliance leur apprendraient : que la mémoire ne servait à rien si l'on ne savait en faire un socle pour bâtir le futur, que la souveraineté ne serait d'aucune utilité si elle ne prenait pas appui sur la puissance.

En y repensant, Ilunga voyait distinctement, devant lui, les longues mèches grises du vieux lion qui balayaient le haut de son agbada bleu. Il portait deux bagues de bronze dont le métal lui couvrait l'index et le majeur de la main droite. Pour la première fois, ces bijoux ne leur apparurent pas comme une marque d'excentricité, une coquetterie assez bizarre. Ils surent aussi que les assauts verbaux de Ntambwe n'avaient pas eu pour seul but de leur transmettre des connaissances dont ils ne savaient parfois que faire. C'était pour lui le moyen d'approcher les garçons, de les jauger, de savoir lesquels seraient dignes de confiance. Lesquels n'iraient pas se vanter de fréquenter un cercle secret. Lesquels se lèveraient au cœur de la nuit afin de gagner, sans se faire remarquer, le lieu d'une réunion. Lesquels rentreraient toujours devant le jour pour ne pas éveiller les soupçons. Lesquels entraîneraient leur corps au jeûne, à la lutte, à la privation de sommeil, sans se plaindre jamais. Lesquels apprendraient à piloter tous les engins utilisés sur terre, à manier tous les types d'armes en commençant par les couteaux de jet ancestraux. Lesquels sacrifieraient leurs divertissements pour lire, écouter, comprendre. Étudier les singularités de chacune des grandes aires culturelles du Continent. Savoir quelle était cette terre de Katiopa, ce qui justifiait que, d'une telle immensité, d'une telle multiplicité, on veuille faire une entité et comment procéder.

Ce serait la plus belle forme de régénération. Les différences constituant Katiopa devaient être pensées ensemble pour en consolider les forces, faire exister le Continent comme une puissance souveraine. À l'instar de sa chair semée aux quatre vents par la Maafa, son découpage par les envahisseurs coloniaux avait été un démembrement. *Le dos de la pirogue ne divulgue pas les secrets de l'étiage.* Ce proverbe lui revenait toujours à l'esprit quand il se mettait à penser trop intensément aux étapes de leur formation. Il avait appris à faire en sorte que sa mémoire elle-même soit en mesure de laisser cela nimbé d'une brume protectrice. Cela n'avait pas été, cela ne serait jamais le passé. C'était leur vie, à Kabeya et à lui. Après avoir côtoyé Ntambwe seul plus de deux années durant, quittant la ville sous l'un ou l'autre prétexte pour aller à sa rencontre, ils avaient été conviés pour la première fois à une assemblée de l'Alliance. Le mouvement avait

une section dans leur région natale. Un groupe clair-
semé de femmes et d'hommes activement engagés
dans la Chimurenga de l'imaginaire qui allait bientôt
accoucher des autres. Lors de cette réunion, dans la
demeure de l'une des membres, une femme qui tenait
une auberge prisée des adeptes du tourisme vert, les
jeunes gens avaient eu la surprise de trouver des
visages connus. Il y avait deux futurs chefs d'État et
un haut gradé de l'armée, tous trois venus de pays
voisins dans lesquels ils prépareraient déjà la reprise
des terres. C'était parce que de tels hommes faisaient partie de l'Alliance qu'elle s'imposerait en une
nuit sur la quasi-totalité du Continent. Leurs propres
pères étaient également présents. Sans prononcer
une parole, ils s'étaient assis derrière eux. Les mots
auraient été dérisoires pour dire ce qu'ils ressentaient
alors, ou nommer ce qui faisait scintiller les pupilles
des parents. L'émotion, la fierté, d'un côté comme de
l'autre. Jamais ils n'avaient parlé en famille de leurs
activités. Ils s'étaient simplement témoigné plus de
respect et d'affection. Ilunga pensa aux obsèques de
son père, trois ans après la fondation de l'État unifié.
Tout restait à faire, mais il était heureux qu'ils aient
vécu ce moment ensemble. En silence.

Il traversa à grandes enjambées le jardin végétal,
emprunta l'élévateur particulier qui menait à ses
appartements. À son arrivée, Kabeya avait déjà pris
son poste. Il portait un large iporiyana, au lieu de l'agbada que revêtaient d'ordinaire les hommes, un kèmbè
facilitant les mouvements des jambes car il était plus
ample et plus souple que le sokoto. Son office nécessitait qu'il soit aisément mobile. Il s'écarta pour le
laisser passer. Ilunga redevint aussitôt le chef de l'État

et lui, son majordome et garde du corps, celui qui diri-geait sa sécurité personnelle. D'ici un instant, on lui servirait son premier repas, mais il n'avait pas faim. Des questions importantes le préoccupaient. Parmi les régions non encore intégrées du Continent, celles de la zone septentrionale semblaient de plus en plus difficiles à rallier. Par le passé, dans le but de fonder avec d'autres une union méditerranéenne, elles avaient envisagé leur rattachement à des espaces extérieurs. Ces derniers ne les avaient pas admises, mais le pro-blème demeurait entier. Elles se percevaient comme un monde à part, qu'elles différenciaient d'ailleurs par une appellation spécifique, marquant ainsi une volonté d'extranéité. Quelques semaines plus tôt, il s'était rendu dans l'un de ces territoires. On l'y avait accueilli avec une déférence des gestes. Les regards ne lui avaient renvoyé que de la froideur. Celle-ci s'était confirmée lors des discussions. Ses hôtes lui avaient rappelé la longue histoire du royaume, l'impossibilité pour ses monarques d'en céder la souveraineté. Ils proposaient que la fraternité s'exprime comme c'était le cas depuis maintenant longtemps. Par le com-merce, les échanges académiques. Ils continueraient à ouvrir leurs universités aux jeunes gens issus de Katiopa. Cela allait sans dire. Ilunga n'avait consenti à ce rendez-vous que pour apporter la preuve de sa bonne foi. Sa réputation était avant tout celle d'un combattant. Les circonstances lui avaient imposé de se faire connaître d'abord de cette façon. L'avenir l'y contraindrait peut-être encore. Ce rendez-vous indigne de son rang puisqu'il n'avait pas été reçu par un homologue s'était révélé instructif. Il avait confirmé la raison profonde qui rendait ses interlocuteurs rétifs à embrasser le Katiopa nouveau. Des expériences communes d'oppression, des luttes menées ensemble au cours des générations, ne suffisaient pas à rapprocher les peuples. C'était même l'inverse, chacun voyant en l'autre la figure d'amères déconvenues, le reflet de déchéances passées. Il fallait des hommes de grande valeur pour donner à leurs concitoyens de saines raisons de fraterniser. De tels interlocuteurs lui manquaient encore. Les arguments avancés n'étaient pas dénués de sens, il les comprenait. L'histoire de cette monarchie était réelle, rien encore ne l'avait interrompue. Il était normal de la défendre, si d'aventure on la pensait attaquée. Ilunga n'aurait pas perdu de temps à le nier si la question avait été posée. Oui, il avait bien des troupes le long des frontières. Elles avaient cependant reçu l'ordre de ne pas les franchir. Outre le contrôle des Katiopiens souhaitant rentrer de Pongo, la tâche de ces unités militaires consistait surtout à éteindre les foyers de turbulences que ce pouvoir récalcitrant tentait d'attiser dans des contrées voisines. Refuser de rejoindre le Katiopa unifié était une chose, inciter d'autres à en faire autant était inadmissible.

Il faudrait déterminer l'attitude à adopter face à ces personnes, se donner du temps, ne rien faire de frontal. Pour montrer son attachement résolu à l'unité sur l'intégralité du Continent, Ilunga avait eu une idée qu'il soumettrait dès ce matin au Gouvernement, sans rien dissimuler des difficultés pour l'heure insolubles. Dans le fond, chacun savait de quoi il retournait. Certains ne concevraient tout simplement pas de faire partie d'un ensemble gouverné par des bayindo, même en conservant de l'autorité sur leur région. On était frères tant qu'ils tenaient les commandes. Tant qu'ils n'avaient pas à adopter comme monnaie le pesa, tant qu'ils n'étaient pas contraints d'enseigner à leurs fils les Humanités katiopiennes, tant qu'ils ne devaient pas reconnaître les cultes ancestraux. Autrefois, leurs aînés avaient pourtant fait des pieds et des mains pour être admis au sein de la communauté économique des pays de l'ouest du Continent. Cela avait facilité leur pénétration commerciale dans ces territoires, et leurs entreprises continuaient d'y faire des profits considérables. Ils n'iraient pas plus loin. Soit. Face à cela, il importait d'agir avec noblesse. Les actes à poser ne devraient pas être extravagants, cela créerait de la méfiance. Ce qu'il comptait suggérer à l'Alliance semblait modeste. Une des artères de la kitenta porterait le nom d'un illustre disparu, un homme se présentant naguère comme *Le commis voyageur de la révolution*. C'était du temps où, sur une grande partie du Continent, les militants anticolonialistes rêvaient d'unité. Alors, on se battait pour quelque chose de plus grand que soi. En dépit des défections de leurs dirigeants, bien des peuples avaient continué de chérir cet idéal. Le geste symbolique qu'il prévoyait aurait, espérait-il, une signification pour les administrés de ceux qui l'avaient reçu avec une morgue à peine voilée. Il faudrait inviter leur chargé des Relations extérieures, le roi ne se déplacerait pas pour si peu, même s'il s'agissait de rendre hommage à l'un de ses compatriotes. Ilunga soupira en finissant d'enfiler son habit. L'intégration et la pacification totales ne seraient pas son œuvre, il l'acceptait. Son devoir consistait à tout faire pour qu'elles puissent advenir un jour. Les terres du septentrion n'étaient pas les seules à n'avoir pas rejoint le Katiopa unifié. Il y en avait dans l'Est, et, là aussi, au moins dans l'un des espaces concernés, les dirigeants se prévalaient d'une histoire incompatible avec l'unité. Pourquoi voudraient-ils fusionner avec les autres, eux qui ne savaient rien de la blessure coloniale à l'origine de cette grégarisation qu'était l'intégration ? Il n'était pas rare, entendant ces péroraisons mâtinées de suffisance, que l'on s'interroge sur les raisons pour lesquelles ils avaient jadis accueilli le siège des Nations unies de Katiopa, quand cette organisation était le jouet des anciennes puissances coloniales. Ils avaient bien sûr une réponse, énoncée dans le contentement de soi, tandis que l'on se délectait d'une tasse de jebena buna.

C'étaient justement leurs particularités historiques qui les avaient placés si haut dans l'estime des peuples de Katiopa, ici ou ailleurs. Cela leur avait conféré des responsabilités, ils n'étaient pas du genre à se dérober. Un de leurs empereurs, divinisé, faisait l'objet d'un culte à leurs yeux farfelu, mais c'était ainsi : les louanges allaient naturellement à la grandeur. Enfin, ils ne voyaient pas pourquoi se dissoudre dans un grand ensemble. Non, vraiment. Ils appartenaient à une nation antique ne devant sa survie qu'à la pleine conscience de sa singularité. Toutefois, ils restaient favorables à la perspective de partenariats dans un grand nombre de domaines, bien entendu. Ilunga était las des luttes armées. On n'allait pas faire la guerre à des frères, même pour les guérir de cette arrogance. Les non-colonisés avaient été pillés comme les autres, méprisés tout autant, et n'avaient accompli, dans leur liberté singulière, aucune prouesse qui leur soit enviée. Ce culte qu'ils trouvaient risible avait contribué à maintenir sur la carte du monde la patrie des Négus, intéressant les peuples de la terre à leur histoire. Il n'avait pas cherché à leur faire entendre raison lors de cette entrevue. Son objectif était de consolider les acquis, de faire en sorte que l'intégration devienne désirable, voire incontournable. Il n'y avait pas d'autre solution. Certains parmi les membres de l'Alliance ne partageaient pas ce point de vue. Il se faisait fort de les convaincre. Les territoires de l'Est disposaient de peu de ressources et n'intéresseraient pas long-temps les étrangers qui pensaient en faire leur porte d'entrée sur le Continent. En refusant de rejoindre le Katiopa unifié, ils perdaient un de leurs avantages les plus importants. Leur compagnie aérienne, longtemps la première du Continent, n'était pas autorisée au sein des frontières du nouvel État. Ce domaine était trop stratégique pour que certaines prérogatives soient lais-sées à des gens qui cultivaient les meilleures relations avec ceux qui s'étaient donné le nom de Communauté internationale. Aussi ces lointains successeurs de Tafari Makonnen voyaient-ils leur puissance amoin-drie. Pour ceux du septentrion, en revanche, il en allait autrement. Ils étaient bien plus nombreux, ce qui constituait en soi une force. Langue et religion parta-gées les aidaient à transcender leurs désaccords pour se garder des ambitions du Katiopa unifié. Pouvait-on leur imposer son amour ? Ilunga avait à cet égard de sérieux doutes. Faire de la politique revenait à se confronter souvent aux insuffisances de la nature humaine, en prendre acte. On ne réalisait pas le quart de ses rêves si ces derniers avaient quelque envergure.

En dépit de sa passion pour le Continent, il lui arri-vait de se dire que sa vie était ailleurs. Sur ce sol, mais occupé à des tâches moins temporelles. Cette partie de sa mission était achevée. Pour garantir qu'elle produise les fruits escomptés, ceux qui devaient mûrir dans l'esprit des populations, la dimension spirituelle devait prendre peu à peu le dessus. Travailler à renforcer les liens entre populations séparées par la colonisation ou habituées à magnifier leurs différences devait être la priorité. Qu'elles se donnent les unes aux autres à présent, qu'elles se fécondent mutuellement et enfantent mille et un nouveaux visages de Katiopa. Ce serait la meilleure protection contre les attaques, les incertitudes : que les rapports humains se fassent charnels. Ce serait long et difficile. S'aimer les unes les autres n'avait pas été l'activité favorite des populations du Continent au fil des générations. Pour l'instant, épuisées par des décennies de chaos, elles adhéraient à ce qui leur était proposé. Les structures de l'État offraient un certain confort. Elles avaient été pensées pour que le pouvoir n'impose pas sa verticalité depuis le grand centre qu'était Mbanza. Mais certaines mesures, dont on assumait l'application rigide, ne seraient pas toujours supportées. Nombreux étaient ceux qui rêvaient de courir ce monde qui leur appartenait aussi. Le Continent était vaste, on n'en avait pas si aisément fait le tour, mais qu'il devienne l'unique horizon lui conférerait sous peu des allures carcérales. Les ouvertures déjà existantes et celles prévues n'apparaîtraient que comme des lézardes au mur de la geôle, on ne désirerait que l'inaccessible. Le temps n'était plus des individualités corsetées par la volonté, les intérêts communautaires. Et nul n'ignorait que l'humanité s'était élancée depuis la Terre Mère afin de peupler la planète. Les humains étant ce qu'ils étaient, des dissensions ne manqueraient pas de se faire jour, des opportunistes voudraient les exploiter. Ilunga en était persuadé, c'était vers l'intérieur qu'il convenait désormais de faire converger les efforts. Sécuriser les frontières afin de se concentrer sur la restauration intime, sur l'édification intellectuelle. Donner une esthétique, une âme à l'œuvre politique.

Des événements en cours dans sa vie personnelle suggéraient que c'était dans cette direction que les mânes le poussaient. Son instinct l'avait rarement trahi à ce sujet. L'horloge indiquait sept heures et demie. La réunion n'aurait lieu qu'en milieu de matinée. Il quitta la chambre pour le bureau, entreprit de parcourir le dernier rapport de surveillance qui lui était transmis sur les activités des Gens de Benkos. Moins dangereux que les groupes armés de l'Est puisqu'ils étaient de fervents pacifistes, ils constituaient tout de même une nuisance. Leur ministère était pour l'instant celui de la parole, mais il était bien placé pour savoir qu'elle suscitait des passages à l'acte. L'Alliance avait elle aussi recouru à la puissance du verbe. Longtemps. Les aînés qui l'avaient fondée pour l'installer à travers tout le Continent et chez les frères de l'Autre bord, s'étaient engagés dans des batailles conceptuelles et métaphysiques. Pour que les générations suivantes soient en mesure de combattre les ennemis extérieurs, ils s'étaient attelés à anéantir les démons intérieurs. On le voyait, ils ne les avaient pas tous vaincus. L'auraient-ils pu ? Ces forces néfastes n'étaient pas l'apanage des gens de Katiopa, ni même celui des peuples ayant dû affronter l'impérialisme. Elles étaient la part faillible, parfois obscure, de l'humanité. La pensée de Benkos n'était pas exactement de cette nature. C'était ce qui la rendait difficile à neutraliser.

Il fallait la contenir, en amenuiser le plus possible la portée. Des Gens de Benkos avaient été supprimés lorsque l'Alliance, marchant sur les ruines du régime précédent, devait asseoir sa domination. Ilunga avait déploré ces mises à mort, mais les méthodes d'Igazi, son fidèle kalala, s'étaient révélées efficaces. Dans l'état actuel du monde, alors que les équilibres anciens avaient cédé la place à des configurations nouvelles, l'Alliance devait affirmer sa ligne. Elle ne pouvait, à ce stade, laisser croître une influence allant dans le sens d'une ouverture déraisonnable.

Ilunga percevait bien ce qui séduisait dans la pensée de Benkos. Elle prônait le renoncement au pouvoir et au mercantilisme qui s'étaient imposés au monde dès l'époque de la Maafa, changeant à peine de visage au fil du temps. C'était ainsi que le mokonzi résumait les choses. Il n'était pas loin de partager l'idée selon laquelle le Continent devait s'affranchir des logiques financières. Mais justement, il fallait en avoir le pouvoir. Ce n'était pas en incitant les populations à tresser des colliers de fleurs matin et soir que l'on y parviendrait. La raison était simple : la terre était abondamment peuplée et les loisirs floraux n'impressionnaient guère. Donc, oui, le pouvoir. Tout le pouvoir. Et seuls ceux qui l'avaient détenu seraient en mesure de l'abdiquer, après s'être assurés qu'il ne s'exercerait pas sur eux. Pour cela, il convenait de se soustraire à l'action des prédateurs. Pendant que l'on s'établissait à la campagne pour y mener une existence d'asocial entre frères humains, des gens venaient de partout pour s'emparer des ressources du Continent, s'en approprier les terres arables. Pendant que l'on promouvait l'abandon du ressentiment, ceux qui risquaient d'en être les cibles ne se départaient pas du goût pour la domination qui les caractérisait. Pendant que l'on se faisait le chantre d'une hybridation totale en matière culturelle, certains faisaient de leur mieux pour que le résultat porte leur empreinte plus que toute autre. Pendant que l'on retirait ses enfants des institutions scolaires devant former l'esprit des générations, certains préparaient, dans leurs laboratoires, l'implosion de la planète et la fin du genre humain. Il était impensable que Katiopa soit tout entier rempli de fantaisistes. On ne pouvait se le permettre. Lorsque les Gens de Benkos s'étaient constitués en groupes de plus en plus nombreux, exigeant que leur soient accordés des espaces qui deviendraient des zones préservées de tout règlement officiel, il avait fallu sévir.

La politique de Benkos, c'était le laisser-aller, pas la révolution. Cette idéologie recelait une sorte de beauté poétique. Son défaut résidait dans le mépris de la réalité. L'irrévérence du guru pour certaines choses provenait du fait qu'il n'ait pas eu à les conquérir. Ce dont il désirait se défaire lui avait été donné dès l'enfance. Le pouvoir. Au moins dans cette société dont il entendait mettre à bas les structures. Le confort matériel. Une érudition lui permettant, grâce à ses lectures et voyages, de faire son marché dans les cultures du monde afin de composer l'assemblage qui lui convenait. Son décès avait eu lieu pendant la Première Chimurenga, celle dite de l'imaginaire, que ses préceptes avaient parfois contribué à alimenter. Alors, on cherchait à tracer les contours d'un modèle de civilisation original, propre à Katiopa, favorisant l'épanouissement de ses populations. Cet objectif était largement partagé. Les divergences se rapportaient aux moyens.

Le même achèvement ne se trouvait pas au bout de toutes les voies. La plénitude que recherchaient les esprits bohèmes n'était pas celle à laquelle aspiraient les bâtisseurs. Il fallait que certains s'échinent à construire quelque chose afin que d'autres aient le loisir de le dédaigner pour vivre perchés dans des arbres. Aujourd'hui, après un léger endormissement dû à l'élimination des meneurs, les groupuscules se réclamant de Benkos reprenaient de la vigueur. Ils s'étaient notamment trouvé, à l'étranger, des alliés prétendant voir dans cette démarche un progrès. Ne pouvant solliciter des visas d'entrée dans le Katiopa unifié, même à des fins touristiques, ils se trouvaient des prête-noms, soudoyaient des Descendants ou des Katiopiens émigrés, se faisaient passer pour des ressortissants de la zone nord du Continent. Tout était bon pour tenter de passer les frontières de l'État. Les contrôles étaient stricts, on ne faisait pas de sentiment, la complexion de ceux qui frappaient à la porte ne pouvait être un sauf-conduit. Après le délai accordé à la diaspora pour rentrer sur ses terres, la suspicion pesait sur quiconque se présentait. La presse internationale dénonçait ces méthodes, mais on laissait dire.

Le Katiopa unifié n'était pas seulement un territoire, il était une vision, trop fragile encore pour se laisser perturber : faire en sorte que ses populations ne soient plus entraînées à marche forcée dans un projet conçu par d'autres pour eux-mêmes. Alors, oui, on laissait dire. On prenait son temps pour étudier les dossiers de bioterroristes potentiels qui trouveraient, dans les campements des Gens de Benkos, le terrain idéal pour disséminer des maladies. Ce n'était pas nouveau, touristes et humanitaires avaient souvent été des agents de destruction. La Fédération Moyindo – dite F.M. dans les rues de la kitenta –, créée par le Président Mukwetu avant la prise du pouvoir par l'Alliance, avait opté pour une autarcie presque totale. Après les heurts de l'histoire récente, c'était un minimum. Katiopa devait travailler à son élévation, à son épanouissement. Ne plus laisser les autres apporter des solutions toutes faites à des problèmes qu'il n'avait même pas eu le temps de se poser. Ce qu'une partie du monde avait perçu comme un repli sur soi était en réalité très différent. Il s'était agi de faire un apprentissage exigeant, trop longtemps retardé, précisément pour cette raison. Quiconque espérait rendre effective l'autonomie du Continent dans tous les domaines devait le contraindre à mettre en place puis à consolider des synergies internes. Certaines régions avaient pris de l'avance, d'autres traînaient les pieds. Le choix du fédéralisme que ferait aussi l'Alliance en le présentant de manière différente, nécessitait la mutualisation du pouvoir.

La F.M. était devenue, dans les faits, une des plus féroces autocraties jamais connues dans l'histoire du Continent. Elle s'était, de plus, fondée sur un critère racial que rappelait également son nom, ce qui était une bêtise, les Katiopiens n'ayant pas à se réclamer de ces conceptions étrangères qui niaient l'unité du genre humain. L'Alliance, quant à elle, avait pris le temps d'effectuer un travail de terrain sur tout le Continent, arrachant les plus malingres municipalités lors d'élections, s'acharnant à faire de l'action sociale lorsqu'elle ne pouvait rien envisager de plus, distillant dans les esprits une autre vision de soi. L'important avait été de s'assurer partout des relais sûrs. Elle s'était appuyée sur eux au moment de faire tomber le despote de la F.M. Lorsqu'ils y étaient parvenus, ses compagnons et lui avaient désigné un triumvirat pour remplacer le Président Mukwetu, dont l'autoritarisme à la tête de la F.M. avait marqué les populations. Igazi, Kabundi et lui avaient donc pris la tête de l'État, se partageant les zones, s'attachant à panser les plaies causées par le régime précédent. Ils s'y étaient préparés dès l'avènement de leur prédécesseur, le remerciant intérieurement d'avoir déblayé la voie. En effet, c'était au sein de la structure créée par lui qu'ils avaient fait leur apprentissage du pouvoir. C'était là aussi qu'ils avaient gagné la confiance des armées de trois anciennes nations coloniales et mis au point leur stratégie pour étendre le territoire. La F.M. était opportunément située au centre de ce qui deviendrait le Katiopa unifié. Ils avaient travaillé sept ans pour en faire l'astre qui irradierait par la suite. Cette période avait été, pour eux, à l'image de la descente du soleil dans les abîmes du monde. C'était à ce moment-là que Kabeya avait décidé d'assurer sa protection. Son frère aimait la discrétion, agir dans l'obscurité et le silence. Une nuit, au terme de la septième année, la traversée des ombres avait pris fin. Ils avaient créé le grand État.

Ilunga avait en mémoire sa première adresse aux gouvernants du monde. Igazi et Kabundi se tenaient deux pas derrière lui tandis qu'il la prononçait, assis dans le bureau aménagé pour lui dans l'aile administrative de sa résidence. Ils ne s'étaient pas déplacés, l'État qu'il dirigeait n'ayant pas l'intention de compter parmi ce qui portait encore le nom de Communauté internationale. Ce fut d'ailleurs l'essentiel de son message filmé : le Katiopa unifié allait, sur le plan des relations extérieures, poursuivre un temps sur la voie empruntée par la F.M. Puisqu'il en avait étendu la superficie, il convenait, par courtoisie, de prévenir ceux qui pensaient avoir des intérêts sur son sol. En effet, les entités coloniales avec lesquelles des accords avaient été ratifiés n'étaient pas connues au sein du nouvel État. Il ne serait donc pas question de respecter ces arrangements, quelle qu'en soit la nature. On ne se soumettrait pas non plus aux décisions de cours de justice étrangères, et, cela allait sans dire, on ne se savait débiteur de personne. Cette décision ne devait pas être comprise comme hostile, son esprit n'était pas belliciste. Il s'agissait de restituer au Continent sa vision des choses et son rythme propre. *Ni la peur, ni le rejet ne nous animent*, avait-il expliqué. *L'impératif est au contraire d'apporter à l'humanité le meilleur de nous-mêmes.* Il fallait donc se réinventer et se garder pour cela de tout ascendant étranger, de propositions souvent formulées sur le mode de l'injonction. Le monde gagnerait à cette réhabilitation, on était persuadé que les amis du Continent, d'où qu'ils soient, partageaient ces aspirations et approuvaient ce choix. S'il entendait mettre en place un protectionnisme quasi intégral, le Katiopa unifié ne souhaitait entrer en conflit avec personne. Ses dirigeants ne faisaient que récupérer le bien des populations pour qu'elles en aient la pleine jouissance.

Afin de prouver le caractère pacifique de cette politique, on ne demandait pas la restitution des sommes détournées par les affidés de l'étranger, ces ennemis du dedans qui avaient si bien servi leurs maîtres. Ceux qui avaient survécu à la reprise des terres seraient traduits devant les tribunaux s'ils se trouvaient sur le Continent. C'était là tout ce que la Communauté dite internationale avait besoin de savoir, que l'on ne lui réclamait plus la justice, mais qu'en revanche on s'assurerait d'avoir la paix. Le Katiopa unifié pariait sur l'union qu'il comptait créer entre ses populations et s'engageait dans une politique de puissance. Le Continent était assez vaste, suffisamment peuplé, pour constituer un marché autonome. Aucune compétence ne lui manquait. Ses ressources étaient abondantes. C'était en grande partie d'elles que vivaient les autres. Quand elles n'étaient pas minières, il s'agissait de terres agricoles que des inconscients avaient cru pouvoir céder au mépris des traditions. Lorsque ce n'était pas cela, le Continent importait une grande quantité de ce qu'il consommait, dans tous les domaines. Cela ne serait plus. À mi-parcours de la Chimurenga conceptuelle, dite aussi de l'imaginaire, l'Alliance avait eu des sections très actives au sein des anciennes puissances coloniales. Grâce à ces groupes comprenant des Descendants et des émigrés, les représailles avaient été difficiles à mettre en œuvre : les démocraties ne pouvaient plus décider d'engagements militaires sans consultation populaire préalable. Or, une trop grande partie de la population de ces pays avait des attaches fortes avec le Continent, quand bien même elle n'y résidait pas. Pour ces fils et filles de la Terre Mère, la restauration de sa souveraineté était devenue un enjeu majeur. N'était-ce pas à leur origine ancestrale qu'ils avaient été renvoyés au cours des générations pour légitimer les nombreuses iniquités dont ils étaient victimes ? Ils avaient compris à quoi ils devraient le respect : une sorte d'arrière-pays solide, un endroit vers lequel se tourner, ne serait-ce qu'en pensée.

On avait fait en sorte que les sections hors-sol de l'Alliance relaient, auprès du public, la communication d'Ilunga. C'était bien une ère nouvelle. Chacun devait s'en assurer. Le fait de partager avec le plus grand nombre un propos qui n'aurait autrefois été entendu que de quelques privilégiés avait accru la confiance dans le régime d'Ilunga. Jamais cela n'avait été fait auparavant. Les chefs d'État conversaient dans un entre-soi dont on ne recevait en général que des comptes rendus peu détaillés. On avait profité de cette initiative pour adresser un message à la diaspora : c'était le moment de rentrer sur le Continent pour ceux qui en avaient un jour conçu le projet. Non seulement les frontières seraient-elles fermées sous peu, mais les pays qu'il faudrait quitter n'admettraient plus les compagnies aériennes du Continent dans leurs aéroports. Il n'y avait plus à tergiverser. Rejoindre le Katiopa unifié ne serait désormais possible qu'à partir de certaines régions du monde : celles contrôlées par des Descendants, celles du nord du Continent, celles avec lesquelles on maintenait des rapports cordiaux. Bhârat, Zhōnghuá et Hanguk en faisaient partie, mais cela promettait de longs trajets, puisqu'il faudrait de toute façon passer par les pays de l'Autre bord. Et parmi ces derniers, seuls ceux où les Descendants s'étaient affranchis de toute influence coloniale étaient éligibles. La nouvelle avait causé un peu de panique, mais on avait campé sur ses positions. Il ne suffisait plus d'avoir sur les lèvres le nom de Katiopa matin, midi et soir. Il fallait agir. On ne prenait pas ombrage de ce que certains préfèrent demeurer à l'étranger. Ils y seraient utiles à leur manière. Ceux des Sinistrés qui souhaitaient quitter le Continent étaient invités à le faire au plus vite. Quelques-uns, que toute lucidité n'avait pas abandonnés et qui conservaient peut-être un semblant de dignité, s'en étaient allés sans faire d'histoires. Les autres, qui ne s'étaient pas fait naturaliser et qui ne le pourraient plus de toute manière, se voyaient délivrer un permis de résidence. Depuis lors, on s'en tenait à la politique annoncée. L'État n'avait accepté les lettres de créances que de territoires de l'Autre bord dans lesquels il voyait un prolongement de lui-même, mais qui devaient encore rester indépendants pour des raisons stratégiques. Les modalités de leur intégration au Katiopa unifié le permettaient.

Après cinq années passées à la tête de l'État, Ilunga savait, bien entendu, avec quels pays il serait bon d'entretenir des relations diplomatiques et commerciales. On commencerait par Bhârat, Zhōnghuá, Hanguk… D'abord les États avec lesquels des liens avaient été maintenus, mais il n'y avait pas d'urgence. Il fallait privilégier ceux dont l'esprit n'avait pas été déréglé par une religion prétendument révélée, des gens ne se pensant détenteurs d'aucune vérité à propager. Ensuite, on verrait. Sans avoir eu de visées coloniales à proprement parler, bien des nations s'étaient tenu la main pour danser, sur le corps meurtri de Katiopa, la farandole des charognards. On les approcherait avec prudence, en ayant pris soin d'apprécier l'intérêt à long terme du Continent. Tel était le pouvoir auquel ceux de Benkos prétendaient renoncer. L'impérieuse nécessité de n'avoir plus à se plaindre du comportement des autres parce que leur capacité de nuisance aurait été annihilée. La deuxième étape de ce processus consisterait dans la démonstration, non seulement de l'autosuffisance, mais aussi de la plénitude.

C'était pour cette raison qu'il lui semblait préférable de ne pas poursuivre la reprise des terres. Il fallait à présent bâtir. Faire du Katiopa unifié un joyau. Viendrait ensuite la troisième phase, celle du rayonnement. C'était cela que devaient préparer les liens avec des pays étrangers. S'il importait d'abord de se rendre désirable sur le Continent, notamment auprès de ceux qui rechignaient à rejoindre l'État, il faudrait demain se dire au monde, lui apporter sa contribution sans tomber dans les travers du passé. Cela, Ilunga acceptait de ne pas en faire l'expérience au cours cette vie. Il y en avait eu d'autres, il y en aurait d'autres, et elles se dérouleraient sur le Continent tant que l'œuvre ne serait pas achevée. Katiopa était, pour son âme, une terre d'élection. Quand il lui serait donné de renaître ailleurs, ce serait encore pour servir la Terre Mère. Toute autre perspective serait un abaissement, comme le disaient les membres de l'Alliance.

L'épais rapport de surveillance qui lui avait été remis pointait, dans quelques zones du Continent, des rapprochements entre Gens de Benkos et groupes minoritaires d'obédiences diverses. Rien d'important. Ce qui pouvait se révéler préoccupant si l'on n'y prenait garde, c'était l'intérêt que manifestaient des Sinistrés pour cette mouvance aux antipodes de leurs positionnements habituels. A priori, on ne les imaginait guère s'enfonçant dans les villages les plus reculés où la vie, fruste, ne convenait pas à leurs critères de raffinement. Ils pouvaient néanmoins se servir de l'œcuménisme culturel des Gens de Benkos pour tenter d'accroître leur influence sur une partie de la société. L'idéal d'une large fraternité humaine n'était pas négatif en soi, loin de là. L'ennui était que certains espéraient toujours être plus égaux que d'autres. En tout cas, les Sinistrés ne s'exposaient pas au mélange sans une idée derrière la tête. Pris d'épouvante à l'idée de leur disparition après avoir régné sur le monde – bien qu'y étant les moins nombreux, ils s'étaient recroquevillés sur eux-mêmes, érigeant des forteresses physiques et symboliques. Il en était résulté une sclérose à l'origine de la tragédie historique désormais connue sous l'appellation de Sinistre. Le mal s'était propagé hors de leurs terres natales, partout où ils s'étaient établis, la crainte de la dissolution se faisant désormais obsessionnelle. Le dossier contenait des fichiers visuels, muets, sur lesquels on suivait brièvement les activités d'un homme chauve et bedonnant, d'apparence sympathique. À première vue, il s'agissait d'un étranger boucané, ayant cuit et recuit sous le soleil de Katiopa. Son profil n'était pas celui du Sinistré habituel. Il semblait plutôt un renégat, un de ceux que sa communauté considérait comme des traîtres. Vêtu d'un kèmbè trop court et d'un t-shirt vintage dont les manches lui serraient les épaules, il arborait aussi, comme signe distinctif de sa grandeur ethnique, une casquette frappée d'une virgule rouge. Sur l'un des courts films, on voyait l'individu auprès d'une femme âgée, d'allure bien plus distinguée, un spécimen antique de femme fulasi. Ce pouvait être sa mère. Il lui semblait avoir déjà vu cette femme. Une inscription défilait sous les images, faisant état de la méfiance que suscitait le personnage. Des éléments devaient étayer ce propos. Il verrait cela plus tard, une fois rentré de la réunion du Conseil. L'inconnu n'aurait pas été le premier à dissimuler sa mesquinerie sous des airs affables. Enfin, il n'était jamais bon que deux problèmes mineurs s'unissent pour en former un plus conséquent. Le Katiopa unifié gardait jalousement ses frontières. Il ne voyait pas de raison valable pour accorder aux Sinistrés une miséricorde illimitée. On ne leur devait rien.

Sa lecture avait ramené le souvenir de Boya, qu'il s'interdisait de faire suivre, restriction qu'Igazi ne s'était sûrement pas imposée. L'éventualité qu'elle soit une Fille de Benkos l'avait effleuré pour des raisons objectives. Seuls ces marginaux pouvaient voir quelque utilité dans la fréquentation des Sinistrés. Se remémorant la petite fête du San Kura donnée sur la place Mmanthatisi, l'homme s'aperçut qu'un fait lui avait échappé. À aucun moment il ne s'était intéressé aux occupations des Sinistrés pendant les célébrations de l'an neuf, mais une évidence lui sautait à présent aux yeux : ils n'en avaient que faire, en principe. Le calendrier auquel le Continent se conformait était pour eux le meilleur témoignage de l'affabulation érigée en système. Ils ne se déterminaient que par rapport à la date supposée de la naissance du Christ, figure mythologique qui n'en avait pas tant demandé. Katiopa révérait lui aussi ses mythes, se connaissant, se comprenant à travers eux. Une réticence à pratiquer le prosélytisme, quelle qu'en soit la forme, lui rendait incompréhensible celui des autres, dont il respectait les croyances. Faisant quelques pas vers la fenêtre donnant sur le bassin du jardin, Ilunga fixa du regard les fleurs en train d'éclore. Il s'attacha à l'une d'elles, minuscule point rouge au loin. Bientôt, son esprit fut de nouveau sur la place Mmanthatisi, lueur bleutée planant au-dessus du lieu dans l'espoir que quelqu'un prononce le nom de la femme rouge. Une Sinistrée au visage strié de rides, aux doigts déformés par l'arthrose était assise là, portant ostensiblement le deuil du monde qu'elle prétendait préserver. C'était elle qui, d'une voix lasse, avait appelé : *Boyadishi*, à plusieurs reprises, prenant soin de détacher les syllabes, de peur qu'elles ne lui écorchent les lèvres. C'était elle qui avait lancé : *Bo-ya-di-shi, nous ne pouvons rester plus longtemps...* C'était elle aussi, cette ancienne parmi les Sinistrés, que l'on voyait dans l'un des films du rapport. Ilunga rangea cette information dans un coin de son esprit. Le visage de l'aïeule, son nom. Cet après-midi-là, des enfants l'avaient interrompue, s'accrochant à la femme rouge dont ils avaient répété le nom, avec l'accent des rues de la kitenta. Il s'en était allé, emportant avec lui l'identité de celle qui, depuis, ne quittait plus. D'un certain point de vue, car cela faisait vingt jours qu'il était sans nouvelles. Pas un mot, pas un signe. Mais elle venait dans ses rêves, et ce n'était pas comme la première fois. Elle y prenait place parce qu'elle pensait à lui avec la même intensité. Une idée lui vint, qu'il ne laissa pas se former entièrement. Il se dit que vingt était la moitié de quarante, et s'en tint à cela.

Ilunga marchait vers la porte du ndabo, qui s'ouvrit avant qu'il ne l'ait atteinte. Kabeya avait l'ouïe fine. Son attention était de chaque instant. Parce qu'il était rigoureux. Parce que l'homme dont il avait la garde lui était plus qu'un frère. Le sang n'était pas de l'eau, mais il y avait entre eux plus que ces deux fluides essentiels. C'était l'heure, la voiture les attendait. Un agent de la garde remplaça Kabeya à l'entrée du ndabo. Tandis que les deux hommes se dirigeaient vers l'élévateur privé qui les mènerait dans le garage,

Ilunga parla à voix basse : *Frère, mangeons ensemble ce soir.* Kabeya sourit imperceptiblement. Connaissant d'avance le sujet de la conversation que souhaitait avoir Ilunga, il dit : *Avec plaisir. Mais pour que nous soyons seuls lors du dernier repas, permets que je nous débarrasse d'un sujet.* L'engin avait amorcé sa descente quand Ilunga l'interrogea du regard. Kabeya répondit : *Vingt, c'est la moitié de quarante.*

4

Depuis son entrée dans la Maison des femmes, Funeka prenait son dernier repas chez Boya. L'une ou l'autre le préparait, puis elles le partageaient. Ce soir était le neuvième, le dernier qu'elles passeraient ensemble ainsi. Boya avait été l'officiante principale lors de la cérémonie. Elle avait marché en tête du groupe d'initiées qui s'étaient présentées chez les parents de la jeune fille afin d'appeler celle qui devait être reçue. C'était elle qui s'était adressée à la mère de Funeka, elle encore qui lui avait pris la main pour la conduire au sanctuaire. Autrefois, il s'agissait d'une caverne choisie pour des raisons symboliques. Désormais, le rituel se déroulait dans une case permettant de n'avoir pas à quitter Vieux Pays. Une haie de bambous protégeait des regards le jardin et la maison elle-même. L'appelée y était débarrassée de l'étoffe qu'elle s'était noué sous les aisselles à l'instar des trois officiantes. Elle était ensuite allongée sur un ancien lit en bois dont l'appuie-tête, inamovible, avait la forme incurvée d'une demi-lune. Un court pilier le soutenait en son centre, qui représentait la figure stylisée d'une femme aux mains levées.

Au centre de la pièce, un foyer éclairait faiblement les lieux. Le massage prodigué à Funeka par l'une des aînées l'avait d'abord détendue, avant de la faire accéder à la mémoire antique des femmes, jusqu'à la première, Mère des divinités, Mère des humains. L'esprit s'était fait connaître sous les divers visages que lui avaient donnés les peuples, ici ou ailleurs. Traversant les contrées comme les âges, la jeune fille avait découvert que la puissance féminine était une, qu'elle n'était pas un sexe mais une force. Comme la terre, l'eau, l'air ou le feu, elle était sans équivalent, incomparable à toute autre, autonome et nécessaire. Le voyage terminé, l'entrante avait reçu la consigne de replier un peu les jambes puis de les ouvrir. Munie de l'instrument d'usage, c'était à Boya qu'avait échu la tâche de procéder au tuba et de prononcer la phrase rituelle : *Le monde émerge des ténèbres quand s'ouvre le sexe de la femme*. Elle avait donc perforé l'hymen de Funeka, avant de lui rappeler, par la formule consacrée, que sa vulve représentait la grotte des origines. La membrane percée par l'officiante figurait quant à elle la toile d'araignée dont les fils de soie, reliés les uns aux autres, formaient une spirale recouvrant la cavité par laquelle l'univers avait pris forme. Les femmes avaient ensuite baigné puis oint la nouvelle-venue dans la demeure, s'exécutant avec lenteur et délicatesse. Elles avaient chanté pour transmettre leurs messages, exposer les raisons justifiant que l'hymen soit offert à des femmes. Cette partie du rituel achevée, toutes s'étaient assises à même le sol du sanctuaire pour partager une soupe de feuilles amères, quelques fruits de saison. C'était à ce moment-là que Funeka avait pu obtenir des réponses à ses questions, celles qu'elle avait posées, celles qui ne lui étaient pas venues. Toutes avaient passé la nuit dans la case, sur une natte commune, tandis que les braises du foyer refroidissaient doucement.

À l'aube, Funeka avait fait connaître son nom de femme. Un autre le remplacerait si elle était conviée, plus tard, à rejoindre le cercle des initiées. Pour toutes celles qui s'étaient soumises au rite et pour elles seules, la jeune femme serait *Amaterasu*. Lors de son périple dans la mémoire antique, elle s'était reconnue dans cette figure de la force féminine. C'était auprès de celle-là que sa mission lui avait été révélée, les raisons de son être en ce monde. D'un même hochement de tête mais sans dire un mot, les aînées avaient approuvé son choix et ce qu'il disait d'elle. Ce n'était pas tous les jours que l'on se donnait un nom de déesse. Il était encore moins fréquent que la nouvelle identité émane d'une aire culturelle différente. À quinze ans, la jeune admise dans la Maison des femmes avait déjà saisi ce que tant d'autres mettaient une vie à apprendre. Sans parler de celles qui ne comprendraient jamais. Elle fut vêtue de jaune pour imiter l'astre dispensateur de vie qu'elle entendait honorer à travers son existence. Un miroir lui fut remis, réplique de celui mentionné dans le mythe de la déesse du soleil. Lorsqu'elle fut reconduite sous le toit de sa mère, la jeune femme n'était plus vierge. Pas uniquement parce que le tuba avait eu lieu. Les actes posés au cours de cette nuit-là, les choses vues, entendues, ne seraient plus évoqués. Elle n'en parlerait pas à ses amies qui ne les découvriraient qu'en se soumettant au rituel. Ce n'était plus systématique, cela devenait rare hors de Vieux Pays. Boya plaça entre elles deux le plat commun qui, pour la neuvième fois, ne contenait pas de chair animale. Prenant place en face de son invitée, elle lui fit signe de commencer. Elles se restaurèrent en silence. Quand elles eurent fini, celle que les bouches non autorisées à procéder autrement continueraient de nommer Funeka, reçut la permission de prendre la parole. Comme à chaque occasion, ce fut avec gravité qu'elle le fit, ses interrogations portant sur des questions profondes. Elle recourait pour les poser à une langue à la fois subtile et précise. En la voyant comme l'autre jour, espiègle parmi ses sœurs d'âge, on ne soupçonnait pas la nature de ses préoccupations, la finesse de son esprit pour les formuler. Funeka était une vieille âme, de celles qui avaient été instruites dans le giron de leur mère ou même avant. Il ne faisait aucun doute qu'elle serait, le moment venu, un pilier du cercle des initiées. La maturité spirituelle lui donnerait de connaître la puissance de la première créature divine. Elle serait la femme-escargot, celle qui a le pouvoir de féconder et d'enfanter.

Pour la maintenir dans la légèreté permise à son jeune âge, Boya sourit : *J'ai vu que tu avais reçu une parure de lit ?* L'adolescente lui rendit son sourire. Son amie était une incorrigible coquine. Pour l'instant, elle n'avait aucun garçon en vue. Ceux de son âge lui paraissaient vains, les autres ne cherchaient qu'à se perdre un instant dans un corps tout juste sorti de l'enfance. Cela attendrait. Ce qui l'intéressait bien davantage, c'était de connaître la puissance féminine. Férue d'histoire, elle avait étudié la figure des candaces. Ces reines de l'antique Méroé la fascinaient, car elles avaient su être tout à la fois : guerrières, bâtisseuses, épouses, mères. Bien sûr, cela n'avait été consigné nulle part, mais il lui plaisait de se dire qu'elles avaient été initiées à des mystères ayant permis d'habiter toutes les dimensions de leur être. Ne pas choisir entre un aspect du féminin et l'autre. Ce qu'elle désirait, c'était convoquer en elle la force de ces femmes, être Hathor et Sekhmet. *Tu voudrais devenir une sorte de super héroïne tendance mystique ?* Funeka rit. Non, elle souhaitait se connaître. Savoir ce qu'elle aurait à donner pour choisir celui qui le recevrait. Elle n'était plus vierge, de toute façon. Rien ne pressait, et peut-être n'y aurait-il jamais d'homme si elle n'en trouvait pas qui lui convienne. Pour le moment, elle désirait la compagnie des femmes. Boya crut comprendre. Elle ne pouvait déflorer les secrets de l'initiation complète. La jeune femme fréquenterait longtemps la Maison avant d'appréhender la complexité du sujet, le caractère non pas factice mais relatif du sexe des êtres. Le moment n'était pas encore venu de lui apprendre les raisons pour lesquelles les grandes initiées accédaient de façon symbolique à l'androgynie dont toutes les civilisations s'étaient donné une représentation. Il faudrait attendre aussi que la vie lui enseigne ses lois pour qu'elle trouve sa manière de s'y conformer. Cela et pas l'inverse. Boya se contenta de lui passer la main sur la joue en murmurant : *Sois douce vis-à-vis de toi-même. L'amour et le désir sont de belles choses. Il n'y a jamais de bonne raison de s'en priver. Assure-toi seulement d'être respectée.* Funeka hocha la tête avec un demi-sourire, se leva pour faire la vaisselle et prit congé.

Restée seule, Boya se rendit dans sa chambre, y plaça une coupelle contenant des billes de résine odorante qu'elle enflamma. Kabongo la rejoindrait bientôt, elle avait consenti à le voir. Cela faisait vingt jours exactement qu'elle avait quitté Ilunga. Au cours de la première nuit suivant leur rencontre, elle l'avait vu en songe. Un rêve étrange. Ils venaient apparemment d'enjamber un ravin immense et sans fond. Lui tenant la main, elle indiquait une étendue vaste devant eux et entraînait l'homme à sa suite. Au fur et à mesure de leur course, ils devenaient chevaux, félins, grands oiseaux de proie. Ils allaient découvrir leurs êtres végétaux quand des voix se faisaient entendre, dont elle ne distinguait pas les propos. Leur murmure devenait un grondement menaçant. C'était là que s'était achevé ce rêve. Toute la journée qui avait suivi, qu'elle se soit trouvée devant un groupe d'étudiants, chez la couturière ou chez la coiffeuse, elle n'avait pensé qu'à lui. Cette fois, Boya n'avait pas tenté d'échapper à la présence d'Ilunga. Lorsqu'elle avait regagné sa maison, en fin de journée, elle s'était assise dans le ndabo, en posture de méditation. En silence, elle s'était adressée à lui : *Voyons si tu continues de m'habiter au terme de quarante jours.* La femme se donnait le temps de l'épreuve, celui de la germination aussi, pour savoir quoi faire du sentiment qui s'était emparé d'elle. Le monde dans lequel vivait Ilunga était particulier. Y pénétrer, quelle qu'en soit la manière, c'était renoncer à une certaine tranquillité. Il faudrait au préalable s'assurer de la puissance du lien. Au-delà de ce qu'ils étaient dans cette vie. Les mots d'Ilunga lui revinrent en mémoire : *Tu sens cette force, n'est-ce pas ? Elle n'est pas entre nous, c'est nous.* S'il disait vrai, nul n'était besoin de se hâter. Ce qu'il convenait de faire, c'était d'enfouir ce *nous* dans le sol et de voir, au bout d'un temps déterminé, ce qui se produirait.

La graine germerait-elle ? Serait-elle au contraire empoisonnée par l'environnement ? Quarante jours, cela avait été la durée de la passion d'Ausar. C'était aussi, d'après la sagesse des anciens, la période qui devait s'écouler avant que l'on observe l'érection des plants à moissonner.

Laisser un autre l'approcher cette nuit faisait partie des assauts auxquels soumettre la semence mise en terre. Kabongo savait la satisfaire. Mais s'il était son seul amant – épisodique par choix –, c'était qu'elle connaissait le caractère véritable du désir. Il n'était pas, chez elle, un appétit comme un autre, une pulsion. Le désir était, lui aussi, un sentiment. Une émotion du corps. Et la puissance du plaisir éprouvé lorsque Kabongo et elle se donnaient l'un à l'autre n'était pas accessible à tous. L'accord parfait sur ce plan était rare. On pouvait aimer un homme et ne rien connaître de tel dans ses bras. Nombre de femmes passaient d'un homme à l'autre dans le seul espoir de trouver cela, sentant au fond d'elles, littéralement au fond, que ce type de jouissance était bien de ce monde. La déception était souvent au bout de la rencontre pour laquelle on s'était parfumée, parée, avant de s'élancer sur les terrains de chasse les mieux pourvus. Au cœur des nuits d'ivresse et de virevolte, des chats efflanqués passaient pour de grands fauves, et l'on découvrait, toujours trop tard, des formes variées d'impotence. Des types ayant donné le meilleur d'eux-mêmes après avoir embrassé un peu, caressé les seins un peu. Des qui ne décochaient pas un mot, ignorant ce langage sexuel utile à l'imagination. Des qui devaient s'aider des doigts parce qu'ils l'avaient trop courte – on n'avait jamais vu ça, mais si, si, c'était possible à ce point – et qui vous égratignaient l'intérieur à force d'appuyer au même endroit, un copain malicieux les ayant mal renseignés sur la localisation de ce fameux point G. Quand il n'en était pas ainsi, la saveur de l'homme laissait à désirer. Cela, on ne s'en apercevait qu'après la première bouchée. Les chasseresses se vantaient peu de leurs déboires, mais on avait observé une recrudescence d'achat, par les femmes, de phallus en bois. Les vibromasseurs et autres accessoires de ce type n'étaient plus en vogue. Les matières dans lesquelles on les avait fabriquées s'étaient révélées toxiques, et Katiopa remettait au goût du jour des méthodes plus organiques.

Kabongo l'enchantait, ce qu'elle n'aurait pas cru au premier abord. Son allure ne lui disait rien : à vrai dire, il n'en avait pas. Ils s'étaient rencontrés le long de la nzela Amilcar Cabral, dans le parc dit *Vallée de nos pères*, où l'homme avait emmené ses fils. Elle ne l'aurait pas remarqué si sa voix ne lui était parvenue. Il s'en dégageait un calme d'après tempête, une paix que seules des turbulences pouvaient engendrer. Cette voix était une eau dormant jusqu'au réveil du volcan qu'elle abritait dans ses abysses. L'apaisement qu'elle apportait aux enfants l'écoutant leur raconter l'histoire des personnages représentés au bord de la nzela était palpable. C'était elle qui lui avait parlé, le complimentant sur son érudition. Ses propos allaient plus loin que ne le faisaient les plaques apposées au bas des statues. Après avoir dit ces quelques mots, elle s'était tournée vers lui, s'inclinant pour saluer, se présenter. Ce geste lui permettait d'être regardée. Kabongo lui avait retourné la politesse, une lueur dans les yeux. Ils s'étaient vite compris. Cet homme avait, comme on dit, le sexe dans l'œil. La présence des petits Samory et Thulani rendait inappropriée la poursuite de l'échange. Elle avait apprécié qu'il lui communique ses coordonnées sans demander les siennes. Les hommes n'avaient plus l'élégance de laisser venir à eux les femmes. De leur côté, celles-ci ne le souhaitaient pas particulièrement. On se jetait l'un sur l'autre sans s'accorder le temps de la rêverie. Ce jour-là, elle s'était dit que Kabongo avait reçu une bonne éducation. Pas celle des manières, qui découlait du reste. Il était assez bien dans sa peau pour ne pas craindre qu'ils en restent là. Elle avait aussi aimé cela. La première fois, elle l'avait invité dans un restaurant, le *Liboko*, dont elle aimait la carte proposant des mets venus de tout le Continent, l'ambiance décontractée, le bon rapport qualité-prix. Il y était déjà venu à plusieurs reprises, les serveuses se souvenaient de lui.

Boya n'avait pas été étonnée qu'ils ne s'y soient jamais croisés, elle sortait peu le soir, pour aller au spectacle la plupart du temps, voir un film sur grand écran. Kabongo, lui, était un oiseau de nuit. Ses fils, dont il avait la garde, étaient couchés, confiés à sa sœur, quand il prenait le baburi bleu qui traversait la kitenta du crépuscule à l'aube, sur les lignes 22 et 38. On l'attendait un quart d'heure au moins à partir d'une certaine heure, il comptait moins de voitures, les passagers ne pouvaient y monter que s'ils trouvaient une place assise. Les transports en commun nocturnes rappelaient à tous qu'il y avait eu de l'insécurité dans la ville, que l'on n'était pas à l'abri de la voir ressurgir en provenance d'une région moins tranquille, que peu d'endroits échappaient à la surveillance des autorités. Mais le bon peuple de Mbanza ne se laissait pas impressionner. Les noctambules avaient la patience nécessaire pour attendre le baburi le plus tardif. Les places ne pouvaient être prises d'assaut comme elles l'étaient dans la journée. Qu'à cela ne tienne, de petits groupes s'y succédaient joyeusement, jusqu'à ce que chacun soit arrivé à bon port. Et cette gaieté emplissait les salles du *Liboko*, tandis que Boya et Kabongo passaient commande de plats légers. Ils y touchèrent à peine, se découvrant ce trait de caractère commun : une préférence pour les agapes d'après l'amour.

Depuis, c'était chez elle qu'ils se voyaient. Il n'y avait pas eu la moindre ombre au tableau avant que Zanele, nouvelle-venue à Vieux Pays, n'emménage dans la maison voisine. Boya et celle qui était désormais sa voisine allaient entretenir les meilleures relations jusqu'à ce qu'un événement un peu cocasse se produise. Repu dans tous les sens du terme, Kabongo quittait au point du jour le domicile de sa maîtresse, quand il était tombé nez à nez avec Zanele. Il n'y aurait eu là rien de gênant, si tous deux ne s'étaient connus auparavant, et plutôt bien. Kabongo avait en effet quitté Zanele, après sept années de mariage et plus encore d'une sorte de compagnonnage. Se découvrant en fin de compte peu doué pour la vie de couple, il avait voulu reprendre sa liberté, ne s'attacher à personne en particulier. Il adorait les femmes, mais ne les comprenait que dans la chambre à coucher, un lieu dont la fonction première se perdait aussitôt que s'installait le quotidien. De plus, on y retrouvait toujours le même visage, le même corps, ce qui finissait par lasser. Alors qu'il sortait de chez Boya, il avait donc été reconnu, dans la lumière encore timide du jour à peine éclos. Dès lors, un froid polaire s'était abattu sur la camaraderie naissante entre les deux femmes, ne laissant place, de la part de Zanele, qu'à une politesse suspicieuse. Boya regrettait la situation, trouvant ridicule que des femmes renoncent à sympathiser à cause d'un homme. Étant donné les dispositions de Kabongo, l'usage qu'il souhaitait que l'on fasse de lui, elles auraient très bien pu le partager avec toutes les autres. Enfin, c'était ainsi. Boya continuait de recevoir son amant. Lorsqu'il passait déposer les enfants chez leur mère, Kabongo avait la décence de ne pas chercher à la voir. Il n'y avait rien à faire de plus, la balle était dans le camp de Zanele. On sonna à la porte, c'était déjà lui. Elle alla lui ouvrir et se laissa aussitôt envelopper dans les inflexions de sa voix. Les mots qu'il disait : *Bonsoir, j'ai cru un moment que tu me battais froid*, n'avaient pas d'importance. C'était le son, la musique, ce qui s'annonçait dans cette mélodie. Ils se dirigèrent vers la chambre, s'y débarrassèrent de leurs vêtements en se regardant.

Comme toujours, elle s'étonna de ce qu'un corps très modeste lorsqu'il était couvert révèle sa splendeur une fois dévêtu. À l'ensemble agbada et sokoto qu'arboraient en général les hommes, Kabongo préférait un bùbá trop large, un kèmbè qui l'était tout autant. Le costume le vieillissait, le faisant aussi paraître plus épais. Avec une certaine insistance, Kabongo choisissait en outre des coloris peu seyants, des jaune pastel ou des vert d'eau qui ne lui allaient pas au teint. Elle ne lui faisait à ce sujet aucune remarque, voyant là un investissement malvenu, une sorte d'appropriation. Elle n'y tenait pas, se contentant de se laisser éblouir par le contraste entre l'individu un peu pataud qui avait sonné à sa porte et la créature divine qui paraissait nue

116

sous ses yeux. À la fois dense et longue, sa verge dessinait une courbe entre ses cuisses. Elle semblait un être vivant, libre, trouvant parfaitement justifiée la considération de qui avait l'honneur de la regarder. Kabongo avait les jambes hautes, surplombées à l'arrière par des fesses juste assez fermes, à l'avant par un ventre dénué aussi bien de mollesse que de rigidité acquise grâce à l'effort physique. Boya trouvait sublime la partie inférieure du corps des hommes, c'était ce qu'elle avait le plus de plaisir à contempler, même si le reste avait son importance. Lorsque la voix, comme celle de Kabongo, avait la profondeur de nuits forgeant des jours ardents, cette femme ne répondait plus de rien. Se soustraire à la puissance du vertige qui s'emparait d'elle nécessita quelques efforts. Elle tint cependant, de ses mains appliquées, à témoigner à ce corps la dévotion méritée. Il rit doucement : *Tu es encore plus rouge quand tu as envie.* Boya aimait cela aussi, cette intimité enjouée. Il ne lui laissa pas le loisir de se demander pourquoi avoir tant attendu avant de le revoir. S'asseyant sur le lit, il l'attira à lui, le dos de la femme contre sa poitrine, pour lui empaumer les seins, glisser ses mains sur son sexe, tout en lui embrassant le cou. Il la pénétra dans cette position, avec la douceur habituelle. C'est alors que la lumière reflua, sans s'éteindre tout à fait. L'instant de la pénétration avait toujours été, pour Boya, le moment de vérité. C'était là que se déterminait la qualité du lien l'unissant à un homme. Que l'amant soit l'aimé du corps trouvait alors sa confirmation, ce qui justifiait la poursuite de la relation. La corroboration fut partielle, la présence d'Ilunga s'imposant soudain. Elle n'eut pas à simuler mais à se concentrer plus qu'à l'accoutumée. Bien sûr, Kabongo s'en aperçut. Jamais encore il n'avait écourté leurs ébats. Au contraire, il procédait par itération, la tirant de son sommeil s'il le fallait. Ce soir-là, étendu à ses côtés, il la regarda longuement en silence. Lorsqu'il parla, ce fut pour dire : *Écoute, appelle-moi quand tu auras réglé ça.* Il la connaissait déjà trop bien et la part de lui qui venait de s'exprimer était celle qui, s'étant attachée à la femme, n'entendait plus se contenter de rapprochements épisodiques. À présent, Kabongo voulait quelque chose : du temps, un espace inviolable, et que soit réglé le problème qui se tenait entre eux. Il leur épargna les détails, ne vociféra pas comme le faisaient ceux qui, craignant de perdre l'autre, se sont déjà disqualifiés.

Elle ne le reconduisit pas, ce qui sembla lui convenir. Une pensée la frappa tout à coup, l'idée qu'elle avait fait une entorse à leurs habitudes en se restaurant avant l'amour, pas après, avec lui. Elle ne s'était pas gardée pour lui, ne l'avait pas attendu comme d'habitude, le laissant la remplir mentalement d'abord. Un court instant, Boya faillit céder à la culpabilité. Elle se reprit vite : des proies plus faciles gambadaient dans la kitenta et autour. Si même un sentiment imprévu avait pris naissance dans le cœur de cet homme, la consolation était assurée. Il était bien entendu possible qu'un temps, il n'en mène pas large, désirant plus que tout ce qui lui échappait. Au moins pouvait-on parier qu'il ne s'abaisserait pas à venir rugir sous les fenêtres de Boya. La perspective d'offrir ce spectacle à Zanele l'en dissuaderait. La femme ôta les draps du lit, le réarrangea, prit une douche et se coucha. Penser à Ilunga de façon volontaire et consciente n'était pas nécessaire. Elle se résolut à ne plus rien tenter pour l'éloigner. Il lui restait vingt jours pour se décider. La graine enfouie sous terre n'aurait plus à affronter de corps étranger. Seuls importaient l'environnement, le cœur de Boya, sa mémoire et ses aspirations. La réflexion qui lui vint lorsqu'elle détacha le poids de sa lampe à gravité, plongeant la pièce dans l'obscurité, l'occupa jusqu'à ce que le sommeil l'emporte. Ilunga répondait à un appel émanant d'elle, et inversement. Il lui aurait été aisé de la retenir. Depuis qu'ils s'étaient quittés, l'homme ne s'était pas manifesté. Les rêves qu'elle fit cette nuit-là et celles qui suivirent lui apprirent, s'il en était besoin, que ce n'était pas par dédain. La certitude qu'ils s'étaient connus avant cette existence ne fut pas une nouveauté. Simplement, Boya aimait bien sa vie d'universitaire, ses recherches, ses cours. Elle tenait aussi beaucoup à sa place au sein de la communauté des femmes, le travail accompli ensemble, l'attention portée aux plus jeunes. Il n'y avait pas de place pour une relation amoureuse, si telle devait être la situation. Peut-être la grâce consistait-elle dans la rencontre plus que dans les formes diverses que pouvait prendre sa matérialisation. Peut-être fallait-il éprouver de la gratitude à la pensée qu'il existe pour elle une âme-sœur, sans qu'il soit nécessaire de trouver à cela une fonction, une utilité dans le monde visible. Leurs esprits étaient compatibles. Leurs existences ne l'étaient pas. Il avait de plus une épouse, ce qu'elle ne pouvait négliger. Être à l'origine de la souffrance d'une femme était une faute pour le groupe d'initiées dont elle faisait partie. Et puis, elle ne voulait ni d'un adepte de la duplicité, ni d'un homme qui rompe la promesse faite à une autre. Cela la plaçait dans une situation compliquée : Boya n'avait pas le profil d'une deuxième épouse, encore moins celui d'une concubine. Selon la tradition, elle avait passé l'âge d'occuper l'une ou l'autre place. En outre, son tempérament s'accordait mal avec ces positions. Non qu'elle soit jalouse, cette émotion déstabilisante lui étant à ce jour inconnue. Simplement, il lui importait de recevoir ce qu'elle offrait, c'est-à-dire tout.

5

La journée avait été longue, et la nuit promettait d'être courte. Le Conseil tenait une de ces assemblées nocturnes au cours desquelles les affaires du Continent étaient abordées sur le plan de l'éthique traditionnelle. Cette terminologie avait été choisie pour éviter le recours au terme de spiritualité qui s'appliquait aujourd'hui à tout et à son contraire. Il arrivait, comme en ce moment, que les membres ne siègent pas sous leur apparence diurne, révélant leurs autres visages. En tant que mokonzi, Ilunga prenait part à certaines de ces réunions, mais il ne faisait pas partie de l'ennéade des Conseillers. Il se trouvait là cette nuit, en compagnie d'humains faisant corps, pour l'occasion, avec la dimension de leur être se rapportant à une force de la nature. Un promeneur peu averti aurait été surpris de rencontrer, à cette heure déjà avancée, un homme seul au beau milieu d'un sous-bois. Peu de gens se risqueraient là, c'était presque certain. Tout de même, pour garantir la tranquillité des échanges, Kabeya avait été posté à l'entrée de la nzela sauvage qui, rétrécissant au fur et à mesure que l'on avançait, menait au lieu de la rencontre. On ne savait jamais, si une sangoma pensait l'heure adéquate pour cueillir des simples que l'on ne pouvait prélever qu'à cette heure. Le Conseil était présidé par une femme sans âge répondant au nom respectable de Ndabezitha. Elle avait proposé l'ordre du jour, ne doutant pas qu'il serait approuvé. Le Katiopa unifié était une réalité depuis cinq années maintenant. Avant même qu'il soit établi, le sujet de la discussion de cette nuit était considéré comme l'un des plus importants, au même titre que l'abolition des frontières coloniales ou la création d'une armée continentale. Ce qui permettrait au nouvel État d'accepter l'évolution du monde sans se perdre pour autant, dépendrait de la manière dont serait résolu le problème posé lors de la réunion. Ndabezitha était un feu que l'on aurait dit de camp si l'on s'était aventuré là. S'élevant pour prendre la parole, elle prononça la formule rituelle : *Le peuple est réuni.* L'assemblée répondit : *Pour une bonne raison.* L'appel et la réponse furent énoncés à trois reprises. L'ancienne conclut alors : *C'est en effet pour aborder une question de la plus haute importance que nous sommes rassemblés.* Elle poursuivit : *Filles et fils de Katiopa, la terre première et pendant longtemps unique, vous savez ce qui nous amène. Vous savez pourquoi nous nous sommes extirpés de nos enveloppes charnelles afin de nous entretenir ici dans un langage inaccessible au commun. Ce que nous allons dire ne peut encore être exprimé dans les langues humaines, de peur que nous ne soyons combattus avant d'avoir pu nous organiser. Les armes dont nous disposons ne peuvent être employées de façon massive, leur nature même l'interdit. Or, si nous devions nous défendre, il faudrait affronter les arsenaux de ceux qui nous désignent comme leurs ennemis. Nous leur avons repris nos territoires, mais ils sont là, nous le savons, prêts à se glisser dans la moindre de nos failles. L'unité est notre bouclier, nous l'avons toujours su. Je vous ai priés de me rejoindre ici cette nuit, sous les auspices de Diboboki, la lune rousse, afin que nous décidions ensemble de l'un des aspects de notre cohésion spirituelle.*

Les flammes formant le corps de Ndabezitha crépitaient sur un amas de brindilles sèches. Éclairant les lieux, elles lui permettaient d'avoir un œil sur les quatre points cardinaux et donc sur tous ceux qui se trouvaient là. Dans l'eau étonnamment claire d'une mare, dans le tremblement des branches d'un arbuste, au cœur d'un amoncellement de roches, dans un morceau de métal niché au fond de crevasses, dans un souffle du vent calme. Chacun était pour ainsi dire dans son élément, celui qui gouvernait son tempérament au sein de la société des humains, celui qui l'unissait à la nature. Les membres du Conseil étaient originaires des neuf grandes régions intégrées de Katiopa. Une fois la pacification achevée et l'unité totale acquise, que cela soit ou non publiquement affirmé, elles conserveraient un statut d'aînées. Leur responsabilité était donc de faire les choix les plus féconds pour l'ensemble à venir. Au sein de l'instance majeure qu'était le Conseil, elles n'étaient pas représentées par des professionnels de la politique, mais par de grands esprits. Avaient-ils été surpris de voir un jour arriver un des fondateurs de l'Alliance qui, disant les avoir longtemps cherchés, leur proposait de rejoindre ce qui n'était encore qu'un cabinet fantôme ? Quoi qu'il en soit tous étaient là, depuis bien des années, veillant d'abord sur la gestation du

Katiopa unifié. Beaucoup avaient conservé leurs activités diurnes quand elles étaient compatibles avec cet engagement spirituel au service du Continent. Ainsi, Ndabezitha était toujours une sangoma renommée. Elle habitait une cahute de montagne à flanc de coteau, refusant de la quitter quand il ne s'agissait pas des réunions du Conseil ou de celles de l'Umakhulu, institution rassemblant les plus anciennes guérisseuses du monde. Abahuza, une autre femme de l'assemblée, continuait de peindre des tableaux dont les formes et couleurs possédaient des vertus curatives. Les galeries branchées se les arrachaient, sur le Continent et au-delà. Le Conseil comprenait aussi un libraire spécialiste des savoirs ésotériques, et une archéologue des jardins. Avant de recevoir la visite de la personne les ayant approchés pour le compte de l'Alliance, chacun avait développé son intérêt pour les mystères, chacun s'y était à sa manière initié, chacun avait connaissance des techniques permettant de changer d'état comme ils le faisaient cette nuit. Tous n'avaient pas connu le Conseil des débuts, composé de trois membres seulement, assistant en secret l'Alliance. Il avait fallu du temps pour trouver ces personnalités, puis s'assurer de ne s'être pas trompé. Abahuza, qui avait pris la forme d'une mare luisant sous la lune près de l'endroit où était assis Ilunga, laissa échapper un murmure d'approbation aux propos qui venaient d'être tenus.

L'oratrice poursuivit. Les structures de l'État devaient être consolidées, la nomination de mikalayi non issus de l'Alliance attendait encore, mais cela ne revêtait aucun caractère urgent. Tant que les populations seraient satisfaites de leurs référents actuels, elles souhaiteraient les garder. On avait pensé ouvrir ces postes à d'autres parce qu'il se disait çà et là, à voix basse mais en des termes appuyés, que l'Alliance était une espèce de société secrète. Ndabezitha n'en était pas embarrassée. Il y avait du vrai dans les murmures parcourant les villes du Katiopa unifié. Ce dont ils devaient s'entretenir entrait dans une catégorie supérieure de préoccupations. On ne pouvait employer le mot d'urgence, il induirait en erreur quant à la façon d'agir. Afin d'accomplir cette tâche d'une importance cruciale, il convenait d'aller pas à pas, on ne pourrait aisément revenir en arrière. Ce dont parlait Ndabezitha, c'était de la création d'un collège ancestral. Les communautés avaient souvent préservé un lien puissant avec leurs aïeux, et le faisaient vivre de diverses manières. Cette relation forte devait trouver son expression au niveau continental. Il n'était pas simple de résoudre la question, il faudrait faire des choix. Bien entendu, chacun savait que seuls les défunts honorables pourraient être sollicités. Chacun savait aussi que, parmi eux, tous n'avaient pas accédé au stade d'ancêtres. Ils avaient eu le malheur de se tourner vers les vivants qui pleuraient leur disparition, au lieu de faire la sourde oreille pour atteindre le lieu d'où ils auraient pu continuer à se manifester. C'étaient donc là des énergies perdues, il fallait l'accepter. D'ailleurs, Katiopa étant un territoire ancien, il avait eu, au cours des âges, son lot de disparus dignes d'être invoqués. Il fallait maintenant déterminer le fonctionnement du collège ancestral, de quelle façon on s'y référerait, et savoir qui serait amené à y siéger. Ndabezitha rappela que Katiopa tout entier devrait être représenté, ce qui signifiait qu'il faudrait voir au-delà de la terre originelle. C'était ainsi que l'on procédait en toute chose, parce que Katiopa n'était pas seulement le territoire le plus vaste au monde, mais aussi un maillage humain se jouant des appartenances administratives. Au terme de sa déclaration, l'ancienne invita quiconque le souhaitait à se prononcer sur l'un des trois points mentionnés. Les flammes s'affaissèrent doucement sans s'éteindre : elle écoutait avec attention.

Abahuza fut la première à s'exprimer, sa parole dessinant des ronds dans l'eau, comme si un enfant mutin y avait jeté un caillou. S'agissant de l'organisation du collège comme de sa composition, il serait bon de consulter les intéressés. Elle n'imaginait pas qu'ils soient simplement convoqués pour recevoir une feuille de route. En revanche, elle avait une proposition à faire en ce qui concernait la manière dont on communiquerait avec les ancêtres à l'échelle continentale. Ilunga réprima un bâillement. Ces questions l'intéressaient, et parce qu'il était le mokonzi, lui seul prenait part à certains échanges avec les anciens. Ce soir en particulier, il aurait bien voulu se faire remplacer. Il y avait longtemps que les rangs de l'Alliance l'avaient accueilli. Trente ans. Dès lors, son existence avait toujours eu des dimensions particulières, occultes, difficiles à partager en dehors de certains cercles. Il avait connu peu de femmes. Celle à laquelle il s'était uni ne voyait pas l'intérêt de ces questions, trouvait incompréhensible ce qu'elle qualifiait de virées dans la quatrième dimension. Or, seule la femme était habilitée à recevoir certains des secrets de l'homme. C'était en elle qu'il se réfugiait. La femme était la demeure. Elle était la terre, l'homme la semence. Même à Kabeya, son plus proche ami, il ne pouvait confier les affaires

126

débattues avec les membres du Conseil. Il ne pouvait évoquer que les réunions auxquelles les membres de l'Alliance prenaient part. C'était inutile, puisque Kabeya l'y accompagnait.

Le peuple de Katiopa, sur le Continent et au-delà, connaissait le Conseil et ses membres. Il avait été décidé de ne pas cacher cela, au contraire. On savait qu'à l'étranger nombreux étaient ceux qui ne voyaient là qu'une de ces manifestations folkloriques dont le Continent avait le secret. Deux fois l'an, pour San Kura et pour le salut aux trépassés de la Maafa, les Conseillers paraissaient en public, chacun revêtant le costume traditionnel de sa région. Cela faisait sourire. La plupart des gens ignoraient que le Conseil avait été l'éminence grise de l'Alliance en matière d'éthique tout au long de son parcours. Seuls les enfants de Katiopa se doutaient qu'un groupe de maîtres spirituels tel que celui-là constituait un bouclier presque imparable pour ceux qui avaient fait le choix d'une action politique guidée non pas uniquement par les intérêts bien compris des populations, mais aussi par leur conception du monde. L'assistance permanente du Conseil avait évité aux combattants de l'Alliance de réduire leur action à la lutte armée quand il avait fallu y recourir. Elle leur avait permis de se montrer patients, de livrer les batailles les plus cruciales, celles qui visaient à créer la plus forte adhésion possible des masses à leur proposition. L'unité ne deviendrait une réalité qu'en ramenant à eux-mêmes ceux qui s'étaient perdus, puis en leur communiquant cette vision nouvelle. Il ne s'agissait pas de reproduire les formations étatiques ayant existé avant la Maafa, lesquelles rassemblaient en leur sein des populations diverses.

Il était impossible de recréer ces vieilles civilisations, mais on pouvait en façonner une autre. Autrefois, le corps vivant de Katiopa avait été éparpillé aux quatre coins de la terre. Il importait de tenir compte de ce séisme et des drames qui lui avaient succédé. Au sein de l'Alliance qu'il avait rejointe adolescent, Ilunga s'était formé. Ensuite, avec d'autres, il avait mené des actions de terrain pendant plus de deux décennies.

À l'inverse de la F.M. qui l'avait précédée, l'Alliance, fondatrice du Katiopa unifié, avait très tôt admis l'idée selon laquelle le projet qu'elle souhaitait mettre en place était sans équivalent. Il n'y avait, nulle part dans l'histoire humaine, de modèle auquel se référer. Personne à imiter, ni en se tournant vers les grands empires connus avant les invasions étrangères, ni en important des systèmes établis hors du Continent. Alors, il avait été jugé utile de plonger en soi, tout au fond de soi. Le propos n'était pas de démontrer son habileté à déguster avec les doigts les mets servis à table ou de retourner au port de l'habit en raphia pour se rendre à son travail. Le Continent avait, à maintes reprises, fait l'expérience de politiques dites de l'authenticité, dont le but avait souvent été d'engourdir l'esprit des peuples, leur faisant accepter des conceptions néfastes du pouvoir. L'Alliance ne recherchait pas la pureté identitaire. Son objectif était de se reconnecter à la vérité profonde de Katiopa, qui n'était pas une forme, une couleur, une saveur, mais une manière de voir. Des principes. En réalité, l'éthique traditionnelle dont le Conseil s'était fait le gardien n'était pas liée aux coutumes en tant que telles, mais à ce qui leur avait donné vie. Il y avait quelque chose derrière les rites. Il y avait un sens aux pratiques.

Connaître cela permettait de savoir comment le vivre au présent. Grâce au Conseil, l'Alliance avait avancé pas à pas vers son objectif : ne pas refaire le monde, fonder le sien comme l'avaient fait les aînés. Parce que l'on avait procédé de la sorte, le fait de conserver des apports allogènes avait été bien vécu. Certains étaient utiles, d'autres participaient d'esthétiques s'harmonisant sans mal avec celles de Katiopa. Les promoteurs de la F.M. avaient commis une erreur en espérant remonter le temps, regagner des ères largement révolues. Leur règne était vite devenu un affrontement avec les populations des régions dont ils s'étaient emparés.

En y repensant, Ilunga revoyait leur chef, l'inénarrable Mukwetu. Pas un mauvais bougre, non. Juste un type que la longue humiliation du Continent avait rendu un peu dingue. Son obsession avait été de vouloir tout effacer qui ne soit pas de Katiopa. Lorsqu'il butait sur une difficulté, la parade était souvent la même. On pouvait utiliser telle technologie ou telle autre parce qu'elle n'était qu'une version perfectionnée de ce qu'avaient créé les ancêtres. Ilunga étouffa un rire en se remémorant le jour où, lors d'une de ces longues allocutions télévisées dont il avait le secret, Mukwetu s'était lancé dans une démonstration visant à prouver que l'os d'Ishango étant le plus ancien vestige des mathématiques, toute invention scientifique en découlait. Les voitures luxueuses dont il faisait collection, les bateaux du même acabit qu'il possédait aussi, étaient donc le fruit du génie de Katiopa. Peut-être pouvait-on se féliciter qu'il n'ait pas opté pour le portage par des serviteurs afin de se déplacer d'une région à l'autre de l'espace conquis par ses troupes. La F.M. n'avait pu s'implanter que dans trois des anciennes nations fabriquées par les étrangers, ce qu'elle avait fait en usant de la manière forte. Ilunga se souvenait de l'effroi qui avait saisi le monde, quand on avait annoncé les décès simultanés des agents de Pongo qu'étaient les dirigeants de ces pays. Très honnêtement, il se réjouissait de n'avoir pas eu à se salir à ce point les mains, même s'il avait été nécessaire de ne pas mollir, quand le tour de l'Alliance était venu. Mukwetu avait commis de nombreuses fautes, l'une d'elles étant de ne pas considérer les territoires de déportation comme faisant partie de Katiopa. On n'allait pas bien loin sans alliés, ceux de l'Autre bord devant être les premiers. Ils accroissaient l'importance démographique du Continent, mais aussi ses perspectives commerciales et sa puissance spirituelle. L'Alliance avait consacré beaucoup de temps à former ces communautés éloignées du centre, à leur faire comprendre la nécessité pour elles d'élever la Terre Mère afin de conquérir leur place au monde. Toutes n'avaient pas été convaincues, mais il ne se faisait pas trop de souci. On discuterait dans des termes différents lorsque le Katiopa unifié constituerait un pôle de puissance dans un environnement géopolitique désormais régi par de grands ensembles. Chaque jour que Nzambi lui accordait, Ilunga rendait hommage aux mères et pères de l'Alliance, qui avaient pris exemple sur l'escargot dont le passage silencieux marque néanmoins le sol de son empreinte. Lorsque Kabeya et lui y avaient été recrutés, le mouvement avait plusieurs décennies. Ils avaient pénétré dans une demeure aux fondations déjà solides.

S'empêchant à nouveau de bâiller, Ilunga regretta de n'avoir pas la possibilité, comme le faisaient les membres du Conseil, de laisser son corps au repos, étendu sur sa couche, pendant que son esprit logerait dans un élément de la nature. Il pouvait accomplir bien des prouesses, mais pas encore habiter l'eau ou le vent. Ses interlocuteurs étaient plus âgés que lui, mais quand se lèverait le jour, cette nuit sans sommeil n'aurait pas d'effet sur eux. Lui aurait besoin de dormir une partie de la journée, Kabeya devrait se faire remplacer. Ses pensées le menèrent auprès de Boya. Il se demanda ce qu'elle faisait, si elle voyait quelqu'un. C'était la première fois qu'il pensait à ce détail précis. Ils n'avaient pas évoqué ce sujet. Qu'elle affirme avoir senti sa présence sans qu'il prenne la peine de nier s'être trouvé à deux reprises près d'elle, avait donné un tour particulier à leur conversation. Ils s'étaient dit peu de choses sur eux-mêmes, sur leurs vies. Aucun n'avait parlé de son travail, ni évoqué sa situation sentimentale. Ils s'étaient découvert un intérêt commun pour des sujets aussi atypiques lors d'un premier rendez-vous que celui du karma collectif des peuples ou la réaction des gouvernants de certains pays de Pongo, face à l'installation de temples impies au cœur de leurs villes. Ilunga en avait visité un dans la kitenta du pays ingrisi. On y révérait avec ferveur Oshun ou Obatala. Après avoir longtemps gardé pour soi ces croyances, on décidait de les exprimer au grand jour, au nom de la liberté de culte et de l'amour de soi. Il était arrivé que le prétexte de la laïcité soit opposé à ceux qui voulaient désormais faire reconnaître leurs croyances ancestrales en dehors de Katiopa. Certains avaient brandi l'argument selon lequel la foi en Obatala n'était pas l'égale d'autres, qu'il s'agissait là d'un mysticisme primitif, d'un reste de pensée prélogique. On avait ajouté que toutes les religions ne pouvaient être transplantées, quelques-unes parmi elles n'ayant pas vocation à s'épanouir loin de leur terre natale. Des procès retentissants avaient résolu la question, au moins sur le plan légal. Il était devenu difficile aux chantres des Droits humains et autres apôtres de l'universalisme d'assumer leur propension à hiérarchiser les cultures. Il était ardu de considérer comme dangereuses des religions qui, à l'inverse des deux plus influentes au monde, se gardaient de tout prosélytisme, ne savaient rien des guerres saintes et ne s'investissaient pas elles-mêmes d'une vérité les autorisant à fabriquer des mécréants à la moindre occasion. Les adorateurs d'Oya et d'Olokun avaient donc remporté d'éclatantes victoires et vu se presser, dans leurs sanctuaires, des personnes de toutes origines.

La Première Chimurenga avait ôté leurs chaînes mentales aux enfants de Katiopa établis dans les pays de Pongo. Depuis, ils y étaient une vigie sur laquelle la Terre Mère pouvait compter. Féru de musiques urbaines datant du milieu de cette longue période, Ilunga avait rappé quelques-unes de ses punchlines favorites, joignant le geste à la parole :

À force de foutre le feu au fin fond de la jungle, on finit par faire débarquer les fauves à Mbeng, ou : *On a tagué nos noms sur des murs et des murs, longtemps avant l'invention de l'écriture*, ou encore : *Pas une seule graine de haine dans mon nyabinghi slang, juste le kamite poème d'un fils d'Alkebulan...*

Il avait répété cette dernière citation, lentement, faisant ressortir les termes soulignant l'ancrage ethnique, l'appartenance à une terre précise, à un peuple particulier : *nyabinghi, kamite, Alkebulan.* Parce que l'on venait soudain de découvrir qui on était, ce que les programmes scolaires avaient sciemment ignoré. On avait besoin de le clamer, de le marteler. On n'était pas n'importe qui, le monde allait le savoir. Alors, on s'était donné un titre de noblesse afin de clarifier une fois pour toutes la situation, et le prénom étranger choisi par les parents avait disparu. On s'appelait : Lord Ekomy Ndong. Lord, c'était en soi un message, une bannière prête à défier les vents tempétueux de l'histoire. Boya avait beaucoup ri, sans doute y avait-il eu de quoi. Après qu'il s'était ainsi dévoilé, le ton de la conversation ne s'était plus embarrassé de manières. Sans évoquer les aînés de l'Alliance qui lui avaient fait découvrir ces chansons considérées comme des documents, Ilunga avait reconnu qu'elles le touchaient. Elles lui permettaient d'accéder à la finalité de son engagement. Ce n'était pas tellement la musique qui lui plaisait, sur ce point, il préférait de loin l'esthétique plus élaborée de Sons of Kemet, le mauvais genre de House of Pharaohs. Mais dans ces vieux morceaux de hip hop, il entendait les battements de cœur de générations d'enfants du Continent dont l'honneur, l'humanité même avaient été bafoués. Ces textes lui parlaient d'ostracisme, de spoliation culturelle, de restauration de la mémoire. Ils disaient que la violence symbolique avait accompagné l'autre, qu'elle avait un temps annihilé les forces de peuples ayant intériorisé l'idée de leur infériorité. C'étaient plus que des chants, plus que des témoignages poétiques. Ces mots disaient le refus de se laisser enterrer vivant. Ceux qui les avaient écrits étaient bel et bien des guerriers. La place qu'ils occupaient parmi les combattants de la Première Chimurenga était noble. Bien plus que celle d'un grand nombre de littérateurs dont le propos ne se diffusait qu'au sein d'une intelligentsia hautaine, ne devant souvent ses galons qu'à l'intérêt que lui portaient les colons de naguère.

Boya ne connaissait pas cette partie du riche patrimoine musical de Katiopa. Il n'était pas si sûr qu'elle le fasse, mais elle avait promis de s'y intéresser. L'homme sourit, songeant qu'elle n'aurait pas vraiment le choix. Parce qu'il en écoutait beaucoup, de ces vieux titres de rap, et parce qu'il l'attendait de façon trop active pour qu'elle ne lui revienne pas. La question du karma collectif les avait occupés un moment. Ilunga pensait qu'il fallait en limiter les conséquences aux actes posés, quand Boya insistait sur le fait que les pensées devaient aussi être prises en compte. L'action succédait en effet à la conception imaginaire dont elle n'était qu'une matérialisation. On avait aussi vu certains agir de façon en apparence contraire à leur pensée profonde, laquelle ne s'était révélée que plus tard, lorsque les gestes avaient produit leurs effets. *Inutile de te faire un dessin*, s'était-elle exclamée, de sa voix grave et un peu voilée. Se penchant sérieusement sur le sujet, ils avaient examiné la trajectoire de différents groupes humains. Pour certains, il avait été assez aisé de mettre au jour d'éventuelles dettes karmiques. S'agissant de Katiopa en revanche, ils n'étaient pas tombés d'accord. Lui refusait l'idée d'un passif pouvant avoir causé les souffrances du Continent pendant si longtemps. Elle n'avait pas voulu en démordre, cela s'était passé ici comme ailleurs, on avait mal pensé, on avait agi de même, et l'Univers avait réclamé son dû. La faute n'incombait jamais à l'autre, qui n'était que l'instrument du fatum, la figure donnée au châtiment. La lutte ne pouvait donc être menée contre lui, elle devait l'être contre les ombres en soi qui lui avaient permis de sévir. Il était resté pensif un instant avant d'acquiescer d'un hochement de tête. Sur ce point, ils s'étaient rejoints. C'était ce qu'il avait toujours appris, ce en quoi il croyait : la fêlure se trouvait à l'intérieur. *Alors*, avait-elle interrogé, revenant à la thématique précédente, *ces chansonniers de la Première Chimurenga n'auraient-ils pas dû ausculter la fissure et comprendre ce qui l'avait formée ?* Bien entendu, la question valait pour tous ceux qui, dans le passé, s'étaient appesantis sur ce qui avait prospéré autour du gouffre. Car la faille était devenue cela, au fil du temps, une excavation aux limites insondables. On avait douté de ses forces, on avait craint d'y plonger tout entier pour découvrir ce qui avait craqué et à quel moment. En réalité, la Première Chimurenga n'avait pas commencé un siècle plus tôt. Sa naissance se confondait avec l'apparition des concepteurs de la Maafa, sur la côte atlantique de Katiopa. La musique de la Chimurenga avait d'abord été un chant de déporté répondant à la complainte des siens restés au pays. Elle avait d'abord retenti dans les incantations et prières demeurées sans réponse, dans la percussion des corps jetés par-dessus bord.

Ilunga lui avait laissé la main. Ce qu'il avait décelé dans les réflexions de Boya était sans rapport avec cette forme achevée de la haine de soi qui se manifestait par la critique incessante de ceux dont on était issu. Il s'agissait, au contraire, d'un amour exigeant. Il fallait beaucoup aimer les gens pour espérer, imaginer même, qu'ils regardent en face leurs faiblesses, les corrigent, les rendant ainsi impuissantes à borner leur univers. Il fallait idéaliser les humains pour les en croire capables, d'où qu'ils soient. Ce dont elle parlait, seuls de petits groupes de gens pouvaient l'accomplir. Des structures telles que l'Alliance. Il leur revenait ensuite d'apporter des solutions, tout en se gardant de décrire trop en détail le mal. Donner de la force aux masses, leur fournir des outils, permettre à ceux qui pourraient le supporter de pénétrer dans la fosse et d'en sortir entiers. Ceux qui seraient en mesure d'assassiner la mort en eux. Ils étaient rares. On se cherchait toujours des excuses, on avait vite fait de désigner un coupable, de jeter toutes ses forces dans la quête d'une revanche qui n'aurait pas lieu. Car l'ennemi était à l'intérieur où, précisément, on rechignait à regarder. Cette conversation devrait être reprise, plus tard, en plusieurs étapes. Il avait bien vu ce qui la passionnait, cette façon qu'elle avait d'étudier le dessous des cartes, de s'attacher à la cause plus qu'aux effets. Cette manière aussi dont elle envisageait le genre humain, comme un corps unique. L'importance que revêtait à ses yeux le destin de Katiopa ne lui faisait pas perdre de vue cette certitude. Boya n'était pas une adepte de ce pérennialisme continu qui dotait les nations, les peuples mêmes, d'un enracinement immémorial, d'une essence. Il n'y croyait pas tout à fait non plus. Pas tellement parce que cela aurait signifié la séparation des humains sur la base d'une sorte de nature forgée par l'espace et le temps, mais parce qu'une telle pensée était en désaccord avec l'unité. Il n'était pas nécessaire de quitter Katiopa pour remarquer des différences entre les communautés, les cultures. L'unité ne signerait pas la fin de ces particularismes mais en aménagerait le dialogue, les épousailles. Quelque chose de neuf en sortirait.

Il avait à nouveau rempli son verre, mais son invitée avait peu bu, comme pour s'assurer de rester maîtresse d'elle-même. Ilunga s'était demandé s'il lui plaisait, s'il suffisait qu'elle ait senti sa présence pour lui être familier. Elle ne lui avait pas reproché les agissements de ceux qui l'avaient traînée jusqu'à sa résidence. En fin de compte, tout s'était passé comme après une rencontre ordinaire. Sans la dévisager jamais, il avait passé la soirée à l'observer. Elle se maquillait les yeux mais pas les lèvres, qu'elle avait aussi cuivrées que le reste du corps. Ses ongles courts n'étaient pas vernis, elle portait des chaussures basses, des sandales de cuir qu'elle avait retirées avant de s'installer face à lui. En revanche, elle aimait les bijoux. Trois bagues d'argent lui ornaient deux doigts de la main gauche, l'une d'elles sertie d'une agate jaune dite *œil du tigre*. Plusieurs rangs de perles colorées lui pendaient sur la poitrine, glissant doucement sur la soie de son bùbá selon les gestes qu'elle esquissait. Il avait songé, en regardant l'imposant collier, qu'il devait s'agir d'une parure ancienne, on n'en faisait plus de ce genre. Peut-être un héritage. Peut-être le cadeau précieux d'un amant, d'un compagnon. À aucun moment elle n'avait tenté de le séduire. Lui non plus. Il y avait cependant quelque chose entre eux, c'était une certitude. L'homme se dit qu'il serait regrettable de ne pas prendre le temps de se courtiser mutuellement sous prétexte que la providence, les astres, quoi d'autre, avaient déjà fait leur œuvre. Une force les avait poussés l'un vers l'autre, et on l'avait kidnappée, et elle s'était assise pour partager son dernier repas, se soumettant elle aussi à cette puissance. Plus jeunes, sans doute auraient-ils procédé avec moins de retenue. Ils auraient eu tort. Penser l'un à l'autre, s'attendre, était une excellente entrée en matière. Ils se reverraient. Il avait bien fait de lui en laisser l'initiative, mais n'hésiterait pas à corriger le tir si d'aventure des hésitations la retenaient. Ilunga était sûr de lui. Pas seulement de son désir, mais des raisons profondes de celui-ci. Il ne voulait pas posséder cette femme, il voulait être avec elle. Qu'elle le rejoigne tout de suite ou un peu plus tard ne changeait pas grand-chose à un fait : être avec l'autre prenait du temps.

Quand le mokonzi reporta de nouveau son attention sur les dires du Conseil, la parole était à Makonen, qui avait élu domicile dans le corps gélatineux d'un palmier sauvage. *Nous savons*, disait l'ancien, *que les plaques et autres monuments installés dans nos villes ne sont pas des hommages aux ancêtres selon nos conceptions. Il a fallu les mettre en place parce que nos populations, désormais attachées aux traces, aux empreintes physiques, en avaient besoin. Ces questions d'image, de représentation, me semblent assez futiles. Mais bon, nous avons été colonisés... Cela a logé en certains d'entre nous un tragique attachement à la matière.* Il était cependant urgent d'agir dans le sens de la tradition. On pouvait se féliciter d'une chose : la plupart des communautés avaient conservé, dans leurs fiefs, des usages leur permettant de maintenir le lien avec les trépassés. Ils n'étaient donc pas, ne seraient jamais des disparus. Toutefois, la manière dont ces choses se faisaient à l'échelle locale était bien différente de ce qu'il conviendrait d'entreprendre pour les régions de l'État. D'autant que Katiopa – il était bien placé pour le rappeler puisqu'il venait de l'Autre bord – se trouvait sur le Continent et au-delà. La Terre Mère était le corps de ses fils, leurs cultures et arts de vivre. À supposer que l'on érige un sanctuaire, un lieu symbolisant la présence des ancêtres, où serait-il légitime de le bâtir ? Les aïeux devraient trouver un consensus pour régler cette question. On ne pouvait agir qu'en fonction de leurs souhaits. Ndabezitha crépita à nouveau. Le sujet ne serait pas épuisé en une nuit, il faudrait convenir d'une autre rencontre pour avancer. *Je suggère que chacun y réfléchisse et revienne avec des propositions concrètes.* S'adressant à Ilunga, la vieille sangoma déclara, espiègle : *Fils, nous t'avons connu plus attentif. J'ai remarqué une présence rouge au cœur du bleu. Il était temps qu'elle vienne s'y loger, nous en avons besoin.* Il n'eut le temps ni d'interroger, ni de formuler une réplique. La nuit l'enveloppait de son épaisseur. Les Conseillers avaient levé le camp. En moins de temps que n'en nécessitait un clignement d'yeux, chacun avait regagné la région où se trouvaient sa demeure et son corps. Il lui avait tout de même semblé voir les branches du palmier se métamorphoser en une sorte d'écume, une mousse blanche ressemblant à la crinière de locks qu'arborait Makonen. Le pouce et l'index glissés dans la bouche, Ilunga siffla une fois pour signaler à Kabeya qu'il venait à sa rencontre.

6

Par la vitre embuée, Boya regardait défiler le paysage. Elle avait pris le Mobembo, train à grande vitesse reliant la côte à l'intérieur du Continent. Elle aimait ce voyage, en particulier la traversée de ce tronçon de forêt équatoriale où la végétation semblait prête à dévorer l'engin. On avait tenté de limiter les violences faites à la nature, la laissant prospérer le long de la voie. Celle-ci s'enfonçait alors dans une masse verte, et il n'était pas rare d'apercevoir des singes dans les arbres. On priait pour ne pas tomber en panne dans les environs. Boya aimait imaginer que des villages continuaient de vivre à l'abri de cet écrin végétal, mais c'était peu probable. Déjà, au siècle précédent, divers facteurs avaient modifié les habitudes des communautés établies là. Les gouvernements successifs n'avaient pas jugé utile de les protéger. Les conflits ayant émaillé la région ne les avaient guère ménagées non plus. Elles avaient dû quitter leur habitat ancestral pour survivre, formant, dans les villes, des populations minoritaires durement ostracisées. Aujourd'hui, leur descendance, peu nombreuse, ne revendiquait pas toujours ses origines. Nul ne souhaitait être rattaché à des peuples vaincus et méprisés. Comme souvent sur cette partie du trajet, le Mobembo était plein. On préférait cela à l'avion, plus polluant et devenu particulièrement onéreux en raison des taxes appliquées à ce mode de locomotion. De plus, le train à grande vitesse permettait la contemplation des beautés de Katiopa. En descendant à la prochaine gare, celle de Bunkeya, elle prendrait une navette pour Munza. C'était là qu'elle se rendait, à la rencontre d'une amie. Boya avait besoin de parler. Pas tellement de s'épancher, elle savait qu'il ne serait pas utile de le faire. Ce qu'il lui fallait, c'était une conversation permettant d'être comprise à demi-mot. Vieux Pays ne manquait pas d'oreilles pour l'écouter, mais elle n'y avait pas d'amie aussi proche, quelqu'un qui l'ait toujours connue. Les initiées dont elle faisait partie pratiquaient une sororité de principe plus que de cœur. La plupart avaient répondu à l'appel du devoir spirituel auquel il était impossible de se dérober. Tant qu'on ne s'y soumettait pas, on faisait face à d'inexplicables difficultés. Seule l'initiation remédiait à cela, et elle imposait des missions. Boya, qui avait fait le choix d'être initiée sans avoir été la proie de céphalées ni de troubles d'aucune sorte, faisait figure d'anomalie au sein du groupe. Les autres se seraient bien passées de tout commerce avec les plans supérieurs et ne s'acquittaient de leur tâche que pour avoir la paix. Ne pas tenter les esprits qui avaient déjà fait savoir de quel bois ils se chauffaient.

Bien sûr, il y avait les anciennes, les Bamama, mais elles n'étaient plus que deux. L'une, Mama Luvuma, adorable mais aussi sourde qu'un pot, pouvait difficilement recevoir des confidences. La seconde, Mama Namibi, matrone réputée que le grand âge n'avait guère ébranlée, aurait trouvé futiles certaines considérations. Boya savait ce qu'elle lui dirait : *Tu es une femme, c'est toi qui décides. Je ne comprends pas ce que vous avez, vous les jeunes. Ce n'est pas l'homme qui fait tourner la tête de la femme, mais l'inverse. Qu'as-tu appris à nos côtés ? Laisse-moi t'expliquer...* La leçon se serait éternisée jusqu'au lendemain. Mama Namibi, qui avait pris part à l'entrée de Funeka dans la Maison des femmes, était un recours précieux pour toutes les questions liées à la tradition, au décryptage des signes vus en rêve, à la connaissance des plantes, aux âmes d'ancêtres investissant le corps des nouveau-nés. Elle vivait pour transmettre le savoir de ses aînées. Ces inestimables informations n'étaient pas ce dont avait besoin Boya. Il lui fallait se trouver en présence d'une femme qui représente à ses yeux un absolu. Une femme qui n'ait renoncé à rien, même inconsciemment. Une femme à qui rien n'avait été imposé, bien qu'elle ait payé cher la moindre parcelle de liberté, le plus insignifiant moment de joie. Quelqu'un qui n'avait pas eu besoin de rejoindre une communauté pour savoir ce que l'on y partageait, la vie le lui ayant fourni à travers une intense pratique créative. Un spécimen devenu rare de femme-escargot.

Le spectacle se déployant devant elle la tira de ses réflexions. Comme elle aimait passer par là. Cet endroit, que beaucoup observaient avec circonspection, la ravissait. Sa vue la projetait dans un temps semblant mêler passé et futur. Ceux qui s'y étaient établis pensaient fonder une société nouvelle, abolissant l'autorité de l'État ou même d'un individu, refusant toute forme de pouvoir exercé sur l'autre et, surtout, le diktat de l'argent. Voulant vivre en harmonie avec la nature, ils ne consommaient aucun produit manufacturé, qu'il s'agisse de leurs vêtements ou de leur alimentation. Le territoire qu'ils s'étaient approprié dans cette région et qu'ils avaient baptisé Matuna – en hommage au *palenque* de Benkos Biohó –, formait une sorte de parenthèse à la fois archaïque et avant-gardiste, entre deux espaces urbains à la structure bien normée. On voyait les hommes depuis le Mobembo, debout sur la ligne de falaise qui s'était créée lors du tracé de la voie ferrée. Vêtus de ponchos en bogolan dont l'ourlet leur touchait la naissance du genou, ils fixaient des yeux le passage de la machine qui ralentissait pour longer Matuna. Il émanait d'eux une majesté et une assurance tranquilles. Boya les trouvait d'une indicible beauté. Leur locks poussant au milieu de crânes rasés sur les côtés semblaient d'épais morceaux de bois sauvage.

Les Gens de Benkos avaient tenté d'empêcher la construction du chemin de fer. Ils n'y étaient guère parvenus, mais cela n'avait été qu'une bataille à moitié perdue. En effet, ils avaient conservé la jouissance du territoire. Comme à chacun de ses passages dans cette partie du Katiopa unifié, elle ne vit pas les femmes de Matuna. Cet aspect des choses suscitait les commérages. Si les femmes n'étaient pas visibles, il y avait une raison. Les détracteurs des Gens de Benkos voyaient dans ce phénomène un indicateur de la phallocratie sévissant chez ces asociaux. La liste était longue des groupes de ce genre, fondés par des hommes prétendant renoncer au pouvoir afin de mieux l'exercer sur les personnes du sexe. Il lui arrivait de s'interroger à ce sujet. Elle préférait accorder le bénéfice du doute aux hommes juchés sur les hauteurs.

Ce qu'elle savait et qui devait avoir son importance, c'était que les femmes, comme les autres, rejoignaient librement Matuna. On ne s'y établissait pas sous la contrainte. Les habitants du lieu, plusieurs milliers de personnes à ce que l'on disait, étaient pacifistes et opposés à tout mode de vie les éloignant d'une relation constante avec la nature. On ne leur connaissait pas de religion. Benkos, qui avait fondé Matuna, s'intéressait à divers courants spirituels. Son projet était de retrouver la croyance initiale de l'humanité, dont des traces devaient subsister dans les pratiques en vigueur à son époque. Pour ce faire, il fallait les connaître en profondeur et voir quels éléments leur étaient communs. Le reste était écarté. Il ne s'agissait donc pas de se conformer à une tradition précise, mais de se connecter à l'essence de toutes. Chacun avait sa place à Matuna, pour peu que l'on en accepte les lois. De son vivant, Benkos avait beaucoup écrit : des articles, des réflexions retrouvées après son décès. Son unique ouvrage, intitulé *Ne faire qu'un*, lui avait valu une célébrité planétaire. Lorsqu'il avait fondé Matuna, bien avant l'existence du Katiopa unifié ou de la fédération l'ayant précédé, ses camarades et lui étaient perçus soit comme de doux rêveurs, soit comme de grands paresseux, ou encore des toxicomanes se faisant passer pour des mystiques. Ils étaient alors peu nombreux, et l'intérêt des médias du monde protégeait leur petite aventure. En ce temps-là, on venait des quatre coins de la planète pour rejoindre la communauté. Il n'était pas rare d'y rencontrer d'anciens experts de la finance côtoyant des mannequins ayant renoncé au scintillement des flashes.

Au début, Boya l'avait remarqué, les disciples de Benkos étaient, comme lui, des personnes issues des classes sociales supérieures pour qui ce choix de vie prenait des allures de caprice. Parfois, il pouvait aussi s'agir de manifestations dépressives, la solitude, le désespoir de ceux qui désiraient ardemment retrouver goût à la vie. Ces fanfarons pouvaient à tout moment retourner d'où ils étaient venus. Puis, ils s'étaient mis à se défaire de leurs biens au profit d'œuvres caritatives, à faire don des sommes déposées sur leurs comptes bancaires, à se rapprocher des populations rurales pour les éduquer au retour à l'essentiel. La vie des paysans, arrimée au recommencement des saisons, n'était qu'une relation pratique avec la nature. C'était un bon début. Il fallait ajouter à cela une philosophie, de hautes aspirations. C'était ce message qu'ils allaient propager. Le charisme de Benkos, son éloquence, son attention aux êtres comme aux choses, sa capacité à agir selon ses dires, lui avaient permis d'attirer de plus en plus de personnes. Ne craignant ni la boue, ni les moustiques, il n'hésitait pas à partager la corvée d'eau des villageoises, leur venant aussi en aide le soir quand il fallait tout ranger, quand les hommes attendaient d'être rejoints par celle de leurs épouses dont c'était le tour. Benkos l'avait compris, c'était aux femmes qu'il était bon de s'adresser, elles qu'il était nécessaire de convaincre. Elles devenaient, au sein de leurs communautés, les agentes zélées de la refondation du monde telle qu'il l'envisageait.

La méfiance avait commencé à s'installer devant les ruptures familiales, les fugues d'adolescents en crise qui s'échappaient des demeures cossues de la ville, arpentant à pied le chemin jusqu'à Matuna pour se raser les cheveux sur les côtés, faire leurs adieux au bain moussant et cultiver leur jardin. Boya n'avait jamais mis les pieds à Matuna et le regrettait. Il y avait sans doute beaucoup à apprendre là pour une universitaire spécialisée dans les pratiques sociales marginales. C'était souvent de ce côté-là qu'il fallait regarder pour comprendre la société. Examiner ce qui s'épanouissait ou se laissait mourir dans les marges. Comprendre ceux qui cherchaient ailleurs le bonheur, ceux qui préféraient, à celles admises par la majorité, d'autres formes de déchéance. Ceux qui disaient : *Votre façon de mourir elle-même ne nous agrée pas.* Ceux-là, quelle que soit leur obédience – l'asociabilité ayant elle aussi ses écoles –, lui paraissaient plus dignes d'intérêt que les frondeurs désireux de faire approuver leur indocilité. L'amie qu'elle allait voir connaissait bien Matuna où il lui arrivait d'effectuer des retraites. On le savait peu, mais les Gens de Benkos révéraient l'hospitalité, un usage primordial à leurs yeux. Nul n'avait rétribué la puissance créatrice pour posséder la terre sur laquelle il vivait. Le droit de propriété était une aberration et eux-mêmes n'avaient borné leur espace que contraints par les circonstances. Le Mobembo fut bientôt à Bunkeya. Elle en descendit, précédée par un groupe d'écoliers que l'on menait en classe verte et dont les pépiements envahirent l'air.

La navette qui la conduirait à Munza arrivait sur le quai, elle avait juste le temps de l'attraper. Le trajet ne durerait qu'une vingtaine de minutes dans ce qui ressemblait à un baburi de petite taille ne comportant que deux wagons. Peu de gens se rendaient à Munza, il y avait toujours de la place. Chaque fois qu'elle venait là, Boya se demandait comment la municipalité de la ville s'était débrouillée pour bénéficier d'une connexion si facile avec le train à grande vitesse. Des localités plus importantes étaient moins bien loties. Les résidents de Munza pouvaient travailler dans les villes avoisinantes tout en jouissant de la qualité de vie d'une commune tranquille. Là aussi, le temps s'était un peu arrêté. Elle l'éprouva dès l'entrée en gare. Les élévateurs, passerelles mécaniques et portiques de sécurité des stations du baburi que l'on empruntait à Mbanza étaient absents. Ici, les passagers étaient accueillis dans l'enceinte de la gare par leurs proches ou amis venus à leur rencontre. À l'extérieur, les véhicules motorisés n'étaient pas autorisés aux particuliers, mais une compagnie de taxis proposait ses services à ceux qui ne souhaitaient pas attendre l'autobus. En fin de semaine comme aujourd'hui, il ne passait que toutes les demi-heures. Boya sauta dans un taxi. Elle aimait la promenade solitaire dans les petites rues de la ville. Son amie habitait un quartier résidentiel, un peu distant du centre et de ses artères piétonnières. Parallèle à la voie ferrée, un parc au tracé linéaire présentait ses arbustes fleuris, entre lesquels un groupe de jeunes gens s'entraînaient au moringue. Les filles jouaient du tambour pendant que les garçons esquissaient les mouvements codifiés de la bataille. Peut-être préparaient-ils un spectacle. La musique, entraînante, faisait vibrer les vieux murs de Munza.

Comparée à l'immense kitenta de l'État, Munza était un mouchoir de poche. Une joggeuse entraînée pouvait faire en une heure le tour du cœur de ville. Il était facile d'y vivre sans véhicule personnel en se faisant livrer ses courses, en fréquentant le marché de quartier ouvert deux fois par semaine, en prenant un abonnement permettant d'utiliser les vélos à charrette de la ville. Autrefois, une vague d'embourgeoisement des zones populaires avait attiré là des cohortes de classes moyennes supérieures, reléguant les habitants historiques à la périphérie. De nombreux Descendants ayant quitté l'Autre bord y avaient aussi élu domicile, ouvrant cours de yoga et restaurants végétaliens. Il s'était agi pour eux d'échapper au racisme, à la condition de citoyens de seconde zone, de changer de cadre sans modifier pour autant leurs habitudes d'évolués. Les nouveaux-venus avaient refaçonné l'endroit, leur mode de vie devenant la norme. L'architecture de Munza n'avait pas encore été réhabilitée. De nombreuses structures en béton y trônaient comme autrefois. Moins imposantes que les tours de Pongo sur le modèle desquelles on les avait construites, elles continuaient de diffuser dans l'air leur gaz toxique. Cela ne se voyait pas, on pouvait ne pas y penser. Ces bâtiments témoignaient d'une ère où la conquête de la matière, du confort, s'était effectuée au prix de la santé des générations futures. Il était curieux de se trouver là après avoir traversé un bout de la luxuriante forêt équatoriale, puis la terre rouge et rocheuse de Matuna. La kitenta était une métropole de plus grande envergure, mais elle n'y ressentait pas autant l'offense faite au vivant. Les murs végétalisés des places, les immeubles en terre crue, les jardins communaux, évoquaient un souci de communion avec l'environnement, ou au moins, une volonté de dialogue. Cela viendrait ici aussi. Elle oublia cela lorsque la voiture emprunta enfin la route menant chez son amie. On quittait le centre de Munza pour gagner un quartier périphérique.

C'était cette partie de la promenade qui lui faisait plaisir. Tout redevenait soudain vert à mesure que l'on se dirigeait vers les zones un peu bourgeoises. Là, les résidents n'avaient pu s'établir, il y avait quelques années, qu'à condition de bâtir des maisons bioclimatiques. La consigne ne concernant que les matériaux à utiliser, les formes étaient variées. L'enduit avait une couleur de terre allant de l'ocre-jaune au rouge. Ici, les jardins végétaux se trouvaient dans la cour avant, ce qui donnait l'impression de voir sourire les habitations. C'était joli. La couleur des fleurs rehaussait celle des maisons. Le soir se lovait sur la ville. Les réverbères s'allumèrent d'un coup, il y en avait trop mais elle aimait ce moment qui la faisait retomber en enfance. Alors, il lui semblait assister à l'éclosion d'étoiles. Les marchandes de beignets et de noix de coco caramélisée avaient disparu. Ces activités étaient maintenant réglementées. Il n'était pas nécessaire de se faire délivrer une licence pour les exercer, mais les lieux et les horaires pouvant les accueillir devaient être respectés sous peine d'amende. Le gouvernement souhaitait prévenir les troubles. La conductrice du taxi, qui n'avait pas dit un mot depuis qu'elles avaient quitté la gare, se tourna vers elle : *Vous me rappelez l'adresse ? Je crois que nous approchons.* Boya se rendait au 36 de la rue Dédée Bazile dite Défilée. Celle qui avait accueilli l'esprit d'Aset afin que lui soit accordée la force de ramasser avec tendresse les morceaux du corps mutilé du grand Dessalines méritait au moins cet hommage, son souvenir sur les plaques d'une artère coquette de Munza. L'information reçue, la dame retourna à son volant, hochant la tête pour indiquer qu'elle voyait, le lieu était connu, un atelier

149

d'artiste et une galerie situés là drainaient de nombreux visiteurs. Une lanterne accrochée en haut du porche éclairait l'entrée de la maison. Le prix de la course était fixé d'avance depuis la gare, elle remit la somme, descendit. On attendit de la voir passer le portail pour s'en aller. La femme rouge avança le long de la nzela bordée d'ixoras à fleurs jaunes et sonna à la porte qui s'ouvrit aussitôt. Elles s'étreignirent longuement. Boya serra contre elle le corps frêle qui s'offrait au sien, en huma le parfum délicat, sentit une main lui glisser le long des cheveux, comme quand elle était enfant. Pourtant, Abahuza n'était pas une tatie, un être rendu distant par la différence d'âge. Depuis leur première rencontre quand elle avait sept ans, elle était son amie, sa plus précieuse confidente, la seule à savoir ce dont elle ne s'ouvrait à quiconque.

Je t'ai vue arriver de loin. Viens, excuse-moi, je ne suis pas seule, mais je n'en ai plus pour longtemps. Lui prenant la main, Abahuza l'entraîna à sa suite. Elle portait une de ses tenues favorites, un de ces ensembles à l'élégance désuète qu'elle se faisait couper par la même couturière depuis des années : une jupe-culotte de couleur parme, une veste assortie, un chemisier clair. Le monde autour d'elle bougeait sans la changer. Abahuza habitait son propre univers. Son statut d'artiste lui permettait d'affirmer sa singularité. Cela ne la dérangeait pas de passer pour une excentrique. Près d'elle, Boya se sentait protégée par les remparts d'une forteresse imprenable. Une odeur de gâteau à l'ananas l'enveloppa. Elle sourit et laissa son bagage dans le vestibule pour suivre son amie dans le séjour. Un homme se trouvait là, en proie à une angoisse manifeste, faisant les cent pas devant la fenêtre ouverte sur la cour arrière où poussaient un manguier et un goyavier dont les fleurs blanches dissimulaient les fruits. Boya s'intéressa au visiteur. Son t-shirt, un peu juste, lui serrait les bras et laissait pointer sa bedaine à la peau tannée par le soleil. Il portait une casquette dont la visière conversait avec sa nuque, un kèmbè trop court qui lui moulait les cuisses. Ce vêtement, en général plus ample, plus fluide, conférait aux hommes une distinction décontractée à laquelle tout ici se refusait. Elle aurait ri aux éclats, si son regard n'avait croisé celui affolé de l'homme qui, voyant revenir son hôtesse, se précipita vers elle : *Vous seule pouvez me venir en aide. Vous connaissez ces personnes. Vous parlez leur langue et la nôtre... Il faut absolument m'introduire à Matuna.* Il s'appelait Du Pluvinage, elle l'apprit lorsque le nom de l'individu fut prononcé par Abahuza, qui tentait de l'apaiser de sa voix douce. Elle connaissait ce patronyme. Combien de fois avait-elle entendu dire, et avec quelle fierté, qu'il était originaire du Cambrésis où l'on avait fait souche, on s'en targuait, depuis l'année 1891 de l'ère chrétienne qui seule avait droit de cité. Boya s'assit en tailleur sur la causeuse basse, ne perdant pas une miette de la conversation se déroulant devant elle.

Le Sinistré ne prêtait guère attention à sa présence. C'était la première fois qu'elle le voyait, ce qui l'étonna. Pourquoi était-il ainsi vêtu ? Était-ce pour affronter au mieux ce qui devait lui sembler un interminable thermidor ? Était-ce pour se faire admettre à Matuna ? Un tel accoutrement était, parmi les siens, au-delà du sacrilège : une requête en bannissement. Néanmoins, il semblait dans son élément. Tendant l'oreille, elle comprit qu'Amaury, son fils unique, s'était entiché d'une Fille de Benkos, une chanteuse répondant au nom de Mawena, et qu'il avait suivie dans la communauté. Or, s'il reconnaissait l'avoir élevé dans la plus grande ouverture d'esprit, il ne pouvait être question de le voir se soustraire ainsi à la civilisation. Les Du Pluvinage étaient dans tous leurs états. Ils étaient les gardiens d'une culture millénaire, transmise de génération en génération et à laquelle il tenait lui aussi, nonobstant sa manière de se vêtir, laquelle lui paraissait plus appropriée au travail quotidien des hommes de sa communauté. Enfin, soupira-t-il entre deux hoquets, il avait besoin d'aide. Abahuza, qui connaissait bien Pongo où ses créations étaient prisées, était son unique recours. La famille ne serait pas choquée qu'il ait fait appel à elle. Ceux de Matuna ne se méfieraient ni d'elle, ni de ceux qui l'accompagneraient dans leur fief. Observant l'homme, Boya songea à Charlotte, cette vieille dame dont elle espérait lire un jour les carnets intimes. Il pouvait être son fils ou son neveu. Ils étaient parents, leur nom de famille n'était pas le plus répandu chez les Fulasi.

La situation était assez cocasse. Monsieur Du Pluvinage avait fait le voyage depuis la périphérie de la kitenta pour se présenter ici. On devait lui venir en aide. Abahuza hocha la tête, répondit qu'il la prenait au dépourvu, qu'une telle mission n'était pas vraiment dans ses habitudes. Si elle avait bien compris, celui qu'il fallait tirer de la barbarie de Matuna pour le ramener à la civilisation avait atteint l'âge de la majorité. Il ne s'agissait plus d'un enfant. Si l'on était certain qu'il se trouvait chez les Gens de Benkos, son choix devait être respecté. L'homme haleta quelques suppliques supplémentaires. Elle n'aurait rien à faire.

Tout ce dont il avait besoin, c'était d'être introduit
là-bas car il ne parlait pas la langue régionale, qu'une
chance lui soit donnée de faire entendre raison à la
chair de sa chair. *Il est notre héritier, vous savez. Nous
devons tout tenter...* La question de l'héritage travaillait puissamment la communauté des Sinistrés établis
à Katiopa. Le groupe que connaissait Boya en particulier, pourtant constitué de personnes n'ayant jamais vu
les terres vénérées du Cambrésis dont elles se réclamaient – entre le Hainaut et l'Artois, précisait-on avec
fierté –, s'évertuait à tisser une étoffe appelée batiste
dans laquelle étaient ensuite confectionnées chemises
et brassières. Ils servaient à leur table un boyau de
bœuf fourré d'un abat de veau auquel leurs ancêtres
avaient donné le curieux nom de fraise. Se penchant
sur la culture de cette peuplade, Boya avait découvert une légende peu évoquée par ses interlocuteurs,
selon laquelle un mahométan – engeance honnie entre
toutes – avait ravi le cœur d'une fille du pays. Ne
consentant ni l'un ni l'autre à abjurer leur foi, les tourtereaux, promis à la mort, avaient été protégés par un
prêtre. Éperdu de gratitude, le maure s'était converti au
culte de son sauveur, l'amour avait fleuri sur les terres
demeurées chrétiennes du Cambrésis. L'aventure
d'Hakem et de Martine l'avait beaucoup intéressée.
Elle y avait vu une bonté humaine ne quêtant aucune
gratification, mais aussi la possibilité d'accepter tota-
lement l'autre pourvu qu'il renonce à ce qu'il était.
Devenu Martin, Hakem ne risquait plus d'être occis
nuitamment par des fous du Christ n'ayant pas formulé oralement leur désaccord, mais déterminés à lui
donner une expression concrète et définitive. Hakem
n'avait pas non plus emmené sa belle dans le désert,

il avait bien voulu se dissoudre dans la culture locale. L'histoire ne disait pas s'ils s'étaient reproduits, si leur descendance basanée avait gambadé en toute liberté sur la terre sainte du Cambrésis. Il était évident que les choses auraient pris une tournure différente si la reconnaissance n'avait pas étouffé – c'était le cas de le dire – le mécréant. C'était un peu cela qui se rejouait en cet instant. On aurait peut-être fermé les yeux si Mawena s'était coupée des siens pour vivre parmi les Sinistrés, abandonnant la barbarie pour la civilisation. Ce n'était même pas certain. L'inverse, en tout cas, était inadmissible, une catastrophe. La jeune génération des Du Pluvinage ne l'entendait apparemment pas de cette oreille. Ces mots revinrent en mémoire à Boya, qui se surprit à les prononcer à mi-voix : *C'est pourquoi l'homme quittera son père et sa mère, et s'attachera à sa femme, et ils deviendront...*

Le visiteur, qui n'avait jusque-là accordé aucun intérêt à sa présence, se tourna vivement vers elle, des missiles armés dans les yeux. Bien sûr, pas tous les hommes, pas pour n'importe quelle femme, pas dans ces circonstances. La parole divine ne devait pas être prise à la légère, il fallait être digne de s'y reconnaître. Les mots manquaient à monsieur Du Pluvinage. Peut-être était-ce le contraire, ils se bousculaient au bord de ses lèvres, causant un tremblement de fureur. Sa tenue décontractée ne suffisait pas à dissimuler les ogives ayant remplacé la pupille de ses yeux. Il était un beau spécimen de son espèce, un être à l'atavisme supérieur. Boya ne lui laissa pas le temps de recouvrer la parole. *Je vais ranger ma valise*, dit-elle en se levant. La même chambre l'accueillait toujours lorsqu'elle venait là. Elle connaissait le chemin. Abahuza était une belle âme. Sans doute accéderait-elle à la demande de cet homme. Il fallait lui laisser une chance de convaincre son fils. Après avoir récupéré son bagage laissé dans l'entrée, la femme se dirigea vers l'escalier menant au premier étage où se trouvaient les chambres. Des toiles peintes par la maîtresse de maison tapissaient les murs, l'une d'elles, massive, en couvrant un. Elle s'arrêta pour se laisser émouvoir par la beauté de ces œuvres. Abahuza se servait uniquement de terre et de matières minérales pour composer ses tableaux que l'on touchait aussi, elle y tenait. Il lui était arrivé de se rendre jusqu'au Danakil afin d'y recueillir des matériaux uniques. La région concernée refusait son rattachement à l'État, mais il restait possible de s'y rendre. Encore fallait-il avoir de bonnes raisons de se confronter aux rigueurs du climat dans cette partie du Continent. Les personnes privées de la vue pouvaient jouir des créations d'Abahuza, passer la main dessus, contempler à leur manière les formes dont les contours étaient palpables, ressentir les couleurs qui, d'après l'artiste, possédaient une texture. Boya s'arrêta devant une pièce montrant un camaïeu de bleu sur un paysage de volcans. Toutes les nuances de la teinte avaient été obtenues à partir de roches. Abahuza les écrasait ou s'en servait comme d'un fusain, selon l'effet voulu. Ce n'était pas la première fois qu'elle admirait cette toile.

Aujourd'hui, la femme rouge se sentait comme happée, attirée au cœur du tableau. Se souvenant d'un rêve dans lequel Ilunga et elle survolaient une terre identique à celle-là, Boya se demanda si ses songes lui parlaient de passé ou d'avenir, s'ils mêlaient sa mémoire d'enfant et ses désirs d'adulte. Peut-être était-ce un peu des deux, peut-être cela n'avait-il rien à voir. Sa décision était prise. Le quarantième jour n'était plus loin, mais il n'était plus nécessaire de l'attendre pour que sa réflexion trouve sa conclusion. Ce qu'elle venait chercher auprès d'Abahuza n'était pas de cet ordre. Elle avait besoin d'en parler, d'entendre des mots qui confirment, non pas son choix, mais sa vision de cette relation. Comme la plupart des gens à son âge, Boya avait déjà été amoureuse. Elle avait connu le bonheur, le chagrin, et s'était découverte. Ce qui lui arrivait maintenant était inédit. Il s'agissait d'une certitude mêlée de gravité, parce que certains aspects de l'histoire l'amèneraient à prendre place dans un système qu'elle n'avait pas conçu. À l'intérieur de cette mécanique, l'homme et elle devraient se créer un espace viable. Comment trouver, dans cet environnement, quoi que ce soit qui ressemble aux immensités parcourues en rêve ? Comment être, dans cette vie, dans l'étroitesse même de leurs corps, les puissances qui lui apparaissaient aussitôt qu'elle fermait les yeux ?

Parfois, au début, il lui était arrivé de s'interroger sur les sentiments véritables d'Ilunga. Un homme dans sa position était forcément un manipulateur, quelqu'un qui traçait mentalement des schémas dans lesquels les autres devaient s'insérer, jouer un rôle. Il pouvait tout savoir d'elle sans se dévoiler. La prendre puisqu'elle venait s'offrir, lui rappeler, quand il en aurait fini, qu'il l'avait laissée libre. Puis, elle sentait à nouveau cette vibration la traverser, cette présence dans son dos alors qu'elle quittait les rives de l'océan ou lorsqu'elle tentait de son mieux de divertir les Sinistrés sur la place Mmanthatisi. Cette énergie était en harmonie avec la sienne. Toutes deux convergeaient vers un point précis qu'elle ne savait encore nommer, mais dans lequel elle voyait le terme de son parcours. Cet homme était sa destinée, non pas dans le sens de l'iné-luctable fatum, mais dans celui de l'accomplissement. Elle se reprit, secoua la tête. Ce n'était pas ainsi qu'il fallait le dire. Être avec lui ne serait pas une réalisa-tion, cela en ferait partie. Boya ne se posait pas de question sur la manière dont ils feraient l'amour. Le sujet l'aurait obsédée dans un autre cas. Là, elle n'était pas aussi pressée. Ils se connaissaient déjà. C'était pour cette raison que, le voyant dans son ndabo, elle n'avait pas perdu de temps à lui faire reproche de la façon dont il s'y était pris pour l'amener à lui. Il avait obéi à ce qui l'avait conduite, elle, à s'asseoir tranquil-lement pour bavarder avec lui. Tout était hors normes dans cette affaire, et pour ne rien gâcher, il impor-tait de contenir son excitation. Elle était là, au fond d'elle, comme l'eau encore paisible d'une rivière. Il y avait l'épouse, bien sûr, elle ne l'oubliait pas. Était-ce là l'épreuve ? Le prix à payer pour vivre un grand amour ? Ou était-ce, bien qu'elle se refuse à l'envi-sager, un obstacle à écarter ? Boya allait pousser la porte de la chambre aux murs jaunes dont elle aimait tant le confort simple, quand la voix d'Abahuza fusa derrière elle : *Il est parti. J'ignore ce qu'il s'imagine. Trouver son fils à Matuna...* Il y avait au bas mot trois mille personnes là-dedans. Ce n'était pas le campe-ment de sauvages que décrivaient les mauvaises lan-gues. Matuna était bien parti pour devenir une ville. D'ailleurs, tout ce que savait cet homme, c'était que son rejeton avait rejoint les Gens de Benkos. Il se pou-vait que ce soit sur un autre de leurs sites, dans une région lointaine. Matuna était certes le plus important, celui auquel on pensait immédiatement, mais les jeunes ne manquaient pas de jugeote. Ils savaient qu'on irait les chercher là en priorité. Abahuza ne savait quoi décider. Elle soupira : *Rangeons tes affaires et filons à la cuisine, j'ai fait un gâteau. Ton préféré, celui à l'ananas.*

7

Igazi plissa une fois de plus les paupières. La capuche trop grande de son poncho lui tombait sur les yeux. Il ne la rabattait pas, cela lui convenait. Depuis deux jours, l'homme arpentait incognito chaque nzela de Matuna, prenant le temps d'observer sans se faire remarquer. On lui avait dit bien des choses au sujet de cette communauté. Ses agents étaient fiables, il pouvait les croire. Cependant, certains éléments n'étaient pas dicibles, il fallait les éprouver par soi-même. L'expérience lui avait appris à prendre le temps de se faire une idée exacte des forces en présence et, bien sûr, des motivations profondes de l'adversaire. Depuis la formation de l'État unifié, c'était sa première visite à Matuna. Il comptait donc en tirer le maximum. Là, il s'était retranché pour réfléchir, analyser ce qu'il avait vu. De minuscules écouteurs enfoncés dans les oreilles, Igazi écoutait de la musique, des morceaux vieux de presque deux cents ans, qui tenaient son esprit en alerte. Il était bon pour le guerrier qu'il était de cultiver une énergie colérique, dès lors que cette dernière était justifiée. Dans cette intention, l'homme choisissait des titres transcendant les époques, leur perfection s'imposant à l'auditeur. Rien, en effet, ne pouvait agacer davantage. Dans ce vaste répertoire de compositions anciennes, Igazi avait ses préférences. Des esprits peu avisés auraient qualifié de guimauve les sons qui lui envenimaient l'âme et affûtaient son regard sur les choses. C'était du faux sucre, il en connaissait l'arrière-goût amer. En des temps par bonheur révolus, les disques du groupe ayant ses faveurs s'écoulaient par millions jusqu'au fin fond des quartiers populeux des métropoles du Continent et alors même que les Grammies pleuvaient sur ces artistes, l'écoute de leurs productions était une sorte de plaisir honteux. On savait que c'était mal. Rares étaient ceux qui osaient affirmer leur amour, leur révérence parfois, pour Barry, Robin et Maurice Gibb. Aujourd'hui, à Katiopa, l'usage que faisait le kalala de cette musique aurait laissé songeur. L'homme était connu pour être un chantre de la tradition, l'ennemi juré de ceux qu'il semblait affubler d'une ontologie coloniale. Les gens ordinaires, il le savait, méprisaient la nuance et méconnaissaient la subtilité. Il ne comptait donc pas perdre de temps à leur expliquer que son aversion était ainsi maintenue, voire alimentée. L'écoute de ce groupe autrefois célèbre lui rappelait le rapt culturel dont ceux de Pongo et leur postérité s'étaient fait une spécialité, cette manière qu'ils avaient de dépouiller les autres de leurs créations, de se les approprier, de les blanchir afin de les revendre aisément, de les détenir dans les cages en verre de leurs musées. Les glapissements de Barry lui faisaient ressentir l'intensité de cette violence. Tout en groove et falsettos apolitiques en apparence, les frères Gibb lançaient un message, non pas de fraternité entre les peuples, mais de dissolution des vaincus dans l'univers de leurs oppresseurs. Ceux-ci étaient, bien sûr, toujours ravis de revêtir la peau de l'animal tué. Entre les deux crises connues sous le nom de premier et deuxième chocs pétroliers, accompagné de ses frères, des jumeaux, Barry Gibb avait lancé au monde ce message que beaucoup avaient approuvé : *You should be dancing.* Le trio s'était ainsi hissé tout en haut des charts, sans que l'on dise jamais combien leur musique n'avait d'existence qu'en vertu du blanchiment, de la contrefaçon donc, de rythmes issus des bas-fonds de Mbenge où croupissaient jadis les Descendants. On pouvait toujours prétendre que l'art, la culture étaient dans l'air que tous respiraient, qu'ils appartenaient au monde, à l'humanité, qu'il était impossible de les frapper d'une estampille ethnique, bla, bla, bla… Pure hypocrisie. Chacun savait de quoi il retournait. Il écoutait donc les Gibb Brothers à fond, dans une rage froide qui le maintenait en alerte et faisait saillir les motifs de son engagement : reprendre Katiopa à ceux qui l'avaient volé, les priver à jamais de ses ressources. Pour se concentrer, il s'était concocté un pot-pourri imparable, une suite de chansons dans lesquelles Barry se surpassait avant que les harmonies vocales ne prennent le relais. Bientôt, les notes de *Boogie Child* se feraient entendre. Igazi aurait alors l'esprit aiguisé. La germination secrète des graines les plus profondément enfouies sous terre ne pourrait lui échapper.

Il emmenait du son partout. Ses hommes le pensaient abîmé dans l'audition de rapports, d'informations ayant à voir avec ses missions. Ils ne se permettaient pas de le déranger. Le kalala s'interdisait tout de même d'écouter *Jive Talkin'* quand

161

il n'était pas seul. On ne comprendrait pas ce que cela suscitait en lui, les gens avaient une perception si limitée des autres. Il commandait les armées du Katiopa unifié, plusieurs régiments dispersés à travers les neuf grandes régions. On attendait de lui une certaine attitude. L'Alliance avait créé le plus vaste État au monde. Longeant toute la côte atlantique du Continent, il s'étendait jusqu'à la pointe de Mandera à l'est, touchait celle d'Ikapa au sud. Les îles entourant le Continent avaient demandé leur rattachement aussitôt après la prise du pouvoir par l'organisation, bien que la procédure ne soit pas achevée pour toutes. Cela faisait seulement cinq ans qu'ils étaient aux commandes. Or, il s'agissait de défaire un monde puis d'en recréer un, cela prendrait du temps, il convenait de définir les priorités. Les territoires bordant la Méditerranée n'avaient pas été intégrés, trois parmi ceux de l'est résistaient aussi, empêchant d'ailleurs l'insertion d'un quatrième, tout petit, que l'on ne pouvait agréger à l'ensemble tant il était enclavé, cerné par ses voisins. Les zones orientales étaient, aux yeux d'Igazi, celles qu'il fallait prendre au plus vite, afin de ne laisser aucune ouverture de ce côté-là. On aurait dû poursuivre les combats pour atteindre cet objectif, réhabiliter le plus d'espace possible, récupérer chaque parcelle de terre continentale dont s'étaient emparés les colons venus de Pongo. Ilunga préconisait au contraire la fin des opérations militaires pour que soit privilégiée l'adhésion : conquérir les esprits et les cœurs comme du temps où l'Alliance le faisait auprès des populations. D'ailleurs, les sections qu'elle avait mises en place dans ces parties du Continent restaient actives, bien que leur tâche soit désormais plus difficile. Le mokonzi pensait que la prospérité du Katiopa unifié, sa stabilité et sa sécurité, feraient venir à lui les sceptiques. C'était donc à cela, d'après lui, qu'il fallait travailler. Ilunga resterait un combattant émérite, mais jamais il n'avait été un guerrier. C'était, depuis toujours, un pacificateur. Il n'avait fait la guerre que contraint. Son moteur était l'amour qu'il portait aux peuples de Katiopa, sur la Terre Mère comme sur l'Autre bord. Igazi trouvait cela bel et bon, mais de son côté, il y avait aussi la colère, la haine même, le besoin de mettre le Continent une fois pour toutes à l'abri des envahisseurs. Ils ne pesaient plus bien lourd, il fallait le reconnaître, depuis le milieu de la Première Chimurenga. Alors, un genou à terre, ils ne faisaient plus entendre au monde que leur crainte de disparaître. L'histoire l'avait prouvé, cette peur était fondée. Ils s'étaient empiffrés d'une trop grande variété de chair vive, en trop grande quantité, pour que cela reste sans effet.

Toutefois, il ne leur avait pas été nécessaire, dans le passé, de constituer une majorité pour terrasser des communautés entières, les assujettir, s'approprier leurs corps et leurs biens. Ces gens avaient été créés par une puissance obscure qui avait instillé en eux une vénalité sans pareille. Pour assouvir leur insatiable faim de richesses matérielles, ils avaient développé une stupéfiante agressivité, un esprit retors interdisant que l'on se fie à eux. Pour l'heure, la violence ne leur serait d'aucun recours, il leur était malaisé de la mettre en œuvre. Cela ne durerait pas. S'il leur fallait éliminer la diaspora de Katiopa qui brandissait à tout propos ses droits démocratiques, ils s'y résoudraient sans mal. Pour cela, il leur suffisait de posséder un ou deux laboratoires dissimulés au fond de caves, d'y préparer quelque toxine. La puissance démographique n'était rien face au mal incarné. Aux yeux d'Igazi, chaque groupe humain avait une essence et n'était pas en mesure de s'en débarrasser. Or, ceux-là avaient l'âme ténébreuse. Il partageait avec certains d'entre eux – les plus avisés dans ce domaine – l'idée selon laquelle ils n'avaient pas pu avoir leur souche à Katiopa. Il leur concédait tout à fait volontiers cette origine hyperboréenne dont ils se revendiquaient pour se démarquer des peuplades primitives d'ici et d'ailleurs. Ainsi, c'était clair, et on était d'accord : il y avait différentes races humaines, on n'avait rien à voir les uns avec les autres, on ne se devait rien. Le monde, sous la domination de Pongo et de ses extensions, n'avait connu que le règne de l'argent et les empoisonnements de toutes sortes qui s'étaient ensuivis.

Le Continent faisait saliver ces bêtes voraces dont les froidures hivernales, suscitant la récurrence du manque, avaient forgé le caractère belliqueux. Le besoin de chauffer et de nourrir des populations de plus en plus nombreuses les avait forcées à l'inventivité. C'était ainsi qu'elles avaient créé les moyens de transport qui leur permettraient d'envahir puis de décimer les autres. Incapables de s'arrêter, n'en ayant jamais assez, elles avaient poursuivi leurs expériences technologiques, s'illustrant alors dans la conception d'engins de mort. Une déficience spirituelle les empêchait de comprendre une loi élémentaire : ce n'était pas parce qu'il était possible de réaliser certaines choses qu'elles devaient être mises en œuvre. Dans un grand nombre de cas, être en mesure d'accomplir ceci ou cela imposait que l'on se l'interdise.

Parce que toute création devait aller dans le sens de la vie. Autrement, il ne fallait pas hésiter à la qualifier de maléfique. Telle était désormais la nature de ces gens, la qualité de leur intellect, lequel avait d'ailleurs supplanté en eux toute autre capacité humaine. Le désir d'anéantir les autres les traversait souvent, réfréné seulement par les pertes que causerait pour eux cette destruction : il était difficile de faire disparaître les hommes sans que les matières premières soient elles aussi pulvérisées. D'autant que l'on n'était pas assez nombreux pour les exploiter et qu'il n'était certainement pas question de se réduire soi-même au quasi-esclavage dans lequel il importait de maintenir les autres. Aujourd'hui, ces gens ne devaient leurs avancées et leur confort qu'à l'emploi de ressources dont ils ne disposaient pas. Elles se trouvaient à profusion sur la Terre Mère. Le Continent était en mesure de vivre dans une autarcie totale pendant plusieurs millénaires, sans souffrir de sclérose à aucun niveau, sa diversité culturelle, spirituelle et génétique maintenant son dynamisme. Lorsque le Katiopa unifié, se présentant au monde, avait fait connaître sa politique extérieure, son refus de respecter des accords iniques et d'autres exigences, on n'avait pas applaudi. Loin de là. Et on n'avait pas l'intention de se tourner les pouces en attendant que chaque millimètre carré de ce vaste territoire soit intégré au Katiopa unifié.

Les régions ne l'ayant pas encore été constituaient des failles dans lesquelles l'ennemi tentait de s'engouffrer, ne recourant pour l'instant qu'à des activités commerciales. Les frontières de l'État avaient été bien défendues jusque-là, mais ce n'était pas une raison pour baisser sa garde. Pendant des générations, l'ennemi avait su profiter de la division, les gouvernants du Continent se montrant incapables d'unir leurs forces afin de repousser les prédateurs. L'adversaire avait acquis un savoir-faire ne demandant qu'à être réactivé. La diaspora ne s'était pas encore suffisamment approprié les forces de Pongo pour que l'on dorme tranquille. Si elle faisait office de manipules envoyés derrière les lignes ennemies, elle comprenait aussi bien des âmes frelatées, trop sévèrement coupées de leur matrice pour ne pas lui nuire un jour… Pendant qu'il en était encore temps, il importait de neutraliser les oppositions, de s'assurer qu'elles n'ouvrent pas l'accès au pire. Ilunga se rendait mal à cette évidence. Son refus n'avait jamais été exprimé de façon frontale, le mokonzi étant trop fin pour avancer ses pions de cette manière. Mais Igazi le connaissait bien. Il n'y avait rien de plus incertain que de chercher à susciter l'adhésion des rétifs en leur montrant le monde merveilleux que l'on avait su créer, une fois débarrassé des étrangers venus de Pongo.

Les masses ne pouvaient décider, cela ne s'était jamais vu nulle part, ce n'était pas en se reposant sur elles que l'on bâtissait une puissance. Il leur fallait des guides. Katiopa n'était pas un endroit comme un autre. Son histoire lui imposait d'emprunter des voies non balisées, de réaliser ce que nul autre n'avait accompli, et la démocratie, l'assentiment populaire n'étaient pas les meilleurs outils pour y parvenir. Tout cela, Ilunga le comprenait sans mal. Il avait mené la lutte sans faillir, elle avait occupé l'essentiel de son existence. Pourtant, il s'arrêtait en chemin, se montrant réticent à décapiter l'ennemi. Cette erreur avait autrefois causé la perte du grand Hannibal Barca… Un enfant aurait compris qu'il ne suffisait pas de repousser la vipère hors de la demeure pour en éviter l'attaque venimeuse, surtout quand la bête ovovivipare avait mis bas dans un endroit protégé avant de s'en aller. Les serpenteaux qui s'étaient développés en elle grâce aux rayons du soleil prospéraient tranquillement, comme il le voyait à Matuna. Si les Gens de Benkos n'avaient pas tous de lien généalogique avec l'engeance serpentine, ils en avaient en partie hérité l'esprit. Leur pensée, leur mode de vie s'inspiraient beaucoup trop d'anciennes fantaisies gauchisantes de Pongo, lesquelles reposaient sur des transgressions grimées en actes de subversion. De périlleux enfantillages qui devaient prendre fin, Ilunga et lui étaient d'accord au moins sur ce point : écarter un par un ces rejetons de vipère. Dans le même ordre d'idée, Igazi approuvait la proposition faite au Conseil par le mokonzi, d'expulser les Sinistrés. Les anciens s'y étaient opposés, le rejet d'êtres humains leur semblant contredire les valeurs de Katiopa. C'était déjà ce genre de billevesées qui avaient ouvert grand la porte aux colonisateurs : le devoir d'hospitalité, l'insistance à voir des semblables dans ceux qui se refusaient à en faire autant. Qu'à cela ne tienne, il trouverait bien le moyen de leur régler leur compte ici même, sur le Continent. Ce serait d'ailleurs moins coûteux.

Igazi s'était introduit à Matuna pour tester ses réflexes d'espion. Il aurait pu le faire ailleurs, mais cet endroit n'avait plus reçu sa visite depuis des années. On s'était occupé des plus nuisibles parmi les Gens de Benkos, il y avait veillé en personne. Des types qui prônaient l'hybridation, l'ouverture à tous. Autant dire qu'ils souhaitaient l'admission de lycanthropes dans la demeure ancestrale. La disparition par xénophilie, en somme. Katiopa ne pouvait envisager cela. Chaque région du monde, sous sa forme géographique ou humaine, avait une fonction bien définie. Une nature, une raison d'être. S'il était possible de réaliser l'unité, ce n'était pas seulement pour obéir à une idéologie fondée sur la raison. C'était aussi parce qu'il existait bel et bien un substrat commun, quelque chose qui rendait les peuples du Continent familiers les uns aux autres, identifiables à l'étranger. Et ce n'était pas la couleur. La mission véritable de la Terre Mère relevait de l'immatériel. On ne serait pas pris au sérieux dans ce domaine en se présentant à la planète comme un ramassis de baltringues faisant passer leur atonie pour un positionnement spirituel. Devenir les thaumaturges de l'humanité requérait des efforts significatifs. De l'ordre. De la rigueur. Des savoirs éprouvés. Occuper sa place dans l'ordre de l'Univers n'était pas une plaisanterie. Longtemps, les populations de Katiopa avaient été séparées d'elles-mêmes. Depuis quelques décennies, elles retrouvaient peu à peu le chemin du retour. Il était impératif qu'elles parviennent au terme de ce processus, avant de voir s'il y avait, ailleurs, des éléments à incorporer. À vrai dire, il pensait que non. Katiopa était la source. C'était en lui que l'on s'abreuvait, pas l'inverse. Il convenait de l'assainir.

Les Gens de Benkos reprenaient de la vigueur depuis peu. Certains s'aventuraient hors de leur communauté afin de disséminer leurs idées à travers les villes. Autrefois, les paysans avaient été leurs cibles privilégiées en raison de leur proximité avec la nature et de la présence, dans les campagnes, d'anciens encore initiés aux mystères. Du moins le pensaient-ils, avant de déchanter. Leur intention était alors de découvrir ce qu'il y avait à savoir, de l'associer à ce qu'ils avaient glané de par le monde. Mais ils avaient trouvé beaucoup de folklore, peu de science. Soit elle s'était déplacée, soit elle n'était disponible qu'en acceptant de se soumettre à la tradition. Les limites de leur ouverture se situaient précisément à ce niveau. Ils espéraient que les pépites leur soient remises sans avoir à tremper les mains dans la boue. Autant qu'il ait pu en juger, ils ne savaient pas grand-chose. Leur relation avec la nature elle-même demeurait assez superficielle. Leurs souliers étaient en peau de champignon parce qu'ils refusaient la mise à mort d'animaux. Exemple patent d'ignorance. Tout vivait. Les êtres vivants se nourrissaient du corps les uns des autres depuis la nuit des temps. On n'allait pas se mettre à marcher sur la tête sous prétexte que les jambes avaient trop durablement servi et qu'il était bon de tenter autre chose. L'harmonie avec la nature, ce n'était pas cela. Il y avait d'ailleurs une hypocrisie à prétendre se soucier de la planète quand on s'inquiétait surtout pour la survie des humains. La terre s'adapterait à toutes les mutations, aux ères géologiques encore inconnues, mais pourrait devenir inhospitalière au genre humain. C'était la perspective de cette disparition qui tourmentait les fondamentalistes verts qu'étaient les Gens de Benkos. Enfin, les habitations qu'ils avaient construites dans les arbres ou à l'intérieur de cavernes étaient intéressantes. On pouvait s'en inspirer pour bâtir des résidences de villégiature. Des expériences de ce type avaient été entreprises dans le passé. Il doutait néanmoins que l'on puisse ériger des métropoles entières sur ce modèle. Igazi reconnaissait avoir été surpris de trouver là des logements de si grande qualité. Des drones avaient survolé la zone pour lui rapporter des images, mais ils n'avaient pas pénétré dans les maisons. Celles qu'ils avaient adossées à des arbres ou même dressées sur leurs branches étaient des chalets en bois de forme arrondie. Dans la roche, le caractère courbe prédominait aussi, mais le matériau principal était la pierre. Le mobilier employait les deux éléments. Pour s'éclairer le soir venu, ils recouraient aux anciennes lampes à gravité qui avaient fait leurs preuves et remplissaient leur office. Il arrivait aussi que des lanternes soient posées ou accrochées çà et là, quand il n'y avait pas d'enfants à proximité.

Les Gens de Benkos, cependant, n'étaient pas réfractaires à la technologie, bien qu'ils en limitent l'emploi. Igazi avait remarqué des lieux dédiés à l'usage d'ordinateurs, où on les laissait une fois la tâche achevée. On procédait ainsi avec tous les objets de ce type que l'on n'emportait pas chez soi. Il transgressait allègrement cette règle, dissimulant sans mal son équipement miniature sous ses vêtements. Le boîtier était agrafé au gilet de protection qu'il avait revêtu sous son poncho. De toute façon, il ne resterait qu'une journée de plus. Igazi arborait la tenue des gardes, ces hommes que l'on voyait debout sur la ligne de falaise bordant Matuna, quand on passait par là en train. On pensait alors que tous s'habillaient ainsi dans la communauté, ce qui n'était pas le cas. En dehors des sentinelles, la population était libre de ses choix vestimentaires, pourvu que les étoffes aient été obtenues à partir de végétaux. Cela permettait en réalité une grande variété de styles. Le kalala s'était procuré son poncho avant de pénétrer dans les lieux. Il n'avait pas été difficile de le faire confectionner. Peu habitué à se passer de kèmbè ou de sokoto, il avait d'abord été mal à l'aise. Puis, ses jambes avaient apprivoisé la caresse du vent, son souffle sous l'habit. L'homme se reposait dans une cabane récemment délaissée par son occupant. Comme la veille, il n'y passerait pas la nuit. Dans sa situation, il valait mieux ne pas demeurer dans un lieu clos. L'endroit était idéal pour ce qu'il y faisait en ce moment : observer, réfléchir. Lorsque le soleil amorcerait sa sortie, il se fondrait dans l'obscurité, dormirait peu.

L'homme, qui s'était allongé à plat ventre sur le sol de son refuge, les yeux tournés vers les allées et venues des gens dans cette section de Matuna, coupa prestement le son de son appareil. Un flot de colère glaciale l'envahit : l'impensable se produisait à l'instant précis où se faisait entendre la basse de *Stayin' Alive*. C'était un peu comme si quelqu'un venait ajouter de la boue aux ordures et ça, ça, Igazi le prenait mal. On ne pouvait décidément pas le laisser se détendre un peu. Il ne s'agissait plus de passer mentalement en revue ce qu'il avait remarqué. Trois personnes déambulaient le long d'une nzela, à quelques pas de sa cachette. Elles se dirigeaient vers une taverne où des rafraîchissements étaient servis dans des gobelets en bois. Le contenant avait plus de saveur que le breuvage offert. Il connaissait les trois individus. Aucun n'était supposé se trouver là. Il y avait cette femme rouge que le mokonzi avait souhaité rencontrer. L'homme qui marchait à ses côtés était surveillé par ses services. Un Sinistré que l'on avait vu approcher à plusieurs reprises des Gens de Benkos en vadrouille propagandiste aux abords de la kitenta. L'homme aux vêtements trop justes pour sa corpulence s'exprimait à grand renfort de gestes. Ses compagnes tentaient de le calmer. Igazi enfouit la main dans une des poches de son poncho, deux fentes à peine visibles commandées à son tailleur. Il en extirpa un objet rond, de la taille d'un pépin de courge, et le lança. Il ne manquait jamais sa cible et atteignit l'objectif : la visière d'une casquette portée à l'envers. Actionnant d'une main un bouton du boîtier fixé sur son gilet, il se servit de l'autre pour ajuster ses écouteurs. La conversation des nouveaux-venus était sans rapport avec les affaires de l'État, mais il ne s'en tiendrait pas là. Ilunga lui avait demandé de ne lui communiquer aucune information concernant la femme rouge, le priant même de ne pas la faire suivre. Il ne s'en était tenu aux ordres qu'après avoir reçu un rapport complet sur elle. Les moyens de la Sécurité intérieure devaient être employés à des tâches sérieuses. Celle-ci était sur le point d'en devenir une. Sans en dire un mot, le kalala s'était inquiété de la fièvre qui semblait s'être emparée d'Ilunga, un homme connu pour son flegme, sa patience. Il lui avait fallu connaître une femme, celle-là, à tout prix. Il n'avait rien exposé de la manière dont les choses s'étaient déroulées : où il l'avait aperçue, comment elle avait pénétré en lui. Ne pouvant aller lui-même à sa rencontre et refusant d'y renoncer, Ilunga s'était comporté d'une façon que les mots ne pouvaient décrire.

En principe, Igazi n'aurait pas dû en être informé. Cependant, pour des raisons objectives, il cumulait les fonctions de chef d'État-Major des armées et de chargé de la Sécurité intérieure. C'était, pour l'heure, ce que commandait la raison. On ne pouvait risquer, en ces temps cruciaux pour l'État unifié, que des services aussi importants soient mal coordonnés. Il avait conservé ce pendentif qui ne le quittait que dans des moments d'intimité devenus rares. Une agate noire y avait été accrochée, qui contenait une caméra miniature. Ce n'était pas le clou de la technologie actuelle, mais cet outil avait fait ses preuves, il se félicitait de ne s'en être pas débarrassé. Il filma quelques images du groupe. Igazi se dit qu'il n'attendrait pas de voir si le jeune homme recherché serait retrouvé. Il comptait finalement quitter Matuna au crépuscule, se hâter de mettre en place un contrôle plus soutenu de ces trois personnes. Son petit doigt lui disait que l'on reverrait la femme rouge à la résidence du mokonzi. Entre eux, il ne s'agirait peut-être que d'une aventure, mais il en doutait. Ilunga avait l'embarras du choix, les femmes se jetaient à ses pieds. Il ne s'était attaché à aucune, hormis Seshamani, son épouse connue de tous. La femme rouge ne pouvait ignorer son existence. Or, il ne la voyait pas dans le rôle de seconde épouse, elle n'en avait pas le profil. De plus, cette femme rouge avait un métier, une vie convenant peu à l'environnement d'Ilunga et même à ses besoins d'homme. Sa compagne devait lui apporter joie et apaisement. Ce ne serait pas le cas, et tout ce rouge pourrait bien ébranler sa légendaire force intérieure. Vivre avec Seshamani était déjà une expérience exigeante, les personnes bien informées savaient pour quelle raison. Igazi rangea sa caméra, éteignit son dispositif d'écoute, pensant que nul n'était parfait.

Ilunga avait été, au sein de l'Alliance, le combattant le plus valeureux qu'il lui ait été donné de voir, un des meilleurs instructeurs lors des travaux de terrain auprès des populations de son secteur. Il semblait toutefois souffrir d'une singulière inaptitude à faire les choix amoureux adéquats. Les populations du Katiopa unifié ne seraient pas choquées de le voir prendre femme à nouveau. Au contraire, elles loueraient sa capacité à aimer, l'ampleur de son cœur. Qu'il rende officielle sa nouvelle relation plairait aussi, on verrait là un témoignage de respect à l'égard des deux femmes : qu'une seule ne soit pas l'ointe, l'élue. De ce point de vue, tout irait bien. Les noces, si elles avaient lieu, seraient un moment de liesse. Mais étant donné la nature de l'intéressée, le mieux était sans doute de ne pas en arriver là. Son regard se fixa à nouveau sur la femme rouge qui portait en tunique un bùbá jaune dévoilant des cuisses fermes et rebondies, des mollets au galbe irréprochable. Elle était grande, presque autant qu'Ilunga lui-même, avec une cambrure prononcée des reins qui donnait l'impression que son postérieur avait quelque chose à déclarer. Aussitôt qu'on l'avait vu pointer hors des hanches étroites de la femme rouge, il devenait difficile d'en détacher les yeux. Elle penchait de temps en temps la tête sur le côté pour écouter ses interlocuteurs. Ses trois nattes bombées, qui paraissaient des crêtes rousses, lui conféraient alors des airs de statue antique, soudain animée par un pouvoir inconnu. Non. Une présence, un corps tels que ceux-là, n'avaient pas leur place dans les hautes sphères de l'État. Les femmes qui convenaient à ce cadre devaient être plus discrètes, ne pas répandre autour d'elles tant d'écarlate. Ce n'était pas seulement la constitution physique de cette personne qui le dérangeait, c'était le caractère peu malléable dont elle était la traduction : *Serious as a heart attack*, c'était le moins que l'on puisse dire. Igazi savait jauger les

174

personnes et n'avait pas son pareil pour sonder leur nature profonde. Il lui fallait parler à cœur ouvert avec le mokonzi. D'homme à homme, en termes clairs, sans évoquer les rapports de surveillance, ni même ce à quoi il venait d'assister. Cela ne servirait que dans un second temps.

Igazi concentra son attention sur le Sinistré. Il aurait pu passer presque inaperçu dans le paysage de Matuna, où ceux de son espèce n'avaient pas tout à fait disparu, bien qu'ils ne connaissent du monde que ce village. Il y en avait eu davantage au début, lorsque la communauté avait été fondée. Il en restait un faible nombre, souvent la descendance des premiers. Igazi continuait de voir en eux des pièces rapportées, et se méfiait tout particulièrement de ceux ayant leur origine à Pongo. Des siècles d'histoire ne s'effaçaient pas en un claquement de doigts. Si chaque région du monde avait une mission à accomplir, celle de Pongo était sombre. Et puisqu'il en était ainsi, venir au monde au sein de cet espace ou avec des marqueurs d'une appartenance à ses peuples, avait une signification. Être de quelque part, être dans un corps, un phénotype, était aussi une expérience métaphysique. Cette vérité échappait aux Gens de Benkos, des ignares spirituels se prenant pour de grands mystiques. C'était ce qui affaiblissait leur conception de l'hybridation, du mélange des peuples. Tous les croisements ne produisaient pas des résultats de même valeur, tous n'étaient pas souhaitables. Et de cela aussi, l'histoire avait fourni nombre d'exemples. En tout cas, celui des Sinistrés qu'il avait sous les yeux se faisait remarquer par son choix vestimentaire. Les siens ne s'habillaient pas ainsi. Ceux que l'on rencontrait à la périphérie de la kitenta, et plus rarement au centre-ville, respectaient en la matière les codes de leur communauté. Igazi n'avait rien contre les individus en tant que tels. Néanmoins, il pensait que Katiopa ne deviendrait pas ce qu'il devait être en laissant proliférer sur son sol des êtres programmés pour s'épanouir dans des systèmes opposés au sien. Le nier revenait à s'imaginer que des scorpions se sectionneraient le telson ou se videraient la vésicule à venin par amitié pour d'autres. La nature les en avait pourvus afin qu'ils s'en servent. La respecter, c'était en connaître le fonctionnement, savoir qui était qui.

Les Sinistrés n'avaient constitué jusque-là qu'une gêne assez mineure pour l'État unifié, où ils ne représentaient qu'une nuisance sociale, pas une force politique. Ils avaient aussi été expropriés, la législation leur ayant permis d'acquérir des terres étant désormais caduque. Cela les avait amoindris sur le plan économique, et la morgue qu'ils affichaient à l'égard des structures nouvelles, trop enracinées d'après eux dans un primitivisme précolonial, compliquait leur insertion dans la société. Aucun problème notable ne s'était encore posé. Une situation imprévue pouvait se présenter s'ils commençaient à fréquenter les Gens de Benkos. Nul ne savait ce qui en sortirait. Le mieux était de tuer cela dans l'œuf. D'abord, on venait à Matuna afin d'y trouver son fils. Puis, y ayant passé quelque temps, on se rendait compte que l'on avait à faire ensemble. On ne poursuivait peut-être pas le même but, mais pourquoi ne pas s'entraider en chemin ? D'ailleurs, on était à ce point aux antipodes les uns des autres qu'en manœuvrant bien, on attirerait moins les soupçons. La présence d'un membre du Conseil au milieu de tout ça n'avait pas de quoi réjouir. L'institution réunissait des sages, des êtres hors du commun pour lesquels le kalala n'avait que du respect. Mais enfin, Abahuza était là, il ne pouvait prétendre l'inverse. Les coïncidences étaient l'expression plus ou moins facétieuse de forces occultes voulant se rappeler aux vivants. La connivence liant l'ancienne et la femme rouge ne datait pas d'aujourd'hui, cela se voyait. Mais il n'y avait pas de hasard et, tout d'un coup, le mokonzi serait environné d'une constellation d'énergies féminines trop puissantes pour ne pas faire dévier son action et, en fin de compte, invalider son autorité. On avait déjà confié la tête du Conseil à Ndabezitha, qui était aussi la sangoma du chef de l'État, celle qui accédait directement à ses fragilités. Qu'allait-il se passer à terme s'il s'éprenait d'une femme proche d'un autre membre de l'auguste assemblée ? En plus de celles-là, il y avait Seshamani, l'épouse, la compagne de longue date qui lui avait donné un fils. La force des femmes devait être maîtrisée, dirigée selon la loi de la complémentarité asymétrique qui privilégiait la volonté des hommes. Autrement, elle renversait l'Univers sans même s'en rendre compte. Igazi plissa une fois de plus les paupières. Non parce que la capuche de son poncho lui tombait sur les yeux. Il avait décidé de ne pas patienter jusqu'à l'entrée du soleil dans les abîmes du monde. En un battement de cœur, il fut hors de Matuna.

8

Ilunga était en proie à une douce euphorie. Boya et lui s'étaient parlé, il l'attendait. Évidemment, elle n'avait pas voulu qu'il lui envoie un chauffeur. Alors, elle prendrait le baburi, descendrait sur l'avenue Ménélik II, remonterait la nzela menant à la résidence. Prévenues de son arrivée, les sentinelles la laisseraient passer. Ensuite, elle serait accueillie au rez-de-chaussée, puis Kabeya l'introduirait dans ses appartements. Comment serait-elle vêtue ? Il supposait qu'elle ne changerait rien à ses habitudes, qu'elle ne viendrait pas le séduire. Cela le faisait rire. Eh bien, il ferait le travail. Et elle s'en apercevrait. Dans son bain, le mokonzi secouait la tête en écoutant *Dead Man Walking*, par Elom 20ce. Il n'avait pas besoin de chansons d'amour pour planer. Le puits de lumière lui renvoyait le dernier éclat du soleil. Il se leva, se sécha en fredonnant. Les vêtements neufs qu'il avait choisi d'étrenner étaient prêts. Un sokoto de couleur marine, un agbada assorti, moins ample que ceux d'apparat, le tout coupé sur mesure. L'agbada, brodé de fils d'argent, avait été raccourci et doté d'une échancrure qui lui dégagerait le cou. Le vêtement serait porté à même la peau. Ilunga arborait, le long du bras droit et jusqu'à l'épaule, un tatouage dont il aimait la finesse et la complexité. Ses mouvements en révéleraient quelques détails, juste assez pour que l'on ait le désir d'en voir davantage. Il se passerait du fila. Le couvre-chef, de rigueur lors de manifestations officielles, masquerait l'œuvre sculpturale de son coiffeur, une des nombreuses versions de l'amasunzu. Ce serait dommage. Il avait opté pour une coupe dont la sobriété ajoutait au caractère et mettait en valeur les angles de son visage. Avant d'enfiler son habit, le mokonzi du Katiopa unifié prit soin de se passer sur la peau une huile de marula au parfum subtil. Il ne porterait pas de sous-vêtements, certain de garder ainsi la maîtrise de son corps. Son intention n'était pas de fondre sur Boya tel un affamé en présence d'un plat fumant. Il avait pour la soirée des projets précis afin de la surprendre. Rien ne pressait. Ils avaient à se parler, à se découvrir. Quarante jours exactement s'étaient écoulés quand elle l'avait contacté. Ilunga n'aurait pas besoin qu'elle lui explique la signification de cette durée. Il ne s'était pas trompé sur ce qu'ils seraient l'un pour l'autre, mais surtout l'un avec l'autre. À quarante-cinq ans, avec ses occupations, il n'était pas de ceux qui recherchent ardemment l'amour. Il avait assez bien accepté l'idée de vivre sans faire l'expérience d'une relation de cette profondeur. Son existence lui convenait, ses besoins sexuels étaient sans mal satisfaits. Il avait une épouse plus que présentable pour certaines sorties officielles, bien qu'ils n'aient plus été vus ensemble en public depuis plusieurs années. Leur couple n'était pas malheureux, cela aurait encore indiqué la présence de sentiments. Ils en étaient loin. La vie amoureuse de Seshamani pouvait être un peu mouvementée. Elle était volage et brisait les cœurs en moins de temps qu'il ne lui en fallait pour les conquérir. Il avait mis en place une organisation efficace pour que rien de tout cela ne transpire. Les bruits se répandant par mégarde hors de la résidence restaient des rumeurs. Ce serait la première chose dont il parlerait à Boya, puisqu'elle savait ce que nul à Katiopa n'ignorait. Elle avait pris le temps de réfléchir, à cela comme à d'autres sujets. Il doutait qu'elle entende s'immoler sur l'autel de l'amour et s'extirper du brasier juste à temps pour s'accorder une chance de renaître de ses cendres. Seule ou dans d'autres bras. Elle était ardente, pas légère. Du feu, elle savait tous les états, toutes les fonctions. C'était pour cette raison qu'il lui avait été possible de réfréner son désir.

Il avait compris, lors de ce dîner qui n'en avait pas été un, que l'existence de cette femme se déroulait sur des plans différents. Cela n'avait rien d'un accident, c'était ainsi parce qu'elle l'avait décidé et y avait travaillé. Ce qu'il avait prévu l'étonnerait peut-être, mais elle ne serait pas effrayée. Jamais il n'avait partagé cela avec une femme. Et pour la première fois, il ne s'était pas ouvert de ses desseins à Kabeya. L'homme savait d'avance ce que lui aurait dit son vieil ami. Ce n'était pas faux, mais il prendrait le risque. Faire confiance. Ne pas laisser passer quarante jours de plus pour se dévoiler. Ilunga coupa la musique, le rap ayant rempli son office. Il pénétra dans son ndabo, le traversa pour s'installer sur la terrasse. Sous la plante de ses pieds nus, les dalles de terre cuite renforçaient son sentiment de bien-être. Chaque descente du soleil était unique. Ce soir, le crépuscule déversait des pourpres soutenus sur le bras du puissant Lualaba, le fleuve dont la route était ici perpendiculaire à celle de l'océan. En levant les yeux, on était ébloui par un ciel d'ocre, les couleurs de la terre semblant s'être élevées jusqu'aux nuages afin de s'y fixer. L'astre lui-même était une boule jaune dont l'éclat doux transmettait aux vivants les salutations de la divinité : *Que l'obscurité vous soit bonne.* C'était le préalable, pas tant au réveil qui dépendait de Nzambi, mais à la qualité des actions humaines lorsque le coq entonnerait sa lamentation. Il fallait pénétrer dans l'ombre de la nuit, ne pas s'y abandonner à la léthargie, ensemencer son être profond. C'était le moment idéal pour un rendez-vous d'amour. La nuit, tous les chats n'étaient pas gris. Chacun était lui-même, parfois à son corps défendant, parfois sans le savoir. Le fleuve se trouvait assez loin de la résidence, mais il en avait une plus jolie vue que nulle part ailleurs dans la kitenta. Il traversait le Continent sur plus de quatre mille kilomètres, on ne comptait pas ses affluents. Les enfants en récitaient avec fierté les noms pendant leurs leçons de géographie : Lubudi, Lomami, Ruki, Fulakari... Très tôt, ils apprenaient que le Continent abritait deux des plus longs fleuves au monde, qu'il en était le territoire le plus vaste, le plus riche. On ne leur disait pas encore qu'il était aussi le plus convoité, qu'ils auraient à le défendre parce que c'était ainsi, les humains voulaient s'approprier ce que les autres avaient reçu de la vie. Pas le partager : le leur arracher. Il chassa ces pensées. Ce n'était pas le moment de se laisser rattraper par les affaires de l'État. Ilunga retourna dans le ndabo. Il refusait de regarder l'heure, de se mettre à compter les minutes, que son attente se fasse anxieuse. Il la voulait aussi pleine que le seraient les instants passés en la présence de Boya.

D'abord, il ne la vit pas, assise sur une des causeuses basses du salon. Face à l'endroit où ils avaient dîné et devant lequel l'homme ne passait plus sans se la remémorer, elle faisait glisser son doigt sur l'écran de sa liseuse, s'arrêtait afin de prendre connaissance du texte. Bien sûr, il était exclu de lui ouvrir les bras, de manifester trop bruyamment sa joie. Non que cela soit inapproprié, mais de telles effusions le feraient sortir du cadre qu'il s'était dessiné pour ne pas aller trop vite en besogne. Ne pas lui faire l'amour tout de suite. Ou, plutôt, le faire différemment. De l'intérieur. Comme il l'avait imaginé, elle avait revêtu une tenue décontractée, de celles que l'on portait pour aller boire un verre en début de soirée. C'était parfait pour ce qu'il avait prévu. Il ne put réprimer un sourire et son regard dut se faire plus insistant car elle leva la tête. Les mêmes mots leur vinrent : *Ça fait longtemps que tu es là ?* Il aima la voir éteindre sa tablette, se lever sans manières pour venir à lui comme si elle en avait déjà pris l'habitude. Elle était bien chez lui. Ses yeux ne glissaient pas sur les objets, la décoration, ses doigts n'avaient besoin de se poser nulle part pour apprivoiser le milieu. L'enquête conduite par la plupart de ceux qui pénétraient dans les lieux ne l'intéressait pas. C'était le type qu'elle voulait, pas ses affaires, ce qu'il possédait et qui était censé le définir. Lui qui avait cru assister peu avant à la sortie du soleil le retrouvait sous les poutres en bois sombre de son intérieur. *Alors, ça fait longtemps que tu es là ?* Elle n'avait laissé entre eux qu'un souffle, pas vraiment un espace. Il répondit : *Un peu. Plus de quarante jours.*

Attirant à lui la femme, l'homme lui déposa un baiser sur la tempe et murmura : *Ça te dérange de retirer tes sandales ?* Elle s'excusa de ne l'avoir pas fait. *Non, ce n'est pas ça. C'est parce qu'on s'en va.* Boya eut un regard interrogateur. Il la serra plus fort afin de prévenir tout geste brusque. La nuit était tombée. C'était là qu'il l'emmenait. Dans sa nuit. Faire en sorte que l'obscurité leur soit favorable, aujourd'hui et demain.

Boya n'aurait pu décrire ce dont elle faisait l'expérience. Comme tout le monde, elle avait entendu parler d'un talisman que nul n'avait vu et encore moins eu entre les mains. Il se disait tant de choses. La célèbre amulette, dont l'appellation changeait selon la région où elle était connue, avait le pouvoir de rendre invisible son détenteur. Autrefois, ceux qui la possédaient étaient des chasseurs auxquels le prodigieux talisman permettait de se soustraire à la vue des bêtes. L'esprit humain ne manquant pas d'ingéniosité, il était vite apparu que l'on pouvait recourir au charme pour commettre des méfaits. On n'avait guère hésité. C'était peut-être le dévoiement de son usage qui en avait hâté la disparition. Boya avait vu trop de choses étranges pour douter que l'objet ait pu exister. Elle pensait qu'il était désormais impossible de se le procurer. D'ailleurs, elle n'aurait pas dit que leurs corps étaient devenus indiscernables. Ils ne l'étaient pas pour eux-mêmes. D'autres les voyaient-ils ? Elle n'en était pas certaine. Se souvenant de la manière dont elle avait perçu la présence d'Ilunga les deux fois où il s'était approché d'elle en silence, elle s'étonna qu'il lui soit possible de lui ouvrir les portes de ce domaine. Il n'avait pas procédé comme l'aurait fait le porteur de l'amulette. Ilunga ne s'était pas isolé, n'avait pas récité d'incantations, n'avait invoqué aucune puissance. Seulement la sienne. C'était uniquement la force mentale de l'homme qui les déplaçait. Nulle crainte ne l'habitait. Elle était touchée par la confiance qu'il lui témoignait déjà. Il fallait un grand confort intérieur pour préférer prouver les choses plutôt que les dire. Il fallait être sûr de ses sentiments et de leur objet pour dévoiler son intimité la plus profonde. Alors, ce serait ainsi. Être ensemble les amènerait à résider dans un au-delà. Il faudrait se montrer capable de rester là, au-dessus des contingences, de l'incompréhension, de la désapprobation qui ne manquerait pas de s'exprimer. Boya se laissa happer par l'instant présent, par les sensations nouvelles que lui faisait découvrir ce voyage inattendu. Ils filaient à travers la kitenta, Ilunga la serrant contre lui sans effort. Elle se sentait devenue le noyau d'une comète dont il était la tête, le vol s'effectuant presque à hauteur d'humains sans attirer plus que cela l'attention des premiers noctambules. La vive allure de leur passage ne laissait pas le temps aux plus vigilants de se faire une idée claire de ce qu'ils voyaient, avaient vu, une traînée mauve, mélange de bleu et de rouge dans l'atmosphère.

Ilunga gardait le silence, mais la pression de ses mains, l'une dans le dos de la femme, l'autre au creux de ses reins, ne faiblissait pas. L'envie la prit de faire des commentaires. Boya avait la joie bavarde, mais elle craignit de perturber la concentration de son compagnon. Bientôt, ils furent dans un lieu inconnu, de l'autre côté du fleuve. Une nature sauvage s'épanouissait là, ne laissant filtrer que de minces rais de lumière. Il était peu probable que l'endroit soit habité mais ils conservèrent leur état, éclairant leur propre passage, traçant la voie à mesure qu'ils avançaient. Ils étaient minuscules au cœur de cette immensité qu'ils contenaient autant qu'elle était en eux. Boya fut traversée par une vision de leur couple, une réplique de Po Tolo, étoile et graine renfermant la totalité du vivant. Ils n'étaient pas les seuls. La plupart des gens ignoraient ce qui les constituait et les raisons de leur être au monde. Ilunga ralentit, leurs pieds nus foulèrent une terre sèche qui avait emprisonné des restes de chaleur diurne. La femme crut sentir des vibrations monter en elle depuis les profondeurs. C'était pour cela que les sangoma les plus avertis recommandaient, afin de guérir certains maux, que l'on marche pieds nus sur la terre, un petit peu chaque jour. Parfois, ils préconisaient l'enfouissement du corps entier. Les résultats étaient spectaculaires. Elle se laissa envahir, un long frisson la parcourut. Ilunga lui tint la main : *Ça va ?* Elle hocha vigoureusement la tête comme le faisaient les enfants pour dire : *Trop bien.* Cela le fit rire. Dans cet accès de gaieté, elle fut frappée par la texture de sa voix. Un son ample, riche. Un himation taillé dans un épais velours. Le gracieux abaissement de la note bleue. Alors qu'elle allait s'arrêter de marcher pour le regarder, le décor attira son attention. Le terrain suivait une déclivité que l'on descendait sans mal pour aboutir devant un passage creux, une excavation circulaire dans une paroi rocheuse. Puis on arpentait à nouveau une surface plane. Là, des torches avaient été allumées, hauts piliers lumineux baignant l'espace d'un éclat bleuté. Elle crut distinguer des tentes dont la matière argentée brillait sans éblouir et, dans ce campement peu ordinaire, des silhouettes graciles se mouvant sans bruit. Sous ses pieds, le sol blanchi par la lumière avait perdu sa rugosité tout en conservant sa chaleur. Boya s'imaginait arpentant une face inconnue de la lune. Lorsqu'ils furent plus près du groupe, elle remarqua les femmes, leur poitrine dénudée, le vêtement de cuir luisant leur enserrant la taille, leurs pieds eux aussi nus. Toutes portaient des anneaux autour du cou, certaines arboraient en plus un iporiyana de métal qu'ornaient des perles colorées. L'une d'elles s'avança vers eux, semblant reconnaître Ilunga. Boya vit alors les hommes, vêtus de la même manière, les plus âgés s'étant couvert les épaules d'une courte cape en peau de léopard blanc. Ceux-là étaient des dignitaires. Ils étaient aussi des sages, dompteurs du grand félin, donc maîtres des mystères. Reconnaissant Ilunga, l'un d'eux esquissa un geste en direction d'une adolescente, son chasse-mouches dispersant dans l'air une poussière d'étoiles bleues. On fit venir une femme. Haute, fine, elle ressemblait trait pour trait à Ilunga. Lui ouvrant les bras, elle sourit : *Nous ignorions que tu viendrais aujourd'hui, et avec une invitée.* L'homme étreignit sa mère, présenta sa compagne par son nom entier : *Voici Boyadishi.* L'hôtesse l'embrassa : *Sois la bienvenue chez toi, ma fille.* Un repas avait été préparé, frugal, on n'attendait personne. Ilunga remercia. Ils ne dîneraient pas là cette fois. Mais ils reviendraient, si Boya le souhaitait. Il la conduisit auprès du vieil homme qu'ils saluèrent aussi. Puis, il pria que l'on ne se soucie pas de sa présence, et tous deux s'éloignèrent. On entendait le roulement sourd de tambours, l'appel d'une soliste, la réponse d'un chœur mixte.

Ils pénétrèrent sous une tente semblable aux autres, peut-être un peu plus large, dont trois grands piliers courbes stabilisés par un cerclage végétal constituaient l'armature. Ils étaient d'un bois qu'elle ne put identifier. Des branches assuraient le soutènement de la structure que recouvraient des étoffes cousues bord à bord pour n'en former qu'une. L'ensemble était harmonieux. Ilunga la fit asseoir sur des coussins de sol posés au centre d'une carpette du même shoowa que celui qu'il possédait dans sa résidence de mokonzi. Simplement, celui-ci, comme nombre d'éléments aperçus dans le campement, avait une teinte bleu-argent. Prenant place en face d'elle, il annonça : *Nous ne resterons pas longtemps. Je voulais que tu connaisses les miens.* Tandis qu'il lui parlait, l'homme alluma une lanterne qu'il plaça à sa droite, éclairant ainsi leurs deux visages. Sans dire un mot de plus, il la laissa faire comme à son habitude, pencher la tête sur le côté, analyser la situation. Cela ne lui prit qu'un court moment. Boya se fiait à ses intuitions. Ilunga, tel que le connaissaient les populations du Continent, n'était pas issu d'un peuple nomade. Ses racines plongeaient au cœur du Continent, quelque part sur les rives du grand fleuve qui atteignait la kitenta et traçait une ligne perpendiculaire à l'océan. On connaissait de plus la biographie du mokonzi. Les mère et père d'Ilunga étaient décédés. Si leur habitat avait pris cette nuit la forme d'un campement nomade, c'était sans rapport avec leur existence passée. Cette image indiquait qu'ils accompagnaient partout leur fils, lequel vivait dans la présence constante de ses ancêtres. Ceux qui lui avaient donné la vie, ceux qui les avaient précédés. Et parce qu'il était homme, le mouvement était inscrit en lui. L'appartenance à un territoire coïncidait avec la nécessité de connaître le monde, parfois de le conquérir. Telle était la voie des hommes.

Ilunga acquiesça de la tête. Où qu'il soit dans le monde, il se trouvait un passage lui permettant de regagner ce lieu. L'intuition de Boya était juste, mais c'était plus encore que ce qu'elle imaginait. Là, dans cet endroit qui échappait au temps comme à ses intervalles, c'était l'éternité. Les esprits qui s'y trouvaient cheminaient depuis toujours avec le sien et possédaient parfois, chez les vivants, des doubles dont la trajectoire était arrimée à la sienne. Des êtres dont il avait le devoir de sauvegarder l'intégrité. Quand ils se trouvaient de l'autre côté, il arrivait que certains oublient ce partenariat. C'était même le cas le plus fréquent, et ces âmes-sœurs pouvaient devenir des adversaires, leur proximité naturelle ne trouvant à s'exprimer que dans l'affrontement. Lui reconnaissait cependant ces êtres, il avait appris. C'était en ce lieu que sa mission lui avait été révélée, la première fois qu'il y était venu. Il avait alors vingt-deux ans, c'était l'époque où il s'intéressait aux arts martiaux traditionnels d'ici et d'ailleurs. Sa passion l'avait mené loin du Continent, à Bhârat, sur les rives du Ganga où, déterminé à s'initier au *kushti*, il avait passé des semaines à tenter de se faire accepter d'un instructeur. Au début, le régime alimentaire auquel se soumettaient les pratiquants l'avait rendu malade. Plusieurs litres de lait et au moins une livre d'amandes par jour, c'était trop pour un estomac de *muntu*. Dissimulant son mal pour ne pas être raillé, il avait continué à s'exercer en sautant les repas, mettant encore plus sa santé en péril. C'était à ce moment-là qu'il avait été appelé ici. Depuis, il y venait chaque fois que nécessaire, le plus souvent de son propre chef. Jamais il n'avait convié quiconque à l'accompagner. *Ceux que tu as vus ont été mes père et mère dans cette vie, et c'est ainsi qu'ils se sont présentés à nous. Quand nous devrons revenir, il en sera peut-être autrement, mais tu les reconnaîtras avec un peu d'attention. Enfin, je me suis dit que tu n'aurais pas peur.* Non, elle n'était pas effrayée, mais c'était tout de même une entrée en matière un peu particulière pour un rendez-vous galant. *Ne t'inquiète pas, nous serons vite rentrés.* En principe, on faisait un peu différemment. On couchait d'abord, puis on disait une chose ou deux, rarement l'essentiel. Il était déjà passé par là. Elle aussi, il s'en doutait. Si elle leur avait imposé ces quarante jours de silence, c'était qu'elle était assez instruite de certaines questions pour découvrir les contours de sa nuit. Son intimité. Une partie de lui habitait cette communauté. C'était déjà le cas avant qu'il ne vienne au monde sous son identité actuelle. Il était à la fois plus jeune et plus vieux que beaucoup de ceux qu'ils avaient aperçus, y compris ses parents. Et pour lui, cette dimension de l'existence revêtait une importance capitale. Sur Katiopa tout entier, on l'avait toujours su, l'union de deux êtres était aussi celle de leurs familles. Pendant des générations cependant, on avait oublié que les proches de l'un et de l'autre ne résidaient pas tous sur la terre des vivants. Il importait d'associer ceux de l'au-delà. Des deux côtés. On était fait de la chair dans laquelle se déroulait l'existence terrestre, mais avant cela, il y avait l'esprit, l'énergie de chacun, indissociable de celle des ancêtres. Partager sa vie ne se limiterait pas à côtoyer un chef d'État, un combattant réputé, ces étiquettes resteraient muettes pour le décrire. Être auprès de lui signifierait vivre dans la compagnie de tous ceux qui l'habitaient. Ce serait connaître et maîtriser ce que produisaient leurs forces mêlées. Il avait tenu à s'assurer qu'elle l'ait compris avant d'aller plus loin. *Parce que c'est possible ?* Il rit. Elle réagissait bien. *Mais oui. Tu n'as jamais dîné chez les esprits.* Pas comme cela, il était vrai. Pour elle, les choses se passaient de manière moins spectaculaire. Plus discrets, les siens lui rendaient visite dans ses rêves. Il leur arrivait de lui offrir un repas. *Tu as peut-être faim ? Je veux dire, de nourriture ordinaire ?*

Boya déclara sans baisser les yeux qu'elle préférait manger après. *Quoi, tu t'es imposé quarante jours de diète ?* Il rit en disant ne rien en croire. D'après lui, elle avait réglé les affaires courantes pour lui apporter une femme neuve. *Peut-être. Et toi ?* Sa situation était à la fois simple et compliquée. Seshamani n'était pas une affaire à régler. Elle était là. Ils s'étaient unis jeunes, à une époque où ni l'un ni l'autre ne se connaissait soi-même suffisamment. Grandir ensemble avait apporté quelques surprises, Ilunga lui en parlerait. Il n'avait pas l'intention de rompre, elle non plus. Ils avaient traversé des épreuves, eu un enfant, un fils, qui poursuivait ses études supérieures dans une faculté d'Ikapa. Son épouse et lui ne partageaient plus la même couche. Ce qu'il proposait à celle qui occuperait cette place n'avait rien à voir avec une position secondaire. Il ne pouvait y avoir ni hiérarchie, ni comparaison. Pour le moment, c'était tout ce qu'il souhaitait en dire. Parler d'une autre femme à celle que l'on espérait s'attacher ne lui semblait pas une démarche très sensée. Boya écouta avec attention. Elle ne s'ouvrit pas du peu d'intérêt que lui inspirait l'idée de s'approprier l'être aimé, même si cela avait pu lui valoir, parfois, d'être soupçonnée de prendre ses relations à la légère. Il semblait que ce problème ne se poserait pas en ces termes ici, c'était une bonne chose. Néanmoins, cette configuration particulière, puisqu'elle ne serait pas dans le fond ce qu'il y paraîtrait, requérait de n'y inclure que des individus d'exception. Des personnes capables de faire la sourde oreille aux aboiements des chiens tandis que passerait la caravane. Or, les dogues les plus enragés se trouvaient plus souvent dans la remorque, pas le long du chemin. Ilunga était un homme. Il avait beau appartenir à une catégorie supérieure parmi ceux de son sexe, rien ne lui permettait de connaître les femmes. Ce n'était pas parce que son épouse et lui faisaient chambre à part et avaient – peut-être – chacun leur vie sentimentale, que tout serait facilité. Elle voulait rencontrer Seshamani. Pas la jauger, savoir qui elle était. Quelle femme. Décidant de revoir Ilunga, elle s'était souvenue de la parole des aînées lorsque l'on recevait une nouvelle-venue dans la Maison des femmes : *Tu ne peux prospérer sur le malheur d'une autre.* Elle en avait fait une règle de vie sans consentir le sacrifice de son propre bien-être. À sa question, l'homme répondit sans ciller : *Tu la rencontreras. Si tu restes.* Elle aima qu'il ne se cherche pas d'échappatoire et ne fut pas vraiment surprise de l'entendre demander : *Penses-tu en faire un préalable ?*

La femme sourit intérieurement, garda le silence quelques instants. La différence entre le préalable et l'ultimatum n'était qu'une question de perspective. Toute considération de cet ordre l'avait quittée avant qu'elle ne choisisse de venir à lui. La part fragile de son être, depuis longtemps comprise et apaisée, avait été autorisée à se prononcer. Cette voix ayant assez vite épuisé ses arguments, elle s'était tue. Seules étaient restées les exigences s'imposant à toute relation vraie : dans cet espace, on ne pénétrait que dénudé. L'orgueil n'y avait pas sa place. L'exclusivisme non plus. Elle n'avait pas de conditions à poser, il ne s'agissait pas d'un marché. De cela, elle ne dit pas un mot. L'homme devait l'entendre sans qu'il lui soit nécessaire de s'expliquer. Boya écouta la musique à l'extérieur de la tente, les tambours auxquels s'étaient associés des instruments à cordes, une contrebasse, un saxophone soufflant son chorus après l'échange des voix. Le timbre grave et puissant de la soliste, la présence massive du chœur se déployaient sur un air à la gaieté mélancolique. On chantait l'amour et la douleur, la dévotion pour les rives du Lualaba, le sanctuaire des pères, le royaume des fils, le pays de toujours. On priait pour y être renvoyé s'il fallait renaître parmi les humains. Là, et nulle part ailleurs. Toute autre éventualité serait un abaissement. La femme rouge trouva incongrues ces manifestations d'une vie parallèle à la leur. On tapait des mains alors que fusaient des rires, comme si les paroles, scandées sur un rythme lent, tenaient à la fois de la prière et de la plaisanterie. Il lui faudrait visiter à nouveau ce lieu pour saisir le sens de cette adjuration, comprendre les raisons de ces trouées de joie au milieu de la solennité. Le regard d'Ilunga ne l'avait pas quittée. Ce qui n'était pas entre eux non plus. C'était ce qui l'avait poussée à le rejoindre en dépit de la complexité qu'il faudrait apprivoiser. Boya ne ressentait aucune angoisse, aucun malaise annonciateur de troubles à éviter. Elle avait beaucoup pensé à tout cela, prenant le temps d'examiner ses mobiles. On pouvait se laisser aveugler par ses sentiments, accepter des situations dégradantes pour n'avoir pas su renoncer à son désir. Combien de femmes avait-elle vues se jeter entières à la poubelle pour être étreintes, ne pas avoir à affronter seules les heures séparant le crépuscule de l'aurore ? Elle ne se pensait pas meilleure. Mais elle était plus avisée et la solitude lui était une amie chère.

Boya n'était pas de celles qui se sentaient incomplètes sans une présence masculine permanente à leurs côtés. Elle n'était ni obsédée par la nécessité de trouver un compagnon, ni emmurée en un lieu supposé la protéger du chagrin. La femme s'épanouissait dans cette aisance intérieure quand le souffle bleu d'Ilunga l'avait enveloppée. C'était un cadeau de la vie, une porte ouverte sur de nouvelles expériences. Leur présence dans cet endroit improbable, la manière dont ils s'y étaient rendus le confirmaient. Qu'il n'y ait aucune ombre au tableau aurait sans nul doute retiré une partie de sa saveur à cette histoire. Elle était à la fois donnée et à faire, comme ce grand saut qu'ils exécutaient ensemble dans le premier rêve où l'homme lui était apparu. Ce qu'il fallait, c'était connaître la nature du précipice qu'ils avaient d'ores et déjà enjambé, en mesurer la profondeur, savoir ce qui grouillait au fond. Cela, Ilunga lui-même n'aurait pu le dire. Les oppositions, car il y en aurait, ne viendraient probablement pas par où on pensait les voir arriver. Chercher à les éviter, c'était renoncer à vivre. *Donc, tu restes.* Glissant la main sur son tatouage, Boya fit remonter la large manche de l'agbada qui en dissimulait le dessin. Sa peau sur celle de l'homme était brûlante. *Donc, je vis*, précisa-t-elle.

Se levant, il lui tendit la main : *Viens. Je ne peux pas te toucher ici.* Le chemin du retour fut bref.

Ils ne traversèrent pas la ville où les fêtards se pressaient sous les verrières des places et où les drones des services postaux allaient bientôt effectuer leurs opérations de dépôt depuis les plateformes de la périphérie jusqu'à celles du centre. Le tri serait effectué par les équipes de nuit, les livraisons auraient lieu dans la journée. Ils ne virent pas non plus les élégantes de Mbanza agripper la main de leur compagnon pour monter sur le pont de péniches luxueuses à bord desquelles on dînait en petit comité après le spectacle. Cependant, la beauté du fleuve, qui semblait à cette heure un immense miroir, ne les laissa pas indifférents. Une lumière douce baignait la terrasse du ndabo d'Ilunga sur laquelle ils furent à nouveau, comme s'ils ne l'avaient jamais quittée. Boya n'avait laissé entre eux qu'un souffle, pas même un espace. Ayant ôté ses sandales, elle s'apprêtait à retirer sa tunique sans se soucier d'être vue. Après quarante jours, la graine avait germé. Ilunga secoua la tête. Il disposait d'une chambre et lui proposait de l'y suivre, si elle n'y voyait pas d'inconvénient. Alors qu'il la faisait reculer vers l'intérieur, Boya le débarrassa de son agbada qui rejoignit le sol. La femme rouge se défit de son vêtement dans le couloir. Elle ne portait pas de lingerie. Ne restaient que son idzila d'argent, deux rangs de perles à chevron anciennes lui habillant les reins. Il s'agissait désormais d'un bijou rare. La couleur rouge, presque introuvable, valait des fortunes chez les joailliers. Ce raffinement secret séduisit l'homme qui pensa lui en offrir bientôt, des bleues, plus classiques à l'époque de leur introduction sur le Continent. Vite adoptées, elles s'étaient répandues jusqu'à devenir, autant que certaines étoffes, une des signatures de Katiopa. Jamais la Terre Mère ne s'était soustraite à la beauté, sachant l'apprécier chez ceux qui méprisaient la sienne. Encore aujourd'hui, quelques-uns de ses emblèmes esthétiques en témoignaient. Il n'y trouvait rien à redire. L'espièglerie s'était évadée du regard et des gestes de Boya. L'homme pensait savoir pourquoi. Il n'avait que le torse nu mais le sokoto choisi avec soin mettait bien en valeur la ligne de son corps. Sa hauteur, la longueur de ses jambes, le léger arc qu'elles dessinaient et qui lui assouplissait la démarche. Les yeux de Boya s'attardaient aussi sur ses épaules, sur les détails de son tatouage, l'ankh dont la base comprenait un shen, tandis qu'un œil d'Heru en ornait la partie supérieure. Un djed reliait les deux éléments, le haut et le bas, mais à l'évidence, rien de cela n'intéressait Boya en cet instant. Elle avait le souffle court à présent, ce qui lui soulevait et abaissait doucement la poitrine, des seins lourds à l'aréole brune. De face, ses hanches étroites conféraient une allure presque sage à sa silhouette. Depuis les mamelons jusqu'à la pointe du pubis, on aurait pu tracer, à même sa peau, un triangle isocèle régulier, une parfaite pyramide inversée. Il savait tout de la cambrure de ses reins qu'il ne pouvait voir pour le moment, ce qui la lui rendait plus présente. En se laissant aller à cette observation, ils finiraient à terre, pantelants, avant de s'être vraiment touchés.

Ilunga voulait une nuit qui en pèse quarante dans leur souvenir. Davantage même, car il y avait eu quatre fois dix soirs et autant de matins jusqu'à leurs retrouvailles. La prenant par la main, il l'entraîna dans la salle de bains, sous la douche. Elle acheva de le déshabiller en hochant la tête : *Tu trouves qu'on est trop chauds.* La première fois, elle prenait d'habitude une part active aux ébats, cette méthode lui permettant de faire connaître ses préférences à son partenaire. Le talent de l'amant pouvait se révéler insuffisant si d'aventure on le laissait procéder à sa guise. Bien des hommes, convaincus de l'existence d'une femme générique, ne se donnaient pas la peine d'étudier le cas particulier qui se présentait à eux. Cependant, le regard franc d'Ilunga, son attention aux réactions de son corps tandis qu'il la touchait sous l'eau l'incitaient à penser qu'il composait mentalement une symphonie pour la voix de celle qu'il tenait dans ses bras. Elle nota aussi qu'il se passait de savon, cherchant à faire un peu tomber la fièvre sans que soient perdues les conséquences olfactives de leur embrasement. Une fois séchée, la peau de chacun retrouverait toute la richesse de son langage. Boya laissa faire. Alors, il n'y eut pas de baiser, pas encore, ni de caresse trop appuyée, pas encore. La chambre d'Ilunga était une pièce élégante, avec son mobilier ancien en bois brut, ses murs grège foncé, le jeté de lit dont la couleur rappelait un ciel pluvieux. Elle n'eut pas le temps d'apprécier tout cela. Il lui fut en revanche donné de découvrir l'habileté de l'homme, la longue exploration qu'il souhaitait leur offrir. Les lèvres sur les siennes, il la pria de retenir ses cris, de préférer un temps l'implosion à la déflagration. C'était la première fois qu'il lui était suggéré de se concentrer sur son plaisir sans chercher à l'extérioriser, sans se soucier de stimuler celui de l'homme. La première fois aussi que chaque millimètre de sa peau atteignait ce point d'incandescence sous la caresse d'un amant.

Après s'être versé sur les mains un peu d'huile, il la massa avec délicatesse et précision, enfouissant ses doigts entre ses fesses, dans sa fente. Se plaçant de tout son long au-dessus d'elle, il ne la pénétra pas, lui taquinant l'orée de la vulve du bout de sa verge. À quelques reprises, il feignit de s'introduire en elle, ne se glissant jamais tout à fait au fond de l'orifice, suggérant ce geste par la profondeur de ses baisers, le jeu de sa langue dans la bouche de Boya. Quand elle eut joui une deuxième fois, il la retourna de façon qu'elle lui présente son postérieur qu'il prit le temps de câliner avant d'empoigner son pénis pour lui titiller à nouveau le sexe, se repaissant d'un spectacle dont elle était privée. L'image qu'elle ne voyait pas s'imposait malgré tout à elle, accroissant son émoi. Ce fut seulement lorsque son corps s'affaissa, que des tremblements s'emparèrent de ses jambes qu'il entra en elle. Boya ne put alors réprimer un gémissement. Les vibrations de son propre sexe palpitant autour de celui de l'homme firent augmenter le plaisir qu'elle pensait pourtant à son paroxysme. Ilunga maintint la lenteur de son mouvement, déposant des baisers, mordillant la nuque et le cou de sa partenaire. La femme accompagna son rythme d'un basculement tranquille du bassin dont elle ne se serait pas crue capable, tant son excitation était intense. La jouissance d'Ilunga se déversa dans la sienne. Ils devinrent l'océan et ses rugissants, les vagues mourant sur la rive.

Ce fut une nuit sans fatigue ni repos, une nuit qui en pesa quarante et même davantage. Le jour repoussait doucement les ombres nocturnes lorsqu'ils se souvinrent qu'ils n'avaient pas dîné. Boya avait pensé être rentrée à cette heure. Quittant son domicile, elle s'était vue arpentant à l'aube les rues de Mbanza, se dirigeant vers le plus proche arrêt du baburi. Elle n'avait pas à se rendre à la faculté mais ses recherches ne lui laissant guère de répit, la matinée serait consacrée à la rédaction d'un chapitre de l'ouvrage à faire publier pour monter en grade dans la hiérarchie académique. Il s'agirait pour elle du troisième, celui qui la libérerait de toute compétition. L'affaire n'était pas à négliger. Elle avait de plus, en fin d'après-midi, une réunion de femmes prévue de longue date. La question qui lui fut posée, s'agissant de ce qu'il lui plairait de déguster, la laissa quelque peu sans voix. Bien sûr, l'homme s'était rendu compte qu'elle n'avait pas apporté de bagage, aucune tenue de rechange. Cependant, l'interprétation qu'il avait faite de ce comportement semblait aux antipodes de la réalité. *Écoute, il faut que je file.* Ce furent les premiers mots qui lui vinrent à l'esprit où ils demeurèrent tapis, tel un reptile attendant l'instant opportun. Ilunga la fixait des yeux, un léger sourire aux lèvres, qui fut bientôt un accès de franche hilarité. Lorsqu'il jugea s'être assez diverti, l'homme reprit son calme : *Tu n'iras nulle part. Ne t'inquiète pas, on trouvera bien quelque chose à te mettre sur le dos.* Il avait demandé à n'être pas dérangé aujourd'hui. Si les affaires de l'État pouvaient se passer de sa présence, elle lui accorderait bien une journée. Ils aborderaient plus tard les questions relatives à l'organisation matérielle des choses. Que prenait-elle le matin ? Boya regardait l'homme, pensant aux petits riens qu'elle aurait aimé faire en sa compagnie, comme bavarder en déambulant dans la rue, prendre le Mobembo pour aller pique-niquer sous un arbre de savane peu avant la descente du soleil. Passer la nuit dans un lodge éclairé à la bougie comme il s'en trouvait encore dans certaines régions. Râler parce qu'au retour une panne d'électricité sur la voie les retardait, puis s'éblouir de la beauté du paysage. Préparer ce petit déjeuner chez elle, dans sa petite maison de Vieux Pays, le lui porter au lit, parcourir ses dernières notes ou répondre à son courrier pendant qu'il se restaurait. Être aux côtés l'un de l'autre, respirer dans un même souffle. Rien de cela n'aurait lieu ou si peu, elle le savait avant de le retrouver la veille.

Elle eut tout de même un léger pincement au cœur. Là, dans ses appartements privés, la vie paraissait ordinaire. C'était une illusion. Sans doute attendait-on un signal de sa part pour apprêter son premier repas, les consignes qu'il donnerait parce qu'il n'était pas seul et qui feraient jaser le personnel. Que l'on parle ne la dérangeait pas, c'était ce que cela signifiait, l'intrusion de tiers dans une histoire d'amour naissante. Une maxime que répétait Abahuza lui revint : *Souviens-toi de toujours mener tes enfants à Kemet*, pour dire qu'il importait de protéger ce que l'on espérait voir s'épanouir. Les mots des autres étaient sans danger quant à leur contenu mais ils se faisaient le véhicule d'une charge négative, de vibrations néfastes dont un amour encore neuf se serait bien passé. Il n'y aurait pour eux d'abri que dans leur volonté d'être ensemble. Être. Ce ne serait pas toujours chose facile. Elle rit à son tour, secouant la tête à l'idée que les seules promenades autorisées les mènent en des endroits aussi improbables que le campement visité la veille. Au moins l'ennui serait-il tenu à distance. Néanmoins, il l'avait dit lui-même, les mondes situés sur d'autres plans vibratoires se révélaient peu propices à certaines activités qu'elle affectionnait. *C'est moi qui te fais rire ?* Adossé à la tête du lit, l'œil vif mais le corps relâché, Ilunga semblait une divinité observant paresseusement la vanité de l'agitation humaine. *J'imaginais tes serviteurs ramassant nos vêtements dans le couloir, avant de se charger de ton premier repas.* Ah, il voyait. Les complications de l'intimité avec lui. Eh bien, nul ne viendrait ce matin, il l'avait dit. Si Boya voulait manger quelque chose, elle se contenterait de ce qu'il lui préparerait. Lorsqu'il avait choisi de s'installer dans cette résidence, ses habitudes avaient peu été modifiées. Il chérissait sa tranquillité, la présence permanente de domestiques ne lui était pas nécessaire. On veillait à sa sécurité, c'était le principal. Enfin, il s'en tenait au strict minimum pour éviter de s'attirer l'ire du protocole qui trouvait déjà ses manières assez peu appropriées. *Alors, tu vas nous faire à manger ?* Oui, si elle acceptait qu'il lui prête un vêtement. Elle était presque aussi grande que lui, ses affaires lui iraient à merveille.

De toute façon, tu ne peux pas t'en aller comme ça. Nous avons encore à parler. Toi, cette fois. C'était vrai. Il s'était ouvert à elle sans lui poser la moindre question. Rien sur sa profession, l'endroit où elle vivait seule ou en famille, ces éléments basiques dont il était normal de prendre connaissance avant de présenter une personne aux morts comme aux âmes à naître au sein de sa famille. Bien sûr, il ne lui aurait pas été difficile d'obtenir ces informations, mais il lui avait laissé trop de liberté, trop de temps, pour s'être secrètement comporté comme un despote désireux d'avoir un œil sur tout. Cela ne ressemblait pas à l'homme embarrassé par le zèle de ses agents lors de leur première rencontre. De plus, elle ne voyait pas pour quelle obscure raison il lui jouerait la comédie. Oubliant sa nudité, Boya s'assit en tailleur face à lui, demandant ce qu'il lui serait agréable d'apprendre à son sujet. Ilunga ne put que lui sourire. Il y avait longtemps que personne ne s'était conduit en sa présence avec autant de naturel. Elle était exactement comme il l'avait imaginée, vivante et sans manières, tout ce qu'il fallait pour donner des cauchemars aux services du protocole et de la sécurité. Par chance, ils n'auraient pas à s'en soucier de sitôt, son intention n'étant pas de hâter les choses. Au contraire, sans l'avoir encore dit, l'homme comptait procéder comme il ne l'avait pas fait lors de sa précédente union, la fréquenter pendant toute la durée que préconisait la tradition avant d'annoncer leurs noces. Alors, elle serait prête, rompue à l'exercice difficile de la vie à ses côtés. Elle aurait appris à s'accommoder des contraintes, à préserver la souveraineté de son domaine, à ne se laisser impressionner ni par la mauvaise humeur du kalala, ni par les avances du chargé des Affaires diasporiques. Tout viendrait à son heure. Parce que c'était vraiment ce qui lui importait le plus, il l'interrogea sur les esprits dont elle procédait. Entretenait-elle avec eux une relation soutenue, savait-elle comment se trouver en leur présence s'ils ne lui rendaient pas visite en rêve et qu'il lui était nécessaire de les voir ? Si elle fut surprise par cette question, Boya n'en laissa rien paraître. Leurs conversations seraient souvent de cette nature, il en avait été ainsi dès l'instant inaugural, avant qu'ils aient échangé une parole. Loin de la déranger, cela lui procurait un sentiment de liberté rarement éprouvé. La spiritualité tenait dans sa vie une place importante.

Il ne lui était jamais arrivé de partager cela avec un compagnon, c'était même une des raisons pour lesquelles le choix d'une existence solitaire lui convenait. Elle n'avait pas envie que ce soit simplement toléré, d'entendre rire quand il lui fallait exécuter un rituel lorsque sortait la nouvelle lune, se plaindre parce qu'il lui était nécessaire de passer trois jours dans la Maison des femmes. Avec son travail, c'était ce qui comptait le plus, ces occupations grâce auxquelles il lui était possible de s'élever, de toucher la part d'elle-même qui fusionnait depuis toujours avec l'ensemble du vivant. Avec Ilunga, elle n'aurait rien à dissimuler, pas plus d'explications à donner. Elle pourrait annoncer une retraite au fond d'un bois sacré, raconter un rêve en disant ce qu'il avait été : un voyage dans sa mémoire ou l'indication d'événements à venir.

Katiopa était connu pour son acceptation de la dimension irrationnelle de la vie, son attachement aux messages de l'invisible, son aptitude à entrer en relation avec tout cela sans chercher à le transformer. Depuis la Première Chimurenga, penseurs et maîtres en ésotérisme avaient travaillé, chacun dans leur domaine, à mettre fin à la dislocation intime qui avait écartelé l'âme des populations, en dispersant aux quatre vents les morceaux. La diversité des croyances n'était pas le problème pour les peuples du Continent, lesquels pratiquaient avec aisance l'accumulation plutôt que le tri, le syncrétisme plus volontiers que l'exclusivisme. Le danger venait de ce qu'aucune n'étant plus maîtrisée, ces peuples assoiffés de contacts avec les autres plans erraient d'une porte à l'autre sans en trouver la clé. La sagesse avait alors commandé de revenir à soi, à sa propre expérience en la matière. Aimer être soi à nouveau passait aussi par la confiance dans ses pratiques ancestrales. Des siècles durant, cette certitude n'avait plus été que superficielle, les conceptions des aïeux étant désormais reléguées à l'ombre. Bien souvent, elles n'étaient devenues que des gestes sans signification, de simples réflexes. Seuls quelques individus n'ayant plus grande valeur aux yeux du commun pouvaient encore parler du sens anagogique des actes, montrer ce qui les reliait à cette vérité qui s'était manifestée au sein de chaque groupe humain. Les cultes étrangers avaient longtemps conservé le prestige que leur conférait le fait d'avoir été imposés par les vainqueurs, y compris quand ceux-ci les dédaignaient. Car on avait assisté, non sans une certaine perplexité, au rejet de leur foi par les ressortissants de Pongo, lesquels semblaient avoir oublié la violence avec laquelle leurs aînés avaient cru devoir l'implanter chez d'autres. L'acte scellant le découpage par eux des terres du Continent avait été ratifié au nom de Dieu, mais cette période ayant déserté leur souvenir, ils se présentaient au monde vierges de toutes ces âneries, ceux d'entre eux qui s'y référaient encore passant pour des déficients mentaux. S'ils se donnaient encore la discipline – en disant le psaume 50 de leur livre saint, le cinquième jour de leur semaine – ou recouraient au cilice pour faire pénitence et se mortifier, c'était dorénavant dans le plus grand secret. Chez eux, Dieu ne s'était pas donné la peine de mourir, il n'avait jamais été qu'une fable, on était navré que les primitifs y aient souscrit. Enfin, ils pouvaient sans tarder se mettre au goût du jour, élever leur intellect plus que leur esprit, on leur fournissait un modèle à suivre. Que tout soit rendu au siècle était l'objectif, et le phénomène devait s'étendre à la planète qui risquait sans cela de sombrer dans l'obscurantisme.

Ils avaient été plus nombreux à changer leur fusil d'épaule au moment du Sinistre, lorsque des fidèles d'Oshun ou d'Obatala s'étaient mis à défiler en longues processions sous leurs fenêtres, faisant retentir des gongs et tambours. Cela n'avait pas ramené le Christ dont le retour était plus que jamais attendu.

Sur le Continent, c'était le réveil spirituel d'une partie de la diaspora qui avait réhabilité la voie des anciens. Au cours des générations, les Descendants n'avaient cessé de faire en sens inverse le chemin les ayant coupés de leurs racines. Ils avaient procédé de bien des façons, revendiquant leur appartenance à une terre qui tardait, de son côté, à réclamer ses enfants arrachés. Lors de la Première Chimurenga, il n'avait pas été rare de constater, sur les territoires de déportation, le retour de rituels d'initiation ou de divination tombant lentement en désuétude sur le Continent. Ce que l'on avait forcé dans la chair, dans l'âme des peuples de Katiopa, n'en serait pas si aisément extirpé. Les choses changeaient peu à peu, les esprits quittant les régions enténébrées que l'on fréquentait en cachette pour ne visiter que des ombres. Les choses avaient changé. Le quotidien, cependant, continuait de porter l'empreinte du passé, la tentation d'une modernité séparant l'humain de la nature dont il faisait partie. Nombreux étaient ceux pour qui, les savoirs ancestraux ayant autrefois démontré leur indigence – devant la Maafa et les invasions qui, suivirent –, ils ne méritaient pas d'être réinvestis. On avait eu beau en adapter les méthodes à la vie actuelle, les cercles initiatiques ne faisaient pas toujours le plein. Et bien que le prosélytisme ait été banni du Katiopa unifié, les cultes coloniaux n'avaient pas tout à fait disparu. Le rêve d'une absolue cohérence théologique renforçant la conscience collective locale ne serait pas réalisé par la seule pratique d'un retour aux sources métaphysique. Il ne le serait peut-être jamais, la fragmentation étant au cœur de l'expérience humaine, autant que la séduction de la différence. L'autre n'était pas systématiquement objet de méfiance ou de mépris, mais aussi de désir, d'admiration, en tout temps et en tout lieu. Parfois, les sentiments se mêlaient, l'attirance côtoyait la répulsion. Sans doute fallait-il à présent opter pour des conceptions plus élevées, lesquelles viseraient surtout l'unité du genre humain sans la soumettre pour autant aux dogmes de certains. Accueillir tous les visages de l'humanité, apprendre à saisir les êtres de l'intérieur. On pouvait au moins se féliciter de ce que la théosophie traditionnelle du Continent n'ait plus à emprunter les voies ombreuses d'antan. Une de ses grandes qualités – elle faisait défaut aux croyances venues d'ailleurs – était de ne promettre ni enfer ni paradis, de ne se désigner aucun ennemi, de prendre chacun tel qu'il était. Elle savait entendre, accueillir. Ce serait sa force sur la durée, maintenant qu'elle avait à nouveau droit de cité.

Parce qu'ils étaient faits de la même glaise, Boya n'éprouva pas la moindre peine à répondre. Contrairement à Ilunga, ce n'était pas en accédant à d'autres plans vibratoires qu'elle prenait contact avec ses esprits. Elle ne savait comment faire cela. En revanche, lorsqu'elle souhaitait s'adresser aux défunts sans attendre de les voir marcher dans ses rêves ou lui rendre visite selon leur bon vouloir, elle se rendait sur les rives de l'océan. Selon les cas, elle se tenait tout près de l'eau ou à distance. Certaines de ses aïeules lui apparaissaient alors, mais elle ne pouvait ni les toucher, ni leur parler comme on le faisait sur la terre des vivants. La conversation se déroulait d'une conscience à l'autre. Ilunga hocha la tête. C'était donc ce qu'elle faisait ce jour-là, quand il l'avait vue monter au dernier étage d'un immeuble de la zone désaffectée. La femme acquiesça. *Tu étais là tout ce temps ?* Elle n'avait perçu sa présence qu'en marchant pour attraper le baburi. *J'ai l'impression d'avoir toujours été là, quelque part, pas loin, avant cet instant précis.* Jamais il ne s'était senti aussi profondément connecté à une femme. Ilunga avait bien d'autres questions. Il n'était pas urgent de les poser, ils poursuivraient leur conversation pendant le repas. *Je t'apprendrai à rejoindre celles de ta lignée.* D'après lui, ces dernières entretenaient un lien particulier avec l'océan, peut-être y résidaient-elles. Boya confirma l'importance de l'Atlantique dans son histoire familiale, celle des femmes surtout, dont elle se sentait dépositaire. On s'était toujours souvenu d'Inina et Inyemba, des sœurs jumelles capturées alors qu'elles s'en étaient allées puiser de l'eau, laissant leurs enfants au village. Elles avaient perdu la vie durant leur captivité, sans atteindre la terre de déportation où la servitude leur était promise. Deux générations avaient passé, et les circonstances de leur disparition étaient demeurées un mystère. Puis, elles s'étaient manifestées. Une fillette de leur descendance avait pris l'habitude de les nommer en rangeant la vaisselle du soir, leur offrant une part des mets consommés lors du dernier repas. Son esprit avait été frappé par ce que l'on disait d'elles, le puissant amour qui les unissait, la détresse du clan resté sans nouvelles. C'était ainsi que l'on avait su ce qui

206

leur était arrivé, qu'elles avaient péri durant la traversée, que leurs dépouilles reposaient au fond de l'eau. La famille leur avait offert une mise en terre symbolique, enfouissant dans le sol un tronc de bananier pour chacune, prononçant les paroles rituelles du voyage vers l'autre monde. Le clan entier avait chanté et dansé son chagrin, la joie des retrouvailles, l'apaisement enfin. Les jumelles avaient retrouvé leur place au sein de la communauté, la transmission de leurs noms était désormais possible. Lorsqu'était venu leur tour de quitter cette vie, les femmes du clan avaient souvent souhaité que leurs restes soient enterrés non loin de l'océan. Ces faits s'étaient produits en des temps anciens. Depuis, l'eau avait rongé la terre, noyant les sépultures.

L'homme hocha une fois de plus la tête. Il y avait donc un village sous les flots, que Boya pourrait découvrir bientôt. Il lui serait même possible de les déplacer afin de les installer dans l'endroit leur convenant le mieux selon elle, si les ancêtres approuvaient son choix. C'était de cette façon qu'il s'y était pris avec les siens, ces derniers acceptant de le suivre partout où il irait. La décision avait été entérinée pendant la Deuxième Chimurenga, celle que les mots ne décrivaient jamais, celle dont on ne parlait pas, et qui avait précédé la reprise des terres. C'était une période brève, durant laquelle Ilunga changeait souvent de région. Ce contact avec les esprits ne devait rien à l'intervention de puissances surnaturelles. Il s'agissait de développer des facultés dont tous disposaient. Boya était une excellente candidate à cet apprentissage, puisqu'elle avait déjà un œil ouvert sur l'au-delà, sur l'autre versant de la vie. Pour l'heure, ils devaient se vêtir, sous peine de ne plus quitter le lit. Attenant à la chambre, le dressing était une pièce haute de plafond. L'éclat du jour nouveau y descendait par un puits de lumière comme il y en avait dans les constructions récentes. Une porte discrète menait à la salle de bains, elle était entrouverte, Boya ne l'avait pas remarquée la veille. Ils étaient sortis par l'entrée principale, celle qui donnait sur le couloir. Elle trouva cet agencement judicieux, ajoutant au confort et à l'intimité des lieux. Ilunga lui proposa un agbada noir, lui présentant en riant ses excuses pour cette garde-robe aux couleurs peu chatoyantes. Tout était plutôt sombre, à l'exception d'une rangée de vêtements d'un blanc immaculé. Le reste semblait un champ d'anthracite d'un côté, une cascade bleue de l'autre. Il n'avait rien qui soit de ce jaune solaire qu'elle semblait beaucoup aimer. Boya tendit un doigt faussement hésitant vers les vêtements bleus, indiquant sa préférence pour cette teinte.

Elle avait abandonné l'idée de retourner à Vieux Pays avant l'après-midi, espérant malgré tout assister à la réunion prévue dans la Maison des femmes. Des décisions importantes devaient être prises au cours de ce rassemblement, il avait été assez difficile pour les participantes de tomber d'accord sur une date. Dans la cuisine, elle savoura la tendresse de l'homme, cette façon qu'il avait de la tenir contre lui d'une main, la seconde s'affairant à diverses tâches. De temps à autre, il lui déposait un baiser sur la tempe, sur le cou, chuchotant *Mwasi na ngai*, l'enivrant de douceur tout en assaisonnant la salade au fonio et pois d'Angola. L'émotion qui s'emparait d'elle sous l'effet de ces cajoleries inattendues se mua en volubilité. Elle lui raconta sa vie, ce qui n'avait pas encore été dit et qu'il devait savoir. Son travail à l'université, sa recherche sur les Sinistrés. Quand elle en vint à son amie Abahuza et à leur excursion imprévue à Matuna, il émit un sifflement. *Tu sais, bien sûr, que je la connais. Nous avons communiqué la liste des membres du Conseil, et son nom n'est pas commun.* Oui, elle était au courant. Avec Abahuza, elles ne parlaient pas des activités du Conseil. *Le contraire m'aurait inquiété. En tout cas, c'est ce qui s'appelle une connexion. Non ?* Avait-elle évoqué leur relation ? *J'ai dit qu'il y avait un homme.* Il voulut savoir ce qu'elle pensait de Matuna, des Gens de Benkos de façon générale. Boya haussa les épaules. Elle voyait avec bienveillance leur tentative de fonder une société nouvelle. On pouvait peut-être interroger certains aspects de leur démarche, mais sa réflexion se situait sur un autre plan. Sans formuler ainsi les choses, sans même le savoir probablement, les Gens de Benkos cherchaient le moyen de restituer au monde une énergie féminine longtemps dévaluée. C'était ainsi qu'elle comprenait leur quête de l'horizontalité. Ce qu'ils présentaient comme un refus du pouvoir était une opposition à son expression masculine. Il ne s'agissait pas de ne rien réguler, on ne faisait pas n'importe quoi au sein de leur communauté. Ils aspiraient à une circulation différente des forces dans l'espoir de les rendre plus fructueuses. On pouvait trouver chez eux de belles inspirations, voir en Matuna un laboratoire, un lieu d'expérimentation. Pour elle, ils étaient en phase avec les besoins actuels de l'humanité. Si de nouveaux équilibres se dessinaient, si le Katiopa unifié n'avait encore fait l'objet d'aucune attaque militaire, n'était-ce pas aussi parce que les deux plus importants pays de Mbenge avaient à leur tête des femmes ojibwa et navajo ? Sans que toutes les menaces soient repoussées, Pongo avait été amputé du concours de précieux alliés.

Katiopa était une terre féminine par ses valeurs, par sa sensibilité. Les Gens de Benkos témoignaient à leur manière de cela. Bien sûr, si leurs pratiques n'étaient évaluées qu'en fonction de la tradition, elles pouvaient paraître farfelues. Il fallait y réfléchir autrement. Ilunga avait desserré son étreinte, faisant se tourner vers lui la femme, lui accordant toute son attention. Ceux dont elle parlait constituaient une nuisance pour l'État, une source potentielle de désordre. Le caractère poétique de leur philosophie ne lui échappait pas. Cependant, il la jugeait pour l'heure inopportune, on avait encore trop à faire pour consolider le nouvel État. S'ils voulaient bien rester tranquilles dans leurs communautés, la gestion de leur présence poserait moins de problèmes. Mais ils sortaient, propageaient dans les villes un discours à même de troubler l'unité durement établie, encore partielle et fragile. Ilunga admit néanmoins avoir omis de s'intéresser à la signification profonde de leur action, à ce qui en expliquait l'émergence. Il y réfléchirait. *Tu devrais te rendre à Matuna, te faire une idée de la situation.* Elle avait dit cela en toute spontanéité, sans penser aux bouleversements que représenterait une visite du mokonzi. Car il était exclu qu'il se déplace sans se faire annoncer, une telle visite ne pouvait être secrète, les agents de la Sécurité intérieure étaient là pour ça. L'idée ne plairait pas à son kalala. Mais elle faisait d'ores et déjà son chemin. Pourquoi pas ? Témoigner publiquement de la capacité du régime à discuter avec ceux qui s'opposaient à lui n'était pas pour lui déplaire. Cela permettrait peut-être de trouver un modus operandi acceptable pour toutes les parties. Dans le cas contraire, la répression serait justifiée, le marronnage revisité dont les Gens de Benkos s'étaient faits les représentants aurait apporté la preuve de sa malignité. Il espérait qu'il en soit autrement. Cependant, Ilunga ne comptait pas modifier si vite sa position. Il demandait à voir. Cela faisait des années qu'il n'avait pas approché ces communautés. Alors, oui, pourquoi pas ? *Je te remercie*, dit-il, *d'aborder ces questions sous cet angle. Nous parlons trop de politique, de sécurité... La matière nous rattrape en permanence.* Ceux qui présidaient aux destinées de l'État avaient beau se soucier de la signification métaphysique de leur mission, certaines choses leur échappaient. Les plus hautes institutions comprenaient des femmes, mais Boya était bien placée pour savoir que cela ne disait rien de l'énergie qui les régissait. La puissance, le regard du féminin, s'absentaient trop souvent de leurs décisions. Il était un guerrier. Un pacificateur, mais un combattant tout de même, et cela déterminait sa pensée. Après la reprise des terres, le Katiopa unifié devait s'atteler à la consolidation de ses forces, à une fréquentation harmonieuse des différences entre ses peuples. Pour y parvenir, la sensibilité du combattant devait refluer quelque peu. *Tu vois, tu partages mon avis*, s'exclama Boya. Il n'avait jamais prétendu le contraire. L'avènement d'une ère moins belliciste ne le dérangeait en rien. Pourquoi avoir repris les terres sinon pour qu'elles soient labourées ? Or, c'était là une tâche dévolue au féminin.

Avant la salade, ils dégustèrent des fruits, quartiers d'orange et morceaux de papaye consommés à jeun, comme le recommandaient les nutritionnistes du Continent. Un sekhew, infusion venue de l'ouest de Katiopa que l'on avait adoptée un peu partout, conclurait le repas. La conversation se poursuivit, fluide et décontractée. Boya avait oublié combien il était agréable de partager ces moments simples. Sans trop savoir ce qu'elle avait imaginé, elle s'étonnait en silence du confort éprouvé à être là, en compagnie d'un homme l'ayant approchée de façon si peu convenue. Le regardant, elle se souvint de ses rêves, des contrées sans nom qu'ils y avaient parcourues, prenant divers visages, se reconnaissant toujours. Le premier lui revint soudain à l'esprit, celui dans lequel ils avaient enjambé un immense précipice. Rien de ce qu'ils vivaient pour l'instant n'indiquait un péril quelconque. Pourtant, cette vision avait été si précise que la prendre à la légère eût été imprudent. Elle se décida à en parler, commençant par dire combien avaient été fréquents ces voyages nocturnes. Il répondit que pour lui aussi les choses s'étaient déroulées ainsi, ce qu'il avait mis sur le compte de son désir à elle. *Hein, tu te tenais les côtes pour ne pas m'appeler, mais tu venais quand même...* Lorsqu'elle évoqua ce songe précis, celui de leurs corps lancés au-dessus du vide, Ilunga posa sa fourchette dans un geste lent, garda un temps le silence. Il expliqua ensuite avoir vu la même chose, surtout la suite de ce qu'elle décrivait, ils avaient tous deux enjambé la fosse, la femme étendait le bras pour lui montrer la beauté du paysage en disant : *Tu vois, ce n'était pas si difficile.* Ces mots, bien qu'il n'ait pas le souvenir d'avoir éprouvé de la peur. Elle s'exprimait comme s'il avait fallu le convaincre d'entreprendre quelque chose. Aucun ne dévoila le sentiment particulier que procurait la découverte de ce songe commun.

Sa signification leur serait révélée le moment venu. Peut-être leur avait-on donné, à l'avance, une image de ce qu'ils vivraient ensemble. Peut-être. Ce lien privilégié qui leur était offert ne devait pas être gâché. Leur couple, puisqu'ils acceptaient par un accord tacite d'en former un, ne se limiterait pas à l'union de deux individus devant répliquer la créature originelle et la divinité elle-même, conçue comme mâle et femelle. Il était déjà bon d'avoir conscience de ce qui avait amené femmes et hommes à se rejoindre depuis l'aube du monde. Encore fallait-il concevoir ensemble ce que l'entité que formaient deux individualités produirait au sein de son environnement immédiat. Qu'aurait-elle à donner aux autres ? Elles n'avaient pas à se fondre l'une dans l'autre pour ne faire qu'une seule chair, une personne enfin complète. En réalité, la totalité de l'Être suprême résidait d'abord en chacun, femme et homme n'étaient pas des handicapés dont l'accouplement, toujours à répéter, compenserait l'infirmité. Leur attachement engendrait quelque chose, c'était son objectif, même quand il ne s'agissait pas d'un enfant.

Sans avoir besoin de se le dire, Boya et Ilunga se voulaient l'un pour l'autre avant tout. C'était d'ailleurs pour cette raison qu'en dépit de ses quarante ans bientôt révolus, la femme pensait pouvoir se permettre de formuler sa requête : du temps. Avant de décider comment se déroulerait la vie commune, car elle n'entendait pas s'y soustraire. Ce qui lui tenait à cœur, c'était d'inventer, avec Ilunga, leur façon d'être deux. Il était trop tôt pour quitter Vieux Pays. Il était inenvisageable de renoncer à sa tâche d'initiée ou d'être conduite par un chauffeur pour se rendre sur les rives de l'océan. Comme elle allait prendre la parole,

213

l'homme la devança. *Mwasi na ngai*, dit-il dans un sourire, *je me doute qu'une personne aussi attachée au baburi n'a pas l'intention de venir vivre sous mon toit du jour au lendemain.* Elle pouvait se tranquilliser, ce n'était pas ce qu'il lui proposait. Le ton d'Ilunga se fit plus grave. Comme elle s'en était aperçue, une certaine façon d'agir lui importait. Parce qu'il avait déjà épousé une femme mais aussi parce qu'il avait appris davantage sur la valeur des pratiques anciennes. Toutes n'étaient certes pas à préserver. Il pensait cependant que quelques-unes méritaient d'être respectées. Fruit de l'expérience et du bon sens, elles visaient le plus souvent la protection, l'élévation. Ainsi, avant les noces, ceux qui s'étaient promis l'un à l'autre devaient-ils passer ensemble une période de trois années. C'était seulement au terme de cette durée que le mariage avait lieu. Ilunga ne souhaitait pas décider seul du moment, mais il souhaitait que tous deux s'accordent sur le principe. *Pour agir selon l'usage, il faudrait que nous partagions la même demeure. Je ne veux pas te l'imposer. Il faut que ce soit confortable pour toi.* C'était maintenant à elle de parler. Boya affichait un sourire énigmatique aux yeux de son interlocuteur. Comment lui dire qu'il semblait avoir lu dans ses pensées ? Elle se sentait aussi légère qu'une plume, pleine de gratitude à l'égard de la vie qui lui amenait, à l'instant opportun, le partenaire idéal. S'il y avait un précipice à enjamber, c'était fait. Ils seraient invincibles. Boya se sentait puissante. Et désirante. Cela s'entendit au son de sa voix lorsqu'elle murmura : *Mobali na ngai*, pour répondre aux propos de l'homme. Elle comptait le faire de différentes façons, sans attendre de regagner la chambre.

9

Le kalala du Katiopa unifié gardait le silence face à l'homme qui se tenait devant lui. Rien n'échappait à son regard scrutateur, il lisait au fond de son interlocuteur. Ce dernier, inquiet d'avoir été convoqué sans motif, se tenait droit, les yeux dans les siens. Cette démonstration de flegme le conforta dans son choix. Il avait besoin d'un agent capable de sang-froid en toutes circonstances. Certes, l'individu avait pour manie de tremper ses choses dans tous les marigots, mais cela n'avait jamais gêné son travail. L'homme était un fin limier, un type intelligent et adaptable, un as du camouflage. Plusieurs minutes s'étaient écoulées, le silence entre eux s'était épaissi, lorsque le patron de la Sécurité intérieure s'adossa à son siège : *Asseyez-vous, Kabongo.* L'interpellé s'installa sur la chaise un peu raide que le kalala réservait à ses visiteurs. On apprenait beaucoup sur les gens en les plaçant d'office dans des situations inconfortables. Là encore, Igazi fut satisfait. Il entra dans le vif du sujet. Sa dernière conversation avec Ilunga lui était restée en travers de la gorge. Alors qu'il lui présentait le fruit de son investigation à Matuna, en particulier les images filmées de sa dulcinée et de ses accompagnateurs, il avait essuyé un camouflet. Du moins était-ce ainsi qu'il avait vu les choses, lorsque le mokonzi, haussant les épaules, s'était contenté de lancer : *Frère, donne-moi des informations que j'ignore...* Ce jour-là, il était venu parler entre hommes, entre frères, des amours d'Ilunga, de la nécessaire prudence à appliquer quand on incarnait l'État. Dans le plus grand calme, l'autre avait répliqué : *J'avais prévu ta réaction. J'aurais été déçu que tu ne viennes pas me mettre en garde.* Devant tant de désinvolture, tant d'inexplicable confiance, Igazi s'était résolu à montrer ce qu'il avait vu à Matuna. Mais la femme rouge n'avait rien caché des faits, au contraire. Et la présence d'Abahuza, membre du Conseil, suffisait à indiquer qu'il n'y avait pas malice. On ne pouvait la soupçonner d'entente avec des ennemis de l'État. Si le kalala pensait autrement, il lui faudrait soumettre des éléments plus concrets, des preuves en bonne et due forme. Ce que savait Ilunga de cette sortie à Matuna ne l'incitait guère à se méfier des deux femmes. Quant au Sinistré, il semblait que ses motivations pour approcher les Gens de Benkos aient été d'ordre strictement privé. *Je ne m'oppose pas à ce que tu maintiennes la surveillance sur cet homme, on ne sait jamais, puisqu'elles ont quitté la communauté sans lui.* Igazi allait se gêner. Son intention était – bien entendu – de garder un œil sur l'étranger, mais aussi de faire espionner la femme rouge. Tous deux auraient à leurs trousses les fouineurs les plus chevronnés de la Sécurité intérieure, on sentirait l'odeur de leurs pets avant qu'ils aient eu besoin de les expulser. L'amour, s'il fallait nommer ainsi le problème, aveuglait Ilunga. Le kalala se ferait l'obligation de le protéger. Le corps du mokonzi ne lui appartenait plus. Il était le bien de l'État. Ressentir du désir pour une femme était compréhensible, mais il était impératif d'écarter, sans même y réfléchir, toutes celles qui pourraient se frayer un chemin jusqu'au cœur. L'agent qu'il recevait en ce début de soirée où les bureaux avaient pour la plupart été désertés, aurait pour mission de coller à la Rouge. Igazi entreprit de lui communiquer les éléments dont il disposait. La tâche serait aisée, on savait qui elle était, où elle résidait, où elle travaillait. Ce qu'il demandait à Kabongo, c'était d'aborder la femme rouge, de se faire inviter dans son intimité. Cette mission ne serait pas pour lui déplaire, il s'en doutait. *Mais je vous préviens : pas de sentiments.*

Comme il énonçait la consigne, Igazi crut déceler, dans les yeux de son agent, une lueur embarrassée. *Qu'y a-t-il ?* D'abord, l'homme resta coi. Igazi vit littéralement les questions tournoyer dans son esprit. Avec autorité, il répéta sa question. Le kalala n'élevait jamais la voix, c'était inutile. Son interlocuteur ne tarda pas à répondre, avouant connaître la femme. Sachant ce que pensait son supérieur, il s'empressa d'ajouter : *C'est la voisine de mon ex-épouse. Il m'est arrivé de la croiser en laissant les enfants chez leur mère.* Igazi allait de surprise en surprise, mais celle-ci servait ses projets et le détendait. L'agent pourrait agir sans difficulté, frapper chez l'intéressée sous un prétexte quelconque. *Vous devez vous introduire dans sa demeure, le plus souvent possible. Nous sommes devenus des experts en systèmes de brouillage, comme vous le savez. C'est ainsi que nous échappons au regard des prédateurs.* Le mokonzi ne manquerait pas de fournir à sa dulcinée les outils adéquats, et il

217

ne ferait pas appel à lui pour cela. Il poserait lui-même l'équipement devant l'être, remettrait à la femme rouge un engin portatif qu'il lui suffirait de laisser dans son sac à main. Kabongo n'avait donc pas le choix. Cette mission rimait avec intimité. S'il réussissait – l'inverse était exclu –, la fin d'une aventure dont on voyait déjà qu'elle serait source de troubles serait hâtée.

Non content de s'être presque gaussé d'Igazi, le mokonzi ne s'était pas le moins du monde gêné pour lui apprendre qu'il souhaitait se rendre en personne à Matuna. Ce devait être une visite officielle, il comptait sur lui pour en confier l'organisation à ses équipes. Il lui donnait quelques semaines. Lorsque les pourparlers avec les Gens de Benkos auraient abouti, la nouvelle de la rencontre serait annoncée aux populations. Il fallait montrer la volonté de l'État de parvenir à une solution amiable, faire en sorte que soit appointé, parmi ces marginaux, un porte-parole, voire un chef. Ce serait une manière de tester leur détestation de la verticalité. Enfin, toutes les communautés avaient reçu Ilunga lors de l'installation du nouveau régime. Cela s'était déroulé à l'échelon régional, mais le plus petit village avait été représenté. Après tout, les Gens de Benkos étaient, eux aussi, des enfants de Katiopa. Ils le resteraient. En dépit des désaccords, il convenait donc de les approcher. *Nous pouvons leur tendre une main ferme. L'essentiel est de faire le geste et d'obtenir une ouverture*, avait poursuivi le mokonzi. Igazi n'avait pas vraiment écouté la suite. On attendait de lui qu'il pacifie les relations de l'État avec des rebelles à l'ordre.

La femme rouge était à peine entrée dans la vie d'Ilunga que la raison de ce dernier vacillait déjà. Si encore le mokonzi lui avait fait comprendre que tout cela n'était qu'une stratégie, un moyen pour se donner de bonnes raisons de couper une fois pour toutes les têtes de l'hydre, il aurait adhéré sans réserve à la manœuvre. Mais non, ce n'était pas cela, Ilunga était sincère et souhaitait, en toute bonne foi, trouver un terrain d'entente. Bon. Le cas échéant, il l'amènerait à se retirer. Après tout, bien que désigné par le Conseil et par l'Assemblée des mikalayi, Ilunga aurait accepté de lui laisser la tête de l'État. Des critères auxquels ni l'un, ni l'autre, ne satisfaisait vraiment avaient servi à les départager. Ilunga avait réuni les frères et fait savoir que, pour lui, le choix de l'Alliance prévaudrait. Igazi avait aimé ce moment où l'on rendait hommage à ceux qui avaient risqué leur vie, où l'on venait se savoir homme parmi ses congénères. Il s'était honoré de refuser le vote proposé. D'abord, la charge ne se refusait pas, et si elle avait dû lui échoir, ce n'était pas ainsi qu'il aurait souhaité la recevoir. Son pouvoir en aurait été amoindri. Il était donc devenu le kalala du Katiopa unifié, responsabilité qu'il aurait de toute façon voulu conserver. Nul mieux que lui n'était en mesure de superviser la mise en place des forces militaires. Pendant longtemps, cela avait constitué l'un des manques les plus criants de Katiopa. Le Continent n'avait pas de défense digne de ce nom, certaines nations coloniales ayant jugé bon de s'en remettre à l'oppresseur pour leur protection. La faiblesse dans ce domaine restait d'actualité puisque l'ensemble des régions n'avaient pas été intégrées et que celles ayant rejoint l'État n'étaient pas toutes aussi avancées dans ce domaine. La Terre Mère devait encore se doter d'une institution se chargeant de former ses soldats, quelle que soit leur zone d'origine. Transmettre des pratiques, mais aussi un esprit, faire de l'attachement au Continent une religion. C'était indispensable pour marcher sur les terres dont les dirigeants se montraient rétifs à l'union. Igazi ne poussa pas le cri de rage qui lui brûlait la poitrine, ce hurlement d'incompréhension devant la légèreté de ceux qui l'entouraient. S'il devait tout faire lui-même, eh bien, soit. D'abord, s'occuper de cette femme rouge. Creuser entre elle et Ilunga un fossé infranchissable. *Kabongo*, laissa-t-il échapper d'une voix sourde, *soyez pour cette personne celui dont elles rêvent toutes. Trouvez le moyen de l'éloigner du mokonzi*. Il aurait préféré ne pas le lui dire, mais à l'allure où allaient les choses, l'amourette d'Ilunga serait bientôt connue de tous. Le mieux était que l'agent soit conscient de l'importance du travail qui lui était demandé. Ce ne serait pas une partie de plaisir, mais un problème crucial de sécurité. Igazi n'entra pas dans les détails, il avait été compris. Mentionner Ilunga était suffisant. *Vous me ferez votre rapport tous les deux jours à compter de cet instant.* Il voulait tout savoir. Jusqu'à la manière dont cette femme s'y prenait pour faire sa toilette intime, et il ne plaisantait pas.

Kabongo ferma derrière lui la porte du bureau, fit quelques pas dans le couloir, ne reprit son souffle que dans l'escalier. Il se sentait lourd, avait la sensation qu'un corps depuis longtemps privé de vie avait été posé sur le sien. Alors, c'était ça. Quand il lui avait dit de *régler ça* avant de le rappeler, c'était parce qu'il se doutait qu'elle voyait quelqu'un d'autre. On sentait ces choses. La dernière fois qu'ils avaient fait l'amour, Boya ne s'était pas abandonnée comme d'habitude. Tout avait été bien jusqu'à ce qu'il la touche. Là, au lieu de le rejoindre, elle s'en était doucement allée ailleurs, sa pensée voguant malgré elle vers celui qui habitait son désir. Elle avait dû se concentrer sur les caresses qu'il lui prodiguait, le va-et-vient de ses hanches s'était fait mécanique quand il l'avait pénétrée. On sentait ces choses. Elle avait joui comme après une masturbation besogneuse, un geste intervenu sans nécessité, sans envie. Il s'en souvenait comme si c'était hier. Depuis, pas un signe. En général, Kabongo s'assurait de ne pas s'attacher, il ne venait pas pour rester. Et c'était lui qui chassait, lui qui décidait du moment propice pour bondir sur sa proie, la dévorer comme elle attendait de l'être, la quitter repu. Cela se passait bien. Il s'éclipsait avant de laisser d'autres empreintes que celles du plaisir. Avec Boya, tout s'était déroulé autrement, un peu à l'envers. Sans doute n'avait-il pas l'esprit aussi alerte que souvent parce qu'il était en compagnie de ses fils et qu'avec eux sa vulnérabilité s'exprimait davantage. Il ne s'était marié que pour avoir des enfants, les petits étaient tout pour lui. Son travail pouvait parfois l'en éloigner longtemps. Alors, les instants vécus à leurs côtés étaient précieux.

Celle que le kalala appelait *la Rouge* s'était glissée dans une de ces heures émollientes où, tenant la main de ses garçons, il se laissait aller à la tendresse. Elle lui avait parlé mais plus que cela, elle l'avait regardé. Kabongo avait eu l'impression d'être vu pour la première fois, tant les yeux de cette inconnue sur lui l'avaient enveloppé, des iris dorés, incomparables.

La couleur cuivrée de sa peau les faisait ressortir, il s'était perdu dans leur éclat, dilaté dans leur étirement en amande cependant que son cœur battait lentement, de plus en plus. Elle l'avait délivré de son charme en resserrant les pans de sa cape, un vêtement en vogue inspiré de l'ancienne nguba, qu'elle arborait sur un bùbá porté en tunique longue. Le soleil avait fait étinceler les perles de l'amacubi très fin dont elle s'était couronnée. Il n'en avait jamais vu de tel, tout de métal précieux. Revenu au moment présent, à l'endroit, à ses enfants, il lui avait communiqué ses coordonnées. Bien entendu, les jours qui avaient suivi s'étaient écoulés dans l'angoisse de n'être pas rappelé, une émotion toute nouvelle pour lui. Dès le début, il avait été piégé. Kabongo n'avait vraiment mesuré l'ampleur des dégâts que le jour où, se languissant de la femme, il lui avait laissé un message inquiet. Elle en avait vite saisi la signification, ne s'était pas dépêchée de lui répondre. Boya l'avait sonné, il était accouru, et ce n'était pas lui qu'elle voulait. Il ne s'expliquait pas vraiment les raisons l'ayant poussée à l'inviter ce soir-là. Peut-être lui avait-il servi à savoir lequel des deux serait choisi. Pas lui. Le mokonzi. Rien de moins. Un homme sur le passage duquel les femmes tombaient en pamoison. Elle aussi, visiblement. Le kalala ne pouvait espérer qu'il la ravisse au premier d'entre eux, lui n'y croyait pas trop. Un scandale serait suffisant pour causer une rupture entre les tourtereaux. On n'irait tout de même pas jusqu'à l'élimination physique.

Il ne croisa personne en quittant le bâtiment de la Sécurité intérieure qui partageait la concession avec l'État-Major, situé en face. Le kalala passait de l'un à l'autre. La présence de quelques fonctionnaires zélés n'était notable que grâce à la lumière visible aux fenêtres de leurs bureaux. Sans qu'il ait pour cela d'effort à fournir, son esprit enregistra l'emplacement, se rappela qui occupait quelle pièce. Cette vigilance machinale le rassura, il n'était pas tout à fait perdu. Enfin, on lui demandait tout de même l'impossible. Il n'avait pas été question de révéler à son patron sa liaison avec Boya, cela aurait compliqué les choses. Aussitôt qu'il l'avait reconnue sur les photos, des captures d'écran visiblement, cette petite fissure en lui s'était rouverte. C'était par là que son âme s'écoulait peu à peu depuis leur dernier soir. Pas même une nuit. La séduire à tout prix maintenant. Et comment faire ? Il y avait eu entre eux quelque chose d'inhabituel, du moins Kabongo l'avait-il cru. À présent, tout ce qu'il se disait, c'était qu'elle ne l'avait même pas sucé. Les femmes de cette partie du Continent ne prodiguaient pas cette caresse à la légère, c'était le signe d'une intimité profonde, l'expression d'un sentiment se passant de mots. Cela devait venir d'elles. Le type de relation qu'ils entretenaient, où l'on ne se racontait pas sa vie et où l'on dînait en silence après l'amour, appelait ce geste. Pour dire que ce n'était pas comme avec les autres… L'image de son sexe dans la bouche de Boya le harcelait. Il se voyait l'interrompre tant qu'il pouvait encore retenir son éjaculation, l'envahir et la ravager afin d'apporter à son message une réponse claire : pour lui non plus, ce n'était pas comme avec les autres. Entrer dans sa chair comme la lame cherchant le cœur du fruit, la toucher à cet endroit précis. Lui faire l'amour de telle sorte que les mots pour le dire soient à jamais dérisoires.

Au bout de la nzela menant au boulevard Rei Amador qu'il comptait remonter à pied, l'homme se demanda quelles extrémités il lui faudrait atteindre pour accomplir sa mission. Durant quelques secondes, il s'imagina provoquer en duel le mokonzi. Cela ne le fit pas rire. Les enfants étaient couchés à cette heure. Ne le voyant pas rentrer, sa sœur, qui occupait le second étage de la maison héritée de leurs parents et qu'ils partageaient, se mettrait elle aussi au lit. Le quartier était sûr, les lieux bien gardés, il pouvait se permettre un détour. Son premier rapport était attendu sous deux jours. Or, Kabongo n'avait pas le plus petit début de plan pour approcher Boya. Il ne serait pas difficile d'élaborer une stratégie, mais cela le dérangeait. Étant donné les circonstances de leur séparation, il devrait mendier son attention, quand c'était à elle de rechercher sa présence. C'était la première fois qu'il se trouvait confronté à une telle collusion entre son travail et sa vie privée. Les deux univers ne s'étaient jamais frôlés. Là, ils s'interpénétreraient jusqu'à lui donner le tournis. Si même la chose était possible sur le plan technique, il n'envisageait pas de faire à nouveau l'amour avec Boya tout en s'échinant à lui soutirer des informations. Elle remarquerait un changement dans son attitude, goûterait peu ces tentatives d'intrusion dans son jardin secret. Jusqu'ici, ils s'étaient montrés attentifs à ne rien s'offrir d'autre que leur corps. Elle ignorait quel métier il exerçait, ne l'avait pas interrogé à ce sujet, n'avait découvert sa relation avec Zanele que de façon fortuite. Lui avait désormais connaissance de détails qu'elle n'avait pas révélés, mais cela ne changeait pas grand-chose. Il lui faudrait de la patience, bien plus de temps que ne pourrait le tolérer son supérieur. Et ils ne seraient pas deux mais trois dans cette histoire. Déjà, il n'y avait plus de place pour lui. Une lutte opiniâtre serait nécessaire pour s'en faire une à nouveau. Kabongo chassa de son esprit ces supputations.

Des passants pressés le coudoyèrent le long du boulevard Rei Amador où il lambinait, les yeux rivés au sol sur lequel les réverbères dessinaient des halos orangés. Il n'y avait rien à voir dans le quartier, une zone administrative aux immeubles austères, structures en forme de soucoupes arrondies qui caractérisaient les bâtiments de la fonction publique. Des fenêtres ovales perçaient çà et là les murs qui semblaient mille visages frappés de stupeur. Il n'y avait pas de place dans cette zone, pas un lieu où se réunir, on voulait éviter les attroupements. Kabongo n'emprunta pas la passerelle mécanique qu'illuminait la déambulation de fonctionnaires se dirigeant vers le centre-ville. Marcher lui faisait du bien. Il se rendrait jusqu'à la place Mmanthatisi et, là, sauterait dans le premier baburi pour la banlieue est de la kitenta. Il irait plus vite à vélo, la municipalité de Mbanza en proposait moyennant un abonnement qu'il détenait, on en trouvait quatre cents mètres plus loin, mais non. Il préférait se débarrasser d'un peu de la colère qui lui emplissait à présent les poumons, affronter froidement son amertume. Était-ce parce qu'elle ne voulait pas de lui qu'il se sentait si mal ? Était-ce pour cette raison qu'elle l'obsédait à ce point ? Il n'était pas accoutumé à l'indifférence des femmes. Une fois qu'il les avait approchées, toutes se surprenaient à désirer follement un homme qu'elles n'avaient pas remarqué. Kabongo le savait, sa garde-robe civile ne mettait pas en valeur ses atouts. Elle lui permettait de se fondre dans la masse, d'être là sans y être, de voir, d'entendre.

Lorsqu'il se déshabillait, les femmes découvraient un secret bien gardé qu'elles espéraient ne pas avoir à partager. Il avait perçu cette lueur dans les yeux de Boya, la première fois. Ensuite, elle ne s'était jamais privée de jouir du spectacle. La différence avec les autres le frappait soudain. Elle l'avait vu, oui, avant même qu'il se soit dévêtu. En fin de compte, elle seule savait ce qui l'avait intéressée, ce dont elle était dorénavant rassasiée. Jamais elle ne le lui avait dit. Avec lui, Boya était restée secrète, ne dévoilant rien de plus que ce que pouvait laisser deviner son intérieur, les meubles choisis, la couleur des tentures, le style des sculptures. Ils passaient peu de temps dans le ndabo. Lorsqu'une petite faim s'emparait d'eux après l'amour, elle apportait un plateau au lit, un repas froid préparé à l'avance, un verre de pomula ou de la liqueur d'amarula. Ensuite, il la quittait. Elle voulait dormir seule. Récupérer son espace, sa vie. Quelquefois, en refermant derrière lui la porte de la maison, il voyait s'allumer la lumière du ndabo, là où se trouvait le secrétaire. Il était à peine sorti qu'elle se mettait à son travail. Changeait-elle les draps ? Y tolérait-elle l'imprégnation de son odeur ? Kabongo ne se souvenait pas que la femme rouge l'ait un jour mal reçu. Il était certain de lui donner du plaisir, ce n'était pas la question. Entre eux, c'était bien, mieux que ça même. Et cela devait signifier quelque chose. Il ne l'interrogerait pas à ce sujet. Cela mettrait un terme à une conversation tout juste entamée. L'homme aurait besoin de temps. Pour mener à bien une mission venant interférer avec ses désirs. Il s'arrêta pour annoncer sa venue, s'assurer de ne pas trouver porte close.

Place Mmanthatisi, trois passerelles mécaniques déversaient leur lot de piétons. Une des plus importantes stations de vélos électriques accueillait les abonnés ayant vérifié au moyen d'une application qu'ils pourraient y déposer l'engin. En général, les gens procédaient ainsi avant de prendre le baburi dont les lignes convergeaient presque toutes vers ce lieu, le cœur de la ville. Les drones des services postaux entamaient leur ballet, leur voyage d'une plateforme à l'autre. On n'y prêtait plus guère attention. Ils traversaient l'espace à la manière de gros oiseaux volant à basse altitude mais assez haut pour éviter les accrochages. Programmés pour repérer et contourner tout obstacle, ils n'entraient pas en collision et, une fois arrivés à destination, déposaient leur charge. Des robots équipés pour lire les codes-barre dont étaient munis colis et lettres effectuaient alors le tri, à une cadence telle et avec tant de précision qu'ils étaient devenus incontournables. Le personnel humain veillait à la bonne marche des opérations, signalait les éventuels dysfonctionnements, s'occupait du rare courrier manuscrit. La place Mmanthatisi grouillait de monde. C'était l'endroit le plus animé de la ville jusqu'à une heure tardive. C'était aussi le mieux contrôlé. Les incidents y étaient peu fréquents. Kabongo laissa filer quelques trains avant de monter à son tour. Les places assises abondaient, il s'installa au fond, privilégiant un siège situé au centre de la rangée. Le trajet dura trois quarts d'heure à peu près. Il tenta de les passer sans réfléchir. Lorsqu'il arriva à destination, le feuillage touffu des gros arbres encerclant le lieu accentuait l'obscurité. Il n'était pas si tard mais l'ombre avait pris possession du quartier.

L'homme chaussa ses lunettes de vision nocturne et thermique, équipement que devaient se procurer ceux qui fréquentaient l'endroit baptisé *Mfundu* où il avait pris soin d'annoncer sa venue. La bâtisse, tapie au cœur d'une zone rendue à son état originel, n'ouvrait ses portes que quelques soirs par mois, à un public choisi. Le reste du temps, elle semblait une villa d'autrefois, une ruine isolée au fond de ce qui avait pu être un jardin au tracé impeccable. La nzela sur laquelle avançait Kabongo pouvait être un vestige de cette époque, aujourd'hui rongée par les ronces et l'herbe folle. Il flottait dans l'air un parfum de nature indomptée qui l'apaisa. Le judas coulissa lorsqu'il frappa à la porte. On le reconnut, il passa le seuil et bascula dans un autre univers. Aussi nu qu'au jour de sa naissance, le videur l'étreignit. Une lumière crue éclairait l'espace, tranchant violemment avec la noirceur sévissant hors les murs. Une musique langoureuse émanait de la pièce principale d'où fusaient des rires, des bribes de conversations. Kabongo se pressa vers le vestiaire, s'y libéra de ses vêtements et rejoignit la troupe. Dans le ndabo, un buffet avait été dressé, derrière lequel des serveurs affairés proposaient viandes rôties et poissons grillés. Les convives, une cinquantaine de personnes, s'installaient une fois servis sur des coussins posés à même de larges nattes en raphia. Certains partageaient des causeuses basses à haut dossier leur permettant de jouir d'une plus grande intimité. Kabongo aimait l'atmosphère mutine de ces rendez-vous.

On venait là pour se détendre, retrouver le confort d'habiter sa peau. Le fait d'évoluer nu dans la salle affûtait sa pensée. Il lui semblait parcourir quelques-uns des souterrains de la société dont il se faisait le devoir de protéger la sécurité afin qu'elle consolide son autonomie et gagne en puissance. Pour y parvenir, il fallait arpenter les aspects de lui qu'ignorait le Continent, ceux qu'il réprouvait sans pouvoir s'en défaire parce qu'ils le constituaient. Un temps était venu où certains hommes, comme lui, n'avaient plus été circoncis, leurs familles voyant dans cet acte une mutilation. Minoritaires dans cette partie du Continent, ils pouvaient vivre avec difficulté cet état particulier. L'un d'eux avait créé le *Mfundu*, une fraternité d'un genre nouveau. Le *Mfundu* ne connaissait pas à proprement parler de rituels initiatiques. Pour s'y faire admettre, il suffisait d'en trouver la porte. Ensuite, il fallait se présenter aux autres, dire à quel besoin répondrait la fréquentation du cercle. On était écouté avec bienveillance. Kabongo regarda autour de lui les affranchis du *Mfundu* devisant gaiement. Un peu plus tard dans la soirée, un spectacle serait donné, on ne savait jamais à l'avance ce que l'on verrait, mais jamais on ne rentrait déçu chez soi. La dernière fois qu'il était venu, on avait admiré une interprétation d'*Ostrich*, le célèbre solo d'Asadata Dafora. Les divertissements proposés avaient toujours la particularité de mêler l'antique et le contemporain, la beauté du Katiopa ancestral et celle d'autres régions du monde.

Ce que l'on pratiquait au *Mfundu* n'était pas le naturisme des désaxés de Pongo. Cela tenait plutôt d'un salut décomplexé à ceux des ancêtres dont la manière d'être au monde était la moins célébrée.

Il arrivait que l'on revienne à leur spiritualité, que leurs coiffures soient à nouveau prisées, mais la relation qu'ils entretenaient avec le corps n'était plus admise. Elle était perçue comme primitive, certains allaient jusqu'à voir, dans les images que l'on en avait, des mises en scène coloniales. Les cultes étrangers avaient laissé leur marque. On comprenait mal ces ancêtres pour lesquels la peau était le premier vêtement. Ils ne la dissimulaient que très peu parfois, n'y investissant aucune valeur érotique. Les habitués du *Mfundu* venaient se réapproprier ce regard sur soi et sur les autres. Ils venaient aussi rendre hommage à d'autres ancêtres, ceux de l'Autre bord que la mémoire de Katiopa reconnaissait désormais : ils avaient survécu en conservant leur prépuce et ne s'étaient pas montrés moins hommes pour autant. Rien d'extravagant ne se déroulait entre les habitués du *Mfundu*. Ils étaient simplement nus et incirconcis.

Kabongo n'avait pas faim et se contenta d'un verre de sodabi arrangé. L'alcool de palme, dans lequel fruits et herbes avaient macéré, était servi sans glace. Il s'assit seul dans un coin, peu désireux ce soir de faire la conversation. Son vague à l'âme se dissiperait sans cela, il lui suffisait d'être parmi les hommes rassemblés là. Les soirées du *Mfundu* étaient devenues une institution, ceux qui en avaient besoin finissant par découvrir l'endroit. La seule concession faite aux temps actuels résidait dans l'abandon du cache-sexe, de l'étui pénien, outils dont on pouvait se passer entre soi. Les amours entre personnes de même sexe s'exprimaient dans d'autres lieux, des endroits où l'on se couvrait pour les raisons habituelles. Il ne s'y plaisait pas plus que ça, préférant à ces adresses un petit coin

230

discret où des personnes non binaires pratiquaient les plus exquises fellations. Toutes ces modalités alternatives de la sexualité avaient en commun avec le *Mfundu* de s'épanouir à l'abri des regards. Ce soir, il n'en avait pas envie. Les lèvres les plus expertes ne remplaceraient pas celles de Boya. Le *Mfundu* l'aidait à discipliner sa libido, à la tenir en laisse. Ici, c'était le domaine de la virginité, le règne de l'innocence. Kabongo sirotait sa boisson en écoutant ce qui lui parvenait des discussions, sans chercher à saisir au vol le moindre mot. Sa pensée dérivait calmement vers les questions qu'il lui fallait affronter. Deux impératifs s'imposaient à lui en fin de compte : celui d'accomplir sa mission, celui de tenter, pour lui-même, de conquérir Boya. Il n'avait pas le choix. La vie avait lié les deux, il ferait avec. Imaginant le mokonzi affalé sur les coussins du *Mfundu*, il ne vit en lui qu'un homme que les circonstances avaient porté à la tête de l'État. Ilunga avait eu la chance de venir au monde plus tôt, d'appartenir à la génération qui unifierait Katiopa. De son côté, il ne manquait pas de ressources et aurait pu, lui aussi, entrer dans la légende de la Chimurenga. Il le défierait d'homme à homme. Pour le moment, il avait l'avantage : le mokonzi ignorait tout de son rival, la femme convoitée ne soupçonnait rien. Il avala une gorgée de sodabi en dodelinant de la tête au son du ngoma dont les huit cordes répondaient à celles d'une contrebasse.

10

Boya avait fait en sorte que sa vie ne se perde pas dans un tourbillon, mais d'importantes transformations n'avaient pu être évitées. Comme prévu, il avait été indispensable d'ouvrir portes et fenêtres pour que pénètrent Ilunga et les particularités induites par leur relation. Elle restait à Vieux Pays, ils en étaient d'accord. La femme rouge refusait que lui soit attribué un véhicule avec chauffeur et d'être accompagnée de façon ostentatoire par des gardes du corps. Pas question non plus, si son aimé souhaitait la retrouver chez elle, qu'il s'y présente avec un entourage imposant. Mais elle voulait qu'il vienne, et l'homme n'était pas du genre à se cacher. Pour ces rendez-vous, il ne désirait recourir à aucune méthode lui permettant de camoufler son passage, ce savoir devant être employé à bon escient. Alors, il lui rendait visite, et qu'elle le veuille ou non, les habitants de Vieux Pays remarquaient la berline aux vitres teintées qui se garait sur la grand-route, les emblèmes officiels sur les plaques signalétiques, les trois caractères katiopiens qui signifiaient : mokonzi. La première fois qu'on l'avait vu en descendre, à l'heure où les familles s'attablaient pour le dernier repas, c'était d'abord son élégance qui avait attiré l'attention. Ilunga avait revêtu un ensemble discret, mais la qualité de l'étoffe et sa prestance naturelle le distinguaient. Par la porte entrebâillée des maisons où l'on avait passé la tête pour faire rentrer les enfants attardés à leurs jeux, on avait levé les yeux, puis on les avait écarquillés. On ne s'était pas pincé, ce n'était pas l'habitude, mais on était resté là, immobile, bouche bée. L'homme avait salué d'un hochement de tête comme l'aurait fait n'importe qui, poursuivant sa route dans le plus grand calme. Quelque chose dans son attitude interdisait de l'approcher, de prononcer la moindre parole qu'il n'ait sollicitée. Les gamins eux-mêmes, que rien n'impressionnait en général, avaient cessé de pépier, de se chamailler, de jouer aux empereurs de l'ancien Katiopa. On avait suivi du regard le visiteur et l'homme qui marchait à ses côtés, tandis que le véhicule, laissé derrière, étincelait sous la lumière des réverbères. Vieux Pays était tout entier piétonnier, comme la plupart des quartiers résidentiels de Mbanza. À l'inverse d'autres, il n'était pas doté d'une station de vélos, la plus proche se trouvant à trois kilomètres. Cette politique de la ville garantissait la prospérité des artisans et des petits commerçants : on faisait ses emplettes sur place. Les deux hommes s'étaient assez vite soustraits à la vue des habitants, la cour commune où se trouvait la maison de Boya n'étant pas très distante de l'entrée du quartier. Zanele, accoudée à sa fenêtre, était la seule à avoir su, ce soir-là, quelle demeure les recevait. Une fois Ilunga à l'intérieur, son compagnon avait pris place devant la porte où une chaise de veilleur avait été installée plusieurs jours à l'avance. Kabeya avait poliment refusé le repas offert par leur hôtesse, il se restaurait rarement le soir.

Lorsque c'était elle qui se rendait chez lui, Boya savait que les gardes affectés à sa sécurité quotidienne la suivaient dans la rue, dans le baburi, parfois dans les couloirs de l'université, jamais trop visibles pour la déranger, jamais assez discrets pour que leur présence soit ignorée. Ils pouvaient certainement faire mieux, mais tenaient à ce qu'elle puisse indiquer, si la question lui était posée, qu'elle s'était sentie protégée. C'était la première fois qu'il leur était demandé de veiller sur une personnalité de ce type : l'amie du mokonzi. On ne disait pas sa concubine, ce n'était pas le cas. Elle n'était pas non plus une maîtresse, l'histoire se vivait au grand jour. L'amie, c'était ce qui convenait le mieux, tant que l'union n'avait pas été célébrée. Nul n'avait entendu dire que le mokonzi s'était présenté aux parents de cette femme rouge pour demander sa main selon les règles, apporter les présents usuels, prononcer les formules d'engagement requises. On ne savait même si elle avait une famille, mais la ville et le monde connaissaient la nouvelle relation du mokonzi. Au Grand auditorium ou à bord d'une péniche-restaurant, l'homme avait été vu au bras de sa dulcinée dont on avait noté le goût pour les tenues décontractées, la joaillerie ancienne, les souliers à talon plat. Et parce qu'il s'était montré à ses côtés, on avait compris que ce n'était pas une aventure. Ni l'un ni l'autre n'avait accordé d'entretien à la presse, cela viendrait à son heure. La garde personnelle d'Ilunga s'était chargée des drones lancés à leurs trousses par des magazines en quête d'images à sensation. Boya s'était assez aisément habituée à la situation. Ce qui comptait était insaisissable, elle ne perdait pas de temps à démentir les informations erronées, ne s'était manifestée qu'une fois, lorsque certains de ses étudiants avaient été interrogés. Et même à cette occasion, sa démarche n'avait pas été de contacter les médias, mais de s'adresser aux jeunes gens recevant son enseignement. Ils avaient eu la décence de ne pas poser les questions qui leur brûlaient les lèvres, et avaient dorénavant éconduit les importuns. Tout allait bien. Une fois les portes closes, dès lors qu'ils étaient seuls, la simplicité de leurs rapports reprenait ses droits. Elle oubliait qu'il avait tenu à poser chez elle des systèmes de brouillage, les logeant discrètement sous ses meubles les plus lourds. Ainsi, on ne pouvait ni voir, ni entendre ce qui se passait chez Boya, que l'homme y soit ou non. Sa voisine était une journaliste indépendante, on ne l'oubliait pas. Son métier, le fait de l'exercer dans une relative précarité l'incitaient à la curiosité.

Ilunga était à son aise dans la petite maison de la femme qui, de son côté, aimait y sentir sa présence. Qu'il la quitte peu avant le milieu de la nuit, à une heure où son départ pouvait être constaté, la chagrinait quelquefois. La femme en était la première surprise, dormir seule ayant longtemps été pour elle un impératif. L'homme en faisait une question de principe, il s'agissait pour lui de ne pas la déshonorer. Qu'il la reçoive chez lui à tout moment n'avait pas la même signification que l'inverse. Qu'elle passe la nuit en sa compagnie et sous son toit révélait le statut qu'il lui avait d'ores et déjà accordé. Il lui importait que le message soit compris de tous. S'ils s'étaient conformés à la tradition, elle se serait installée chez lui durant les trois années précédant leurs noces. Les promenades main dans la main le long des rues de Mbanza n'étaient guère envisageables, mais elle avait eu droit à son dîner dans la savane. Kabeya et les gardes avaient su se faire oublier, la rusticité du lodge ayant accueilli leurs ébats avait correspondu à ses désirs. L'amour avec Ilunga était toujours intense. Chaque fois que cela se produisait, et même quand ils répétaient cet acte, Boya était entraînée dans un nouveau périple. Au plaisir charnel, s'ajoutait une félicité d'un autre genre. Comme dans les rêves qu'elle avait faits d'eux, la femme changeait de peau, de nature. Elle traversait des contrées inexplorées, des pays sans nom. Des nuits d'encre marine y tombaient en plein après-midi. On entendait craquer les graines enfouies dans la terre puis pousser les plantes. Plusieurs soleils se partageaient le ciel. Il aimait la prendre sur le côté, voir à la fois son postérieur et son visage. Au bout d'un moment elle n'avait d'autre langage que les trois syllabes formant son nom, ce qui le faisait rire : *On dirait que tu me cherches ? Je suis là...* L'homme ne se moquait pas longtemps, l'appel de Boya suscitant de sa part une réponse saccadée. Il lui plaisait de le chevaucher en silence, les yeux enfoncés dans les siens tandis qu'il lui pétrissait les seins, les hanches. Lorsqu'elle chavirait soudain, qu'il lui fallait s'accrocher à ses épaules comme un naufragé à son radeau, il lui tenait fermement les poignets. Ainsi, elle conservait sa posture verticale, tandis que l'homme se délectait du tressaillement qui la parcourait. La jouissance lui faisait briller les yeux, lui arrachait un feulement. Ils s'endormaient dans la sueur, dans le souffle l'un de l'autre, certains de n'avoir vécu que pour se rencontrer.

236

Parfois, Boya se demandait ce qu'il en serait à l'orée de la quatrième année, s'il était possible que tout cela les quitte, leur échappe, qu'ils ne soient plus alors qu'un couple raisonnable. C'était en s'appuyant sur leurs observations que les ancêtres avaient élaboré les usages de la communauté. La période de trois années dont ils avaient souhaité qu'elle précède les noces officielles n'avait pas été choisie par hasard. C'était après cette durée que l'histoire commençait ou prenait fin. Lorsqu'ils affirmaient leur volonté de rester ensemble, l'homme, dont la demeure abriterait les mariés, accomplissait un rituel de protection. Chaque fois qu'une interrogation l'étreignait au sujet du cours des choses à venir, elle examinait mentalement leur histoire, traquant les failles, les signes de fragilité. Il n'y avait rien, le pire qui puisse leur arriver était de devenir un couple sans problème, des gens heureux. Aujourd'hui, six mois après leur rencontre, elle déjeunait avec Seshamani. Elle était arrivée la première aux *Forges d'Alkebulan*, un endroit dont ses émoluments lui interdisaient la fréquentation. Il avait été décidé que cette entrevue se déroulerait dans un lieu public. On ferait ainsi d'une pierre deux coups. Les deux femmes se connaîtraient et chacun saurait qu'il n'y avait entre elles aucune animosité. Assise dans la petite salle du restaurant où elle avait été conduite, à l'écart de l'autre où les gens de la bonne société se pressaient autour de leurs tables attitrées, Boya lisait le menu.

Les Forges servait une cuisine que l'on qualifiait de globale parce qu'elle trouvait ses saveurs sur tout le Continent et empruntait aux traditions culinaires des Descendants. Les plats étaient revisités, souvent allégés en matière grasse et en produits carnés. Elle prendrait une *bundiga*, mets garifuna qu'elle n'avait jamais goûté et dont elle ne découvrirait pas la saveur originelle. La pièce ne comportait que trois autres tables, toutes mises mais inoccupées pour l'heure. Seshamani et elle seraient sans doute seules ici, les serveurs les épieraient tout leur saoul, on les verrait quitter ensemble le lieu. Tout avait été prévu. Restait à savoir ce qu'elles se diraient, comment elles s'entendraient. Ilunga ne lui avait pas reparlé de son épouse. Elle ne l'avait pas interrogé. Les détails ne l'intéressaient pas vraiment, elle était sûre de lui. De Seshamani cependant, elle ignorait l'essentiel : quelle femme était-ce ? Seule la réponse à cette question la préoccupait. Bien des choses en dépendraient. La nature actuelle de la relation unissant Ilunga à cette femme ne s'affirmerait que maintenant. Que Boya soit désormais dans sa vie réveillerait peut-être le désir de Seshamani. On devenait soudain possessive dans certaines circonstances. On trouvait à nouveau du charme à l'homme dont on avait pensé ne plus aimer la peau. Elle devait bien s'avouer une certaine appréhension. Le problème, s'il y en avait un, ne serait pas insoluble, mais Ilunga l'avait dit lui-même : l'affaire ne serait pas réglée, elle serait là. Ces mots ne l'avaient pas dérangée, il serait un peu tombé dans son estime s'il avait été du genre à rompre ses engagements. Elle aimait aussi qu'il assume des attachements multiples, parce que c'était ainsi, c'était la vie, on ne la refaisait pas.

Un serveur glissa vers elle plus qu'il ne marcha, susurra plus qu'il ne parla. Elle comprit qu'un apéritif lui était proposé et n'en fut pas offusquée. Boya opta pour un cocktail de fruits. Ils appelaient cela *l'improvisation du jour*, un mélange conçu selon l'humeur de la barmaid. Elle verrait bien. *Les Forges* diffusait en sourdine des musiques instrumentales. Elle crut reconnaître le style d'un duo de percussionnistes ayant eu autrefois son heure de gloire. On avait levé les lourds rideaux qui formaient une sorte d'accordéon de velours entourant le plafond. La couleur, un violet sombre, ne lui parut pas du meilleur goût, mais cet excès d'originalité la fit rire. Boya fixa son attention sur le jardin végétal, compta les arbres, traqua les espèces animales, diverses races d'oiseaux se côtoyant là. Toute à cette observation, elle sursauta lorsqu'une tornade rose et parfumée prit possession des lieux. *Ah, la voilà ! Boyadishi, n'est-ce pas ?* Elle se leva pour saluer Seshamani qui recula afin de l'examiner. Prenant place, la retardataire accrocha son sac à main jaune vif au dossier de sa chaise et souffla : *Quel gâchis.* L'épouse ne passait pas inaperçue. Une natte unique, ornée de cauris d'or, courait sur son crâne rasé. Elle avait revêtu une combinaison de cuir fuchsia, une tenue plus habituelle dans les vieux films futuristes de Pongo que dans la vie courante. Ses escarpins couleur platine semblaient devoir la propulser d'un endroit à l'autre sans qu'elle ait pour cela d'effort à fournir. Lors de ses apparitions publiques, elle arborait des toilettes plus attendues, confectionnées par des artisans du Continent. Jamais Boya ne l'avait vue étinceler de la sorte, mais elle n'en fut pas vraiment étonnée. Chacun savait que Seshamani était issue d'une famille de dignitaires ayant fourni au Continent nombre de hauts commis de l'État depuis un siècle environ. Son excentricité venait de ce pouvoir sans arrêt reconduit.

Le fait qu'elle la réserve aux sorties très privées comme celle-ci pouvait témoigner d'une culture de la duplicité transmise dans son milieu. *Les Forges* était, pour ces gens, une extension du domicile, le domaine de l'entre-soi. Le personnel y pratiquait une discrétion avertie, chacun sachant ce qu'il en coûterait d'évoquer ce que l'on avait vu, entendu.

Parmi les convives du restaurant, Seshamani n'était pas la seule à s'affranchir des codes vestimentaires, mais sa toilette surpassait par ses audaces toutes les autres. Boya l'imagina sortir de son véhicule, passer la porte d'entrée, saluer d'un geste désinvolte quelques connaissances tout en se dirigeant vers la salle où elle était attendue. Surtout ne pas s'arrêter, faire un signe de la tête, peut-être de la main, tandis que l'on avançait. On avait levé les yeux, échangé à voix basse quelques mots, on lui avait souri sans en penser moins. Les puissants protégeaient leurs privilèges sans avoir les uns à l'égard des autres la moindre bienveillance. Pénétrant dans leur antre, Boya s'était aussitôt sentie jaugée : elle n'avait rien à faire là. Que la presse se soit récemment intéressée à elle n'y changeait rien. C'était également son avis, elle se promit de ne pas y revenir. Par chance, Ilunga avait des goûts élégants, simples donc. L'atmosphère des endroits qu'il lui avait fait découvrir était plus chaleureuse, la superbe acrimonie de la faune habituée des *Forges d'Alkebulan* ne s'y retrouvait pas. On apporta *l'improvisation du jour*, ce qui lui permit de reprendre un peu ses esprits. Elle remercia et se rassit, comme Seshamani ordonnait : *Onyeka, voulez-vous couper la musique un moment, on ne s'entend pas penser ici.* Elle était chez elle dans cet endroit, mais son attitude traduisait autre chose. Pas le besoin de marquer son territoire, c'était inutile. En revanche, il y avait sans doute une difficulté à entamer la conversation. Elles n'allaient pas se dire : *Alors, où en êtes-vous avec cet homme*, ni *Je tenais à vous rencontrer pour savoir quelle femme vous étiez*. Boya décida toutefois de simplifier les choses, d'orienter l'échange. Pendant qu'elles discuteraient, les gestes et les regards de son interlocutrice répondraient aux questions restées muettes. Feignant de mettre les pieds dans le plat puisque ce n'était pas sa préoccupation véritable, elle répéta ce que lui avait appris Ilunga au sujet de sa relation avec son épouse. Qu'il n'y avait entre eux rien qui ressemble à l'intimité des couples, mais qu'il n'entendait pas divorcer pour des raisons à peine effleurées. Qu'avait à en dire Seshamani ? Après ces mots, elle trempa des lèvres circonspectes dans *l'improvisation du jour*. Ce n'était pas mauvais, mais il était impossible d'en déceler les ingrédients, il fallait boire avec plus de franchise. Rien ne pressait. Les yeux rivés sur Seshamani, elle reposa son verre, remit à un instant ultérieur son investigation gustative. Celle qui lui faisait face semblait prise de court, mais cela ne dura pas. La dame avait du répondant. Faisant claquer ses doigts dans l'air, elle convoqua le serveur, commanda sa boisson habituelle. Boya admira ce savoir-faire, l'élégance mise à ne pas se laisser déstabiliser, à s'exprimer lorsque l'on y serait prête. Le regard tourné vers la porte coulissante derrière laquelle le garçon venait de disparaître, Seshamani demanda : *Qu'a-t-il dit exactement ?* Boya ne put contenir un rire : *Exactement ce que je vous ai rapporté.* Seshamani ne tergiversa pas. Ilunga et elle s'étaient tout simplement trompés d'histoire. Parfois, il arrivait que l'on prenne pour de l'amour, pour cet amour-là, quelque chose de très différent. Surtout à l'âge qu'ils avaient alors. Très à cheval sur les principes et plus romantique qu'elle ne l'était, Ilunga s'opposait malgré tout à une séparation. Le mariage était sacré à ses yeux, l'union ne pouvait être défaite sans que l'un ou l'autre ait commis un acte grave, ce qui n'était pas le cas. Qu'elle s'éprenne d'une femme l'avait conforté dans son idée : rester marié serait le plus sûr moyen de protéger Seshamani et leur famille.

Boya le savait, l'amour entre personnes de même sexe restait mal vu sur le Continent. Certes, on ne criait plus à l'abomination, on n'accusait plus ouvertement les colons d'avoir propagé leur vice, mais cela restait perçu comme une déviance. C'était une erreur de la nature, cette dernière ne créant jamais rien qui se refuse à engendrer, à perpétuer son espèce. Les amours de Seshamani étaient donc tenues secrètes. Ce n'était pas très difficile, on soupçonnait rarement deux femmes d'être plus que des amies, et la sexualité qu'elles pouvaient pratiquer n'en était pas vraiment une pour la plupart des gens. Seules quelques personnes sûres connaissaient la situation. Rien n'avait transpiré jusque-là. Quand Ilunga avait été choisi pour diriger l'État, ils avaient affecté un étage de la résidence à son épouse. Elle y recevait ses fréquentations, lesquelles passaient pour des femmes venues s'offrir au mokonzi. On avait laissé dire. Le ballet incessant de ses conquêtes aurait pu attirer l'attention. Seshamani avait longtemps été un bourreau des cœurs, une amante aussi instable qu'insatiable. Puis, l'emportant sur les autres, une femme l'avait ravie, capturée. Elles auraient pu habiter la résidence, mais sa compagne n'y

242

était pas à son aise. Elle y venait peu désormais, lors de ses rares passages à Mbanza, quand des manifestations officielles l'y requéraient. C'était dorénavant dans la région sud du Continent qu'elle avait élu domicile. Leur fils y poursuivant ses études, on se posait peu de questions. *Voilà, chère Boya. Vous n'aurez à le partager que sur le papier. Parce qu'il y tient et que je le lui dois.* Autrement dit, Seshamani resterait l'épouse d'Ilunga pour ne pas le blesser. À l'entendre, il s'agissait plus d'action humanitaire que de sentiments. Elle n'évoquait pas son attachement à l'homme, mais les valeurs auxquelles il était fidèle, rien qui la concerne de façon directe. Boya avala une gorgée de son *improvisation*, interrogea du regard l'aspect moiré du verre, plissa les yeux sous l'effet de l'acidité, les rouvrit sous celui de la fraîcheur, savoura la note sucrée qui ponctuait le tout. Elle ne fut pas plus éclairée sur la composition du breuvage, mais ne s'en soucia guère. Il lui apparaissait, elle ne se priva pas de l'exprimer, qu'une autre voie était possible. Puisque Seshamani ne reconnaissait aucun intérêt personnel à demeurer l'épouse de cet homme, ne convenait-il pas d'assainir la situation ? On ne restait pas auprès des gens pour leur faire plaisir, cela n'avait pas de sens. En acceptant qu'il entre dans sa vie, son intention n'était pas de le posséder, telle n'était pas sa conception des relations humaines en général, encore moins dans ce cas.

Toutefois, Boya était loin d'imaginer ce qui venait de lui être dévoilé. Elle comprenait à présent qui étaient les femmes habitant une aile de la résidence, ce qui les y avait conduites, ce qu'elles y attendaient. Un espoir leur avait été laissé, Seshamani ne révélant pas qu'elle s'était mise en ménage. Savait-on jamais ce que pouvait causer le dépit de celles qui aspiraient encore à se faire aimer ? Elles étaient deux en ce moment. Laquelle avait été la première et laquelle avait déjà fait, d'une certaine façon, l'expérience de la perte ? Le cri déchirant de Folasade lui revint en mémoire. L'empressement de Zama à ses côtés devait avoir eu pour but de lui expliquer que la femme rouge n'était pas une rivale, une conquête de plus venue attendre Seshamani. Ayant dédié une partie de son existence au bien-être des femmes, soucieuse de leur élévation et de leur capacité à assumer la liberté donnée à chaque être humain, ces révélations la laissaient perplexe. Ce qui la perturbait davantage encore, c'était ce malaise soudain, la certitude que quelque chose en elle refusait l'amitié de cette femme et ne lui accordait que peu d'indulgence. Elle n'aimait pas la personne qui lui faisait face, la trouvait inadéquate pour un homme tel qu'Ilunga. Superficielle, arrimée au monde matériel, même dans sa manière d'aimer. Seshamani ne donnait pas, elle prenait. On ne lui avait rien enseigné d'autre. Boya s'en voulut de la juger ainsi, mais ne put s'en empêcher. Ikapa, où vivait l'épouse du mokonzi, était connu pour avoir autrefois autorisé les unions entre personnes de même sexe. Les autorités de l'État s'étaient gardées de maintenir ce droit, sans parler de l'étendre aux autres régions, mais le mikalayi appointé dans celle-là avait reçu pour consigne de ne pas sanctionner les couples déjà unis. On désapprouvait qu'une déviance soit institutionnalisée mais les personnes seraient respectées. C'était donc le lieu le plus clément pour abriter les amours interdites de Seshamani. Sa compagne et elle ne s'exposaient pas mais ne craignaient rien de grave. Cet aspect des choses était sans incidence sur l'humeur de Boya. Elle ne lui faisait pas confiance. Sans l'exprimer d'aucune façon, l'épouse d'Ilunga tenait à son statut matrimonial. Celui-ci ne constituait pas seulement une protection. Il était un bien, une possession. Autrement, elle aurait quitté cet homme qui n'avait pas, quant à lui, de partenaire attitrée. Jusqu'à présent. Il prenait tout sur ses épaules. Parce qu'elle lui avait donné un fils ? Cela ne suffisait pas. Son radar intérieur se mit en route, une intuition la prévenant que Seshamani constituerait un problème. Elle voudrait quelque chose, s'assurer de conserver l'attention d'Ilunga. Pendant qu'elle vivait comme bon lui semblait, il se chargeait de sauver les apparences. Les amantes de son épouse habitaient sous son toit, et c'était à lui que les commérages les attribuaient : ces femmes s'étaient offertes au vainqueur de la Chimurenga de la reprise des terres.

Le dénommé Onyeka se présenta à nouveau sans qu'elles l'aient vu approcher. Boya se retint de regarder les pieds du serveur pour s'assurer qu'ils touchaient terre. Elle se concentra sur les motifs de son uniforme, broderies d'un blanc immaculé sur l'étoffe noire de l'agbada en satin. Dans un murmure, il s'enquit de leur choix de plats. Il n'y avait pas de menu du jour, on déjeunait à la carte, les prix n'étaient pas indiqués. Les deux femmes savaient ce qu'elles souhaitaient commander, l'une connaissait par cœur la carte, l'autre s'était appliquée à l'étudier. Le serveur glissa de nouveau vers le mystère que dissimulait le panneau de bois ouvragé, tandis que Seshamani, s'adossant à sa chaise, faisait descendre de quelques centimètres la fermeture Éclair de sa combinaison. Elle insistait, *Quel gâchis*, déplorant de manière plus explicite le fait que Boya soit perdue pour les femmes. L'interpellée esquissa un sourire poli. À l'évidence, Seshamani avait une vision assez souple de l'engagement. Celle qui partageait sa vie devait, pour sa tranquillité émotionnelle, se montrer inaccessible à la jalousie. À vrai dire, déclara-t-elle sur le ton de la confidence, il lui était une fois venu l'idée de se servir de sa position sociale pour faire cesser l'ostracisme infligé aux couples comme le sien. Elle y avait pensé devant l'insistance de sa compagne à mener une vie normale. Mais Seshamani avait renoncé à cet activisme. Non par goût du secret ni même parce que complaire à son époux l'y contraignait. La vérité était bien plus simple que tout cela. Oui, elle désirait le corps et la compagnie des femmes, mais percevait cela comme une transgression. Il lui était plus agréable de vivre en marge de ce que le sens commun considérait comme une loi naturelle. Ne pas réviser la règle afin de prendre plaisir à la bafouer. Le militantisme auquel on prétendait l'inciter risquait d'ôter tout son piquant à ses relations amoureuses. Sa compagne et elle ne seraient plus qu'un couple à peu près ordinaire. Plus que tout, Seshamani aimait susciter, chez Igazi, le puissant kalala de l'État, une moue aussi réprobatrice que silencieuse. Si tout était révélé, le mépris d'Igazi s'exprimerait sans détour. Il ne se l'interdirait plus et d'autres suivraient son exemple.

Non, le sacrifice de sa liberté ne la tentait pas. Sans doute lui faudrait-il aussi renoncer à ses activités publiques, l'État n'assumerait plus au grand jour de lui confier ces tâches. Pour la convaincre, on avait tenté de l'amener à se soucier des adolescentes qui, découvrant leur désir pour d'autres filles, se pensaient des monstres. Il leur fallait des modèles, des figures de femmes leur permettant de s'accepter. Seshamani haussa les épaules, avouant que cela ne l'avait guère émue. La vie était un chemin solitaire, chacune empruntait le sien. L'angoisse des jeunes filles passerait, elles apprendraient à leur tour à ruser avec la société. Les plus hardies trouveraient une place dans les milieux que fréquentaient ceux qui avaient choisi de dévoiler leur visage de loup-garou même lorsque la lune n'était pas pleine. On était en train de consolider le Katiopa unifié. Ces questions ne seraient pas prioritaires, elle en laissait la charge aux générations futures. Boya but une autre gorgée de son *improvisation*, reposa le verre. La femme dont elle partageait la table était belle, tournée vers elle-même tel un soleil gardant pour lui l'éclat, la chaleur de ses rayons. Sans qu'il ait besoin de le lui dire, Boya comprenait que c'était aussi d'elle-même qu'Ilunga protégeait son épouse. Elle ne l'en aima que davantage. Seshamani ne se laisserait pas oublier. Elle ne serait pas non plus l'amie de Boya, quelqu'un avec qui parler d'Ilunga, rire d'anecdotes liées à ses jeunes années. On pouvait s'attendre de sa part à quelques caprices. Il faudrait surtout que son confort ne soit pas perturbé, que ses prérogatives ne lui soient pas disputées. Boya ne doutait pas que l'envie lui prenne plus souvent de faire une halte à la résidence du mokonzi.

Durant le repas, la conversation fut légère, Boya mettant un point d'honneur à laisser Seshamani parler d'elle-même jusqu'à l'ivresse. Elle écouta le récit de l'époque où Ilunga et son épouse s'étaient connus, le grand lycée du Sankuru qu'ils avaient fréquenté. C'était un établissement réputé dont les élèves, venus des quatre coins du Continent, étaient sélectionnés sur dossier. Boya lui demanda si elle était entrée dans la Maison des femmes à cette époque-là, c'était à l'adolescence que le rite était pratiqué. Seshamani haussa les épaules. Ni ses parents ni elle n'avaient renoué avec les traditions d'autrefois. Les mystères, l'esprit des morts, cela ne lui disait rien. En revanche, c'était la grande affaire d'Ilunga et des membres de l'Alliance. La plupart avaient été élevés au sein de familles pour lesquelles ces choses avaient de l'importance et les avaient incluses dans leur démarche politique. Considérant que les forces à l'œuvre dans les tourments du Continent avaient aussi à voir avec l'énergie occulte du chaos, ils s'étaient investis dans leur analyse. Chaque aspect de la vie concrète avait sa face cachée, sa dimension métaphysique. Elle avouait se tenir à distance de tout cela, Ilunga et elle n'abordaient pas ces questions. Leur relation s'était fondée sur autre chose. Elle apportait une nécessaire futilité à l'existence déjà trop sérieuse du jeune homme qu'il était alors. Il aimait aussi son érudition, la stimulation intellectuelle qu'elle lui offrait. Ils auraient dû n'être que des amis. Aujourd'hui, les attributions que lui conférait le statut d'épouse du mokonzi lui convenaient. Non qu'elle se plaise toujours à se rendre auprès des blessés qu'avaient laissés certaines étapes de la dernière Chimurenga ou à s'investir dans l'organisation des festivités du San Kura chez le mokonzi comme elle avait dû le faire cette année, mais plus elle était visible dans ce rôle, moins on s'interrogeait sur sa vie privée. Tandis qu'elle parlait, Seshamani surveillait sa posture, portait les aliments à la bouche dans un geste mesuré. Ses lèvres carmin semblaient alors les aspirer, elle suçait plus qu'elle ne mâchait, sa figure paraissait à peine mobile. Il lui arrivait de poser négligemment les coudes sur la table, de façon brève, ce geste n'ayant pour objet que d'exposer les bagues lui enserrant les annulaires. Boya se concentra sur son repas, constatant que nulle question ne lui était posée, que l'on ne cherchait pas à savoir qui elle était. S'était-on déjà renseignée ? Elle pensait que non. Le sujet n'intéressait pas vraiment. Le regard de Seshamani s'attardait sur son visage, devinait la peau sous les vêtements. Boya s'en aperçut mais n'y accorda pas d'importance, n'y voyant qu'un réflexe chez la croqueuse de femmes. Elles se quittèrent devant le restaurant. À quelques mètres des luxueux cars privés dans lesquels se déplaçaient les clients des *Forges d'Alkebulan*, une berline de couleur marine attendait. Les deux femmes se saluèrent. L'une se dirigea vers son véhicule avec chauffeur, l'autre fut ravie de prendre un peu l'air.

Pendant quelques jours, Boya évita la résidence. Désormais, chaque fois qu'elle s'y rendait, la présence des amantes de Seshamani, recluses dans l'aile dite des femmes, la perturbait. Il lui prenait l'envie de leur parler, de les secouer, de leur crier qu'il n'y avait personne à espérer. Elle se demandait ce qui faisait naître ce désir de rendre une justice que nul ne réclamait. Le plus élémentaire souci de soi aurait dû pousser Folasade et Nozuko hors les murs de cette demeure qui n'était pas la leur, dont elles ne voyaient que les pièces allouées au plaisir de Seshamani. Ces femmes étaient adultes. Il fallait que rien ne les attende nulle part, qu'elles ne se soient pas donné d'existence propre pour rester ainsi, oublieuses d'elles-mêmes, abîmées dans un vide intérieur que l'expectative ne comblerait pas. On ne pouvait reprocher cela à l'épouse du mokonzi, qui profitait de l'importance modérée que ses conquêtes s'accordaient à elles-mêmes. À supposer que la coureuse de jupons ait été une prédatrice aguerrie, capable donc de flairer à distance l'odeur du sang, de ne fondre que sur des proies blessées, ces dernières avaient eu tout le loisir de se remplumer. S'agissait-il de femmes démunies que le confort de la geôle dorée contentait ? Avait-on conclu un marché, au moins avec l'une d'elles ? Seshamani savait-elle, au moment opportun, ferrer ses prises grâce à des succédanés d'amour ? Y avait-il, dans le déséquilibre de ces relations, un mystère pour elle insondable mais qui les justifie ? En vérité, il ne lui revenait pas d'en décider. Nozuko n'avait en rien une allure de victime. Quant à Folasade, son anxiété n'avait pas semblé se fonder sur une passion illusoire. De l'extérieur, il était impossible de juger. Tout ce que savait Boya, c'était le malaise qui l'habitait désormais.

Ilunga ne posait pas de question. Qu'elle vienne comme d'habitude ou refuse ses visites sous l'un ou l'autre prétexte, l'homme exprimait son affection avec la même constance. Pas une journée ne s'écoulait sans qu'il lui ait adressé un mot, cette attention suffisant à exprimer ses sentiments, étant donné ses occupations. Son amour s'exprimait avec générosité, tout en se dispensant des formules consacrées. Par exemple, il ne passait pas son temps à écrire : *Je t'aime*, ne semblait rien savoir des symboles graphiques figurant les émotions, ces cœurs, ces fleurs, ces visages souriants que l'on insérait dans la correspondance. Cet homme n'avait que le langage, les mots, dans leur plus extrême nudité, sans ce cabotinage qui amusait au début mais lassait assez vite, sans la grandiloquence de ceux qui s'enivraient de leur propre parole. Un matin, au réveil, elle avait trouvé sur sa tablette une phrase, une seule : *Je n'osais plus t'attendre*, et Boya avait passé cette journée-là dans une sorte de lévitation. Lorsqu'elle pensait à lui, c'est-à-dire au moins trente secondes par minute, une joie tranquille l'envahissait, comme une douceur fluide lui irriguant le corps et l'âme. Il était partout en elle sans la rendre fébrile. La femme découvrait la passion sans aigreur, la saveur du fruit cueilli à pleine maturité. Et soudain, quelque chose se formait dans son esprit, une confusion qui se tiendrait bientôt entre eux si rien n'était fait. Elle n'aimait pas l'épouse, ce qui tenait de la bassesse pour qui fréquentait la Maison des femmes. Il lui fallait néanmoins se l'avouer : toute bienveillance l'abandonnait dès lors que le visage de Seshamani lui revenait en mémoire. C'était une aversion incontrôlable, un besoin quasiment primaire de l'éloigner, une répulsion physique. Marquer le territoire, le délimiter de sorte que la frontière ne soit plus un lieu de passage, mais une clôture définitive.

Boya souffrait de l'intensité de ce sentiment, l'onde du rejet qui la parcourait de façon inopinée, parasitant son bonheur d'aimer et de se savoir aimée. Ces interférences avaient un nom, elle savait lequel, ne se félicitait pas de le voir s'imposer avec une telle netteté. La seule évocation de cette femme qui ne constituait en principe aucune menace faisait passer au rouge vif tous ses voyants, hurler ses sirènes d'alerte à la sécurité. Boya avait passé l'âge de ces compétitions. Elle n'avait pas à demander que l'on choisisse, encore moins dans ce cas. Rien ne lui avait été caché. Elle avait pris le temps de la réflexion. Nulle contrainte ne lui avait été imposée. Elle avait espéré avoir au moins de l'estime pour l'épouse, se sentir alors un être abouti, en mesure d'aimer sans vouloir posséder. Ce dernier point restait d'actualité. Cependant, refuser de faire du couple une mise en détention de l'homme n'impliquait pas que l'on s'expose à une prise de participation. Seshamani, elle en était convaincue, pourrait souhaiter retrouver le chemin de la couche d'Ilunga. Ni lui, ni quiconque, ne pourrait lui dénier ses prérogatives. Ce serait une faute de la part d'Ilunga, un de ces manquements qui justifiaient autrefois que la plaignante rassemble la communauté, présente ses griefs et demande que soit désigné un substitut. La satisfaction sexuelle de l'épouse était une obligation. Or, à aucun moment il n'avait été signifié que l'inclination de Seshamani pour les femmes se rapporte à une exécration des corps masculins. Il pouvait s'agir d'une préférence plus que d'une orientation, leur fils n'était pas né des œuvres d'un esprit. L'épouse, qui s'était composé une image pour ses sorties officielles, en affichait une autre en privé. Elle aimait abriter des contraires, pratiquer des formes de dissimulation confinant à l'imposture. La vérité n'était qu'affaire de circonstances pour cette joueuse.

Jamais les personnes ayant vu des reportages sur ses inaugurations de bibliothèques scolaires dans les quartiers défavorisés ou sa visite du nouveau centre dramatique de la kitenta ne pouvaient se la représenter toute de fuchsia vêtue, les chairs moulées dans une combinaison digne des spationautes imaginaires d'antan. Changeant de tenue, elle se métamorphosait tout à fait, et chacune de ses identités recélait une part de vérité. Elle était les deux. L'épouse honorable et l'électron libre qui se souciait peu de la manière dont ses proches s'accommodaient des cyclones déclenchés par son passage. La présence d'un élément inattendu pourrait très bien l'inciter à vivre d'un côté plus que de l'autre. Retrouver la femme sous le masque social de l'épouse, exercer sa légitimité. C'était cela qui bouleversait Boya, au-delà des mots. L'idée qu'il faille, tout d'un coup, attendre son tour. Que l'on ait aliéné tout droit de se plaindre car on avait accepté la situation. Ilunga avait fait les choses dans les règles. Il ne l'avait pas touchée avant, méthode à laquelle recouraient ceux qui tenaient à s'assurer de ne pas perdre sur toute la ligne. Mordre une fois au moins à la chair de l'agrume, en découvrir la saveur avant de se résoudre, s'il le fallait, à ne garder en main que les pépins. Vite semés le long du chemin menant vers de nouvelles moissons.

Elle soupira, s'interrogeant sur les mots à employer pour dire, sans baisser les yeux, que l'on avait présumé de ses forces. Que la gêne serait à la longue une douleur. Qu'au terme de trois années, elle ne se serait pas estompée, bien au contraire. Elle le savait. Seshamani était donc une affaire, et il était urgent de la régler. Boya ne savait trop comment exprimer ses préoccupations. Ilunga n'était pas de ceux dont on pouvait dire que l'intimité avec eux consistait à se jeter soi-même aux ordures. Boya n'était pas de celles qui auraient enlacé la figure la plus ombreuse afin de n'avoir pas à souffrir la solitude. Elle se sentait en porte-à-faux avec ses propres principes, avec la vision qu'elle avait eue jusque-là de cette histoire d'amour. Pour l'heure, son instinct lui intimait de ne pas se complaire dans une réflexion atrabilaire, d'éviter la coagulation de ce qui promettait de se muer en amertume. Ce n'était pas prévu, mais elle devait voir Ilunga, même s'il ne lui était pas encore possible de se confier. Se saisissant de la tablette, elle ouvrit la messagerie cryptée sur laquelle il lui avait envoyé ses pensées du jour, à deux reprises. Elle n'avait pas répondu. C'était la première fois. Boya ne voulait pas que cette journée s'achève ainsi. Le crépuscule déployait ses couleurs dans la cour commune, un faisceau de mauves qui s'infiltra à travers les persiennes. Une voisine appelait ses enfants qui devaient prendre leur bain. Elle les criait en réalité, les menaçant des pires châtiments s'ils l'obligeaient à se déplacer pour leur mettre la main dessus. Quelqu'un riait de ces imprécations. La vie qui s'agitait à l'extérieur revigora Boya. Elle était en train de fabriquer un problème. Bien sûr qu'il suffisait de se voir, de se trouver ensemble dans la même pièce pour éprouver la force du lien. C'était ce dont elle avait le plus besoin. La conversation viendrait au moment opportun, lorsque les mots auraient mûri. Boya demanda à Ilunga s'il acceptait de la voir, ce soir, là tout de suite, bien qu'elle ne l'ait pas prévenu de sa visite. La réponse de l'homme ne se fit pas attendre : *Viens.* Qu'était-elle allée se mettre dans la tête ? Boya se reprocha d'avoir laissé dériver son imagination, d'avoir gâché plusieurs journées à cultiver sa mauvaise humeur. Elle ne voulait pas tarder à le rejoindre. Aujourd'hui, elle s'était fait deux grosses nattes, simplement pour retenir ses cheveux. Elle se rendit dans sa chambre pour trouver, dans la commode, un gele assorti à l'ensemble confortable qu'elle avait revêtu. Sa couturière lui en confectionnait toujours un, en forme de turban, pour compléter ces toilettes anciennes. Pressée comme elle l'était, ce type de coiffe, prête à porter, serait bien pratique. Ce n'était pas comme le kitambala qu'il lui plaisait aussi d'arborer quelquefois, mais qu'elle mettait plus de temps à nouer, n'étant pas manuelle, goûtant peu les formes compliquées de la coquetterie.

Ilunga avait tenu à lui faire apporter une garde-robe chez lui, afin qu'elle n'ait pas à traîner ses bagages lorsqu'elle s'y rendait. Elle avait choisi étoffes et coupes, indiqué l'adresse de Kasanji, sa couturière, qui connaissait ses mensurations. Son travail achevé, la modéliste s'était présentée à la résidence du mokonzi pour y déposer ses œuvres, avec une solennité qui n'avait pas manqué de faire parler. Zama l'avait reçue, mais le plus petit insecte occupé à siroter le nectar des fleurs du jardin avait dû se mettre au garde-à-vous. Son propos liminaire, tel que tenu aux sentinelles, avait été rapporté à Boya. Ayant prononcé son nom, elle avait récité sa généalogie jusqu'à l'ancêtre fondateur d'un antique peuple côtier, annoncé que la terre des siens avait été engloutie par les flots, mais que la communauté vivait à travers elle et d'autres. Pour l'éternité. Puis, elle avait enfin consenti à faire connaître les motifs de sa venue : *J'amène le trousseau de la mokonzi*. L'appellation ne s'était pas souvent entendue au féminin. Boya n'avait de plus aucun titre, mais l'expression du visage de la couturière, avait-on souligné, interdisait que l'on ose la rappeler à l'ordre. Les gardes avaient dû pressentir une compétence oratoire, ce talent pour la contre-offensive qu'avaient les natives de la kitenta, des femmes conscientes de l'incontestable autorité que leur avait conféré le simple fait de venir au monde. Elles étaient des puissances et le savaient. De façon étrange, c'était dans leur vie affective que la dissolution se produisait. Ces divinités devenaient alors celles qui attendaient, veillaient, portaient. Celles qui s'alarmaient de l'approche d'une autre, s'apprêtaient à la trucider proprement, se sentant dépossédées avant qu'il ne se soit rien produit.

L'homme avait posé chez Boya de discrets appareils de brouillage, afin de la protéger des intrusions de la Sécurité intérieure. Elles seraient mises sur le compte de la protection du mokonzi, ce qui ne les rendrait pas moins gênantes. Il avait donc installé détecteurs de micro et brouilleurs de caméra sophistiqués, des équipements miniatures dont la présence se faisait oublier. Cela avait aussi l'avantage de la mettre à l'abri des journalistes qui ne reculaient devant aucun procédé pour découvrir l'intimité de l'amie du mokonzi. Désormais, chaque fois qu'elle passait devant la collection de poupées ashanti placée sur la bibliothèque, elle pensait à lui, se souvenant que la parure de l'une d'elles contenait un de ces dispositifs. Quand elle faisait le ménage, il fallait être délicate pour ne pas l'endommager. Elle revoyait l'homme ce jour-là, dans des attitudes qu'elle aurait voulu faire découvrir à tous. On ne lui connaissait pas cette décontraction, celle du gars d'à côté qui vous rendait service en écoutant de vieux morceaux de rap et qui ne dédaignait pas un bon ngai ngai ya musaka accompagné de kwanga, en récompense de ses efforts. Il était injoignable entre ces murs, les affaires de l'État ne pouvant lui être signalées en cas d'urgence que par Kabeya. Cela ne s'était pas produit à ce jour. Boya supposait que le garde du corps était plus que cela à certains moments. Il savait donc qui déranger s'il n'était pas absolument indispensable de troubler le repos d'Ilunga. Elle fit claquer la porte, entendit le bref chuintement du système de sécurité, se laissa happer par la nuit naissante.

La femme rouge descendit du baburi près de l'avenue Ménélik II, salua les sentinelles postées à l'entrée de la nzela menant à la résidence, se soumit à un rapide contrôle d'identité. Les gardes ne s'imposaient cette tâche que parce qu'ils se savaient filmés en permanence. Depuis le jardin, elle crut remarquer plus de mouvement qu'à l'accoutumée dans l'aile des femmes dont quelques fenêtres donnaient là, ce qui eut pour effet de la crisper un peu. Chassant cette mauvaise sensation, elle se hâta vers l'intérieur. À sa vue, Kabeya hocha la tête mais ne sourit pas, ce qui aurait été discourtois de sa part. Elle nota toutefois le relâchement de son corps quand il ouvrit pour l'introduire dans le ndabo du mokonzi, la douceur de son geste. Cet homme était à ses yeux une énigme. Elle se demandait s'il avait une famille, une vie à lui. On aurait dit qu'un pacte secret l'attachait à Ilunga. Il était rare qu'il se fasse remplacer. Lorsque cela se produisait, Boya en ignorait toujours la raison. Ilunga n'était pas dans le séjour mais il devait guetter son arrivée, car il lança : *Mwasi, je suis dans le bureau.* Elle retirait ses sandales quand la voix de l'homme avait fusé. Comment avait-il pu l'entendre ? La pièce depuis laquelle il lui avait parlé se situait assez loin de l'entrée du vaste ndabo. Il avait laissé ouverte la porte du bureau, lui fit signe d'approcher et reprit sa conversation avec un interlocuteur dont elle devina l'identité et aperçut bientôt le visage. Se contentant de salutations polies à l'endroit de Tshibanda, le fils d'Ilunga, elle s'installa sur un fauteuil, hors du champ de la caméra. Le jeune homme et elle ne s'étaient pas encore rencontrés en personne, mais ce n'était pas la première fois qu'elle le voyait ainsi, sur un écran révélant une chambre d'étudiant trop bien rangée. Tshibanda devait passer la journée à la briquer avant d'appeler son père, à moins que le personnel du campus ne soit mis à contribution pour lustrer les lieux. Il prit bientôt congé d'Ilunga qui se leva alors pour venir à la rencontre de Boya. Elle imita son geste.

Ils furent vite l'un contre l'autre, la femme s'accrochant à l'homme plus qu'elle ne l'étreignait. Il chuchota : *D'abord, on se parle. Ne prends pas l'habitude de régler les problèmes de cette façon.* Il ne l'avait pas beaucoup vue ces derniers temps, et quand elle était venue, peu de mots avaient été prononcés. Elle l'avait agrippé, le prenant plus qu'elle ne se donnait à lui, dans une fureur presque désespérée qui l'inquiétait. Cette passion recélait des silences dont la lourdeur les accablerait bientôt. Il en datait l'origine à ce déjeuner avec Seshamani dont elle n'avait rien dit de significatif. Ilunga voulait bien faire l'amour avec rage s'il n'y avait que cela pour la satisfaire, mais il tenait à s'assurer que l'amour soit bien le sujet. Boya se détacha de lui pour le regarder dans les yeux. *Ne dis pas que j'ai pris mon temps. Ne dis pas non plus que tu ne m'as rien caché. Les choses ne sont pas si simples pour autant.* Elle laissa sortir ce qu'elle avait sur le cœur, s'étonnant de la parole fluide qui lui venait, qu'il lui soit possible de reconnaître que non seulement l'épouse lui avait déplu, mais que, par-dessus le marché, une forte contrariété la submergeait à la seule pensée de cette femme. Elle en était la première surprise, détestait la vulnérabilité que ce sentiment lui révélait. À lui, elle n'avait rien à reprocher.

Pourtant, tu te poses des questions. Tu doutes de moi.
Boya ne baissa pas la tête. Ce n'était pas ainsi qu'elle
aurait présenté la situation. Il lui semblait simplement qu'Ilunga ne pourrait se refuser à l'épouse. Il
n'en avait pas le droit. *Boya… Je ne voudrais pas trop
m'avancer, mais peut-être serais-tu amoureuse ?* Il
voulait parler de ce dérangement de la raison que l'on
devait non pas à l'attachement pour l'autre, mais à la
persistance du désir. S'il ne se trompait pas, la nouvelle le réjouissait plutôt. Lui non plus n'avait pas
envie qu'un autre la touche, ni de penser qu'un autre
ait pu le faire avant lui, même si c'était évident. *Tu ne
dis pas que c'est impossible, que cela ne pourrait se
produire*, déclara-t-elle.

Debout au milieu de la pièce, Boya et Ilunga se faisaient face, ne prononçant pas un mot plus haut que
l'autre. C'était leur première dispute, un incendie que
tous deux avaient à cœur de contenir, tout en faisant
clairement entendre leurs préoccupations. L'homme
fit connaître son refus de la rassurer, il n'avait pas
de temps à perdre. En revanche, peut-être lui serait-il
agréable d'interroger directement Seshamani ? Il se
trouvait qu'elle était là, ce soir, dans l'aile des femmes.
C'était là qu'elle logeait lors de ses séjours à Mbanza.
Et c'était, comme le savait Boya, un endroit où lui ne
se rendait pas. Il ne l'avait fait que pour l'y reconduire, une fois, et ne s'était guère aventuré au-delà du
vestibule. Lorsque Boya affirma que cela n'indiquait
pas que l'épouse s'interdise jamais de le rejoindre
dans ses appartements, il soupira. Tous deux gardèrent
le silence, chacun fixant l'autre d'un regard enflammé.
Ce fut lui qui parla le premier : *Si je ne comprenais
pas ce qui t'arrive, ma réaction serait différente.*

Ne nous fais pas descendre si bas, ce n'est pas là que nous avons commencé. Il aimait cet aspect de leur relation parce qu'ils habitaient bien leurs corps et qu'il y aurait donc toujours une dimension charnelle à l'histoire. Du moins espérait-il que ce soit le cas, qu'ils ne se lassent jamais de la peau l'un de l'autre. Cependant, ils étaient promis à quelque chose de plus grand, telle était sa conviction et sa vision. Boya ne parlait pas d'eux en réalité, mais de questions annexes dont elle faisait soudain des indépassables. Où s'en était allée celle qui franchissait des précipices à ses côtés ? Pour la retrouver, il acceptait de l'aider à enjamber la petite mare boueuse qui surgissait sur le chemin. Puisqu'elle ne voyait apparemment pas comment procéder, il lui soufflait cette idée : *Prends ta place.* Il lui laissait le choix de la méthode, cela avait déjà été dit. L'angoisse de Boya n'avait qu'une cause, il était aisé de la décrire. Tout allait trop vite, elle se sentait déstabilisée avant d'avoir pris ses marques. Elle faisait erreur quant à l'approche, il ne s'agissait pas d'une sorte de championnat. Ou, si tel était le cas, elle n'avait pas de rivale, n'était pas non plus sommée de courir contre elle-même pour se dépasser. *C'est vers toi qu'il faut aller à présent.* Il attendrait qu'elle se décide.

En tout cas, Ilunga n'avait pas envie de faire l'amour dans ces conditions. Parce qu'il était si follement épris de Boya, il s'abîmait tout entier en elle, risquant de se perdre si la femme s'égarait. De son point de vue, il n'y avait eu personne avant elle. Cela, c'était à Boya de le savoir, d'en être aussi certaine que de l'évidence qui s'était imposée à eux. Pour l'instant, ils n'avaient fait qu'obéir à cette force. Elle avait eu beau se retirer quarante jours durant, Boya n'avait pas encore donné de nom à ce qu'ils devaient être. Pas seulement l'un pour l'autre mais l'un avec l'autre. Que devaient-ils projeter dans la société, dans le monde ? Ils avaient passé l'âge de ces amours narcissiques dont le but était de s'accorder de la valeur, de se guérir d'anciennes blessures. Celles de Boya se tenaient entre eux en ce moment, les mensonges, les trahisons d'autres que lui, probablement. Ce n'était pas leur histoire. Et ils n'allaient pas explorer jusqu'à ses confins le territoire du sexe pour s'assurer d'avoir outrepassé tant de limites qu'il n'y aurait plus de retour possible. L'amour n'était pas une association de malfaiteurs contraints de se salir mutuellement pour se tenir l'un l'autre à tout jamais. Cela non plus n'était pas leur histoire. Boya écoutait avec attention. Elle n'aima pas se l'avouer, mais Ilunga avait raison. Les trois années qu'ils s'étaient données ne devaient pas être consacrées à des atermoiements. C'était au cours de cette période que seraient posées les fondations de l'édifice que serait leur vie ensemble. Ils avaient entre les mains une matière brute à façonner, à polir. Jusque-là, elle n'avait pas permis que son quotidien soit trop modifié. C'était toujours aux femmes d'abandonner ce qui leur tenait à cœur afin de prendre place dans l'univers de l'homme qu'elles pourraient peut-être un peu colorer. Bien qu'obscurément, c'était aussi par réticence à épouser ce schéma d'antique soumission qu'elle avait tout fait pour préserver ses habitudes.

Pourtant, ce n'était pas là que résidait l'épreuve, à supposer qu'il faille le voir ainsi. Plutôt que de s'opposer à ce qui lui apparaissait comme une énergie extérieure cherchant à la dominer, il fallait embrasser cette force, s'en faire une alliée. Occuper sa place et assumer de devenir la compagne d'un homme avec lequel on ne prenait pas le baburi, ni ne déambulait dans les rues bras dessus, bras dessous. Il n'y aurait rien à sacrifier, en réalité. Il convenait d'habiter pleinement sa nouvelle demeure. Alors, elle pourrait décider de l'ordonnancement des choses. C'était ce que lui clamait sa raison, mais les tremblements du cœur ne s'en apaisaient pas pour autant. Quelque chose en elle, dont elle ne se félicitait pas de découvrir la violence, aurait voulu que Seshamani soit éloignée. Et par lui. Qu'elle soit choisie. Chaque fois que des femmes venues chercher conseil auprès des initiées lui rapportaient leurs déboires, la douleur de n'être pas la seule pour l'homme aimé, elle répondait la même chose. Les grands principes qu'elle leur assénait, parlant d'amour véritable, du fait que l'autre ne soit pas un bien dont la jouissance pouvait être exclusive, étaient un baume appliqué sur l'âme blessée qu'elle avait été autrefois. Plus jeune, avant de trouver le chemin de la Maison des femmes, elle avait été un être peu sûr de soi, mal dans sa peau, qui pensait souvent débusquer l'amour là où il ne pouvait être. Elle le créait alors de toutes pièces, s'évertuait à le faire pousser sur la terre la plus aride, son aveuglement lui en faisant contempler la fausse floraison. C'était un temps où les manques devaient être à toute force comblés, où négligence et condescendance n'étaient que des invitations à en faire davantage, à mériter l'attention du crapaud dans lequel on voulait voir un prince. Plus elle s'échinait à plaire, à ne rien exiger, moins on la pensait impliquée, aimante. Ces histoires de non-amour finissaient mal en général, ne laissant que la question de savoir pourquoi on s'y était engagée. Tout cela semblait loin, cela ne la concernait plus. Pourtant, un fait la frappait tout à coup, l'idée d'un stratagème mis en place pour se garder des peines de l'amour, se persuadant qu'elle n'en avait pas besoin. Elle s'était méticuleusement scindée en deux, une part de son être excellant dans les domaines matériels, l'autre prenant appui sur son besoin de réalisation spirituelle. Cela lui avait permis de se convaincre, de croire au bien-fondé de sa solitude. Les hommes n'étaient que des passants, elle en avait un souci mineur, ne s'y attachait pas. Sa vie était parfaite, toute menace émotionnelle étant tenue à distance. Ilunga avait sans effort déréglé son système de protection. Il avait pénétré en elle parce que c'était sa place, et elle l'y accueillait volontiers. Il n'y avait pas d'urgence à s'épancher sur la gamine sans père qui avait trop tôt été approchée par des hommes, qui avait à son tour recherché leur compagnie pour apprivoiser le danger, la jeune fille qui avait avancé dans la vie sans l'image d'un couple uni. Elle savait ce que c'était, ce que cela devait être, mais seulement en théorie. À l'heure de passer aux travaux pratiques, Boya chancelait, n'était plus si certaine de sa carrure, transférait son malaise sur la présence d'une autre femme.

Elle s'était ouverte de ce sujet à son amie, Abahuza, avec cette désinvolture qui prétendait masquer l'inquiétude. Tout était parfait, mais l'homme était marié, et deux problèmes se posaient à elle : le risque de causer du tort à une femme, le peu de considération qu'elle aurait pour un homme capable de reprendre sa parole. Abahuza avait répondu comme elle s'y attendait. L'ancienne avait rappelé l'origine de la polygamie dans cette partie du Continent. Elle n'avait pas eu pour but de favoriser la consommation de femmes par les hommes, ni de les inciter à se constituer un cheptel de travailleuses, qu'il s'agisse d'agriculture ou de procréation. Au contraire, elle avait été instituée pour préserver l'honneur de la femme que l'on avait touchée en étant déjà engagé auprès d'une autre. La polygamie révélait une faute et pouvait être vue, dans certains cas, comme une sanction pour l'homme. Réhabilitée, celle qui devenait la seconde épouse ne pouvait cependant remplacer la première. Elle n'avait rien à exiger dès lors que justice avait été rendue. Un statut lui avait été donné. On avait à son endroit des obligations. Abahuza avait ajouté : *Ça, c'est ce que prescrit la tradition, de ce côté-ci de Katiopa. Comme tu le sais, ces lois ne régissent pas les mouvements du cœur.* L'aînée pensait que l'infamie levée avantageait tout de même les hommes, qu'il pouvait être difficile pour leurs compagnes de réfréner la douleur du partage. S'installait alors une rivalité entre femmes, une insécurité émotionnelle constante. Lorsque l'on pouvait se résoudre à faire bonne figure, il fallait recevoir des gages d'amour en permanence, soutirer au mari commun la promesse de se limiter à celles entre lesquelles il répartissait déjà son affection. Qu'il ait juré ses grands dieux de ne plus poser les yeux sur aucune autre ne pouvait rassurer, et lui-même se sentait vite oppressé par le serment. Un tel homme ne cessait alors de rompre ses vœux, en pensée comme en action. Trahissant désormais l'honneur pour sauver les apparences de la promesse, il n'épousait plus, mais s'éprenait quand même, copulait tout autant. Abahuza ne recommandait pas que l'on choisisse sciemment de prendre place dans une organisation obérant l'idée même de l'épanouissement. De plus, Boya n'avait pas un profil de seconde épouse. Ce n'était pas une question de mérite, mais de nature. Enfin, il importait de se souvenir que les divinités elles-mêmes, que l'on pouvait penser au-dessus des règles s'imposant aux humains, formaient, dans les croyances du Continent, des couples monogames : une femme pour un homme, une déesse pour un dieu. Les relations qu'elles avaient par ailleurs étaient qualifiées d'adultérines dans les textes. Il n'y avait pas d'exception : la seconde demeurait cette maîtresse que l'on avait voulu laver du parjure qu'elle incarnait. Aussi appelait-elle ses concurrentes.

Boya s'était gardée de dire que sa situation était différente. Qu'elle ne serait pas cette femme de l'ombre vouée à rechercher une lumière jamais assez éclatante à son goût. Elle n'avait pas déclaré qu'Ilunga n'était pas de ces hommes mal renseignés sur les comportements adéquats, la valeur des gestes à poser, qu'il était justement tenu par sa morale. Il lui aurait été impossible de l'affirmer alors, cette discussion avait lieu pendant sa retraite de quarante jours. En ce temps-là, elle n'appréhendait Ilunga qu'à travers ses intuitions, le souvenir de la chaleur qui s'était diffusée lors de leur rencontre. À présent, elle savait avoir eu raison. Il lui restait encore à se départir du malaise qui s'était emparé d'elle après avoir vu Seshamani. Une période d'insouciance avait précédé cet instant. Boya ne s'était pas inquiétée de l'impression que pouvait donner ce trio. La presse n'avait d'ailleurs pas encore arpenté ce terrain marécageux, le respect qu'inspirait Ilunga l'interdisait. De plus, il était homme. Ses appétits étaient un signe de bonne santé physique et affective. On s'était donc réjoui, on lui avait souhaité le meilleur auprès de sa rouge amie, on attendait que soient annoncées les noces. Cela ne pouvait couper court aux murmures médisants qui se mueraient en clameurs à la moindre occasion. C'était ce qui se produirait si elle devait faillir à entendre cette préconisation : *Prends ta place.* Se dispensant de quarante jours de réflexion, Boya informa Ilunga de ce que, sous huitaine, elle quitterait son domicile de Vieux Pays, investirait l'aile des femmes qui devrait avoir été libérée. On verrait plus tard comment la réaménager. Pendant les trois années précédant l'union officielle, Boya souhaitait conserver un lieu à elle. Il faudrait prévoir qu'y soient accueilli, trois fois par mois, un groupe de fillettes sans famille. Il conviendrait aussi que puissent s'y tenir des assemblées d'initiées, chaque fois que nécessaire. Ilunga hocha la tête et lui ouvrit les bras.

Dans la salle de bains où il la conduisit, l'homme fit coulisser le battant de ce qui semblait une simple armoire. Le meuble révéla un autel sur lequel deux bougeoirs, l'un contenant un cierge bleu, l'autre un rouge, entouraient une coupelle de pierre. Il y disposa des feuilles sèches sur lesquelles un carré de résine végétale fut étalé puis enflammé. Reconnaissant le parfum de ce mélange fait pour chasser les énergies néfastes, Boya fut émue de l'attention que traduisait le geste d'Ilunga. Elle le regarda remplir la baignoire d'eau chaude, y verser un mélange d'huiles essentielles ayant les mêmes vertus que l'encens. Il avait trempé une main dans l'eau pour en vérifier la température quand il la pria de quitter ses vêtements afin d'y pénétrer. Assis au bord de la baignoire, il entreprit de lui frotter délicatement la peau, se servant de sa main nue comme elle l'aurait fait en prenant un bain purificateur. Pendant qu'il exécutait ce geste, Ilunga dit avoir prévu ce moment quelques jours plus tôt, quand il avait remarqué un changement dans son attitude. Son trouble lui était parvenu. Alors, il avait lui-même planté, dans le jardin de la résidence, les deux palmiers dont des branches seraient tressées ensemble le jour de leurs noces. Puis, il avait pensé à ce bain purificateur et apaisant. Pour congédier le tourment. Qu'ils se sentent à ce point faits pour être ensemble ne les dispensait pas d'avoir à passer certaines étapes. C'était à ce prix qu'ils renforceraient leur lien et s'assureraient que les étincelles enfantent sous peu les flammes d'un foyer. Il fallait se parler mais surtout ménager un espace, un sanctuaire où se connaître par cœur et se nourrir mutuellement. L'homme n'avait pas souhaité lui faire des recommandations, la prévenir de quoi que ce soit avant ce déjeuner avec son épouse. Elle devait se forger une opinion en toute liberté. Qu'elle en revienne transportée de joie l'aurait étonné, peut-être même inquiété. À présent que Seshamani n'était plus une abstraction, une épreuve commençait pour Boya. Il se tiendrait bien sûr à ses côtés, mais ce serait à elle de ne pas se laisser ébranler. On voudrait la réduire au rang de concubine voire moins. Cela se produirait à l'extérieur, les courtisanes seraient les premières à répandre ces bruits. Ici, entre les murs de la résidence et plus généralement dans leur vie privée, l'affectation de l'aile des femmes à un nouvel usage ne serait pas sans conséquences. Lui-même ne pouvait dire à quoi s'attendre exactement, mais il ne se laisserait pas déstabiliser. Il avait longtemps espéré rencontrer celle qui pourrait partager sa vie, de jour comme de nuit. *Mwasi na ngai*, dit-il, *ce n'est pas le moment de flancher. On ne va pas raconter notre vie à tout le monde, expliquer pourquoi on ne se marie pas tout de suite ou dans six mois. C'est notre affaire.* Il n'était pas exclu qu'il doive répondre à quelques questions si l'organisation prochaine de l'aile des femmes suscitait un peu d'aigreur. Il n'accepterait alors de rendre des comptes qu'au Conseil, et elle viendrait avec lui. Aux anciens seuls, ils pourraient révéler le fond de leur démarche. Pendant qu'il prononçait ces mots, Ilunga se débarrassa de ses vêtements et la rejoignit dans le bain. Ils y restèrent tous deux en silence, elle entre ses jambes, le dos appuyé contre sa poitrine. Lorsqu'il proposa de sortir, l'homme fit savoir qu'il désirait connaître l'autre versant du trouble, les motifs dont elle ne s'était pas ouverte et qui expliquaient son comportement. Ils s'étendirent enlacés sur un des larges coussins de sol du ndabo, elle dessus lui dessous, picorant un repas froid, écoutant les rimes de dead prez. Le rappeur exposait le programme de son *Mind Sex* puis déclamait son ode à la rose noire. Boya murmura qu'il lui plairait de garder Zama dans l'aile des femmes, la gouvernante l'avait bien accueillie. Cela fit rire Ilunga : *Je ne l'avais pas incluse dans les dommages collatéraux du big-bang.* Zama avait pour ainsi dire élevé son fils. Leur famille n'aurait personne de plus dévoué à son service.

Cette nuit-là, pour la première fois, Boya exposa les détails de la vie d'avant, l'histoire d'une gosse affamée d'amour. Il y avait bien des années qu'elle ne l'avait plus revue ainsi, ombre frêle mais tenace surgie des profondeurs de sa mémoire. Elle lui avait parlé pendant un bon tiers de ces quarante jours et pensait l'avoir apaisée. L'adolescente disait vouloir être étreinte par sa mère, entendre de sa bouche les raisons de l'absence du père, de la solitude sèche dans laquelle s'était complu celle qui l'avait mise au monde. Jamais elles n'avaient évoqué la vie des femmes, ce qu'elles étaient, la manière dont on en devenait une. Cela, Boya ne l'avait appris qu'en passant la porte de l'école initiatique. C'était alors que ses aïeules s'étaient manifestées, certaines arpentant ses songes, d'autres se signalant par des signes divers. L'esprit de sa mère ne l'avait jamais visitée. Elle était restée là-bas, de l'autre côté, n'ayant rien à dire de plus que lors de son existence parmi les vivants. Ce n'était pas ce qui la chagrinait. Avec le temps, Boya avait appris à écouter les silences, à deviner ce qui se passait de mots. Plus que cet amour coincé au fond de la gorge qui ne savait se dire qu'en rappels à la loi, critiques acerbes ou menaces de la jeter à la rue *Si tu t'amuses à me ramener une grossesse ici*, le mutisme maternel recouvrait des amertumes recuites. Devenue adulte, Boya avait compris que les seaux de fiel lancés sur elle ne lui étaient pas destinés. Ils étaient pour celle qui les balançait, se voyant elle-même dans les traits de sa fille. Celle qui se reprochait d'avoir été enceinte trop tôt, de n'avoir pas achevé ses études, de ne s'être liée durablement à aucun homme lorsqu'elle avait été seule avec l'enfant. Sur ce dernier point, Boya ne savait rien des causes, n'ayant eu qu'un aperçu des effets. Des relations faisant rimer passion avec désespoir, qui culminaient en fulminations et imprécations homicides, des plongées en eau trouble dont on ne se remettait qu'au terme d'une diète affective de trois ou quatre années. Tel était le cycle. Avant de cesser d'en fréquenter, sa mère s'attachait à des hommes qui ne passaient auprès d'elle qu'une partie de la nuit ou de la semaine, qui promettaient sans doute de l'épouser, de quitter l'autre. Certains, découvrant l'adolescente sous le toit de sa mère, posaient sur elle des regards appuyés, laissaient s'égarer leurs mains. Accusations et réprobation pleuvaient alors sur Boya. C'était elle qui cherchait à les attirer, car *Tu te crois tellement spéciale avec ta clarté rouge et ce nom qui te vient de l'ancêtre, j'aurais mieux fait d'ignorer cette prophétie délirante ou au moins de ne pas t'en parler, ça te monte à la tête, tu te prends pour un grand esprit...* Le fiel. Dans ces conditions, il n'était pas question de se plaindre des agissements des amants de sa mère. Quand l'un d'eux avait tenté de la forcer, sa plus grande crainte, s'il y parvenait, avait été de se retrouver enceinte. Ce n'était pas arrivé.

Boya s'interrompit à ce stade. Elle ne pensa pas nécessaire de relater la longue aménorrhée, presque une année, qui avait matérialisé cette peur panique de la fécondation non souhaitée. Elle n'eut pas non plus le désir d'expliquer que, pendant longtemps, elle s'était représenté la grossesse comme le dépôt dans son corps d'une abjection. L'immondice dont un homme se débarrassait avant de s'envelopper dans un manteau de nuit puis de s'évaporer. La révélation de ses vulnérabilités pouvait conserver une part de pudeur. Ilunga n'était ni son psychanalyste, ni son confesseur. Et, n'étant pas une femme, il n'était pas judicieux de l'embarrasser avec certaines questions. Seules les adolescentes envisageaient que l'homme devienne la meilleure amie de sa compagne, qu'il n'était pas utile de lui dissimuler ses protections hygiéniques, qu'il convenait de lui fournir la liste de ses prédécesseurs car, très certainement, cela lui plairait de savoir combien on s'était exercée avant de le rencontrer. Boya savait où s'arrêter. La nature émotive des femmes n'avait d'égale que celle, sentimentale, des hommes. Alors, elle ne dit pas qu'elle avait retenu son cœur, ne livrant jamais que son corps à un amant unique disposant d'un bail non renouvelable, qu'elle avait vécu ainsi jusqu'à ces fameux quarante jours. En revanche, il lui plut de se remémorer à voix haute sa découverte de la Maison des femmes, à l'orée de ses vingt et un ans. L'endroit l'avait réconciliée avec la vie. C'était Abahuza, la seule amie que sa mère ait gardée après ses années de lycée, qui l'y avait menée. Ce jour-là, les initiées présentaient leurs activités à une assemblée de jeunes filles. Elle n'avait pas fait l'expérience du tuba, ce rite à travers lequel l'hymen des entrantes dans la Maison des femmes est offert aux aînées. C'était comme cela qu'elle aurait aimé perdre sa virginité. Elle s'était néanmoins vu proposer un rituel de guérison, une restauration symbolique dans son état antérieur, afin que son corps lui soit restitué. Elle avait fait l'objet de soins, d'attentions inconnues jusque-là. La Maison des femmes était ainsi devenue sa demeure, le lieu où l'énergie féminine se déployait de façon lumineuse. Les mères n'y étaient pas des adversaires, les filles n'y étaient pas des rivales.

Allongée sur Ilunga qui la tenait contre lui, Boya respirait l'odeur de son compagnon, se laissait bercer par la vibration de sa voix. Il lui passait doucement la main sur le dos, réitérant sa proposition de l'aider à rejoindre les esprits qui l'attiraient au bord de l'océan. Boya avait besoin de parler à sa mère qui, de son côté, ne savait simplement pas comment faire. C'était ainsi qu'il voyait les choses. La fréquentation de cet envers de la vie lui semblait nécessaire pour se connaître complètement. Savoir de quoi on procédait, comment se réaliser tout à fait. Tout en parlant, il lui déposait des baisers sur les tempes. Puisqu'elle venait de lui dévoiler ses fêlures, Boya demanda quelles étaient celles de l'homme. Non pas ses défauts qui étaient évidents, elle ne voyait que cela, mais ce qui le hantait parfois et dont, peut-être, il n'était pas très fier. Ilunga répondit que rien dans son parcours ne justifiait qu'il en ait honte. Il pouvait se reprocher des erreurs de jeunesse, mais pas tant que ça à vrai dire, il en avait assumé les conséquences. Il en parlerait plus tard, cette soirée avait déjà été assez riche en émotions. Ce qu'il pouvait d'ores et déjà confier, c'était que l'Alliance l'ayant happé avant qu'il ait connu le corps d'une femme, cette découverte avait donné lieu à certains débordements. Il voulait savoir. Expérimenter. Enfreindre certaines lois le cas échéant. Il s'était pardonné ces errements compréhensibles pour un jeune homme à la vie déjà trop bien réglée. Boya et Ilunga ne firent pas l'amour, mais s'endormirent en se tenant la main, prêts à franchir ensemble des gouffres, de jour comme de nuit.

11

Kabongo fut pris de court par le déménagement de Boya. Jusque-là, les rapports remis au kalala n'avaient pas eu l'envergure escomptée, loin de là, et cela n'avait pas été passé sous silence. Il était sur le point de perdre la confiance de son supérieur, ce qui compromettrait son avenir au sein du service. Le mokonzi avait en effet placé des brouilleurs de micro dans la maison de sa dulcinée, et l'occasion d'y pénétrer ne s'était pas présentée. La voyant sortir ce soir-là, il avait pensé tenir sa chance. Aucun système de surveillance n'avait été installé, il pouvait peut-être tenter de se glisser à l'intérieur, repérer les protections, les désamorcer, fouiller un peu aussi, on ne savait jamais. L'ennui était que, la demeure se situant au fond d'une cour commune, l'entrée était constamment visible. Quelqu'un dans le voisinage pouvait très bien souffrir d'insomnie au moment même où il entreprendrait de dérégler le mécanisme de la serrure digitale, ce qui nécessiterait du temps. Zanele pouvait être ce gêneur insomniaque, ce qui le propulserait au fin fond d'un trou noir. Il avait pensé contourner le problème, c'était le cas de le dire, en profitant d'une visite des enfants à leur mère. Il les aurait laissés l'occuper comme ils savaient si bien le faire, aurait traîné dans les parages sous un prétexte quelconque, se serait échappé dans le jardin végétal au bout d'un moment, aurait saisi là sa chance de passer dans celui de Boya, se serait dirigé vers une des fenêtres de la cuisine qu'elle ne fermait qu'à demi… L'idée lui avait donné le tournis, d'autant que Zanele ne l'autorisait pas toujours à passer le seuil. Son humeur du moment déterminait l'attitude qu'elle aurait à son égard, et les regards interrogateurs de leurs fils ne l'impressionnaient guère. C'était ainsi depuis la fois où elle l'avait croisé sortant de chez Boya. Ils n'en avaient jamais parlé, il n'y avait rien à dire. Maintenant que Boya avait débarrassé le plancher pour habiter la résidence du mokonzi, un des lieux les mieux gardés du Continent, toute opération de surveillance était exclue. Elle était sortie au crépuscule, alors qu'il vaguait aux abords d'une buvette proche de là, et n'était repassée qu'en coup de vent un matin. Quelques jours plus tard, on était venu emporter ses affaires, mobilier, vêtements, tout. Y compris la vaisselle dont elle n'aurait pas l'usage en principe. La Sécurité intérieure avait un œil sur ses allées et venues lorsqu'elle quittait sa demeure. Lui avait été chargé d'ausculter son intimité, précisément parce que la tâche n'était pas simple.

Depuis, il ne l'avait pas lâchée d'une semelle, n'hésitant pas à faire doublon avec ses collègues. Cela lui évitait de leur demander s'ils avaient découvert quoi que ce soit. Ils n'avaient pas à connaître sa mission. Alors, le jour où elle s'était rendue aux *Forges d'Alkebulan* afin d'y rencontrer l'épouse en titre du mokonzi, rendez-vous qu'il avait appris par le kalala,

274

il s'était fait embaucher parmi les extras. On attendait des convives plus nombreux qu'à l'accoutumée, en raison de quelque célébration propre au microcosme élitaire. La date avait peut-être été choisie à dessein, l'occasion permettant ainsi que les deux femmes soient vues ensemble et en paix. Kabongo s'était donc introduit dans l'équipe d'intérimaires préposés au nettoyage. Il en avait profité pour placer un dispositif d'écoute sous le plateau de chacune des tables de la petite salle connue pour recevoir l'épouse du mokonzi. En général, quand elle déjeunait là, cet espace lui était réservé, mais il ignorait où elle s'installerait lorsqu'il s'était présenté aux aurores. Il n'avait retiré ses micros qu'au milieu de la nuit. Désert, le restaurant était un endroit lugubre, une incitation à se défenestrer, avec ses lourds rideaux violets, l'acajou ringard de l'ameublement, ce chic suranné qui donnait aux grands de ce monde un sentiment d'éternité : ils avaient été, ils étaient, ils seraient. Et cela devait se voir, d'une manière ou d'une autre.

Il avait écouté la conversation en simultané, tentant de se détacher de ce qu'il savait de Boya, se concentrant sur ses mots pour qu'elle ne soit qu'une voix. En réalité, il ne l'avait jamais autant entendue. La brièveté de leurs discussions l'avait soudain frappé, justifiant qu'elle fasse peu de cas de sa personne. Elle ne le connaissait pas. Ce n'était pas parce qu'ils faisaient bien l'amour qu'elle pouvait s'attacher à sa personnalité, même si la manière dont ils s'accordaient devait bien signifier quelque chose. Aux femmes, il fallait aussi parler. Parfois, c'était ainsi que cela commençait. Le langage les décadenassait, les amenait à ouvrir des portes dont elles ignoraient auparavant l'existence.

Ce n'était pas dans ce domaine qu'il excellait. Il n'avait en général que peu de temps à consacrer au hameçonnage. Il dardait des regards enflammés, trouvait vite le chemin du frôlement, touchait dès que possible. Cela lui évitait de raconter, de promettre. Tout passait par le corps. Avec Zanele non plus, il n'avait pas tellement parlé. Il l'avait attrapée comme ça, presque au vol, parce qu'il voulait des enfants et qu'elle ignorait ce qu'elle voulait. Kabongo n'avait pu réprimer un pincement au cœur lorsque Boya avait souhaité des précisions sur la relation qu'entretenaient Ilunga et son épouse. Il n'avait pas aimé la découvrir à ce point soucieuse de se faire une place dans la vie d'un homme marié. Par quelque bout que l'on prenne l'affaire, c'était tout de même de cela qu'il s'agissait. Et si la rencontre entre ces deux femmes avait lieu, c'était parce qu'il n'était pas question d'évincer la légitime. Cependant, rien dans le ton de Boya n'avait indiqué qu'elle se sente en position de faiblesse. Le mokonzi avait dû lui retourner le cerveau, mais ce dans quoi elle s'apprêtait à s'engager n'était pas glorieux. À l'inverse de lui, elle avait découvert les penchants peu orthodoxes de son interlocutrice, un secret de polichinelle pour les gradés de la Sécurité intérieure dont il faisait partie. Peut-être la nouvelle l'avait-elle rassurée quant à l'exclusivité de l'amour du chef de l'État, au moins sur le plan sexuel, ce qui devait lui importer. Au bout d'un moment, un monologue s'était substitué à l'entretien, Boya laissant l'oratrice s'étourdir de sa propre parole, se féliciter des passages de sa biographie qu'il lui plaisait de revivre à l'occasion de ce rendez-vous.

Alors qu'elles prenaient congé l'une de l'autre, Kabongo avait eu une intuition. Il s'y était fié. Comme il se l'était figuré dès le départ, la surveillance directe de Boya tarderait à porter des fruits. Il ne pouvait dire combien de temps s'écoulerait avant que la possibilité de l'approcher lui soit donnée. Son intention était de provoquer ces retrouvailles, mais il tenait à s'y préparer. Ensuite, il serait aisé de lui tomber dessus par hasard, de l'inviter à prendre un verre. Il avait probablement repoussé cette opération plus que de raison, mais il n'était pas question d'y renoncer. Maintenant qu'elle vivait sous le toit du mokonzi, il y avait même là quelque chose de plus excitant. Pour l'heure, s'étant rendu aux recommandations de son instinct, Kabongo avait décidé de s'intéresser à Seshamani, dont il pressentait qu'elle ne s'absenterait pas du paysage. Elle pourrait se révéler un bon angle pour observer le terrain, peut-être un moyen d'accéder à l'objectif, une arme pour atteindre la cible. Après qu'elle avait fait connaître son attirance pour les femmes, les inflexions de sa voix n'avaient cessé de signaler que celle qui partageait son repas ne ferait pas exception. Lorsqu'il l'avait vue quitter *Les Forges d'Alkebulan*, silhouette longiligne moulée dans sa combinaison fuchsia, il s'était mis en tête de la suivre. Elle n'était que de passage dans la kitenta. Son chauffeur l'avait conduite à l'aéroport, où elle avait pris un vol pour la pointe sud du Continent. Il avait sauté dans le Mobembo qui s'y rendait fort heureusement. Certaines localités en avaient refusé le passage afin de préserver leur faune et leur flore. Le Mobembo empruntait donc parfois de curieux détours sur la ligne descendant vers le sud.

Dans le train à grande vitesse, Kabongo avait réécouté la conversation enregistrée depuis le banc public sur lequel il s'était assis, dans un des jardins communaux proches du restaurant. Discret, son équipement avait l'apparence d'une simple tablette sur laquelle il aurait pu lire un livre, arpenter à distance les couloirs d'un musée ou regarder un film. Il n'attirait pas l'attention. On pressait le pas pour aller cultiver son carré de légumes, on récoltait des fruits mûrs, on arrachait les mauvaises herbes, on ne remarquait pas sa présence. Par chance, ce potager communal n'était pas envahi de petits singes que le retour de la végétation au cœur de la ville attirait. On les trouvait en nombre dans les espaces plantés de certaines essences, et le promeneur aventureux souffrait leur espièglerie parfois agressive, le son strident de leurs cris. Il était reconnaissant que ces désagréments lui aient été épargnés. Une fois chaque mot de l'entretien inscrit dans sa mémoire, il avait entré les coordonnées de la dame, agrandi les images de son domicile trouvées dans la base de données du service, observé les alentours. Enfin, il s'était intéressé à sa compagne sans rien lui trouver d'extraordinaire à première vue. C'était une jeune femme aux formes généreuses, une mère archétypale que l'on peinait à imaginer se désaltérant à même la vulve d'une autre. Elle avait la petite trentaine et tenait une bijouterie destinée à la bourgeoisie locale. D'après ce qu'il avait compris, elle créait elle-même les joyaux, ne se servait que de pierres précieuses que l'on trouvait en abondance dans la région mais qui restaient trop onéreuses pour les gens du commun. Les pièces, uniques, étaient proposées pour des montants obscènes. Elle les écoulait comme des morceaux de kwanga dans un quartier populeux, si bien que sa boutique n'ouvrait que sur rendez-vous, ce qui ajoutait au sentiment d'élection de ses clients fortunés.

L'abolition de la propriété terrienne n'avait pas signé la fin des privilèges de classe. Les sociétés de Katiopa n'avaient pas souvent promu l'égalité, bien au contraire, et nul ne la réclamait vraiment. La caste nantie avait envers la masse des devoirs qui ne lui étaient guère disputés. Tant qu'elle assumait ses responsabilités, qu'elle prenait en charge ceux qui devaient l'être, on ne lui reprochait pas de mener grand train. L'étalage par certains de signes extérieurs de richesse témoignait d'une puissance qui rejaillissait sur ceux qui bénéficiaient de leurs largesses. La politique sociale mise en place depuis la fondation du Katiopa unifié restait sans effet sur les réflexes archaïques. Les fondateurs de l'État savaient combien il serait vain d'envisager des mutations dans ce domaine, et peu pertinent de chercher à les imposer. S'ils avaient mis fin à la possibilité pour quiconque de s'approprier la terre, ils avaient maintenu les obligations communautaires des nantis. Ces derniers pouvaient valoriser leurs réalisations en y faisant apposer des plaques à leur nom, ce dont ils ne se privaient pas. Katiopa n'avait jamais mégoté sur les questions de prestige, il en était ainsi depuis les âges antiques. Dans certaines régions, les nantis étaient autorisés à posséder des Mubenga Cars, les seules voitures admises au sein des frontières de l'État. L'usage de ces véhicules à hydrogène était lourdement taxé, bien qu'ils soient non polluants selon les critères admis. Ce que l'on faisait payer, c'était la jouissance individuelle des engins. Lorsque l'on se soucierait de la fabrication de chacun de leurs composants, on s'apercevrait qu'il n'y avait pas d'industrie absolument propre, et sans doute appliquerait-on une taxe supplémentaire.

Seuls les immensément riches pourraient alors jouir de l'automobile personnelle, car il fallait aussi l'entretenir, l'assurer, l'alimenter en hydrogène. Pour continuer d'habiter les résidences cossues qu'ils tenaient à conserver, les bourgeois payaient un droit d'occupation. Ces sommes, affectées à la réhabilitation de zones défavorisées, constituaient une forme d'imposition sur la fortune. Soit ils les versaient de bonne grâce – on ne plaisantait pas –, soit ils libéraient les lieux. Pour le moment, le système fonctionnait. Aucun mikalayi n'avait encore été convaincu de détournement de fonds, aucun membre de la haute n'avait tenté de se soustraire à la contribution. Les comptes régionaux étant rendus publics, ceux dont l'importance était ainsi attestée se frappaient la poitrine.

Seshamani et son amoureuse faisaient partie de cette caste supérieure au sein de laquelle on ne pénétrait pas uniquement par le patrimoine matériel mais par l'ascendance. La grandeur se transmettait par le sang. Tout de même avisées des règles de la bienséance, les deux femmes ne partageaient pas officiellement la même demeure. Elles occupaient des propriétés voisines dans l'enclos doré d'une résidence huppée, laquelle n'abritait que deux autres habitations. L'une, rarement occupée, ne servait que pour de brefs séjours d'une comédienne réputée. L'autre était la retraite d'une dame âgée qui ne voyait plus beaucoup la lumière du soleil. Elles employaient des domestiques, les mêmes pour tout le domaine, des personnes que leurs émoluments devaient inciter à garder le silence. L'équipe était féminine. Cela lui avait sauté aux yeux. Le meilleur moyen d'éviter les indiscrétions était de faire travailler d'autres contrevenantes aux lois de la nature. L'endroit était donc, en quelque sorte, un repaire de déviantes. Kabongo n'avait pas d'aversion pour la délinquance sexuelle, loin de là. Seul le plaisir comptait, et pour le connaître vraiment, il ne fallait prendre peur devant aucun de ses visages. En revanche, l'idée que l'on s'éprenne d'une personne du même sexe, sur le plan strictement sentimental, le laissait perplexe. Sa réflexion avait ramené la figure du mokonzi. Quel homme pouvait-il être, dans le fond, si la femme qui avait porté son fils – il l'avait donc touchée – lui préférait une de ses congénères ? Il s'était ravisé en associant au visage du héros de la Chimurenga, celui de Boya. Elle ne perdrait pas de temps avec un homme dénué de certaines qualités, surtout s'il était déjà pris. Kabongo était arrivé en fin de journée à Ikapa, la pointe australe du Continent. La nuit naissante lui avait offert son appui pour longer en toute tranquillité les rues de cette ville dont la physionomie conservait les stigmates de l'ère coloniale, d'autant qu'elle avait aussi été, pendant des décennies, une destination prisée des flambeurs de Pongo. Ils y avaient reproduit leur univers, y avaient développé des activités enracinées dans un mode de vie hédoniste ayant pour objectif de les délivrer une fois pour toutes de la morosité de l'âge adulte. Aucune cité au monde ne se remettait sans mal d'avoir si durablement consacré la futilité. Il eut toutefois plaisir à se déplacer dans cet environnement différent de la kitenta, admirant l'élégant umbhaco dans lequel étaient coupées les toilettes des dames, l'imposant iqhiya dont elles se coiffaient.

Toute cette partie du Continent était réputée pour ses parures faites de perles si minuscules que l'on se demandait comment les manipuler. Hommes et femmes en portaient, on en trouvait aussi sur les objets du quotidien. Il fut rassuré de n'être pas le seul à se distinguer par ses vêtements. Comme bien des métropoles du Continent, celle-ci avait à la fois un caractère culturel marqué et une ouverture aux diverses sensibilités de Katiopa qui s'y mêlaient. Il avait fallu appliquer un sévère protectionnisme continental pour parvenir à ce brassage. À présent, lorsque l'on se lassait de son ordinaire, seules d'autres créations katiopiennes étaient disponibles. Kabongo bondit sur le côté pour laisser filer une voiture. Il avait perdu l'habitude d'en voir circuler autant. L'envie d'en louer une le démangea un instant, mais la Sécurité intérieure ne lui rembourserait pas ces frais imprévus. Le budget de l'État ne pouvait être gaspillé, pas même dans le cadre d'une mission nécessitant un peu d'improvisation. N'ayant encore communiqué aucune information consistante au kalala, c'était le moins que l'on puisse dire, il préférait agir en silence. Il reporta son attention sur l'écran de sa tablette où se déployait un plan de la ville, se dirigea vers le premier arrêt du baburi. Ici, le train de ville ne desservait que les quartiers du centre. Il s'estima chanceux de n'avoir pas à faire en vélo le trajet jusqu'à Jabulani, le quartier résidentiel où logeait l'épouse du mokonzi. Sa maison était la seule illuminée lorsqu'il arriva dans les environs. Il se tint à distance de la clôture, profitant du couvert que lui offrait une haie d'arbustes, à l'entrée du parc situé de l'autre côté de la rue. Ce n'était pas le moment de se faire remarquer. On n'avait pas posté de sentinelles. Il avait fallu complaire à la dame qui désirait vivre *aussi normalement que possible* – elle l'avait spécifié sur une note écrite –, mais la surveillance était permanente. Elle s'effectuait à distance, depuis les locaux d'une société spécialisée dans la sécurité des personnes d'importance. Les instruments électroniques abondaient, des alarmes qui ne manqueraient pas de signaler les velléités d'intrusion, des caméras qui filmeraient son ombre à l'approche, des projecteurs qui se mettraient en marche et fixeraient sur lui leur lumière orangée. Kabongo n'avait pas l'intention de s'introduire dans la résidence à cette heure-ci. Depuis son poste d'observation, il espérait déceler des mouvements, des visites nocturnes, une sortie peut-être. Il ne savait pas trop ce qu'il attendait, c'était le principe de la planque. La soirée pouvait se révéler décevante. Les arbres alentour étaient trop souples pour supporter son poids s'il lui prenait l'idée de se hisser sur les branches. Située à gauche de la concession, un peu en biais, la maison était à moitié cachée par le mur d'enceinte. Seuls en apparaissaient l'étage supérieur et la terrasse couverte le surplombant. Plusieurs pièces étaient éclairées, mais il ne voyait personne, pas la moindre silhouette se hâtant de l'une à l'autre. Il fut tenté de reculer un peu, de voir plus loin s'il se trouvait un meilleur poste d'observation, quand le portail automatique s'ouvrit. Les deux côtés s'écartèrent lentement, assez pour lui donner le temps de reconnaître la conductrice et sa passagère, assez pour qu'il pense à avancer d'un pas. Lorsque le véhicule fut tout à fait hors du domaine, que le virage à gauche eut été effectué, Kabongo lança son mouchard, un engin de la taille d'une noix de palme qui se fixa sans un bruit sur le pare-chocs de la berline. Laissant s'éloigner les deux femmes, il marcha d'un pas tranquille vers l'arrêt du baburi.

C'est devant le *Sinqunu*, un club où se donnait une soirée privée, qu'il retrouva la voiture. Dans ces lieux, le règlement imposait l'usage du vestiaire par les clients. On devait y consigner tout appareil électronique, mais aussi les sacs et pochettes. Plus tôt dans la journée, il avait remarqué le grand fourre-tout jaune de Seshamani. Il le reconnaîtrait. Sa décision fut vite prise. Il n'était évidemment pas vêtu pour se présenter là. Il était probable que la soirée se déroule sur invitation ou que seuls y soient admis des habitués. S'approchant de l'agent de sécurité, il sortit discrètement un insigne de police, affirma être envoyé pour un contrôle de routine. Sans uniforme pour ne susciter aucun malaise chez les personnes de qualité qui se réunissaient là. Sa requête ne rencontra pas d'objection. Pénétrant dans la salle où il ne jeta qu'un coup d'œil rapide, il se dit que la protection des grands de ce monde laissait à désirer. Les gardes auraient dû vérifier ses dires auprès du commissariat de secteur où ils avaient sans doute un contact attitré. Ne serait-ce qu'en raison de la présence de l'épouse du mokonzi. Dans le vestiaire, il voulut rester seul. Quand il eut mis la main sur le sac, il le vida minutieusement, retenant l'ordre dans lequel les effets y avaient été placés. Ce qui l'intéressait, c'était le communicateur qu'il démonta entièrement afin d'y poser un dispositif d'écoute. Se sentant vengé d'avoir fait chou blanc avec Boya jusque-là, Kabongo quitta le *Sinqunu*, prêt à passer la nuit à la gare s'il ratait le dernier Mobembo en partance pour la kitenta.

Depuis, il avait écouté des conversations de toute sorte, jusqu'à celle qui l'intéressait. D'abord, il s'étonna que Seshamani n'utilise pas la messagerie cryptée pour cette communication. Puis, la teneur de son propos lui permit de comprendre. Une femme dans sa situation avait besoin de parler. L'installation de Boya dans la résidence du mokonzi ne dérangeait pas que lui. Se produisant de manière impromptue, elle bousculait une organisation bien réglée, remettait en question des équilibres anciens. Du jour au lendemain pour ainsi dire, on avait dû libérer un lieu appelé *l'aile des femmes*. C'était ce qui faisait se lever une houle dont l'apaisement ne serait pas immédiat. L'épouse tempêtait, ce désaveu brutal n'avait pas de sens. Rien ne justifiait cette précipitation, les appartements du mokonzi étaient assez spacieux pour y loger une famille. Alors, pourquoi ? S'agissait-il en somme de la chasser ? Ilunga demandait-il le divorce sans oser prononcer le mot ? Ses invitées avaient été logées dans un hôtel de la kitenta. Dans l'attente de sa venue, lui avait indiqué Zama. Alors, elle avait dû se déplacer. Était-ce une manière de traiter les gens ? Le chef de l'État s'était à peine exprimé. La laissant s'époumoner, il lui avait fixé un rendez-vous. En plein air. Kabongo hocha la tête. Le mokonzi ne voulait pas prendre le risque d'être entendu. Il pratiquait les vieilles méthodes de l'Alliance, celles que l'on avait adoptées à l'époque où les domiciles des militants comme les lieux accueillant leurs réunions étaient mis sur écoute. Alors, les conversations importantes avaient lieu hors les murs, après que l'on s'était débarrassé de son téléphone portable. Ce que son épouse et lui se diraient ne devait être connu de personne.

Or, il n'était pas question de convier Seshamani à le rejoindre dans sa résidence, pas même dans le quartier administratif. Quatre murs ne pourraient contenir sa fureur, tandis qu'un espace ouvert, qu'elle ne pourrait remplir, en amoindrirait la portée s'il ne la désarmait pas. Des ordres furent donnés pour que celui des jardins dédié au souvenir des aïeules vénérables soit évacué pendant une heure. Kabongo n'eut pas besoin de quitter le bureau aménagé chez lui et où ses fils comme sa sœur le pensaient occupé à des travaux de comptabilité pour des commerçants d'ici et d'ailleurs. S'adossant à son fauteuil, il ajusta ses écouteurs et tendit l'oreille.

*

Assis sur la banquette arrière de sa berline, Ilunga vit arriver Seshamani. Elle pilotait une moto électrique livrée avec un casque muni de lunettes à réalité augmentée qui élargissait le champ visuel de la conductrice, offrait un assistant de navigation, protégeait des chocs et des intempéries. La sécurité de l'engin prévenant les chutes, le couvre-chef servait surtout à se diriger, à éviter les obstacles. Il la regarda se garer, longue et survoltée de rage sous les branches des jacarandas en fleurs. Elle avait revêtu une robe courte en cuir souple, de couleur rose, qui lui donnait des airs de grande plante vénéneuse. Feignant de n'avoir pas remarqué sa présence, elle s'engouffra dans le parc. Il l'y rejoignit sans se presser, laissant derrière lui Kabeya qui avait remplacé son chauffeur habituel. L'émotion qu'il ressentait autrefois à la vue de cette femme l'avait quitté, ce qui l'attristait. Il aurait aimé ressentir quelque chose, même une pointe d'agacement. C'était elle qui s'en était allée. Il avait attendu son retour, la possibilité de lui apporter quelque chose, même si cela ne pouvait restaurer ce qu'elle pensait avoir perdu. Ce qu'ils avaient pris pour une histoire d'amour s'était évanoui avant d'avoir été nommé. Ils s'étaient trouvés pour jouer à des jeux interdits, chacun alimentant chez l'autre un besoin de transgression. Quand elle avait été enceinte, ils s'étaient réveillés. Il avait cru possible de créer quelque chose avec elle, finir par se faire aimer, même sans transports évidents. Que s'instaure entre eux la volonté de voir s'élever l'autre, de le soutenir, une sorte de partenariat. La vie semblait avoir ourdi leur relation, la prolongeant au-delà d'eux-mêmes dès lors que leur fils avait vu le jour. Elle avait mal vécu cette grossesse, s'était détournée du nourrisson aussi vite que possible. À la maternité, elle le lui avait tendu en disant : *Tiens, c'est à toi qu'il ressemble.*

Depuis, ils en étaient là. Enfin, pas tout à fait. Les choses allaient bien tant que Seshamani pensait lui faire payer ce qu'elle et les siens avaient conçu à l'époque comme une mésalliance. Il n'était pas encore le mokonzi du Katiopa unifié, et nul ne savait ce qu'il adviendrait de lui. Longtemps, elle avait ri du rêve de l'unité, ce délire qui prétendait rassembler les populations du Continent. Ce n'était pas parce que les étrangers venus de Pongo avaient inventé la race noire que cela signifiait quoi que ce soit. Sur l'immensité de Katiopa, les peuples avaient d'eux-mêmes une autre perception. Les histoires qu'ils se racontaient pour célébrer leur existence et commémorer celle de leurs ancêtres étaient plus anciennes que le premier habitant des cavernes de Pongo. L'idée de ne voir qu'un peuple dans tous ceux du Continent n'était qu'une lubie de gens arrachés à eux-mêmes, ne sachant ni où trouver le chemin du retour, ni comment s'en inventer un. Cela ne se fondait sur rien ici, et ceux qui s'en étaient jadis faits les promoteurs sur le Continent n'avaient pas emporté l'adhésion des populations, lesquelles ne souhaitaient aucunement être précipitées dans un grand tout qui dévorerait les visages, les noms constituant leurs lignées. Voyant qu'elle ne pouvait comprendre, il s'était résigné à ne plus s'expliquer. Sur le Continent aussi, on avait été placé devant l'obligation de se recréer. L'unité ne s'érigerait pas sur les blessures passées, voulant au contraire les transcender. Elle n'était pas une négation des cultures mais leur ouverture les unes aux autres, la matrice d'un monde où les ancêtres des uns connaîtraient ceux des autres. C'était aussi spirituel que politique, deux domaines qui n'intéressaient pas Seshamani et qui étaient, pour lui, le sens même de la vie. Mais bon. Ils avaient eu un enfant.

Ilunga avait mis un point d'honneur à ne pas la déshonorer davantage si c'était possible. Épouser ce jeune homme qui n'était pas de son milieu avait déjà été une telle déchéance. Les parents de Seshamani, furieux d'apprendre que leur petite fille invitait des garçons sous leur toit dès qu'ils avaient le dos tourné, qu'elle n'était donc plus vierge comme leur noblesse le commandait, ne lui avaient pas laissé le choix. Il entendait encore le père, lorsqu'il avait demandé à le rencontrer pour prendre ses responsabilités. Ses principes lui interdisaient de mettre fin à une vie. Autrement, il aurait fait avorter sa fille. Si le drame avait eu lieu dans leur entre-soi bourgeois, on aurait eu moins de mal à l'accepter, il fallait tout de même le reconnaître. Depuis qu'il avait été désigné comme mokonzi, son clan et elle récupéraient leur dû. Les sorties officielles, les rencontres avec les journalistes, les véhicules avec chauffeur, la protection constante, permettaient d'oublier la faute. Le tort fait à l'image, à la réputation d'une fille de grande famille. Ilunga marcha derrière Seshamani, à son rythme, la laissant ralentir, s'arrêter, se retourner excédée. Il n'était même pas en colère. Quand il la rejoignit, elle passa le pouce sous l'anse de son sac à main, geste qui traduisait de sa part une intense nervosité. Puis, elle se croisa les bras sur la poitrine. Elle ne voulait pas être embrassée. *Je t'écoute*, dit-il simplement. Il était venu pour cela, ne parlerait que quand elle estimerait avoir fini. Elle avait écarté les jambes à la manière d'un cowboy prêt à dégainer. Le silence d'Ilunga la désamorça.

Ce qui perturbait tant Seshamani – elle faisait des tours sur elle-même en le disant –, c'était de n'avoir rien prévu pour les deux femmes qui avaient attendu ses visites furtives dans une aile de la résidence. Elle était convaincue que l'une, la dénommée Nozuko, ne se laisserait pas quitter sans être dédommagée. Peut-être ferait-elle l'objet d'un chantage, Ilunga se rendait-il compte de ce qui leur pendait au nez ? Que diraient les gens ? Quant à l'autre, Folasade, dont les sentiments étaient aussi puissants qu'étouffants, on pouvait craindre un geste extrême. *On aurait pu en parler avant, préparer tout ça. Je n'ai pas fait d'histoire quand tu m'as demandé de rencontrer ton amie. J'ai pris le risque de dévoiler notre accord. Alors, où était l'urgence ? Imagine qu'elles aillent voir la presse... On pourra toujours démentir.* La fixant du regard, Ilunga retint ses mots. Ce n'était pas chose facile, mais elle avait encore à dire. Il voulait éviter de voir cette conversation se transformer en joute, que l'on finisse par se dire des choses irrattrapables. Seshamani était experte en la matière et ne manquait pas une occasion. *Je vois,* poursuivit-elle, *que tu me reproches ce mode de vie. Tu n'as jamais pu t'y faire, dans le fond.* Elle tenait néanmoins à ce qu'il se rappelle la manière dont tout cela avait commencé. C'était lui qui en avait eu l'idée au début. C'était à cause de lui qu'elle avait fait l'amour avec une fille la première fois. Avant, elle ne craignait pas de repousser les limites, lui non plus d'ailleurs, mais son imagination ne l'avait pas menée là. Comme la plupart des gens, elle n'envisageait pas cela et n'avait jamais désiré que la compagnie de garçons. Ce n'était pas sa faute s'il lui avait été impossible de faire machine arrière, si le goût des hommes lui était aussitôt passé. L'Alliance occupait beaucoup Ilunga, jamais sa vie sentimentale n'avait été un problème entre eux. Elle répétait sa question : *As-tu l'intention de divorcer ?* L'homme répondit que non. Elle savait ce qu'il en pensait, cela n'avait pas changé. Il ne s'inquiétait pas de ce qui paraîtrait dans les médias, de ce que diraient les gens. Cela faisait des années qu'il y était prêt, des mois qu'il la priait de rendre leur liberté aux femmes qui restaient chez lui où elle ne résidait pas. C'était à elle de s'interroger sur la façon dont il convenait de se comporter avec les gens. Seshamani avait trop longtemps eu l'habitude que le monde se plie à ses caprices, y compris lui, surtout lui. Ils avaient passé l'âge de ces frictions constantes qui ne témoignaient même plus d'un attachement vicié, mais d'une distance infranchissable entre eux. Puisqu'elle insistait, il voulait bien endosser la responsabilité de l'avoir dégoûtée des hommes. Mais dans son souvenir, ils étaient quatre cet après-midi-là et jusqu'au lendemain matin. Deux garçons et deux filles qui s'étaient échangé leur partenaire avant de revenir à l'objet de leur amour.

Au milieu de la nuit, Seshamani s'était détachée de lui, mais cela ne l'avait pas dérangé. Au contraire, il avait vu, dans les ébats de deux femmes, quelque chose de quasiment mystique qui l'avait bouleversé. Kabeya et lui avaient quitté le lit pour s'asseoir côte à côte dans un coin de la pièce, émus par le spectacle qui leur était offert. Il n'aurait pas vu d'inconvénient à ce qu'elle s'offre ce plaisir à sa convenance, cela ne le choquait pas, il ne pensait pas que cela suffise à les séparer. C'était elle qui s'était découverte à ce moment-là, elle qui n'avait plus vécu que d'un côté de son énergie, elle qui s'était éloignée. Il pensait que les choses se seraient passées autrement si elle n'avait pas été enceinte. Pendant longtemps, elle n'avait même pas été une compagne sociale. Il y avait seulement cinq ans que son attitude avait évolué, quand il était soudain devenu présentable. Kabeya, lui, n'avait pas perdu son amour d'autrefois. Ce qui s'était produit au cours de cette nuit-là ne l'avait pas détournée de lui, au contraire. Pour elle, cela n'avait été qu'un amuse-ment de jeunesse, une pratique permise aux adoles-cents dans certaines traditions. Elle était devenue la femme de Kabeya, partageant ses combats comme son intimité. Seule la mort la lui avait retirée, au cours d'une retraite de l'Alliance où elle avait fait une mauvaise chute. Il ne l'avait jamais remplacée.

Cette histoire-là n'était pas la leur. Ils n'avaient pas été liés par un sentiment de cette qualité. Ce qu'ils avaient aimé, c'était l'idée d'être ensemble, l'impression qu'ils produisaient parce qu'ils étaient élégants, les commérages qu'ils suscitaient parce que leurs univers n'étaient pas faits pour se croiser. Et le sexe. Ce qu'il y avait de moins orthodoxe et qui se faisait sans que le cœur s'en mêle. Cela n'avait duré que le temps d'une année universitaire. Ils avaient découvert son état peu après qu'Ilunga était rentré de son premier séjour à Bhârat. À présent, ils allaient mettre un peu d'ordre dans leurs vies, se témoigner du respect. C'était, en tout cas, ce qu'il ferait. *Mais où l'as-tu rencontrée ? Tu ne sais rien de plus que les affaires de l'État, les réunions de l'Alliance et tes...* Il l'interrompit : *Ce n'est pas le sujet.* Elle voulut savoir s'il comptait prendre une deuxième épouse. Si tel était le cas, la première aurait dû être consultée. C'était l'usage, elle s'étonnait qu'il faille le lui rappeler. Et cette brutalité ne lui ressemblait pas. Cela ne pouvait venir que de cette femme. Passe encore qu'il la mette dans un tel embarras en faisant jeter à la rue ses amantes, mais lui imposer la nouvelle configuration de l'aile des femmes était un peu fort. Ce n'était pas à lui mais à Boya qu'elle devait d'y conserver encore un appartement, il tint à l'en informer. *Rien de substantiel ne te sera retiré, tu le sais. Nous avons terminé, Seshamani.* Ilunga tourna les talons, laissant derrière lui vingt-cinq ans ou presque de comédie, se promettant de ne rien dissimuler s'il fallait s'expliquer. Il ne se reprochait ni de l'avoir protégée, ni de lui faire tenir aujourd'hui les commandes de sa vie. Si Seshamani faisait le choix de la transparence, il la soutiendrait. Elle ne pouvait en douter.

Kabeya fit démarrer la berline qui s'élança sur la chaussée. Sans un regard pour la ville qu'il aimait tellement parcourir, Ilunga se concentra sur le programme de sa journée. L'Assemblée des mikalayi se tenait en fin de matinée. Avant de la soumettre à nouveau au Conseil, il voulait aborder avec eux la question des Sinistrés. Puis, il aurait un bref entretien avec le Président de Zhōnghuá, qui menaçait de mettre un terme aux relations académiques et commerciales si son pays ne pouvait s'implanter dans les ports de l'État unifié. Il se montrerait ferme. Pas question de se laisser imposer un rythme, les autorités de Bhârat et de Hanguk l'avaient bien compris. Elles prenaient leur mal en patience, sachant que les meilleures opportunités leur seraient garanties plus tard. On saurait récompenser ses amis. Ilunga ne se faisait pas trop de souci. Zhōnghuá avait commencé à tracer sa nouvelle Route de la soie à l'époque de la Première Chimurenga, dans le but d'encercler Pongo et de le dominer. Il fallait se venger des Traités inégaux et de bien d'autres humiliations. Katiopa n'y était pour rien. Et non seulement avait-on d'autres partenaires, mais les jeunes gens du Continent pouvaient bénéficier, sur place, des meilleurs enseignements. Ils n'étaient envoyés à l'étranger que pour connaître le monde, se familiariser avec d'autres modes de vie, préparer l'avenir. Zhōnghuá était connu pour sa manie d'espionner même l'air que l'on respirait. Lorsque ses ressortissants seraient à nouveau admis sur le sol katiopien, on aurait mis au point les parades nécessaires. Il ne s'exprimerait pas en ces termes, mais saurait se faire comprendre de son homologue dont le pays avait besoin des produits agricoles que fournissait le Katiopa unifié.

Après cette conversation, Ilunga honorerait un rendez-vous pris de longue date avec les administrateurs de l'Institut d'émission. Il s'entretiendrait avec eux des échanges de la monnaie centrale. Cette institution n'avait pas été la plus aisée à mettre en place. Le mokonzi veillait en personne à chacune de ses avancées. Lorsque le Katiopa unifié s'ouvrirait au monde, il aurait consolidé ses compétences dans ce domaine. Un peu plus tard, en milieu d'après-midi, une visioconférence était prévue avec la section de l'Alliance établie en territoire ingrisi. Bien avant l'avènement du Katiopa unifié, elle s'était convertie en parti politique, présentant des candidats aux élections générales. Son responsable briguait maintenant le poste de Premier ministre et avait d'excellentes chances de l'emporter. Ilunga saluait l'engagement de ces frères établis sur les berges de la Tamise, qui auraient pu mettre fin à leur exil. Soucieux de garantir la sécurité du Continent et de préserver ses intérêts, ils comprenaient que leur tâche ne serait pas achevée de sitôt. Apporter une aide financière à leur campagne aurait tout son sens. Quelle que soit l'issue du scrutin, ce serait un excellent investissement, une récompense et un moyen d'entretenir la fidélité. Ilunga exhala un soupir. La section de l'organisation installée en terre fulasi se distinguait par la mise en place de réseaux communautaires efficaces pour faire pencher les résultats électoraux d'un côté ou de l'autre, mais elle dédaignait la prise de responsabilités politiques. Les questions de représentation, dans leur grande variété, l'avaient toujours plus mobilisée.

Parfois, Ilunga se disait que ces frangins du pays fulasi avaient été contaminés par le mode de vie hédoniste qui avait perdu les anciennes puissances coloniales. On avait promu une jouissance sans trêve ni entraves qui menait à une forme subtile d'émasculation. On se les tranchait avec application, sans même s'en apercevoir. On se gâchait dans l'allégresse, convaincu d'avoir gravi tous les sommets de l'émancipation. La fréquentation des Fulasi par les peuples du Continent avait toujours produit des résultats assez médiocres. Il suffisait, pour s'en convaincre, d'effectuer quelques rapides comparaisons. Les conclusions étaient visibles à l'œil nu.

12

Un mswaki fiché entre les dents, Igazi grogna. Il était de méchante humeur, la tête de cette femme rouge ne lui avait pas été apportée sur un plateau. Au lieu de cela, son plus fin limier semblait se perdre en détours insensés. C'était bel et bon d'imaginer que l'épouse du chef de l'État voudrait faire valoir son titre, l'antériorité de sa présence sur la terre, mais il ne voyait pas où cela mènerait. La femme rouge habitait la résidence du mokonzi. Son intimité était donc aussi préservée que l'était celle d'Ilunga lui-même. Elle ne prenait plus que rarement le baburi et semblait survivre à ce changement aussi. Qui dédaignait le confort des véhicules de l'État ? Il ignorait comment son agent s'y était pris pour écouter la conversation d'Ilunga et Seshamani, mais à vrai dire, cela ne l'impressionnait pas tellement. Après tout, s'il avait choisi Kabongo, c'était parce qu'il le pensait capable d'accomplir des prouesses. Le sort jouait contre lui, mais il n'était pas encore temps de qualifier cela d'acharnement. Il comptait se charger lui-même de mettre cette femme hors d'état de nuire et, cette fois, il ne serait pas question de séduction. Le moyen de parvenir à ses fins lui échappait pour le moment, mais il se rassurait en pensant que lui, à l'inverse de Kabongo, pouvait pénétrer chez le mokonzi. C'était sans doute à l'intérieur qu'il lui faudrait un allié. Une personne qui n'attire pas l'attention et qui soit là en permanence. Une personne ayant quelque chose à perdre ou à conquérir. Cela prendrait du temps, il n'avait pas que ça à faire. Pour l'heure, il lui fallait poursuivre les pourparlers avec les Gens de Benkos. Ilunga n'avait pas renoncé à l'idée saugrenue de les rencontrer. La demande n'émanant pas de leurs rangs, ils se mettaient en tête de poser leurs conditions, de déterminer les modalités de l'entrevue, les lieux de Matuna qu'ils rendraient accessibles, ceux qu'en revanche, ils ne permettraient pas que l'on approche, la manière dont il faudrait se rendre chez eux – pas de véhicule motorisé, même électrique, le nombre de personnes composant la délégation, l'heure où il serait attendu… C'était déjà beaucoup, mais pourquoi s'arrêter en si bon chemin ?

Les Gens de Benkos, que l'on prenait soin de confiner dans la zone qu'ils s'étaient appropriée, réclamaient un permis de passage. Par là, ils entendaient qu'un document leur soit fourni, lequel leur éviterait contrôles et gardes à vue. Ils ne contribuaient pas de façon concrète à l'édification de l'État dont ils contestaient les principes, mais ils exigeaient de jouir du droit d'aller et venir sur toute l'étendue du territoire. C'était évidemment hors de question. Igazi était à deux doigts de jeter l'éponge. Il ne voyait pas bien pourquoi ses agents devaient consacrer leurs journées à ces discussions. Cette situation lui donnait l'impression d'être un de ces adultes inconséquents qui voyaient un signe d'ouverture d'esprit dans le fait de négocier avec leurs enfants pour un oui ou pour un non. Se comporter ainsi, c'était céder à l'autre une parcelle de pouvoir. Stratégie perdante. Tout l'inverse d'une politique de puissance dont les effets devaient d'abord se faire sentir sur le Continent. Qui impressionnerait-on demain, de qui se ferait-on entendre, si l'on n'avait su se rendre tout à fait maître chez soi ? Il regrettait l'époque pas si lointaine où Ilunga, détaché des affaires sentimentales, s'en tenait aux objectifs de l'Alliance qui étaient sa boussole. Depuis que la Rouge était entrée dans sa vie – il ne cessait de se demander comment –, Celui qui avait été élevé, l'homme que l'on avait choisi pour présider aux destinées d'une vaste partie du Continent, se prenait pour une réplique d'Ausar ayant rencontré son Aset. Ils avaient beau se voir tous les jours puisqu'ils vivaient sous le même toit, les tourtereaux continuaient de sortir avec autant de plaisir. Bientôt, et avant que leurs noces aient été célébrées, Ilunga voudrait affecter sa belle à quelque fonction officielle, histoire de ne plus la quitter d'une semelle. Par chance, deux obstacles se dresseraient sur son chemin : d'abord, son épouse se chargeait d'œuvres sociales et, bien qu'il ne s'agisse là que d'affichage, elle aimait trop paraître pour laisser sa place ; ensuite, il faudrait faire approuver la décision par le Conseil et par l'Assemblée des mikalayi, si l'État entier devait être concerné.

Igazi coupa la note vocale de son agent qui ne perdait rien pour attendre. L'incapable n'avait même pas eu le courage de se présenter devant lui, ne serait-ce que par un de ces entretiens vidéo auxquels Igazi préférait le face-à-face. Les longues années passées au sein de l'Alliance, dont le bras armé fut un certain temps

298

voué à la clandestinité, lui avaient laissé une méfiance vis-à-vis d'outils sans lesquels les jeunes semblaient incapables de travailler. Il aurait attendu que son agent prenne la peine de le rencontrer en personne. Qu'il soit loin de son bureau ne changeait rien à l'affaire, la mission confiée à Kabongo lui imposait de se déplacer pour le voir. Les moyens pour le faire étaient mis à sa disposition, ses collègues ne pouvaient pas toujours en dire autant. Aujourd'hui, il était possible de faire dans la journée l'aller-retour entre Mbanza et les abords du Fako. Une des lignes du Mobembo le permettait, on s'était donné du mal pour la terminer en trois ans. Le kalala poussa un soupir excédé. D'ici peu, il quitterait le baraquement pour aller superviser les exercices de nouvelles recrues, les premières de cette localité. On venait enfin d'y ouvrir cette école militaire que le régime implanterait dans toutes ses régions. Le métier des armes y était enseigné, mais ce n'était pas tout. On s'y formait à bien d'autres disciplines, afin que les militaires soient en mesure de penser et surtout de gouverner, si d'aventure une crise survenait. Ici, chacun aurait donc plusieurs compétences, comme cela avait été le cas au sein de l'Alliance. Sa présence n'était pas requise ce jour, mais il saisissait volontiers l'occasion d'échapper à l'atmosphère morose des bâtiments de la Sécurité intérieure ou de l'État-Major. Ce ne serait pas en gardant l'œil rivé sur des écrans ou en commandant des rapports de surveillance que l'on dirigerait au mieux cet immense État. Son domaine en particulier imposait une proximité avec le terrain, une relation véritable avec les équipes déployées ici et là. À celle qu'il verrait ce matin, échoirait la tâche de renforcer les contingents placés aux limites nord de l'État. C'était la frontière terrestre la plus longue et la plus fréquentée, celle que passaient les émigrés retardataires, ceux qui avaient hésité à rentrer sur le Continent. Entre tous, il se méfiait de ceux établis à Pongo. Ce serait parmi eux que se trouveraient les taupes, les frangins frelatés. Et, puisque les Sinistrés se cramponnaient à leur nationalité ancestrale, ils empruntaient également cette voie pour se rendre dans les territoires du Continent bordant la Méditerranée. Là, se trouvaient les représentations diplomatiques de ce pays dont ils chantaient le nom en vain, n'ayant rien à lui offrir que cette sérénade. Il ne leur contestait pas cette extranéité. Toujours était-il que la nécessité pour eux d'aller déclarer leurs naissances ou faire renouveler leurs documents d'identité donnait un surcroît de travail à ses troupes. Avant de sortir, Igazi voulait finir de compulser les autres rapports qui lui avaient été adressés. Il y avait une vidéo, puisqu'il était dit que l'on ne ferait plus sans. Un signal sur son communicateur indiquait qu'elle datait du matin même.

Il lut d'abord les quelques lignes introduisant l'ensemble, leva un sourcil intrigué, ajusta ses écouteurs. Igazi se dit que les meilleurs agents n'étaient pas forcément ceux qui se distinguaient par des états de service irréprochables. Il s'était déchargé de l'affaire Du Pluvinage sur une jeune femme encore inexpérimentée. Nandi ou Ntombi, il n'était pas certain d'avoir retenu son nom. Elle ne manquait pas d'intelligence, mais c'était une intellectuelle plus qu'une combattante, de celles qui avaient attrapé la vocation en lisant des romans policiers. Il n'était pas difficile d'enregistrer les allées et venues de l'individu, de dresser une liste des personnes qu'il rencontrait. La petite avait fait mieux. Non seulement sa présentation écrite était-elle d'une grande clarté, mais elle avait réussi à filmer des images plus qu'intéressantes. Avec le son. Sans doute à l'aide d'un de ces drones miniatures que l'on pouvait envoyer se poser tels des oiseaux sur les branches d'un arbre. Ce n'était pas nouveau, mais toujours aussi efficace. L'amélioration technique résidait ici dans la forme de l'appareil, la qualité de la prise de son et l'extrême discrétion. L'engin ne faisait pas plus de bruit qu'un pet de fourmi. Nandi ou peut-être Ntombi avait pensé à insérer un sous-titrage à son intention, sachant qu'il ne parlait pas le fulasi. Dans sa région natale, c'était encore l'ingrisi qui traînait dans les rues et dont il avait, comme tout le monde, ramassé quelques bribes au passage.

Le film montrait le Sinistré à casquette et son fils, assis sur la véranda de leur maison, face au jardin déjà baigné de soleil. Le jeune homme était passé récupérer quelques affaires. Du moins était-ce l'excuse qu'il avait donnée à Mawena, son amie, pour s'échapper de la communauté des Gens de Benkos et parler tranquillement à son père. *S'échapper.* L'emploi de ce terme avait de quoi intriguer, mais la suite était encore plus surprenante, car le rejeton était déjà un vipereau singulièrement mal intentionné. À la question de savoir quelle mouche l'avait piqué, comment il pouvait se compromettre avec une de *leurs filles* et ternir l'éclat de son patronyme, le garçon secoua la tête et se tut. Puis, d'un ton calme, il expliqua que seul le pragmatisme guidait ses actes. Il n'avait pour Mawena aucune aversion particulière, mais n'était pas amoureux. C'était facile d'être avec elle, et ça le changeait des filles de sa communauté qu'il connaissait depuis l'enfance. Cette façon qu'elle avait de s'extasier sur la couleur de ses yeux, de sa peau, avait quelque chose de touchant. L'attrait de la différence. Ils s'entendaient bien, ce qui servait son projet. Puisque les Sinistrés ne reverraient pas le pays fulasi désormais tombé en d'autres mains, le bon sens commandait d'acquérir ici, à Katiopa, le plus d'avantages possibles. Autrement, jamais ils n'amélioreraient leur condition, sans même parler de renverser la vapeur et de reprendre le contrôle, car ils l'avaient eu. Et ce n'était pas si loin. À présent, plutôt que de continuer à végéter comme on le leur imposait, il s'agissait de préparer l'avenir. D'autres générations naîtraient sur ce sol. Le devoir de celles qui les précédaient était de leur assurer une vie meilleure. Étant donné l'état des forces en présence, il ne fallait pas reculer devant le sacrifice. L'isolement était leur premier talon d'Achille. Nul ne se souciait d'eux, nul ne défendait leurs droits les plus élémentaires. Il arrivait, bien entendu, que des âmes charitables les prennent en pitié, leur témoignent un peu de sympathie, mais la législation en vigueur était stricte et nul ne la remettait en cause. Les Gens de Benkos pouvaient les intéresser car leur village accueillait quiconque tournait le dos aux normes établies. Toutefois, il espérait décider Mawena à le suivre pour s'installer avec lui quelque part à Mbanza. Il évoquerait l'importance que cela revêtait pour sa carrière musicale. Pour arriver à leurs fins, les Sinistrés auraient besoin d'alliés mieux introduits dans la société que ne l'étaient les Gens de Benkos. Or, ils n'avaient rien à offrir, rien à mettre dans la balance que leur corps. Celui-ci constituait le seul capital dont ils puissent se prévaloir depuis qu'ils avaient été dépouillés de leurs biens. Ils défendaient une culture jugée exotique, une pièce de musée un peu étrange qui faisait sourire ou laissait perplexe. Les populations actuelles du Continent ne les avaient pas connus du temps de leur splendeur et ne manifestaient plus cette crainte dont avaient parlé les ancêtres conquérants, ce sentiment de n'être rien qui les amenait à se ratatiner dès lors que des pupilles claires effleuraient leur obscur épiderme. Aujourd'hui, ils étaient la risée des écoliers. Pire, il arrivait que les tout-petits fondent en larmes à la seule vue de l'un d'eux, en raison de sa couleur. Il fallait se rapprocher, créer une sorte d'intimité avec ces gens. C'était en faisant un mouvement volontaire et visible vers eux que l'on regagnerait du terrain.

Le père eut l'air de commencer à comprendre et s'étrangla : *Alors, ton intention serait de contracter un mariage gris ?* Le petit serpent hocha la tête : *Si tu veux, mais je ne compte pas quitter Mawena après l'avoir embarquée dans tout ça. Qui voudra d'elle une fois que...* Enfin, il allait profiter d'un vide juridique pour demander la citoyenneté katiopienne. À vrai dire, il doutait qu'elle lui soit accordée dans l'immédiat, mais la question serait posée, cela créerait un débat, et, surtout, l'enfant qui naîtrait de son union avec Mawena ne pourrait, lui, se voir dénier ses droits. Comme eux, les Katiopiens accordaient une valeur inestimable au sang, à la lignée. Ils ne pourraient rejeter leur propre descendance. De plus, ils ne désignaient pas leurs frères en fonction du phénotype, mais de l'appartenance à la communauté. Être né parmi eux, avoir grandi auprès d'eux, avoir été adopté par eux. Autrefois, certains Descendants étaient pour eux des étrangers. Il fallait être érudit, féru de politique pour voir en eux des frères, et l'unité avait d'abord été une idée exogène. Le rêve de déracinés qui, ne sachant à quel peuple se rattacher, s'étaient approprié le Continent entier. Parmi les ancêtres des Sinistrés, beaucoup avaient été initiés aux spiritualités du Continent, à ses secrets les plus enfouis. Ils avaient été acceptés par les communautés, non pas comme des invités, mais en tant que membres de plein droit. Les peuples de Katiopa ignoraient la fraternité de couleur. Cette vision des choses ne les avait pas quittés, le vipereau en était persuadé. Il importait de la leur rappeler sans tarder, d'actionner ce levier afin de se hisser hors de ce qui promettait d'être bientôt un abîme, les oubliettes de l'histoire. Lorsque le Katiopa unifié aurait verrouillé le système qu'il tentait d'instaurer, la tâche serait plus ardue, les esprits auraient été transformés. C'était dans les failles, dans les interstices de ce monde encore en train de se faire qu'il fallait s'infiltrer. *Je peux comprendre que tout cela te perturbe, mais on n'a pas le choix.*

Il avait parlé avec d'autres jeunes de son âge, filles et garçons, un groupe assez restreint pour l'instant. Ils seraient des éclaireurs. Leur exemple serait imité. Son cas serait le plus médiatisé : en devenant une vedette, Mawena serait à sa manière une personne influente. L'heure était venue de sortir de son trou, d'être dans ce monde pour y ramener l'autre, celui que l'on chérissait et que l'on souhaitait voir s'épanouir. *Oui, il y aura un peu de casse au début. On perdra quelques éléments, les plus faibles.* Parce qu'ils ne pourraient révéler le fond de l'affaire à tous, certains penseraient devoir s'intégrer corps et âme. Ils seraient ravis de n'avoir plus à vivre comme l'avaient fait leurs devanciers.

Ne plus croupir dans les marges. Entrer dans la danse. Recevoir sa part de bien-être. Puis, le réveil aurait lieu, car on se serait aventuré hors de la cage. On aurait repris confiance, on se sentirait autorisé à en demander davantage, on se battrait pour l'obtenir. D'ici là, le Katiopa unifié, pensant avoir atteint sa vitesse de croisière, voudrait déployer sa grandeur dans des cieux plus vastes, se faire connaître et admirer du monde. Il attirerait les regards, les compliments mais aussi les critiques. On se servirait de ce dernier aspect, on ferait savoir que les opprimés d'hier n'avaient voulu qu'inverser les rôles, pas changer le monde. Ce n'était qu'une question de temps, il fallait se tenir prêt. Le jeune homme sourit : *Ils voudront participer à la coupe du monde de football...* Aucun gouvernement ne pourrait durablement réfréner ce désir. On assisterait peut-être à de nouvelles vagues migratoires, rien que pour cette raison : être dans le monde, pas à côté de lui.

À son tour, le père secoua la tête. Ce plan froidement élaboré semblait quand même tiré par les cheveux. Jamais ils ne pèseraient lourd sur le Continent, la démographie de Katiopa jouait contre eux. *Mais qui te parle du Continent ? On va juste marronner à notre façon, quitter cette réserve qui ne dit pas son nom. Le quart ou la moitié d'une région – en voyant grand – suffira amplement à notre bonheur.* L'animal n'avait pas tort. La plus petite d'entre elles était plus vaste que le pays fulasi tout entier auquel on aurait ajouté un ou deux de ses voisins. Si ce projet délirant était réalisé, le Katiopa unifié se trouverait devant une situation impensable : une de ses parties pourrait tomber sous le contrôle d'un mikalayi d'ascendance sinistrée qui siégerait au sein de l'Assemblée. Il y serait minoritaire, certaines mesures en vigueur dans l'État tout entier s'imposeraient à lui, mais un grand nombre de politiques étaient déterminées à l'échelon local, sur la base des attentes populaires. Igazi se représentait la chose avec horreur. D'abord, des ribambelles de petits sang-mêlé auxquels on n'aurait pas le cœur de refuser l'accès à l'école. Puis, les mêmes qui, ayant grandi, passaient les concours administratifs, entraient dans la fonction publique. Dans l'armée. Partout. Et là, dans tous ces milieux autrefois préservés, ils rappelaient sans en avoir l'air l'ancienneté de leur présence sur ces terres – plusieurs siècles –, l'injustice qui consistait à les chasser de la lumière, à refuser que le pays se reconnaisse jamais dans leurs traits. Ces gens… Ils voudraient être vus dans les films de la télévision publique faute de moyens pour produire les leurs. Ils exigeraient que leurs littérateurs soient pris en considération, inscrits au programme des écoles. Ils militeraient pour que leurs explorateurs et médecins coloniaux soient honorés par des plaques, des bustes au centre des ronds-points, leur nom au frontispice de bâtiments, pour que l'on se souvienne des effets positifs de la mission civilisatrice, des liens insécables qui s'étaient noués à travers elle. On ignorait jusqu'où cela pourrait aller. Igazi tendit à nouveau l'oreille et ne fut pas déçu.

Décidément plein de ressources, le dénommé Amaury Du Pluvinage ajouta au dossier une pièce majeure, une de celles qui serviraient d'appui à sa démarche. Son père se souvenait-il qu'une femme, une universitaire, avait souvent rencontré sa grand-tante et les enfants de la famille ? Elle avait enregistré leurs entretiens. Eh bien, cette personne avait conduit quelques membres de leur communauté sur la place Mmanthatisi, pour les festivités du San Kura. Elle s'était émue de ce que les enfants ne soient pas admis à l'école, qu'ils soient coupés de ceux de leur âge. On pourrait sans aucun doute compter sur son soutien. En lisant un journal qui consacrait un article à Mawena, il était tombé sur une photo de cette dame au bras du mokonzi. Elle avait des relations en haut lieu et sa profession la mettait en présence d'une jeunesse qui s'émouvrait de la condition des Sinistrés, le feu de la contestation étant toujours facile à attiser chez les étudiants. Le père eut l'air pensif un moment, puis il prit une fois de plus la parole, cherchant ses mots. Il comprenait que leur situation suscite des actes désespérés. Pourtant, d'après lui, il y avait plus à perdre qu'à gagner dans cette opération. D'abord, pour accomplir tout cela, il faudrait parler la langue régionale. Bien sûr, les familles continueraient de transmettre la leur, mais lorsque les enfants puis les adolescents seraient amenés à passer plus de temps hors de la concession, ils ne verraient plus la nécessité de maîtriser cet idiome hors-sol. Cela ne leur serait d'aucune utilité. Avec la langue, ce serait la pensée, le caractère même de la culture qui serait perdu. C'était l'être qui disparaîtrait.

À supposer qu'ils prennent un jour la tête d'une région du Continent, cela ne se produirait pas avant qu'ils en aient été réduits à baragouiner le fulasi. Seule leur carnation les distinguerait des autres habitants de la localité. Elle s'effacerait aussi, à force de miscégénation. Ils seraient devenus des habitants ordinaires du Continent, d'autant que, s'il avait bien saisi, de nombreuses unions interethniques auraient eu lieu.

Ce serait un voyage sans retour vers la dissolution. Il priait son fils de bien vouloir reconsidérer sa position. Ceux qui avaient autrefois civilisé la planète, nommant les territoires et même les plantes qui y poussaient, donnant une identité à ceux qui y vivaient, pouvaient-ils se résoudre à cela ? Jeter des perles aux pourceaux n'avait jamais constitué une politique valable. On ne les remercierait pas d'un sacrifice qui passerait pour une reddition toute naturelle. Le jeune protesta derechef, avec une véhémence cette fois plus prononcée, sa longue chevelure jaune lui fouettant les joues. Il était chez lui sur le Continent, c'était là qu'il avait vu le jour. La métamorphose, déclara-t-il, était inévitable, puisque l'on s'était soi-même extirpé de son terreau naturel. Être resté si longtemps à Katiopa rendait la plupart des leurs inaptes à la vie ailleurs. Ils ne s'étaient pas établis dans les régions les plus tempérées du Continent, l'hiver était pour eux un fléau par chance incarcéré dans les pages du dictionnaire, une image maintenue à distance par les vieux films qui le montraient sans le faire ressentir. Encore aujourd'hui, ils étaient réticents à s'installer dans la partie nord de Katiopa où leur pays avait pourtant des services diplomatiques et des activités diverses. Ils y seraient noyés dans un océan de minarets, deviendraient une population de mécréants dénués de pouvoir et contraints, là aussi, d'apprendre une autre langue. Envahie par les métèques, leur terre natale n'était plus la puissance qu'elle avait été. Tels étaient les faits, dans leur insupportable crudité. Que faire alors ? Il exhortait son père à se remémorer les raisons qui avaient poussé les anciens à prendre le large, la douleur de l'exil, la violence de la réalité d'antan : la patrie leur avait été arrachée. Les autochtones qui s'y trouvaient encore étaient des *citoyens du monde* selon la formule consacrée, des êtres sans attaches donc, sans couleur ni frontières, comme privés de peau, déshumanisés. Sur bien des plans, ils étaient des dégénérés, *Je ne vais pas te faire un dessin...*

Ceux des leurs qui avaient fondé la communauté il y avait un peu plus d'un siècle, n'étaient pas seulement des retraités attirés par la perspective de couler au soleil des jours paisibles, de se faire construire une villa pour un coût modéré. Il y en avait eu de plus jeunes, désireux de s'agenouiller face à la croix sans avoir à s'en excuser, de ne pas se voir enrôlés malgré eux dans la mise à mort annoncée d'homo sapiens, de ne pas être un jour des humains augmentés, délivrés de la chair. Des gens qui voulaient dire *femme enceinte* et pas *personne enceinte* sous prétexte que la procréation s'était ouverte au troisième genre, lequel en précédait d'autres, on ignorait lesquels et combien, on n'était guère pressé de le savoir. Leurs prédécesseurs étaient des inconsolables ayant vu la Seine-Saint-Denis faire inscrire son style dans la Constitution – l'emploi du soninké et de la darija notamment –, obtenir une large autonomie, être à jamais un territoire perdu. Ils étaient venus ici, acquérir des terres, monter des entreprises, construire des écoles où leurs enfants seraient instruits comme ils l'avaient été. Parce qu'il y faisait chaud, que l'on connaissait leur langue, que le regard porté sur eux n'était pas de mépris. Ils étaient venus parce que la promesse de rencontrer encore une humanité conforme à celle qu'ils défendaient serait tenue. Elle le fut, elle continuait de l'être. Ce qu'ils avaient bâti ici leur ayant été retiré, leur communauté étant peu nombreuse, le champ des possibles ne cessait de se réduire. La survie, la bonne santé du groupe, au sens strict, dépendrait aussi de ces unions que son père désapprouvait. *Tu sais que j'ai raison. On les traiterait de la même façon s'ils étaient chez nous. On leur demanderait de vivre à notre manière. De manger comme nous. De connaître notre langue.* D'ailleurs, n'était-ce pas pour trouver un compromis entre les deux modes de vie que Du Pluvinage père arborait un kèmbè au grand dam de sa tante Charlotte ? Le vieux haussa les épaules. Le kèmbè convenait à sa morphologie, c'était tout, et il se le faisait coudre dans la communauté. *Faut quand même pas exagérer, c'est un futal comme un autre... Tu dis qu'on les traiterait de la même façon... C'est parce qu'on a échoué qu'il a fallu partir. Ils étaient plus nombreux chez nous que nous ne le serons jamais ici.*

Igazi interrompit la vidéo, il en avait assez entendu pour le moment. Son attention se fixa sur un des dirigeables dont les forces armées se servaient pour le déplacement des troupes ou le transport de matériel. Des merveilles technologiques construites à Nok-Ife. On prévoyait d'en faire bientôt un usage civil, ce qui pourrait, par exemple, compléter les services rendus par le Mobembo. La question était à l'étude. Une fois encore, il fut impressionné par les capacités de l'engin, par son silence. Bien sûr, comme tout ce qui se créait dans l'État, le faible impact de l'appareil sur l'environnement avait guidé ce choix. La navette passée, il revint à ses moutons. Au lieu de sortir comme il l'avait prévu, il posa les coudes sur la table, le front sur les paumes jointes de ses mains et se mit à réfléchir. Le Président Mukwetu, fondateur de la Fédération Moyindo, avait prévu d'organiser le rapatriement chez eux des étrangers établis dans cette partie même du Continent. À l'époque, les populations locales, qui n'avaient adhéré ni à sa prise de pouvoir ni à ses méthodes absolutistes, s'étaient portées au secours des Sinistrés. Non pas qu'elles aient milité pour le maintien sur place de prédateurs ayant pris possession de tout ce qui avait de la valeur dans les anciennes nations coloniales, mais le procédé – une déclaration télévisée devant être suivie d'effets quelques jours plus tard – avait semblé trop brutal. Le programme, mal préparé comme souvent les mesures prises par ce régime, avait été ajourné par la Chimurenga de la reprise des terres. L'Alliance avait combattu Mukwetu plusieurs mois durant, l'avait renversé pour faire de l'ex-F.M. un exemple de ce que serait l'union. Au terme de sept ans, elle s'était emparée, en une nuit, des régions du Continent désormais rassemblées au sein des frontières du Katiopa unifié. Depuis, d'autres priorités étant apparues, on n'avait pas avancé sur la question des indésirables. Leur condition actuelle ne résultait pas d'une volonté de nuire, mais de l'application rapide du droit foncier et de la législation relative au travail ou à l'éducation. Ces règles protégeaient les autochtones.

Or, les Sinistrés se réclamaient d'un ailleurs, ne parlaient pas les langues régionales, ne souhaitaient pas que leur progéniture soit éduquée dans les écoles de l'État. Ils avaient été relogés aux abords de la kitenta dont ils occupaient autrefois les quartiers huppés. Leurs avoirs n'étant plus convertibles, leur fortune n'avait plus qu'une existence mémorielle. Quelques rusés avaient tenté de conserver des devises qu'ils auraient pu échanger dans les pays du nord de Katiopa, avec lesquels on commerçait. Ils avaient été fouillés à la frontière, débarrassés de la monnaie proscrite avant de pouvoir quitter le territoire. Désormais, ils cultivaient la terre pour se nourrir, avaient troqué du mobilier, des objets contre des bêtes. Certains avaient placé des bijoux en gage pour obtenir des sommes d'argent qu'ils ne pourraient rembourser de sitôt. Sans titre de travail, le commerce leur était interdit. Les emplois étaient réservés aux Katiopiens, sauf si aucun n'avait les compétences requises, ce qui ne se produisait pas. Il n'y avait pas de bonne raison pour que ces misérables demeurent sur le Continent. Depuis cinq ans, occupé à des tâches plus pressantes, on s'était contenté de les recenser, de leur fournir un permis de résidence renouvelable. L'erreur, Igazi s'en apercevait soudain, avait consisté à leur faire tenir cette autorisation s'ils pouvaient présenter une pièce d'identité en cours de validité. Cela n'avait pas de sens, dans la mesure où leur nationalité n'était, en principe, pas connue. La manière dont un petit malin comme cet Amaury pouvait tirer avantage de l'étourderie des services administratifs lui sautait aux yeux : s'ils n'étaient de nulle part, où prétendrait-on les renvoyer ? Ils pourraient, par un accord tacite avec leur nation originelle, faire en sorte que cette dernière refuse de les reconnaître et donc de les récupérer. Ce serait inédit, mais le fond du problème ne résidait même pas là. Puisque les liens diplomatiques n'existaient pas entre le Katiopa unifié et le pays fulasi, il était inconcevable d'exiger que quiconque reprenne ces Sinistrés. Il eut un soupir excédé. La Sécurité intérieure avait eu trop à faire pour prendre en considération ces détails. Il entrevoyait une solution peu orthodoxe et s'apprêtait à la mettre en œuvre sans en référer à aucune instance. On lui mettrait les bâtons dans les roues.

Outre celle qui venait de lui apparaître, d'autres difficultés compliquaient déjà le renvoi des Sinistrés. Comme ses homologues, le mikalayi de la région qu'ils habitaient ne pouvait faire accepter la politique de l'Alliance qu'en accédant à certaines demandes des populations. Lorsque le sujet avait été évoqué, ses équipes avaient fait remonter la réticence des gens à l'idée d'expulsions massives. Cela rappelait la manière dont les anciens avaient été traités lors des migrations vers Pongo, avant la Chimurenga de la reprise et un peu après. Le Katiopa nouveau que prétendaient ériger le mokonzi et ses compagnons ne devait pas se compromettre en rendant l'humiliation par l'humiliation. Après les grands discours sur la place que le Continent restitué à lui-même devait occuper dans le monde, après avoir martelé que c'était l'âme humaine que l'on entendait guérir, que l'on avait l'ambition de proposer par l'exemple une autre voie, il était inimaginable de maltraiter des démunis. On voulait être libre sans opprimer quiconque. Justice avait été faite, puisque les Sinistrés, dépouillés de leur puissance matérielle, étaient redevenus des humains parmi leurs semblables. C'était assez. On était satisfait. Quelqu'un avait même proposé d'instaurer avec eux une parenté à plaisanterie, ce qui devait être possible à présent qu'on avait remis les pendules à l'heure. De son côté, le Conseil n'était pas loin d'adopter la même position. Se fondant sur des critères différents, ses membres faisaient valoir que l'aveuglement des Sinistrés eux-mêmes ne pouvait tenir lieu d'excuse. Aucun être humain n'avait payé au Créateur la terre qu'il habitait et nul ne la possédait. Les droits d'occupation ayant été rétrocédés aux résidents initiaux des communes, ceux qui avaient accepté la présence de Sinistrés sur leur domaine ne pouvaient être désavoués. Dans l'état où se trouvaient les Fulasi, vouloir à toute force les renvoyer dans un pays qu'ils ne connaissaient plus serait une manifestation de faiblesse. Cela signifierait qu'un pouvoir particulier leur était attribué, que l'on n'était pas persuadé de se reconstruire tant qu'ils respiraient le même air. *C'est ridicule*, avait clamé Ndabezitha, en insistant pour que l'on se représente la chose de façon concrète. Ces étrangers, qui auraient pu être considérés comme des enfants de Katiopa puisque beaucoup y avaient vu le jour, combien étaient-ils ? *Laissons-les parmi nous achever de se civiliser, de s'humaniser à nouveau. J'ai d'ailleurs entendu dire qu'ils étaient venus chercher cela, épouvantés par les dérèglements de leur monde. D'ici peu, ils n'auront d'autre choix que de se mêler à nous pour ne pas périr. Nous n'aurons aucune peine à les absorber. S'ils préfèrent rester entre eux, la désagrégation les attend au bout du chemin. Dans les deux cas, nous ne risquons rien.* Les Sinistrés ne pouvaient devenir la préoccupation majeure de l'État. Ils n'étaient même pas un caillou dans sa chaussure. Après ce qu'il venait d'entendre, Igazi n'en était pas si sûr. Il se disait qu'une simple poussière dans l'œil devait être retirée. Une infection létale commençait comme rien du tout, jusqu'à ce qu'il faille amputer des membres ou déplorer la mort.

Alors que l'on travaillait à favoriser la rencontre entre elles des cultures du Continent qui s'étaient durablement ignorées, cette présence étrangère était malvenue. Elle faussait d'avance les résultats, même en envisageant la disparition par phagocytose de l'engeance sinistrée. Il suffisait d'un petit piment dans l'épaisseur de la sauce graine pour en altérer la saveur. Et si, par mégarde, on le faisait éclater, la préparation se révélait indigeste. La conclusion d'Igazi était simple : un faible nombre de ces Sinistrés, c'était déjà trop. On ne pouvait absorber ces gens, comme le disait Ndabezitha, sans être transformé par eux. S'il fallait aujourd'hui se fermer un temps aux influences extérieures, retrouver au fond de soi la puissance dont on avait longtemps perdu la trace, c'était bien parce que, un jour, les ancêtres de ces gens avaient fondu sur le Continent tels des rapaces affamés. Les réunions de la section de l'Alliance qu'il avait rejointe dans sa jeunesse lui revinrent en mémoire, ces années de préparation à la reprise des terres. Alors, on disait entre soi : *Isizwe Abamnyama : everything else is a step down.* C'était par ces mots que l'on se donnait du courage, que l'on inscrivait dans son esprit les raisons pour lesquelles l'union était cruciale. Cette maxime continuait de guider ses pas. Elle était pour lui la seule vérité. Libérer la terre, c'était s'affranchir soi-même, se replacer dans le monde. Cela, on ne l'accomplirait pas en négociant avec ce qu'il fallait quitter. Igazi était originaire de la partie sud du Continent, celle de la ségrégation raciale et du *Project Coast*. Tout individu ayant à voir avec Pongo était associé à ces crimes. Sa détestation ne faisait pas de distinction. Lorsque les ressortissants de Katiopa avaient été éparpillés, réduits en esclavage, nul ne s'était posé la question de leur singularité d'individus. Ils étaient cette négraille sans âme dont les fers adouciraient la damnation. Igazi ne voyait pas pourquoi faire le tri : entre les colons et leurs héritiers, entre conquérants d'autrefois et misérables d'aujourd'hui. Qu'ils s'en aillent ou périssent, ce n'était pas son affaire.

Ce qu'il voulait, c'était que le Continent soit à ceux qui l'avaient si longtemps perdu, ceux qui n'en avaient plus été que les habitants précaires, tandis que les charognards multinationaux se repaissaient de leur chair. On allait réaliser ce pour quoi on s'était battu, ce pour quoi on travaillait sans compter ses heures, sans ménager ses forces. Cette femme rouge dont il avait su dès le début qu'elle constituerait plus qu'un désagrément devait être neutralisée. Le serpenteau avait mentionné son empathie pour les Sinistrés, le fait qu'elle se soit déjà suffisamment rapprochée d'eux pour les convier aux célébrations du San Kura. Il ignorait cela. La Sécurité intérieure quadrillait pourtant la kitenta. Un groupe de Sinistrés prenant part aux festivités de l'an neuf aurait dû être remarqué. Il n'était plus temps de chercher qui sanctionner, mais il ferait connaître sa pensée et donnerait ses ordres. Bien sûr, il allait signaler la question juridique que l'on avait négligée.

Pendant que les institutions concernées en débattraient, il mettrait à exécution son projet de contournement. Chaque fois que des Sinistrés quitteraient l'État pour faire renouveler leurs documents d'identité, ils ne seraient plus admis. On trouverait des prétextes. Il ne savait pas encore lesquels, mais avec un peu de mauvaise foi et de sang-froid, cela se ferait sans mal. On pourrait même hâter le processus en les aidant à égarer ces pièces indispensables ou en les détériorant de façon tout à fait accidentelle. Il faudrait multiplier les pratiques afin d'éviter les soupçons, ne pas donner de consigne collective aux équipes de la Sécurité intérieure. Choisir quelques éléments sûrs. Ainsi, on obtiendrait des résultats. Ce serait une goutte d'eau pour l'instant, mais cette façon d'opérer porterait ses fruits. Par exemple, le dénommé Amaury aurait besoin de faire remplacer ses cartes qu'il perdrait sous peu. Cela pourrait se produire au cours d'une rixe, une bagarre de rue avec des pochards qui s'en prendraient à lui. En vue des contrôles aléatoires auxquels ils étaient soumis dès lors qu'ils s'aventuraient hors de leur communauté, les Sinistrés gardaient toujours sur eux les pièces à présenter. Ce serait facile. L'affaire de quelques minutes pour des agents entraînés. Une Mawena éplorée ferait sans doute un peu de remue-ménage, mais elle s'épuiserait vite, retournerait à ses chansons. Quant à la femme rouge, il en faisait une affaire personnelle.

Ayant pris ces décisions, Igazi se redressa, s'étira, bâilla longuement. Pour l'heure, il n'aurait pas besoin de recourir à des moyens occultes, mais ne l'excluait pas. S'occuper du cas de la femme rouge l'amène-rait peut-être à en passer par là. En pénétrant dans la couche du mokonzi, c'est dans l'intimité de l'État qu'elle s'était introduite. Ilunga avait tendance à l'ou-blier, mais il ne s'appartenait pas. Il le lui rappellerait une dernière fois. Entre frères, on se devait cette fran-chise. Igazi quitta le baraquement pour rejoindre la troupe que l'instructeur avait rassemblée sur le terrain d'entraînement. Déjà haut dans le ciel, le soleil confé-rait au sable ocre un éclat de poudre d'or. Bordant le chemin, d'immenses palmiers semblaient offrir au promeneur leurs fruits rouges. Le kalala du Katiopa unifié fit halte un instant pour contempler cette beauté. La terre. La végétation. Ce qui ne se voyait pas et qui avait vécu là. Il se souvint que ces environs du mont Fako étaient peu distants des chutes d'Ekom. Quelque cent trente-trois kilomètres, si sa mémoire était bonne.

Ces cascades avaient autrefois accueilli les corps d'indépendantistes mis à mort par les colons. Des décennies plus tard, on était venu y tourner un film, une version devenue célèbre de *Tarzan*. Parce que ces gens étaient faits ainsi. Ils n'avaient pas de respect.

Igazi aurait bien voulu croire que le genre humain était partout le même, que seuls variaient les codes culturels et sociaux, que s'il existait une essence, elle était unique et universelle. Ce n'était pas ce que démontraient les faits. L'espèce humaine s'était divisée en races distinctes, chacune se singularisant sur son territoire au fil du temps. Une étude à peine fouillée de l'histoire des hommes prouvait qu'une seule catégorie d'individus s'était conduite comme l'avaient fait ceux de Pongo. Ces types étaient les seuls à s'être déplacés pour aller chier partout où ils avaient posé le pied. Cette activité était aussi ancienne que la vie sur terre, mais en général, on la pratiquait chez soi. Pas ceux-là. Ils l'avaient fait chez eux, chez les autres, sur la lune, et l'univers s'était nourri de leur merde pendant des générations. On avait fini par oublier qu'il était possible de vivre autrement. Au point que, souvent, ceux qui les avaient combattus n'avaient trouvé refuge que dans le giron de l'ennemi. Combien étaient-ils, parmi les rescapés des massacres d'Ekom ou d'ailleurs, à s'être exilés en pays fulasi lorsque, l'indépendance dérobée, le pouvoir était allé aux affidés des colons ? Ils avaient fait cela sans mesurer la gravité de leur acte, sans même l'interroger, se contentant de faire naître leurs enfants chez les bourreaux. Ndabezitha évaluait mal la situation, la nocivité de cette présence sinistrée. Il ne lui reprochait pas sa confiance dans les capacités du Continent, mais son devoir à lui était de prévenir le danger. De l'éliminer avant qu'il n'ait pris forme. Il ne s'agissait pas tant du nombre de ces gens que de ce qu'ils étaient au plus profond et qui ne faisait bon ménage avec rien. Un organisme vivant dont l'action sur tout ce qu'il touchait était de le corrompre, de le mettre soit à l'envers soit hors de lui, littéralement. Qu'il puisse en être ainsi à leur corps défendant n'était pas son problème.

Alors que le Katiopa unifié remettait de l'ordre dans la psyché criblée d'horreurs des habitants de cette partie du monde, alors que l'on s'attelait à guérir leur âme blessée, les Sinistrés ne pouvaient être tolérés. Il était indispensable que la rénovation se déroule en famille. Ce qu'il avait entendu confortait sa méfiance. Katiopa ne pouvait se permettre de tendre l'autre joue. D'accueillir, d'absorber, de se laisser une fois de plus détourner de sa voie véritable. De plus, Igazi, qui ne vivait que pour cette défense militaire ayant autrefois fait défaut au Continent, avait à l'esprit une donnée majeure : depuis quelques années, Pongo vivait sur ses réserves de ressources minières. Elles n'étaient pas éternelles, et certaines se trouvaient uniquement sur le Continent. Ériger cette demeure nouvelle, c'était donc aussi préparer la guerre, car l'ennemi aurait bientôt besoin de se ravitailler en matériaux vitaux. On refuserait de les lui vendre. Alors, il attaquerait, mû par la nécessité toute naturelle de se maintenir en vie. Contrairement à Ilunga, le kalala ne pensait pas qu'il suffise de se présenter au monde régénéré et maître de soi pour entretenir les meilleures relations – fussent-elles commerciales seulement – avec des prédateurs ataviques. Lorsqu'elles seraient aux abois, ces bêtes sauvages de Pongo feraient comme toujours en pareil cas, et la diaspora elle-même pourrait changer son fusil d'épaule afin de préserver son mode de vie. Ceux qui n'avaient pas opté pour le retour sur la Terre Mère étaient, à ses yeux, des enfants perdus, des intoxiqués. Ils pouvaient être utiles au loin, leur présence affaiblissant l'être de Pongo, bien qu'elle ne le détruise pas. Igazi les combattrait si nécessaire.

C'était la guerre depuis le début, ce serait la guerre pour un temps encore. Dans ces conditions, il n'y avait qu'à suivre une logique élémentaire, primaire même, ce mot ne l'offusquait pas : être chez soi le maître, veiller sur les siens. L'homme se remit en marche, convaincu que les arbres, la terre, les esprits des morts sans sépulture des chutes d'Ekom, approuvaient ses pensées. On avait tout donné. On avait donné même ce que l'on n'avait pas conscience de posséder. Ce temps-là n'était plus. Une brise tiède s'infiltrait sous son court agbada, lui caressant la peau. Il tira sur l'échancrure du vêtement pour accueillir un peu plus de ce souffle, ne doutant pas que l'âme du lieu lui parlait en cet instant. Enfouissant la main dans la poche droite du sokoto militaire, il se saisit de son communicateur et appela Nandi ou Ntombi, cela n'avait pas d'importance, pour la féliciter de son travail. La jeune femme eut le bon goût de lui épargner ses cris de joie, il ne l'en apprécia que davantage. Ensuite, il prit contact avec Kabongo, lui confiant l'organisation d'un traquenard. Il fallait mettre la main sur cet Amaury avant qu'il retourne se terrer chez les Gens de Benkos. *Cette mission n'est pas digne de vous, mais une remise à niveau ne peut vous faire de mal. Vous agissez ce jour, ne laissez pas filer l'individu.* Il lui transmit les images reçues, le document complet, avec les coordonnées des Du Pluvinage. Ayant communiqué ses ordres, Igazi pressa le pas, salua d'un hochement de tête le personnel chargé du nettoyage, ajusta ses écouteurs. Lorsque les frères Gibb entonnèrent leur *Tragedy*, il sut avec encore plus de clarté pourquoi il se battait, pourquoi nul fléchissement n'était envisageable.

13

Boya s'habituait à sa nouvelle vie. L'aile des femmes, désormais divisée en deux grands appartements situés de part et d'autre du couloir menant du vestibule à un jardin intérieur, lui devenait peu à peu familière. Elle en avait proposé des plans, qu'un architecte avait améliorés. En plus de la principale, chaque logement comprenait deux chambres. Il était possible d'y préparer ses repas ou de le faire dans une cuisine commune située en contrebas du jardin intérieur, près d'une terrasse tenant lieu de salle à manger partagée. Là, une large baie vitrée donnait sur l'espace minéral de la résidence. Une ouverture sur l'extérieur lui avait semblé indispensable pour ne pas se sentir enfermée. Le résultat lui convenait. Son mobilier avait été amené là, mais il n'occupait qu'une faible partie de l'espace, un peu comme les souvenirs d'une autre vie que l'on conservait en soi sans qu'ils aient d'influence notable sur celle qui venait de commencer. Parfois, le bukaru de sa petite maison lui manquait, le fait aussi de pouvoir sortir directement dans la cour, de n'avoir qu'à ouvrir la porte pour rencontrer le monde. À présent, quand ses petites orphelines venaient la voir – c'était arrivé à deux reprises déjà – elles filaient aussitôt vers la terrasse. Et, une fois le goûter dévoré, c'était dehors qu'il leur fallait s'élancer. Elle les suivait comme toujours, heureuse de partager la joie brute de leurs jeux. Boya ne remplaçait pas la mère qu'aucune n'avait revue et dont elle ne savait parfois rien. Elle donnait un peu de ce qui lui avait manqué : l'attention, l'écoute, le rire. Les fillettes n'avaient pas posé de question quand elle était passée les prendre en voiture. Elles n'avaient rien dit lorsque les sentinelles de la résidence, prévenues de leur arrivée, avaient fait l'appel des noms, recueilli l'empreinte des doigts, enregistré les données biométriques. L'opération avait suscité de leur part des rires étouffés. Ensuite, elles avaient pénétré dans l'aile des femmes, découvrant ce qui n'était que la nouvelle demeure de Boya. Ilunga ne les avait pas rencontrées, il ne s'immisçait pas dans ses affaires sans y avoir été invité. De plus, les problèmes de l'État l'occupaient beaucoup en ce moment, le contraignant à s'absenter de la kitenta plusieurs jours d'affilée. Il voulait être partout où sa présence permettait que l'on se parle et trouve des solutions. Récemment, une région particulière l'avait beaucoup sollicité. Comme d'autres, sa constitution avait agglo-méré plusieurs nations coloniales, mais l'une de ses parties était un royaume ancien dont la souveraineté, bien que perturbée par la présence des envahisseurs, n'avait pas été perdue. L'Alliance le savait, il ne serait pas possible de réaliser l'unité avec des États-nations, la question du pouvoir s'y posant dans des termes peu favorables. Elle n'ignorait pas non plus qu'une refonte des structures étatiques devrait ménager les suze-rainetés ancestrales quand l'histoire ne les avait pas balayées. Sa Majesté Sukuta, l'actuel souverain des Swazi, avait obtenu de conserver son titre et nombre de ses prérogatives. Chaque fois que lui venait à l'esprit une nouvelle exigence, et elles ne manquaient pas, il se mettait sur le sentier de la sécession pour la faire accepter. Ilunga s'était donc déplacé en personne pour le rencontrer, lui consacrant plusieurs jours. Il avait quitté Mbanza en soupirant, on serait tout de même plus tranquille lorsque le vieux serait remplacé. Toute cette agitation finirait par donner des idées à d'autres.

Boya avait parfois l'impression de le voir moins souvent depuis qu'elle avait emménagé là. C'était seule qu'elle apprivoisait les lieux, les contours nouveaux de son existence. Cette fois, elle n'avait pas tenté d'aménager la réalité, de repousser l'échéance de la transformation, le risque de l'avoir laissée se mettre en place pour rien, pour devoir un jour quitter cet homme. On ne pouvait chercher à se préserver de la vie elle-même. Alors, elle prenait moins souvent le baburi et jamais sur toute la longueur du trajet, ce qui permettait que moins d'hommes de la garde soient mobilisés pour sa protection. Située à Vieux Pays, la Maison des femmes était maintenant distante de son domicile. Elle s'arrangeait comme le faisaient celles des initiées qui, n'habitant pas le quartier, assumaient par ailleurs une vie familiale et un emploi. Les femmes ayant toujours ces deux obligations, qu'elles soient ou non des épouses et des mères. Elles étaient actives et soutenaient leurs proches. Boya avait tenu à conserver ses attributions afin que l'organisation de la Maison des femmes ne soit pas bouleversée. Jusqu'ici, tout s'était bien passé. Les regards changeraient lorsque son tour viendrait de recevoir le groupe à dîner, ce qui se produisait une fois tous les trimestres. À cette occasion, les initiées versaient au pot commun une somme qui serait affectée aux besoins de la communauté. C'était aussi le moment de programmer certaines actions. La Maison des femmes proprement dite était dévolue aux travaux spirituels.

Avant de s'installer à la résidence, elle avait passé dans le sanctuaire les trois jours ponctuant sa dernière semaine à Vieux Pays. Son intention, là non plus, n'était pas de chercher à repousser les mauvaises énergies. Elle s'y était rendue débarrassée de toute angoisse, animée par un besoin de recueillement. C'était là qu'elle avait réfléchi à l'aménagement de cette partie de la résidence qui devait rester l'aile des femmes, se disant qu'il ne lui appartenait pas en principe de le faire, mais celle qui aurait dû l'y accueillir ne résidait pas là. Cela ne se voyait pas de l'extérieur et n'avait pas à se savoir, mais Ilunga avait dit vrai. Son épouse n'était pas sa femme, pas même sa compagne. Il avait la délicatesse de ne rien exprimer de négatif à son égard, de la protéger même. Quels que soient les détails de leur histoire, elle était la mère de son unique enfant, celle avec qui il avait pensé fonder un foyer. Il lui devait le respect. Boya lui était reconnaissante de n'avoir émis aucune objection, il aurait pu le faire, avancer qu'on ne pouvait pas tout chambouler ainsi sans prévenir Seshamani. Parce qu'il avait cédé à son besoin de se sentir choisie, elle se promettait de ne plus le mettre dans l'embarras. Car, bien qu'il n'en ait rien avoué, cette transformation avait dû provoquer des tensions. Que serait la vie de cet homme s'il lui fallait sans arrêt servir de tampon entre des fureurs féminines ?

Seule dans le sanctuaire au cours de deux premiers jours, Boya avait réfléchi à la manière dont elle voudrait vivre à ses côtés. Il ne s'agissait pas d'obtenir de lui ce qu'il offrait déjà avec plaisir et qui comblait ses attentes, mais de tenter de cerner les besoins de l'homme. Ceux qu'il faisait connaître, ceux qu'il taisait, ceux dont il n'avait pas conscience. Elle savait de lui ce qui ne s'apprenait qu'au terme d'une longue fréquentation, parce que cela leur avait été donné d'emblée. Il lui restait à l'appréhender sur un plan plus trivial, à aimer être avec lui dans la matière, sur le plancher des vaches. Dans la vie quotidienne. C'était maintenant que cela commençait. Dans cette demeure immense où des bureaux côtoyaient les espaces d'habitation. Boya aimait qu'ils continuent à s'inviter l'un chez l'autre, même s'il n'y avait plus entre eux qu'un élévateur, quelques mètres à franchir. Elle aimait qu'il la rejoigne dans ses murs, dans son lit, se rendre à son tour dans ses appartements où tout était différent. Il pourrait toujours en être ainsi, l'idée ne la perturbait pas, loin de là. Pour le moment, Seshamani n'était pas venue. On ne lui en avait plus parlé, elle n'avait posé aucune question. S'il y avait quelque chose à savoir, Ilunga le dirait. Au cours du troisième jour passé dans le sanctuaire, Boya avait fait venir d'autres initiées. Trois aînées qu'elle avait placées sous la tutelle d'Abahuza, qui avait bien voulu l'accompagner dans cette transition. Chaque fois qu'elles se voyaient, depuis toutes ces années, Boya était traversée par une interrogation. Un mystère nimbait les liens qui avaient uni la grande artiste et sa mère. Il lui semblait que chacune était tout l'inverse de l'autre. Pourtant, une amitié sincère les avait rapprochées. Elles s'étaient connues à l'école secondaire pour ne plus se quitter. L'une n'avait cessé de déployer ses ailes tandis que l'autre se ratatinait, mais les visites d'Abahuza ravivaient la flamme vacillante, faisant surgir devant Boya une inconnue. La femme que sa mère aurait dû être. Celle qui disparaissait dès que l'amie s'en était allée.

C'était en épiant leurs conversations qu'elle avait découvert l'érudition de sa mère, la vivacité de son esprit, son humour pince-sans-rire. Dans leur maison chétive, elle ne lisait plus, surtout les dernières années, pas un journal, pas un livre, rien d'autre que les publications d'une sorte d'église. Après les invectives, les menaces, il n'y avait plus eu que les commandements d'un dieu lointain et sourd. C'était Abahuza qui lui avait parlé de cette femme. Elle qui lui avait exposé la douleur muette : avoir été la plus brillante de toutes, n'avoir pas terminé ses études parce qu'on avait voulu vivre tôt, vite. Quitter la demeure froide des parents, s'offrir des robes colorées, fleuries, faire des voyages, aimer des hommes. Toujours ceux qui ne le méritaient pas, parce qu'une sorte de handicap empêchait de les évaluer, parce que les plus vides étaient aussi les plus étincelants et que l'on ne voyait qu'eux. La lumière qui avait tant manqué dans la maison du père. Il en avait été ainsi jusqu'à la naissance de Boya, trop tôt, comme le reste. Se jeter dans le monde sans avoir rien appris de soi. Au bout d'un moment, consciente de toujours mal choisir, ne plus se fixer que sur les époux des autres, ceux que d'autres avaient essayés. Cela s'était terminé de la seule façon imaginable, le visage dans la poussière mais le cœur jamais trop aride pour que soit aboli le chagrin. Ce troisième jour passé dans le sanctuaire, les aînées, Abahuza comme les autres, s'étaient contentées de prodiguer des soins à celle qui allait pénétrer dans la demeure d'un homme. C'était seulement pendant le massage que Boya avait compris ce qu'avait tenté de lui dire Abahuza, lorsqu'elle était allée la voir : *Ne fais pas comme ta mère, souviens-toi comme elle fut malheureuse.* Les filles ne savaient-elles qu'emprunter des voies détournées pour finir malgré tout par glisser leurs pas dans ceux des mères ? Commettre les mêmes erreurs, oublier leur propre identité pourvu qu'un homme les regarde et les nomme : *mwasi, femme,* les faisant advenir. Les aînées lui avaient fait revêtir une toilette neuve au matin de son départ. Elles avaient pris soin de brûler celle portée au cours des trois jours. Boya en avait enterré les cendres dans un endroit qu'elle ne fréquenterait plus, le jardin végétal de sa petite maison, près du bukaru. Abahuza n'avait pas énoncé le moindre reproche. C'était par la presse qu'elle avait découvert celui à qui Boya comptait remettre ses jours. Les anciennes avaient chanté, béni.

Quand elle ne travaillait pas dans ses quartiers, Boya aimait se promener dans le parc. Il lui arrivait d'en arpenter pieds nus les sentiers, de s'asseoir près de l'étang pour ne penser à rien de particulier. Elle ne voyait plus les sentinelles, ne remarquait plus la relève de la garde au crépuscule du soir. Elle n'approchait pas l'aile administrative qui comprenait, en plus du cabinet du mokonzi, un bureau du kwambi – le porte-parole du Gouvernement, une antenne des Affaires diasporiques et une autre des services du kakona, le chargé des Finances. C'était pour préparer l'ouverture que des extensions de ces deux départements étaient logées là. Les Affaires diasporiques y élaboraient les futures relations extérieures de l'État et consolidaient celles en cours. Les Finances, quant à elles, avaient installé là un bureau dont la tâche était de prévoir les éventuels rapprochements avec les institutions internationales. La Défense disposait en principe d'une permanence dans cette aile de la résidence, mais elle restait inoccupée, le kalala préférant venir à sa convenance rencontrer le chef de l'État, dans ses appartements privés le plus souvent. Boya n'avait rien à faire de ce côté-là du domaine et gardait ses distances. La solitude ne lui pesait pas plus qu'à Vieux Pays, elle se sentait bien là, dans cette demeure de passage qui n'était pas vraiment la leur. Tant qu'Ilunga serait le mokonzi du Katiopa unifié, ils n'auraient pas de maison à eux. Cela convenait à leur situation. Plus tard, ils se souviendraient de ce lieu comme ayant abrité leur apprentissage de la vie ensemble.

Vieux Pays était loin, elle ne retournerait pas y vivre. Ce qui lui manquait encore quelquefois, c'était le rythme de là-bas, les jeux bruyants des enfants, la vie des gens ordinaires. De Zama, la gouvernante dont les journées s'étaient allégées, elle appréciait la compagnie, la conversation. Il leur arrivait de prendre ensemble leurs repas, après que la femme rouge avait insisté. Boya ne parvenait pas à la traiter comme une employée. La vie ne l'avait pas habituée à ce que l'on soit à son service. Zama était secrète, d'une discrétion à toute épreuve. Cela ne devait rien au fait qu'elle soit muette. Bavarder lui plaisait, tant qu'il ne s'agissait ni de se raconter, ni de dévoiler ce qu'elle savait de la famille d'Ilunga. Elle avait un avis sur tout, la structure de l'État, la composition du Conseil, les Gens de Benkos qui la dérangeaient moins que les Sinistrés à propos desquels elle ne voulait rien entendre. Selon elle, il ne fallait pas espérer qu'ils se dissolvent dans le formidable bouillon de cultures qu'était Katiopa. La raison en était simple : ils y laisseraient quelque chose, on ne savait trop quoi, on ne pourrait choisir. Lorsqu'elles avaient abordé ce sujet, pour la première fois, Zama s'était un peu emportée, signant à toute vitesse pour dire : *À supposer que ces gens nous aient apporté quoi que ce soit d'utile – pour moi, ils n'ont fait que nous éloigner de nous-mêmes, mais laissons cela puisque nous les avons regardés faire – leur condition actuelle les rend néfastes. Que veux-tu que nous fassions de ces larves ?* Au lieu de prendre la fuite, ces Fulasi auraient dû se comporter comme l'aurait fait n'importe quel peuple sensé. S'ils s'étaient estimés colonisés, victimes d'un génocide par substitution comme ils le disaient, elle n'aurait pas vu d'inconvénient à ce qu'ils opposent à cela les défenses nécessaires. Que chacun reste chez soi, que chacun ait soin de sa civilisation, qu'il s'agisse de préserver celle d'hier ou d'en façonner une nouvelle, ce qui était le projet du Katiopa unifié. Boya n'avait pas cru nécessaire de pousser plus avant ce débat, ne voyant pas l'urgence de défendre les Sinistrés comme elle aurait pu le faire. Elle avait préféré emprunter une déviation, les mener toutes deux sur un terrain plus apaisé, l'architecture urbaine du pays, les grands jardins de la kitenta. Cela lui avait fourni l'occasion de programmer une sortie.

Depuis l'arrivée d'Ilunga dans cette résidence, Zama n'avait presque plus revu les rues de Mbanza. Elle s'était laissé emmurer pour veiller à tout moment sur les amours interdites de l'épouse du mokonzi.

Boya se demandait pourquoi elle avait accepté. Pourquoi elle n'avait pas repris sa vie. Plus elle l'observait, plus il lui semblait que cette fonction de gouvernante n'avait pas été une vocation, qu'il y avait eu autre chose en elle. Il était inutile de la brusquer, tout se révélerait peu à peu. Ce soir, elle avait eu une idée, en avait informé Ilunga qui avait fait le nécessaire pour qu'elles soient accompagnées en son absence. Elles l'auraient été sans cela, mais il avait tenu à s'en charger, regrettant que Kabeya non plus ne soit pas sur place. Boya avait ri. Ce n'était pas la première fois qu'elle quittait la résidence, il n'y avait pas à s'en faire. *Non, mais Zama n'est pas sortie depuis un moment.* Elle s'était rendue à son jugement. Alors, l'équipe de garde avait été étoffée, six agents avaient été affectés à leur protection, tandis qu'elles se rendaient simplement au théâtre puis au restaurant. L'un d'eux était le chauffeur. Le visage de l'homme s'était décomposé quand Boya avait indiqué, après le dîner, qu'elles avaient envie de faire quelques pas dans la ville, une petite promenade sous le jardin suspendu des *Stèles de la Maafa. C'est tout près*, avait-elle ajouté, *vous n'avez qu'à garer la voiture devant le monument.* Et elle avait entraîné Zama, lui prenant la main en riant. Vêtue de son habit de nuit, la kitenta avait le cœur à la fête. Le constant déploiement de forces de l'ordre dans le centre faisait maintenant partie du décor. Les noctambules parlaient trop fort en attendant le baburi, les passerelles électriques ne cessaient de clignoter, s'allumant aussitôt que l'on marchait, s'éteignant quand elles étaient désertes. Capuchonnées par les verrières des places, les plantes se balançaient doucement sous le souffle léger du vent. L'éclairage doux conférait aux abris un air d'alcôves prêtes à accueillir les murmures. Là, on était plus calme qu'aux arrêts du baburi, on se serrait l'un contre l'autre, pas comme le jour, quand on venait s'y attendre avant d'aller ailleurs ou s'y retrouver pour tuer le temps. La lumière orangée des réverbères dessinait sur le sol des cercles phosphorescents, des astres en visite chez les humains.

La femme rouge se sentait bien. Elle avait depuis peu retrouvé sa vitalité habituelle, cette énergie mise en berne par la rencontre avec Seshamani. Cela s'était dissipé, elle ne se reprochait même plus de s'être trouvée en proie à une jalousie si vive, si féroce. Il y aurait encore bien des premières fois avec cet homme, elle en était persuadée. Ce serait là son nouveau logis, cet amour dont les différents visages ne cessaient de lui apparaître. La main de Zama dans la sienne, elle avançait d'un pas tranquille, prenant le temps de regarder autour d'elle, la beauté des gens, la simplicité de la vie. Les deux femmes empruntèrent une passerelle, précédées par un groupe d'adolescentes qui avaient dû faire le mur pour être encore dehors à cette heure tardive. Elles portaient le bùbá comme le préconisait la tendance du moment, sans rien dessous. À peine plus long qu'il ne l'était en général, le vêtement, taillé dans une étoffe légère, semblait une tunique vaporeuse. Boya chassa la question pratique, comment fait-on pour s'asseoir avec ça. Elles avaient l'âge où l'on s'émeut tant d'habiter un corps de femme qu'il faut le dévoiler, le voir soi-même en permanence, le montrer à tous. Être une présence remarquable. Autrefois, dans cette partie du Continent, elles auraient eu aussi la poitrine nue. Zama et elle les dépassèrent, les gamines avaient des choses à se dire à présent. Elles marchaient plus lentement, se chuchotant quelque chose qui les faisait pouffer de rire. Autant profiter de ce moment. On ne savait ce qui se passerait quand il faudrait rentrer, franchir le seuil sur la pointe des pieds, siffler le petit frère, lui faire signe d'ouvrir la fenêtre.

À cet endroit, depuis cette passerelle en particulier, on descendait une petite volée de marches en granit noir que prolongeait une nzela recouverte de la même matière rocheuse. Elle menait à l'entrée principale des *Stèles de la Maafa*. On accédait au monument par les quatre côtés, mais l'un, plus large, en constituait le centre. C'était à cet endroit que le visiteur pouvait lire la liste des peuples endeuillés par la Déportation transatlantique. Ensuite, on pénétrait sous le jardin suspendu où fleurs et feuilles longues descendaient vers le visiteur, lui frôlant parfois le crâne, la joue, l'épaule selon le cas. On avait voulu honorer ainsi les fruits étranges qu'avaient portés des peupliers, fleurir toute l'année le tombeau des suppliciés. Au cœur de la partie basse de l'édifice, un bassin figurait l'océan. Là aussi, la vie triomphait de l'horreur. Des plantes aquatiques ayant des vertus épuratrices poussaient là, offrant leur floraison à la surface de l'eau ou s'élevant sur un des côtés, comme jaillies des sépultures marines que les siècles n'avaient pas érodées. Ce n'était pas là que l'on venait se confronter aux chaînes, à la représentation des corps mutilés, à la mort. Cela, d'autres endroits le proposaient, des musées la plupart du temps, où l'on pouvait écouter le récit des arrachements et des résistances, celui de la mise en esclavage et des luttes. Boya et Zama allaient atteindre l'arcade ouvrant les stèles, quand un cri attira leur attention.

Un petit attroupement s'était formé, ce qui ne pouvait se produire en ce lieu, étant donné la surveillance constante du centre-ville.

En temps normal, les badauds auraient été immédiatement dispersés. La vue d'un agent en uniforme les aurait dissuadés de se bagarrer là, ils se seraient éloignés. Les deux femmes s'arrêtèrent d'un même mouvement, tendirent le cou. Boya lâcha la main de Zama et fonça en hurlant vers le groupe. Elle avait aperçu, aux prises avec deux agresseurs, un jeune Sinistré qui n'aurait pas une chance de s'en tirer. Il venait de tomber à terre. Vêtu d'une chemise blanche sans doute coupée dans de la batiste et d'un pantalon marine, il se cramponnait à un sac de sport, y enfouissant son visage pour éviter les coups. Boya fut bientôt près de l'imprudent qui n'avait rien à faire là, ce qu'elle lui dit, tout en repoussant celui des deux hommes qui l'avait renversé. *En plus, vous êtes seul*, ajouta-t-elle. La femme rouge parlait vite, s'adressant à tous, passant d'une langue à l'autre, cherchant à comprendre ce que l'on reprochait au jeune homme. Ses tortionnaires reculèrent d'un pas, l'un d'eux semblant l'avoir reconnue. Cherchant des yeux Zama, elle la vit arriver, se placer à ses côtés, entre les assaillants et leur victime. Cela ne les décida pas à s'en aller. Sans se soucier de l'éventuelle intervention de ses gardes du corps, ils attendaient en silence, prêts à fondre sur leur proie aussitôt qu'elles auraient le dos tourné. Boya les observa. Rien ne les désignait comme des voyous. S'ils en avaient été, d'autres quartiers de Mbanza leur auraient été plus favorables. Une voix masculine se fit entendre, qui demanda si tout allait bien. D'abord, les agresseurs fixèrent des yeux celui qui avait parlé. Puis, ils baissèrent la tête et se retirèrent.

L'inconnu s'approcha, tendit la main au Sinistré pour l'aider à se relever. *Kabongo*, murmura la femme rouge. *Bonsoir Boya*, répondit-il sur le même ton, hochant la tête. C'était la première fois qu'ils se croisaient en ville. Combien de fois s'était-elle promenée dans ce quartier, à toute heure du jour ou de la nuit, combien de fois avait-elle pris le baburi ou simplement fait ses courses dans les grands magasins ? Jamais elle ne l'avait vu ailleurs que chez elle. La situation lui paraissait étrange sans qu'elle puisse dire pourquoi. Il n'y avait que cela, cette drôle d'impression de glace dans les veines qui l'envahissait. C'était le degré le plus élevé que pouvaient atteindre ses signaux d'alerte à la sécurité, l'annonce d'un danger fatal. Elle lui rendit son salut d'un geste de la tête. Ses mots furent pour le garçon : *Ma voiture n'est pas loin, nous allons vous reconduire. Vous ne devriez pas traîner dans les rues de Mbanza à cette heure.* Les citadins n'étaient pas violents en général, mais il suffisait que l'on ait abusé du sodabi pour perdre le contrôle. Le garçon accepta l'offre de la dame rouge et l'en remercia. Son intention initiale était de prendre le baburi 22 pour se rendre à la gare centrale où il espérait attraper le Mobembo, à condition d'arriver à l'heure. Après l'incident qui venait de se produire et qui l'avait retardé, il voulait bien qu'on l'y dépose, *Enfin, si cela ne vous impose aucun détour.* Boya répondit que la moindre des choses était tout de même de ne pas le laisser là. Cherchant du regard la berline qui ne devait pas être loin, elle vit avancer le chauffeur. Surgis de nulle part, ses collègues les avaient rejointes sur l'esplanade de granit. Ils gardaient leurs distances mais n'auraient aucun mal à intervenir s'il arrivait quoi que ce soit. La femme rouge se dirigea vers le véhicule sans prendre congé de Kabongo. Son apparition soudaine la dérangeait. Un instant, elle pensa l'appeler plus tard, mais se ravisa. La nouvelle de sa relation avec le mokonzi lui était certainement parvenue. Peut-être ignorait-il qu'elle avait quitté Vieux Pays puisqu'ils ne s'étaient plus parlé, mais cela ne lui serait pas longtemps caché. Un jour, il passerait laisser ses fils chez leur mère. Alors, il verrait qu'une autre occupait la maison. Elle n'avait pas à se séparer de lui, ils n'avaient jamais été ensemble. Le malaise qui s'était emparé d'elle persistait cependant. Il lui faudrait l'analyser plus tard, revoir mentalement les événements de cette nuit, ce qu'elle avait cru percevoir dans ses yeux, bien que de manière furtive.

Devant la berline, le jeune homme eut l'air embarrassé, ne sachant trop où prendre place. Le chauffeur lui indiqua le siège du passager, attendit les instructions de Boya. Un silence de plomb régnait dans l'habitacle de la voiture, la gêne était manifeste. La femme rouge savait qu'il lui revenait de prendre la parole, de la faire circuler. Elle n'était pas pressée de le faire, préférant tenter d'entendre ce qui ne pouvait se dire mais qui épaississait tant l'atmosphère. Un peu plus tôt, elle avait senti les muscles de Zama se bander, son corps entier se crisper. Il lui avait semblé que la gouvernante ne s'était pas durcie de la sorte pour affronter les agresseurs, mais pour se garder de l'agressé. L'aversion qu'elle éprouvait pour les Sinistrés était viscérale, et Boya se dit qu'il y avait là autre chose que l'habituel mépris des humains pour les peuples défaits.

Le chauffeur, qui était un agent de la garde personnelle du mokonzi, se méfiait sans le cacher des étrangers et tenait à l'œil celui-ci. C'était d'abord pour cette raison qu'il l'avait invité à prendre place près de lui, là où il serait aisé de le maîtriser le cas échéant. Passant fréquemment la main dans ses boucles blondes, tenant contre lui le sac dont il n'avait pas voulu se séparer, le garçon fixait des yeux la chaussée. Elle était quasiment déserte, les citadins étant rares à prendre le vélo à cette heure, et les autres véhicules ne se bousculant pas. La grande gare où il se rendait n'était pas éloignée du centre-ville, cinq ou six arrêts du baburi la séparaient des *Stèles de la Maafa*.

Elle lui demanda son nom, c'était une entrée en matière valable. Il le lui dit, fit savoir aussi qu'elle ne lui était pas inconnue. Non seulement l'avait-il vue dans la presse, mais sa grand-tante lui avait parlé de ses visites. Boya ne releva pas, s'enquit de l'endroit où devait le mener le Mobembo. Quand il évoqua Matuna, elle ne fut pas tellement surprise. Abahuza et elle avaient quitté le fief des Gens de Benkos sans l'avoir trouvé, y laissant son père. Le destin avait placé cette famille sur son chemin. C'était peut-être à travers ces Du Pluvinage qu'elle ferait progresser la cause de la jeunesse sinistrée qui ne demandait qu'à épouser la culture locale. Elle s'en souvenait, ce jeune homme était épris d'une femme que sa communauté n'accepterait pas. Pour vivre son amour, il abandonnait les siens. Bien sûr, les Gens de Benkos leur feraient bon accueil. Dans le village de Matuna, leur couple n'attirerait pas l'attention, mais on pouvait s'attrister d'un choix si limité pour de jeunes gens. Leur détermination à être ensemble n'aurait d'égale que la solitude qui leur était promise hors de la communauté rebelle.

La femme rouge éprouva une fois de plus un malaise à l'idée de ces enfants n'ayant d'autre terre que celle de Katiopa. La question n'était pas de leur témoigner de l'affection, quoi qu'il n'y ait là rien de condamnable. S'affranchir une fois pour toutes de la domination coloniale, c'était aussi en récuser la vision dans tous les domaines, donner congé à la colère. Boya savait qu'il lui serait difficile de faire valoir ce point de vue sans avoir au préalable anticipé les arguments qui lui seraient opposés. Elle pouvait d'ailleurs en partager certains. Toutefois, les solutions apportées déshonoraient Katiopa, lui faisant aussi perdre de vue deux éléments cruciaux : il se privait de forces qui serviraient sa grandeur lorsqu'il s'ouvrirait au monde, et les racines devaient se renouveler afin que vive la plante. Le Katiopa unifié prétendait à la fois s'abreuver aux sources anciennes de ses traditions et inventer ce que ces dernières ne seraient plus en mesure de lui fournir. Il avait accepté de conserver certains apports étrangers parce qu'ils étaient compatibles avec ses ambitions, mais aussi parce qu'ils témoignaient de son évolution. Certaines cicatrices étaient ineffaçables. Il y avait là quelque chose à creuser. Elle avait oublié que leurs compagnons ne parlaient pas le fulasi. Ils avaient atteint la gare quand elle leur présenta ses excuses pour les avoir involontairement exclus de la conversation. Amaury Du Pluvinage remercia dans la langue de la région, le Mobembo ne partait que dans une vingtaine de minutes, il le prendrait à temps. Il n'avait pas une once d'accent, son élocution était aussi fluide qu'elle l'était dans la langue de ses pères. Il maîtrisait de plus les formes anciennes d'une politesse à laquelle on ne se soumettait plus guère, le parler de vieilles gens qui s'éteignaient doucement dans les villages. Un langage subtil et poétique. Masquant son étonnement, la femme rouge descendit de voiture pour le saluer. Sans trop savoir encore ce qu'elle en ferait, Boya le pria de lui indiquer un moyen de le joindre. Il disposait d'un communicateur de troisième main dont il lui donna les coordonnées. Elle le regarda s'éloigner, disparaître derrière les larges portes vitrées qui coulissèrent pour l'avaler. Elle n'y était pour rien, pourtant l'assaut dont il avait été l'objet lui faisait honte.

Sur le chemin du retour, comme la berline glissait le long des artères de Mbanza, la femme rouge pensa à ce jeune Sinistré qui ne bravait les usages des siens que pour se heurter au rejet du monde qu'il voulait embrasser. Elle lui avait trouvé une sorte d'élégance dans ces vêtements étranges, une puissance discrète mais résolue. Jeté à terre par ses assaillants, roué de coups, il n'avait pas poussé le moindre cri, ni demandé pourquoi, ni supplié que l'on cesse. Le dos rond, il n'avait fait que protéger le sac qui devait contenir ses biens, peu de chose sans doute, rien qui ait de la valeur pour d'autres que lui. De sa résistance inactive, une force émanait, alimentée de l'intérieur, nourrie par l'idée qu'il se faisait de lui. Il n'avait pas tenté de s'expliquer, n'avait pas lancé *Mon amoureuse est comme vous*, le genre de propos stupide que tenaient ceux dont la conscience n'était pas aussi légère qu'ils voulaient le faire croire. Sa manière de se vêtir et son comportement indiquaient qu'il n'entendait pas renoncer à ce qui le constituait. Le fait qu'il sache si bien la langue du pays, ne le révélant qu'une fois arrivé à la gare, accentuait cette affirmation : il venait à la rencontre des gens, mais il faudrait le prendre tel qu'il était. Il ne demandait rien. Quel âge pouvait-il avoir ? Vingt ans, moins de vingt-cinq en tout cas. Elle regrettait que les Gens de Benkos n'aient pas aidé à le trouver quand on s'était rendu à Matuna, dans l'espoir de le voir. Là-bas, elle lui aurait parlé davantage. Comme son père, il était différent des Sinistrés qu'elle avait rencontrés jusque-là, mais son marronnage à lui n'était pas d'apparence. C'était au fond de lui que se déroulait le processus, dans la tête, dans le cœur, là où les humains pouvaient se rejoindre pour peu qu'ils le veuillent bien. Elle s'étonnait de ne l'avoir jamais vu auparavant, mais ses visites avaient toujours lieu en milieu d'après-midi, quand les plus grands des enfants étaient soit occupés à des tâches intéressant le groupe, soit en vadrouille à travers la kitenta s'ils en avaient le courage. Jamais ils ne s'aventuraient trop loin, préférant ne pas tenter le diable qui, les ayant expropriés, s'était dépêché de les reléguer à la périphérie de la ville. Le visage de Kabongo s'imposa soudain, et cette vision la fit tressaillir. Elle ne lui avait jamais vu ce regard. Pas froid, plutôt absent, comme s'il avait voulu faire le vide, chasser toute émotion. Il ne lui avait pas souri, c'était la première fois. Il portait un ensemble de couleur sombre, comme pour s'évanouir dans la nuit, lui qui l'avait accoutumée à des pastels trop délicats pour sa physionomie. Pourquoi avait-elle l'impression qu'il n'était pas là par hasard ? Boya frissonna. Elle ne savait rien de cet homme.

*

Kabongo fulminait d'une rage froide. Comment aurait-il pu imaginer la voir débouler à ce moment-là ? Elle était subitement apparue sur cette esplanade, aussi légère et bondissante qu'une fillette au milieu de promeneurs attardés. Puis, elle s'était arrêtée, avait observé, foncé telle une justicière ailée. De loin, il l'avait vue soulever d'une main le bas de son iro, libérer ses jambes pour courir puis repousser un homme d'un coup de pied véloce et précis. Cela s'était passé si vite. L'opération se déroulait comme prévu jusque-là. De son moniteur, il avait une vue parfaite de tout le site. Ses hommes suivaient le plan, leur vivacité, leur adresse avaient de quoi le rendre optimiste. Leur ballet était si bien réglé qu'il les aurait applaudis. C'était l'affaire de quelques minutes, bousculer le gosse, lui faire les poches, lui arracher son sac. L'équipe qu'il avait mise sur le coup, un duo, était constituée de jeunes gars désireux de plaire à leur hiérarchie. Sans son intervention, ils seraient allés jusqu'au bout de la manœuvre, n'auraient pas eu d'état d'âme. Ils étaient entraînés pour ça, obéir aux ordres quoi qu'il en coûte, ne lâcher la proie que défaite. Boya aurait pu être blessée, ils ne l'auraient pas ménagée. Tout à leur tâche, ils ne regardaient plus vers lui, aveugles à ses gestes, le contraignant à se mettre à découvert. Alors, il s'était avancé. Bien sûr, la chérie du mokonzi était entourée d'agents, il les avait repérés avant qu'elle-même ne les voie. Cela avait ajouté à son malaise. Comme lui, ils avaient appris à photographier d'un regard les personnes se présentant à eux, à ne pas oublier un visage. Il n'était pas question de rendre encore un rapport peu satisfaisant. Le kalala aurait sa peau. Par chance, il avait attrapé au vol un

mot au cours de la conversation en fulasi entre Boya
et le Sinistré : Mobembo. Suivant son intuition, il
avait rassuré ses hommes puis les avait renvoyés chez
eux. Sautant dans le véhicule dont il s'était servi pour
les conduire près du site, il avait pris un raccourci.
Kabongo se trouvait à la gare quand Amaury Du
Pluvinage descendit d'une berline bleu marine portant
des plaques minéralogiques officielles. Lorsque les
portes de verre coulissèrent sur le jeune homme, qu'il
eut fait quelques pas en avant pour lire les panneaux
d'affichage et savoir de quelle voie partirait son train,
le hall fut plongé dans l'obscurité.

L'agent savait que l'interruption ne durerait que
deux minutes et trente secondes exactement, la panne
qu'il venait de causer n'était qu'un leurre. Le système
informatique de la compagnie ferroviaire le repérerait
vite. Deux minutes et des poussières, c'était plus de
temps qu'il ne lui en fallait. Il avait emboîté le pas au
jeune homme aussitôt que celui-ci avait pénétré dans
les lieux. Ayant chaussé des lunettes à vision thermique, il se pencha vers la cible, souffla, vit le garçon
s'appliquer une tape dans le cou. On l'aurait dit pris
d'une douleur soudaine, d'une vive démangeaison. Il
s'affaissa doucement. Kabongo prévint sa chute, lui
ôta son sac, le prit par l'épaule et l'entraîna à l'extérieur. Ses jambes ne le portaient plus, il dodelinait de
la tête et ferma bientôt les yeux. Les rares personnes
se trouvant sur le parvis ne remarquèrent pas l'étrange
binôme dont un des membres semblait avoir trop bu.
Les caméras de surveillance ne filmèrent que pendant quelques secondes, deux silhouettes de dos qui
disparurent à l'angle de la rue, hors champ. Amaury
Du Pluvinage ne vit pas le véhicule de la Sécurité

intérieure qui l'emmena loin de la gare. Il ne sut pas qu'on l'avait dépouillé de son précieux sac, qu'on y avait trouvé ses pièces d'identité, qu'on avait roulé près d'une heure pour le laisser finir sa nuit là où nul ne passait à cette heure, là où il n'avait certainement jamais mis les pieds. Kabongo avait agi sans émotion, avec l'extrême concentration de qui se livre à un exercice périlleux. C'était le cas. Il avait fallu se placer de façon à éviter les caméras de surveillance dont la gare était truffée. Feindre de connaître l'individu, de lui parler à l'oreille quand il était sans connaissance, l'installer sur la banquette arrière du véhicule comme on l'aurait fait d'un pochard en route pour la cellule de dégrisement. Ensuite, Kabongo était retourné au quartier général de la Sécurité intérieure, y avait garé la voiture comme prévu, avait marché tranquillement le long du boulevard Rei Amador, enfourché une bicyclette, attrapé plus loin le baburi.

Il avait attendu d'être rentré chez lui pour repenser à Boya. Il lui avait trouvé une assurance d'un genre nouveau, une sorte d'autorité. Elle ne lui avait pas souri, c'était la première fois. Dans ses yeux, il n'y avait rien. Seulement l'étonnement, très vite la suspicion. Combien de fois avait-il arpenté les rues de la kitenta à toute heure du jour ou de la nuit sans jamais tomber sur elle ? Il avait fallu que ces retrouvailles tant attendues se déroulent ainsi, précisément cette nuit. Qu'avait-elle pensé exactement ? Avait-elle cru au hasard ? Cela n'avait pas d'importance, elle ne le désirait plus. Il l'avait approchée, s'embrasant tandis qu'elle se glaçait. Le magnétisme qui leur permettait de se passer de mots n'opérait plus, son corps était désormais étranger à celui de Boya. Et bien des choses avaient changé

343

sans qu'elle en ait conscience. Cette femme de cuivre n'était plus seulement son inavouable obsession mais une affaire d'État. Elle s'était introduite comme un grain de sable dans une mécanique qui finirait par la détruire, et il ne pourrait pas la protéger. Le mokonzi lui-même ne le pourrait pas. Lorsque le kalala s'était mis en tête d'en finir avec quelqu'un, rien ne s'y opposait, l'homme n'obéissant qu'à sa propre loi, pourvu que l'État soit sauf. Il n'avait pas encore demandé que l'on se débarrasse de Boya, mais cela ne tarderait pas. Il faudrait bien lui dire qu'on l'avait vue ce soir, décrire ses actes. Kabongo n'était pas pressé de livrer cette information, mais il ne se voyait pas exiger le silence de son équipe. Or, les gars l'avaient reconnue. Lui qui ne s'attachait à personne s'apercevait qu'il tenait à elle. Kabongo était certain de ne pas en être amoureux, ce qu'il ressentait n'avait rien à voir. Cela ne le laisserait pas indifférent qu'il lui arrive malheur.

Sur le boulevard Rei Amador puis dans les transports en commun, il avait espéré un message de sa part sur son communicateur. Un mot. Dire qu'elle ne pouvait pas lui parler là-bas, que ce n'était pas le lieu, qu'il y avait trop de monde. Dire que c'était déjà trop d'avoir murmuré son nom, qu'on l'ait peut-être entendu prononcer le sien. Kabongo affronta en silence son insomnie, se laissa envahir par l'envie tenace qu'il avait de cette femme, ne fit rien pour la soulager. Aux premières heures du jour, il descendit dans la chambre que partageaient Samory et Thulani, ses fils, entrouvrit la porte, les laissa profiter des derniers instants de sommeil. Se dirigeant vers la cuisine, il tenta de se rappeler sa dernière expérience de l'abandon qu'offrait le repos nocturne. Ce matin, son métier lui déplaisait.

La duplicité, la dissimulation, l'obscurité permanente. Il avait envie de n'être qu'un comptable, le plus ordinaire qui soit. Un type qui n'aurait pas à bazarder le corps de jeunes gens dans les fourrés vers la sortie de la ville. Un type qui pouvait raconter sa journée telle qu'elle s'était vraiment déroulée. Repoussant le moment de consulter la messagerie de service qui lui apprendrait qu'un Sinistré avait été trouvé loin de sa communauté et sans pièce d'identité, qu'il n'avait pas été possible de lui soutirer une information parce qu'il semblait amnésique, Kabongo s'attela à la préparation du petit déjeuner. Couper les fruits en dés le détendit presque, mais il en faudrait davantage pour l'apaiser tout à fait, le remettre sur orbite. Il allait faire des womi pour le repas des garçons qui adoraient ces galettes de mil. Son secret était d'incorporer dans le mélange un peu de farine de riz, d'ajouter une gousse de vanille. Il chercha dans un placard les moules en argile dont il aimait se servir, les nettoya. Kabongo attendit d'avoir dressé la table, présenté mets et boissons chaudes pour prendre connaissance des communiqués diffusés aux agents. Il les survola d'abord, ne s'attachant qu'aux intitulés des paragraphes, puis les lut avec plus d'attention. Amaury Du Pluvinage n'apparaissait nulle part. Il s'était assuré de le débarrasser de son communicateur, un appareil d'entrée de gamme d'ailleurs assez mal en point. En principe, on aurait dû le retrouver vaseux, errant dans un quartier où il n'avait rien à faire, où nul ne devait le connaître. Kabongo était sûr de n'avoir pas été vu. Ne subsistait qu'une explication possible. Quelqu'un avait porté secours au gamin.

L'idée de ce coup du sort dissipa la lassitude qui s'était emparée de lui. Il ne craignait rien, le gosse ne pourrait l'identifier, la consigne n'avait pas été de l'éliminer, mais la vérification de son identité faisait partie du plan initial. Le patron lui avait transmis les enregistrements de Nandi, les propos qui faisaient de ce jeune homme un ennemi de l'État. En temps normal, on ne s'en prenait pas aux Sinistrés. Ils n'étaient pas en odeur de sainteté auprès des autorités, mais on se limitait à des contrôles intempestifs. Ces inspections itératives suffisaient à confirmer l'illégitimité de leur présence, à instiller en eux un inconfort permanent. Mais Amaury Du Pluvinage était d'une autre espèce, puisque rien de cela n'avait entamé ses ressources intérieures. C'était à la fois un rebelle et un conquérant. L'intérêt que lui avait porté Boya en faisait une pièce de choix, un trophée que lui seul rapporterait au kalala, mort ou vif. Parce qu'il en serait ainsi, il serait à nouveau affecté à la surveillance de Boya. Elle non plus ne lui échapperait pas. Il préférait que la mission de la suivre lui échoie de façon officielle, mais se passerait d'autorisation. La femme rouge était son affaire. Samory, l'aîné de ses fils, fut le premier à le rejoindre dans la cuisine. La mine encore froissée de son enfant l'émut. Le prenant dans ses bras, il lui chatouilla le ventre, lui couvrit le visage de baisers.

14

Face à la situation, Kasanji n'avait su qui contacter. Elle ne cessait de raconter les événements, du début à la fin, face à une Boya attentive. Cela ne se produisait pas souvent, son travail l'occupait beaucoup, une concurrence féroce opposait les modistes de Mbanza, et qui partait à la chasse perdait sa place. Aussi ne rendait-elle que rarement visite à sa sœur, il fallait dire aussi que ce n'était pas la porte à côté, ce trou perdu où l'avait entraînée son mari. Ils vivaient à Maluku, autant dire au fin fond de la stratosphère, il fallait presque deux heures pour s'y rendre, on prenait le baburi 35 qui s'arrêtait à une gare routière rappelant que la préhistoire n'avait pas été une fiction, puis on attendait que le car soit plein. Sans ça, le chauffeur vaquait à toutes sortes d'occupations. Mais que dire, sa sœur lui manquait. Alors, la veille, avant que le jour ne soit convaincu de la nécessité pour lui de gratifier les vivants d'un rai de lumière, Kasanji s'était mise en route. Comme toujours, une fois arrivée à Makulu, sa mauvaise humeur s'était envolée, sa sœur et elle étaient retombées en enfance. Puis, il avait fallu se quitter. Elles avaient marché ensemble dans les hautes herbes, gagné la route, avancé vers la gare routière où Kasanji devait coûte que coûte attraper le premier car. C'était elle, évidemment, qui était tombée dessus. Un jeune Sinistré qu'elle avait d'abord cru sans vie. Elle avait poussé un cri, il avait ouvert sur elle des yeux vides, sa sœur l'avait tirée en arrière. Puis, avec autant de précautions que possible, une jambe prête à détaler au cas où, toutes deux s'étaient approchées, penchées, avant de se redresser dans un même mouvement. *L'enfant d'autrui*, tels étaient les mots qu'elles avaient prononcés, car il était assez jeune pour avoir encore une maman, et parce que tout le monde en avait une de toute façon. La situation leur avait paru anormale, si bien qu'il n'avait pas été question de l'emmener à la maison, ni même de le toucher. L'affaire n'était pas simple. Comme elles se demandaient quoi faire, Kasanji avait eu l'idée d'envoyer un message à Boya, avec la photo du Sinistré. *Je suis désolée de t'avoir dérangée, l'idée d'appeler les secours ne m'a même pas traversée.* C'était Boya qui lui avait suggéré de le faire, gardant pour elle l'identité du jeune homme, le fait qu'elle l'avait rencontré. Prévenant ses étudiants de son retard à l'université, elle s'était rendue à l'hôpital pour retrouver Kasanji. Le jeune Sinistré n'avait sur lui aucun document d'identité. Son état était préoccupant. Il était conscient, mais incapable de dire ce qui lui était arrivé, comment il s'appelait.

La scène de l'agression lui revint en mémoire, les propos échangés alors couvrant ceux alarmés de la couturière. *Rentre chez toi, Kasanji. Tu as bien fait. Ne t'inquiète de rien, je te donnerai des nouvelles.* Restée seule près du brancard où était étendu le jeune homme, tandis qu'un nombre plus conséquent de personnes se pressaient dans ce service d'urgences, Boya prit place sur une banquette. Les sbires d'Igazi avaient pu la voir, mais c'était en cet instant le cadet de ses soucis. Ses messageries étaient cryptées, les hommes de la garde ne se trouvaient jamais loin, et ce n'était pas elle qui avait déplacé le jeune Sinistré. Si des questions lui étaient posées, elle saurait quoi dire. On ne pouvait nier, en tout cas, que la vie d'Amaury Du Pluvinage soit particulièrement mouvementée. Il faudrait des heures avant qu'il soit vu par un médecin, mais il le serait, elle s'en était assurée. Convaincue d'un rapport entre ce à quoi elle assistait et l'agression de la veille, il lui sembla judicieux de signaler à la communauté sinistrée la présence de l'un des siens à l'hôpital Mukwege. Quand elle appela Charlotte Du Pluvinage, elle annonça simplement qu'un garçon avait été découvert sans rien qui permette de l'identifier. La matriarche ne possédait pas d'appareil équipé pour recevoir des images. Ses petits-enfants avaient déjà dû la supplier d'acquérir un communicateur pour la maison. Elle avait choisi un modèle basique contre lequel il avait fallu troquer une boîte à musique ancienne, les commerçants de Mbanza n'étant jamais en reste quand il fallait soutirer des objets aux Sinistrés. La vieille Du Pluvinage avait rouspété pendant des semaines après s'être abaissée à se procurer l'engin. À ses yeux, ce type de technologie matérialisait la fêlure ontologique de ses ascendants, cette force dont ils s'étaient enivrés, ne sachant plus s'arrêter. La croyant à leur service, ils en étaient devenus les esclaves, hâtant leur propre fin. Ce matin, la femme rouge vit une chance dans ce traditionalisme exacerbé. Elle invita l'ancienne à mener son enquête pour savoir qui manquait à l'appel, à dépêcher quelqu'un aux urgences de l'hôpital Mukwege dont elle indiqua la localisation. Il se trouvait loin du centre-ville, et c'était apparemment la première fois depuis des décennies qu'un Fulasi y était admis.

Lorsqu'elle quitta les lieux pour se rendre sur le campus, Boya se dit que son existence prenait décidément un tour inattendu et quelque peu frénétique. Pendant le trajet, elle ne vit que les yeux de Kabongo, ce regard qu'elle ne lui connaissait pas et qui convoquait à nouveau le malaise de la nuit précédente. Les paupières closes, elle se concentra sur ses souvenirs, isolant chaque instant depuis que l'agression lui était apparue. Elle avait crié, puis couru, presque aussitôt. Il n'y avait eu que le jeune homme et ses deux assaillants, peut-être avait-elle aperçu un homme pressant le pas vers la passerelle à présent dans son dos, un gosse de riche arrêtant là son mini-skate électrique et le rangeant dans son sac à dos parce qu'il ne pouvait en faire à cet endroit. L'image de trois hommes lui revint aussi, des vétérans des forces armées de la F.M. propulsant leurs caissons de handicapés vers la passerelle mécanique. Ceux qui disposaient encore de cet équipement avaient souvent été amputés des deux jambes et se déplaçaient à l'aide d'un cube électrifié grâce à des panneaux solaires. La F.M. n'avait pas été en mesure de fournir à tous des prothèses dernier cri, ni d'autres d'ailleurs, que l'on ne fabriquait pas sur place à l'époque. Le Président Mukwetu, ne se laissant abattre par rien, avait saisi l'occasion de démontrer le génie scientifique dont bénéficieraient les éclopés sous son magistère : l'humain serait réparé, augmenté même, selon l'éthique moyindo. Car il y en avait une… Boya retourna à ses réminiscences de la veille. Des agents des forces de sécurité auraient dû patrouiller, certains lévitant sur ces planches dont ils ne se servaient que pour impressionner le promeneur. On ne les trouvait qu'aux abords des monuments de la kitenta dont la mairesse ne reculait devant aucune futilité. Sa fascination pour les gadgets n'avait d'égale que son obstination à voir, dans l'aménagement de l'espace public, un domaine où se livrer à sa fantaisie. Elle avait pour cela des arguments plus ou moins valables, se rapportant à l'empreinte carbone des activités – on ne l'avait pas attendue pour s'en soucier – et au prestige de Mbanza. Une pétition avait demandé la suppression des agents volants, lesquels suscitaient plus d'inquiétude qu'ils n'en dissipaient, surtout quand les drones de la poste parcouraient la zone. L'engin limitait aussi beaucoup leur capacité d'action, ils devaient prendre le temps d'atterrir pour agir en cas de problème. C'étaient toujours leurs collègues postés au sol qui faisaient le travail. Enfin, ils étaient absents, l'esplanade n'était pas gardée : une anomalie, si tard le soir.

Parcourant le moindre recoin de sa mémoire, elle n'aperçut nulle part Kabongo. Elle entendit à nouveau sa voix, *Est-ce que tout le monde va bien ici*, des mots que l'on aurait pu adresser à des enfants s'adonnant à des jeux trop vigoureux. Le ton était calme, le propos n'engageait à rien, il ne faisait que passer, et c'était cela qui la perturbait. Où pouvait-il bien se trouver ? Était-il là depuis le début ? Pourquoi sa présence l'avait-elle plus inquiétée que rassurée ? Il n'allait évidemment pas lui faire une scène en public, exiger ces explications qu'elle ne lui devait pas. Il n'allait pas l'enlacer, dire qu'elle lui manquait, proposer un rendez-vous. Depuis le temps, il savait ce qui n'avait pas été dit, qu'elle ne l'appellerait pas, que *ça* ne serait pas si vite réglé. Elle n'avait donc pas à craindre d'esclandre de sa part. Une coloration plus chatoyante aurait pu être donnée à cet instant, cela aurait dû se faire sans effort. Ils avaient partagé des moments agréables sans se promettre, sans se contraindre. Aurait-il fallu lui annoncer qu'elle ne le verrait plus ? Elle ne le pensait pas, bien qu'il ait montré, dans les derniers temps, des signes inattendus d'attachement. Cela n'avait de toute façon rien à voir avec son apparition dans ce costume sombre, parfaitement coupé. C'était presque un déguisement, une tenue de camouflage pour se fondre dans le granit noir de l'esplanade et de la muraille entourant les *Stèles de la Maafa*. Le monument aux morts se trouvait à droite, face à elle. L'agression se déroulait un peu plus à gauche. Dans le prolongement, il y avait le kiosque d'information fermé à cette heure-là, une structure dont la matière pierreuse évoquait les rochers de la côte atlantique. Il n'avait pu venir que de là et, si c'était le cas, il n'avait pas de bonne raison de se tenir seul à proximité du guichet clos. S'il avait été accompagné, la personne l'aurait suivi, même en restant un peu à distance. Boya mit un terme à ces réflexions qui n'apportaient rien de plus au message de ses sens, cette coulée de glace dans ses veines lorsqu'elle l'avait reconnu. La relation qu'ils avaient eue n'était pas de celles dont on s'ouvrait à son compagnon. Elle ne se voyait pas dire à Ilunga : *Jusqu'à une période récente, je voyais un homme sans rien savoir de lui, c'était juste une histoire de peau.* D'abord, la peau, ce n'était pas rien. C'était la première limite organique à dépasser pour connaître un être, et ce franchissement conduisait droit vers les profondeurs. C'était bien pour cette raison qu'elle ne fréquentait qu'un homme à la fois, se refusant à traiter ses amants comme des objets. Kabongo n'était pas devenu un ami, un confident, mais il y avait eu entre eux une intimité naturelle. Ils ne s'étaient parlé qu'avec le corps, entretenant un dialogue doux et sauvage que ponctuait une gratitude alanguie. Elle servait toujours un repas après, frugal mais savoureux, un verre de liqueur parfois. Ils se restauraient dans un silence chaleureux, se disaient des *au revoir* trop pleins pour n'être pas gâchés par de trop longs discours. La dernière fois qu'ils s'étaient vus, ils n'avaient pas échangé cette ultime salutation qui rendait chacun à son quotidien, jusqu'à la prochaine fois. Boya savait qu'il faudrait en parler mais la manière de le faire lui échappait, ce qu'il faudrait dire pour être comprise. Ce n'était pas sans raison que la vie lui avait imposé cette rencontre, ne la laissant qu'en suspension. Ils allaient se revoir, ce n'était qu'une question de jours.

Pour la première fois depuis la fin de ses années d'études, Boya n'avait aucune envie de se rendre à l'université. Elle s'y était pourtant toujours sentie à l'abri, autant qu'à la Maison des femmes. L'une et l'autre étaient nécessaires à son équilibre. Elles représentaient deux univers complémentaires, l'un reposant sur des pratiques rationnelles, l'autre exigeant l'acceptation de l'inconnaissable, de l'inexplicable. Ce matin, elle voulait ce qui ne lui avait jamais semblé désirable, que l'oscillation prenne fin, qu'il n'y ait pour son esprit qu'une demeure, la caverne aux parois spongieuses où se nichaient les mystères de la vie. N'être que dans la matrice de toutes choses, la grotte d'avant la marche des humains sous la lumière du soleil.

Elle ne se demandait pas ce qui faisait naître ce besoin, ce qui provoquait, à l'instant où lui venait cette pensée, des visions d'elle-même traversant une étendue de terre rouge sous un ciel d'eau. Elle se voyait là, l'océan reposant au-dessus de sa tête tel un orage immobile, avançant nue, les bras chargés de fleurs aux pétales cramoisis. Une offrande. À qui était-elle destinée ? Boya avait une idée de ce que représentaient les images qui lui venaient. Ilunga n'avait qu'une parole et ne remettait jamais à plus tard ce à quoi il s'était engagé. Aussi avait-il commencé à la guider sur la voie menant à celles qui l'appelaient depuis le fond de l'Atlantique. Ces femmes dont l'esprit venait parfois la visiter en rêve ou à travers d'autres manifestations, mais qu'elle ne savait comment rejoindre. Il disait qu'elles étaient plus que des ascendantes, que la composition de la lignée pouvait surprendre par sa complexité. *Je pourrais te dévoiler les choses, mais il est préférable que tu les découvres par toi-même, que tu comprennes...* Ils retourneraient dans sa nuit à lui quand elle aurait fait l'expérience de la sienne. Alors, elle verrait différemment les visages aperçus la première fois. Elle connaîtrait chacun au-delà de son apparence et saurait quelles âmes cheminaient avec lui dans le monde des vivants, pour le meilleur et pour le pire. Elle découvrirait aussi le Continent sous un jour nouveau, certaines conversations entre eux seraient alors superflues.

Depuis, ils n'avaient approché qu'à petits pas la sorgue dans laquelle s'étaient formées les journées de Boya, la genèse de son existence et sa raison d'être. La première fois qu'ils en atteindraient le seuil, elle le franchirait seule. Ce qu'ils avaient appris de cet endroit sans y avoir encore pénétré, c'était cette couleur rouge qui en indiquait la nature. Au bleu d'Ilunga qui figurait la part inviolée de l'âme humaine, conférant à ceux qui en procédaient d'incarner la vérité et la paix, répondait l'écarlate de Boya, lié quant à lui à la force vitale, à la faculté de transcender toute peine et de se réinventer constamment. Ilunga savait que sa mission était de ramener à leur propre vérité les peuples de Katiopa et de faire advenir la paix sur le Continent. Telles avaient été les visées de ses batailles. Jamais il n'avait combattu la haine au cœur, il n'avait pas le goût du sang, le désir de revanche lui était étranger. *Toi*, avait-il ajouté, *tu as l'intuition de ce qu'est ta mission sans la connaître tout à fait.* Lorsque ce serait le cas, elle habiterait en permanence sa puissance, saurait comment exercer son pouvoir. Contrairement à d'autres qui vivaient en dissonance avec la force qui leur avait été donnée, la femme rouge recherchait l'harmonie. Elle touchait au but. Il avait hâte qu'elle se voie telle que lui la percevait. *Tu riras de tes doutes.* Cette fois-là, quand ils étaient revenus à eux, l'homme l'avait prise dans ses bras, serrée contre lui. Tout en l'embrassant, il lui avait parlé sur la tempe, disant son sentiment d'avoir été créé pour elle. *Pas seulement pour t'aimer. Ça, c'est facile…* C'était donc à cet homme-là qu'il convenait de dire à présent qu'il y avait eu un amant, un type plutôt louche, peut-être dangereux. Elle préférait ne pas trop tarder, que ce soit fait et que l'on prépare la suite. Ilunga se trouvait encore en pays wazi. Elle s'en voulait de le déranger, mais il lui semblait impossible de se précipiter chez le kalala et inopportun de s'adresser à Kabeya. Il ne s'agissait pas seulement de ce jeune Sinistré dont les hommes de la garde avaient déjà dû parler.

Le chauffeur la déposa comme d'habitude à l'angle de la rue, près de la cité universitaire où logeaient principalement les étudiants boursiers ou venus d'autres régions de l'État. D'un geste de la main, Boya salua la jardinière qui, juchée sur sa tondeuse tracteur, faisait un sort à la repousse du gazon. Manœuvrer l'engin lui imposait délicatesse et fermeté pour éviter les massifs de fleurs, les racines apparentes de gros arbres séculaires. Boya s'émerveilla une fois encore de sa dextérité et de sa bonne humeur. La femme rouge fit à pied le chemin vers l'entrée du bâtiment où se déroulaient ses cours. On y accédait après être passé par un sas de sécurité, en panne comme souvent, ce qui nécessitait de se soumettre à un contrôle manuel de la part de vigiles débordés. Aussi tendus que des barres d'appel, ils sanctionnaient le moindre signe d'agitation d'un renvoi au bout de la file, là-bas, sur le trottoir, où les nouveaux arrivants ne cessaient d'affluer. On marmonnait entre ses gencives, on n'avait pas que ça à faire, on était pressé. C'était aussi son cas. Le détour par l'hôpital l'avait retardée. Boya dut attendre la fin de son second cours pour se retrouver seule dans son bureau. Dès le début du premier, face à ses étudiants qui rendaient des travaux consacrés aux Descendants du siècle dernier, elle avait tout oublié. L'un des exposés concernait le rapport que les diasporas de l'Autre bord avaient entretenu avec le Continent et, notamment, leur intérêt pour les figures de pouvoir. L'étudiante qui avait choisi ce thème interrogeait fort à propos cette maxime relevée aussi bien dans des articles, des films, des morceaux de musique : *We come from kings and queens*, pointant le fait que l'ascendance royale à travers laquelle on voulait se valoriser était souvent esclavagiste. Les contre-exemples étaient rares. *En cela*, avait conclu l'étudiante, *les Descendants adoptaient une attitude fréquente au sein des populations continentales du passé, lesquelles préféraient se réclamer d'ancêtres puissants plutôt que de leurs sujets. Le désir de se représenter à la fois libre et glorieux cheminait donc obscurément avec un rêve de domination plus que de justice...* Cette brève conférence avait donné lieu à un débat animé, Boya n'avait pas vu passer le temps. Dans sa seconde classe, il avait été question de marginalités généalogiques. Ses étudiants et elle s'étaient penchés sur la manière dont la condition servile s'était transmise au fil des générations, dans le secret des familles. Ses structures n'étaient pas celles de l'esclavage colonial pratiqué dans les territoires de déportation. Cependant, elles s'appuyaient sur une hiérarchie que les plus belles réussites sociales n'abolissaient pas toujours. Un cas précis avait été analysé pour illustrer cela. La population examinée avait vécu non loin du Fako, sur les rives d'un fleuve se jetant dans l'Atlantique. Là comme en d'autres lieux du Continent, les personnes serviles, originaires d'autres communautés, étaient intégrées au clan de leur possesseur. C'était en observant la configuration des concessions familiales que l'on mettait au jour le procédé permettant de maintenir chacun à sa place. Savoir qui était qui restait capital.

La matinée avait été riche, Boya s'était immergée dans les discussions, oubliant ce qui la contrariait auparavant. Seuls l'avaient animée l'intérêt pour ces sujets, la passion de transmettre, d'affûter l'esprit critique des jeunes. Elle passa devant la bibliothèque de la faculté de Sciences humaines dont elle aimait l'atmosphère feutrée, le bois mat des longues tables, les grandes fenêtres ouvrant sur le jardin, les hauts murs disparaissant derrière des rayonnages de livres. Ailleurs, un tel équipement semblait obsolète, mais une des particularités du Continent avait toujours été d'habiter des temporalités différentes. Ici, le présent était une combinaison visible d'hier et de demain, c'était ainsi que l'on se sentait bien. Le futur, dans le Katiopa unifié, n'aurait pas le visage que d'autres, ailleurs, souhaitaient lui donner. C'était aussi pour ne pas y être contraint que l'on avait opté pour la rupture. Une autre suite que celle annoncée était en train de s'écrire. Maintenant qu'elle y pensait, Boya trouvait cela stimulant, l'idée que le monde reste à faire, qu'il n'y ait pas de voie toute tracée, ni celle des ancêtres, ni celle des colons d'autrefois. On les portait tous en soi d'une certaine manière, mais la définition que l'on formulerait de son être ne pouvait que leur échapper.

Le Katiopa unifié ne demandait pas de réparations à Pongo. On s'était assez laissé acheter, d'une manière ou d'une autre. Boya aimait que l'on préfère se tenir au bord de sa propre falaise, plutôt que d'être admis dans le sous-sol d'une demeure étrangère. C'était ce pari que l'on faisait sur soi qui jetait la suspicion sur les Sinistrés. On ignorait quoi faire de leur présence, d'autant qu'ils se montraient réticents à épouser le mouvement de la vie katiopienne, cet élan vers le monde à faire. Emmurés dans la déploration de pertes irrémédiables que l'on ne pouvait imputer à personne sur le Continent, ils tournaient autour de leur ombre, ne levant la tête vers les autres que pour réclamer de la reconnaissance. Qu'il soit dit combien on leur devait d'avoir aboli la sauvagerie, réglé son compte à la mouche tsé-tsé, interprété ces hiéroglyphes dont on se tatouait désormais le torse, révélé le nom véritable de Dieu. Cela, pour commencer, la réalité étant que tout leur était dû. Quelle mémoire de soi avait-on, que l'on n'ait découverte dans les carnets de leurs explorateurs, missionnaires ou commerçants ? Précisément celle que l'on écrivait en ce moment, mais ils n'entendaient pas cela, leur système se mettait en surchauffe à cette simple idée. Des propos tenus par la vieille Charlotte lui revinrent, son mépris pour la ligne du nouveau régime en matière culturelle et spirituelle, son refus de se rendre à l'église lorsque les services n'étaient pas réservés à sa communauté. Ces lieux de culte, devenus rares sur le Continent où ils avaient jadis pullulé, étaient pourtant les plus importants parmi les quelques espaces partagés de la kitenta. En dehors des rues où ils ne faisaient que se croiser, c'était là que Sinistrés et populations locales pouvaient se rapprocher. Boya se demanda où s'étaient rencontrés Amaury et Mawena, comment leur amour avait éclos. Le jeune Sinistré lui semblait en tout cas un parfait antidote pour prévenir la nécrose que produirait cette coagulation de l'amertume. Elle serait dans l'âme des Sinistrés comme dans celle de Katiopa, les deux n'étant pas, ne pouvant plus être disjointes. Les ancêtres des Fulasi actuels s'étaient spontanément tournés vers le seul endroit du monde où ils seraient reconnus sans avoir pour cela d'effort à fournir. Là où leur langue n'était pas encore étrangère, là où survivait une zone monétaire qu'ils avaient conçue pour maintenir leur emprise sur des espaces en principe décolonisés. C'était, pour ainsi dire, ce lieu unique sur la terre, où l'on rechignait encore à les humilier car on serait abaissé par leur déchéance. Aujourd'hui, alors que l'on avait dépassé cette déférence malsaine, les populations locales se montraient rétives à ce que les étrangers soient brutalisés. Elle voulait parler de cela avec Ilunga, mettre un visage sur cette communauté. Faire comprendre que la jeunesse était toujours une chance, que l'on aurait tort de s'en détourner, surtout quand elle s'offrait de si bon cœur. Ils en débattraient face à face. Refermant derrière elle la porte de son bureau, une pièce quelque peu exiguë dont elle aimait la sobriété, Boya ne put s'empêcher d'épousseter la table, de retirer du vase les fleurs fanées pour ne laisser qu'un bec de perroquet qui résistait encore. Ilunga ne verrait que la petite lucarne par laquelle s'engouffrait parfois une branche de flamboyant, mais elle aimait s'apprêter pour lui. Il répondit aussitôt : *C'est fou, j'allais t'appeler.* La femme rouge se mit à rire, se traitant d'idiote en silence. Elle s'était fait une montagne de rien. Bien sûr qu'elle pouvait lui parler.

15

Tapi dans l'ombre d'un arbuste feuillu, au fond du jardin, Igazi s'étonnait de n'y avoir pas pensé plus tôt. Il avait toujours su qu'elle était là. Elle ne cherchait pas à attirer l'attention, sa fonction lui imposait la discrétion. Cela faisait longtemps qu'elle exerçait ce métier, dans l'ombre, dans le silence. Contrairement à d'autres, il connaissait non seulement sa présence en ces lieux, mais l'histoire qui l'y avait conduite. Ils ne s'étaient jamais parlé. Il savait cependant qu'une contrée proche de la pointe d'Ikapa les avait bercés tous deux, qu'ils étaient de la même génération. Les noms qu'ils portaient, inhabituels au sein de leur communauté, attestaient de l'époque les ayant vus naître. Ils parlaient de souffrance, de violence. En ce temps-là, l'arc-en-ciel dont la courbe devait auréoler la nation coloniale qu'ils habitaient alors se désagrégeait. Il avait été érigé sur des haines recuites, des injustices difficiles à réparer, de trop criantes inégalités. Incapables d'agir comme les guides qu'ils auraient dû être, les anciens n'avaient su que se compromettre, servir de faux-nez à un système qu'ils avaient prétendu combattre, en alimenter les nouvelles incarnations.

Ils avaient préparé l'implosion. Elle s'était produite au-delà de ce que l'esprit pouvait envisager. Lui, c'était l'Alliance qui l'avait tiré des eaux saumâtres de la délinquance. Il y avait trouvé une famille, un idéal. Sa chance avait été de rencontrer très tôt l'organisation. À quinze ans, il voyait rouge à toute heure du jour ou de la nuit, représentait déjà un danger pour lui-même et pour les autres. Mais quelqu'un l'avait vu, avait lu en lui : ce besoin de cadre, de discipline, d'une cause aussi. Observant cette femme qui devait avoir cinquante ans, soit quatre de plus que lui, il se surprenait à oublier pourquoi il s'était aplati derrière une haie de son jardin, à cette heure. Elle ignorait sa beauté, n'y pensait même pas, ce qui la rendait plus éblouissante encore. Fastueuse, la partie inférieure de son corps suscitait chez l'homme des émotions inattendues, l'envie de lui ouvrir lentement les jambes, d'enfouir sa tête dans l'espace ainsi créé, de découvrir la forme des lèvres, d'observer le frétillement du clitoris. Elle devait l'avoir long, pistil sensible au milieu de pétales charnus. Ses gestes étaient mesurés, témoignant de sa douceur et de l'habitude qu'elle avait prise de ne pas déranger. Il émanait d'elle une force, comme une eau endormie qui ferait des ravages à la moindre occasion. Elle la retenait, ne sachant à quoi l'employer, doutant qu'il en soit encore temps. Ayant posé son plateau-repas sur une table, elle prit place sur le guéridon qui se trouvait là, contempla longuement la descente du soleil, les couleurs du ciel, l'obscurité qui s'abattit soudain. Il crut la voir soupirer, l'exhalaison lui soulevant un peu la poitrine qu'elle avait opulente et aussi souple que la chair d'un fruit mûr. Il se représenta ses seins, deux dunes de glaise molle à malaxer, entre lesquelles s'étourdir. Lorsque les ténèbres eurent enveloppé le monde, elle porta à sa bouche un aliment qu'il ne vit pas distinctement. Elle ne tira pas sur la corde de la lampe à gravité qui pendait tout près, se laissant enlacer par l'ombre. C'était déjà le troisième soir qu'Igazi venait l'épier.

La veille, quand elle était rentrée, il avait profité de son sommeil pour arpenter son ndabo, se servant d'un brouilleur pour n'être pas dérangé par l'alarme, le mécanisme de sécurité sophistiqué qui devait la protéger. Il ne s'était pas permis de pénétrer dans sa chambre. Pour cela, il attendrait d'y être invité. Dans l'appartement, il n'avait fait que quelques pas, se disant que cela aussi devrait lui être permis : découvrir le contenu des tiroirs, savoir ce que racontaient les objets. Il était entré pour la sentir, savoir si elle serait l'alliée espérée. Elle aimait le vert et le violet, ces coloris dominaient dans son intérieur. Ils allaient du plus clair au plus foncé, ce qui donnait l'impression de se trouver dans le corps d'une fleur, feuilles, tige, sépales, pétales. Il n'y avait pas de racines. Les nuances de terre et de bois étaient absentes. Le mobilier, les bibelots étaient faits de métal. Cela l'avait frappé. Dans ces lignes acérées, Igazi avait vu des lames, des pointes de dague enfouies dans la fraîcheur accueillante de la plante. Il l'avait observée pendant qu'elle faisait sa gymnastique, étirements et mouvements d'assouplissement préparant son corps à des batailles encore inconnues, s'entraînant pour ces guerres qu'il concevait pour elle. Son agilité et sa légèreté lui avaient fait imaginer des ébats dignes de titans. Un parfum léger flottait dans l'air du ndabo, une fragrance d'adolescence, l'âge du cœur que dissimulaient ses formes épanouies. En la voyant, ceux qui ne savaient pas regarder se laissaient sans doute impressionner par sa haute taille, sa prestance, l'autorité qui émanait d'elle. La femme était tout cela et lui serait utile pour cette raison, mais ce qu'il en devinait par ailleurs la lui faisait désirer comme cela n'était plus arrivé depuis bien des années.

Elle lui semblait un idéal rarement atteint. La rondeur de son corps inspirait une tendresse ineffable et, si le tranchant de son esprit était tel que le lui laissaient envisager les éléments métalliques du décor, elle était une candace revenue en ce monde. Une femme majuscule. On irait pour lui plaire reprendre le trésor d'Amanishakheto, la couvrir de joyaux. Ce soir, tandis qu'elle picorait il ne savait pas quoi dans son assiette, il décida de se dévoiler. Lui laisser le choix, pour tout. Qu'elle se donne à lui de plein gré, qu'elle accepte ensuite de faire ce qu'il lui demanderait. D'abord, il avait pensé la contraindre, recourir à la menace pour obtenir qu'elle prenne part à son projet. Il en était ainsi le premier soir. Puis il l'avait regardée. Dans son bureau ou ailleurs, elle ne l'avait plus quitté. Il avait lu à son sujet tout ce que contenait son dossier, s'était fait l'effet d'un voyeur. À présent, il voulait qu'elle soit avec lui et à lui. La femme se soumettait, il allait sans dire. Cependant, sa reddition devait être consentie : c'était elle qui choisissait son maître. Il espérait remporter cette élection. Igazi ne laissa pas son esprit réitérer cette pensée. En moins de temps qu'il ne faut pour l'envisager, il quitta sa cachette et fut dans la pièce à vivre dont il connaissait parfaitement l'agencement. Quand elle eut terminé son repas, la maîtresse des lieux fit son entrée dans la pièce. La silhouette qu'elle vit installée sur la causeuse basse ne l'effraya pas. Ou alors, elle n'en laissa rien paraître, fixant l'homme des yeux un moment, puis se dirigeant vers la table pour y poser son plateau. Son visage ne trahissait aucune émotion, ce dont Igazi se félicita, de plus en plus persuadé d'avoir frappé à la bonne porte.

Il s'adressa à elle dans leur langue parlée à quelques encablures d'Ikapa : *Sawubona owesisifazane, bonsoir femme.* Cette fois, une lueur fugace lui traversa le regard, elle n'avait plus entendu la musique de ces mots depuis si longtemps. S'inclinant un peu, elle lui rendit ses salutations en signant : *Sawubona impi, bonsoir guerrier.* Igazi présenta ses excuses pour ses piètres compétences en langage des signes, il n'était pas doué pour exécuter les gestes mais en comprenait bien la signification. Aussi n'auraient-ils aucune peine à converser. *Je vois,* dit-il, *que tu m'as reconnu. Je note également que tu n'es guère intimidée par ma présence.* La femme haussa les épaules. Tout le monde savait qui il était. Elle ajouta que se laisser ébranler par une visite inattendue serait une faute pour une personne travaillant au service du mokonzi. Igazi sourit, l'invitant d'un geste à prendre place près de lui. Sans le quitter des yeux, elle resserra les pans de l'étoffe qu'elle s'était nouée sous les aisselles, se passa machinalement la main sous les fesses comme le faisaient les femmes pour éviter que l'étoffe ne se froisse, s'assit sur un fauteuil aux coussins magenta foncé. Igazi aurait été déçu que, se laissant fléchir par le titre de l'homme qui lui faisait face, elle oublie les règles élémentaires de la bienséance, cette pudeur qui était pour lui une marque d'élégance. Il ne put s'empêcher de laisser glisser ses yeux sur elle, de la pointe de ses pieds nus aux épaules découvertes, se demandant par où commencer. Bien sûr, il savait quelles intentions l'avaient poussé là, mais n'avait pas pris le temps de mettre de l'ordre dans ses idées, d'anticiper un peu la conversation. Puisqu'elle était toute ouïe, son mutisme l'ayant accoutumée à l'écoute, il s'adossa et se lança. Elle n'était pas idiote, il lui aurait manqué de respect en exigeant le secret, en promettant le pire dans le cas contraire. Pour l'heure, il laissa de côté l'affaire d'État. Cette partie de l'histoire serait subordonnée à l'autre, pas l'inverse, cela n'aurait pas la même valeur.

Puisqu'il s'était présenté sans s'annoncer, Igazi s'enquit du temps qui pouvait lui être consacré. Son hôtesse hocha la tête pour l'inviter à poursuivre. Alors, le kalala du Katiopa unifié fit ce que faisaient les hommes quand ils rencontraient des femmes. Enfin, d'après lui. À vrai dire, c'était la première fois qu'il parlait de lui, pas de son métier, pas de ce qu'il était. Attentive, son interlocutrice ne semblait pas s'étonner de la situation. Elle était calme, les mains reposant sur le haut des cuisses, cillant à peine. Il se mit à rire, d'abord à voix basse, puis franchement, se souciant peu d'être entendu des sentinelles que leur ronde conduirait là. *Owesifazane, je devrais sans doute m'y prendre autrement. Écoute, les choses sont simples...* Il était venu pour des raisons précises, des mobiles disons plus politiques, mais s'était trouvé pris à son propre piège, et elle ne l'aidait pas beaucoup. Sans se départir de son flegme, la femme interrogea : *Indoba, que puis-je faire pour soulager ton embarras ?* Parce qu'elle venait de dire *homme* au lieu de *guerrier*, parce que la suite de son propos indiquait de sa part une claire compréhension de ce à quoi elle assistait et

366

parce que des pupilles espiègles illuminaient les traits immobiles de son visage, Igazi n'y alla pas par quatre chemins. Elle ne le connaissait pas encore vraiment, mais lui plaisait-il ? Si tel n'était pas le cas, il promettait de ne plus la déranger. Elle pouvait répondre sans crainte. Haussant une fois de plus les épaules, la femme fit savoir que le spectacle du chef d'État-Major du Katiopa unifié lui faisant sous son toit des avances non déguisées la stupéfiait. Trop pour qu'elle soit en mesure d'apporter à sa question une réponse sensée. Elle découvrait en lui une sorte de bienveillance contredisant sa réputation d'homme impitoyable, et sa prévenance la touchait. C'était tout ce qu'elle pouvait dire. Igazi tint à la rassurer : il n'avait aucune pitié pour les ennemis de l'État dont la défense était pour lui une affaire personnelle. C'étaient des préoccupations de cette nature qui l'avaient mené à elle, mais à sa vue, il s'était passé quelque chose. Sans doute le fait de s'en ouvrir de cette façon n'était-il pas la meilleure stratégie. Cependant, n'ayant pas été instruit de ces questions comme il l'avait été de celles relatives au métier des armes, il avançait un peu à tâtons. Se levant lentement, la femme fit prendre un détour à la discussion : *Indoba, je manque à tous mes devoirs. C'est que je ne reçois personne ici… Que puis-je te servir à boire ?* Elle énuméra les boissons disponibles, il en choisit une. Se saisissant du plateau laissé sur la table, elle s'en fut dans la cuisine.

Une fois seule, Zama soupira longuement. Elle avait eu le souffle coupé tout le temps qu'avait duré sa conversation avec le kalala. Ce n'était évidemment pas la première fois qu'elle le voyait, mais lui n'avait jamais remarqué sa présence. La journée s'était déroulée dans un ennui sans nom, lui faisant presque regretter le départ de Folasade et Nozuko. La vie au service des amies de Seshamani n'était pas de tout repos, mais elle remplissait ses heures. Avec Boya dont elle était devenue la dame de compagnie, il ne se produisait rien de notable. Elle était respectée comme cela ne lui était plus arrivé depuis une période impossible à dater, mais il n'y avait rien à faire. La compagne du mokonzi ne verrait pas d'inconvénient à ce qu'elles deviennent des amies. Zama restait quelque peu sur la réserve, trouvant cela déplacé. Que se passerait-il si les noces n'étaient pas célébrées, si ces deux-là décidaient, au bout d'un moment, qu'il n'y aurait pas d'histoire, pas de couple ? Elle resterait dans la famille d'Ilunga, n'ayant nulle part où aller. Quelques jours plus tôt, Boya l'avait convaincue de sortir, voir un spectacle, dîner au restaurant. C'était comme la convier à l'exploration d'une planète inconnue. Non pas que les rues de la kitenta lui aient été étrangères. Si elle n'y avait plus mis les pieds depuis l'élévation d'Ilunga au rang de mokonzi, il lui était arrivé de s'y promener. Ce qui l'embarrassait en revanche, c'était de se rendre dans des lieux où se massaient des inconnus. La bonne humeur de Boya avait vaincu ses résistances. Puis, il y avait eu cet incident, alors qu'elles atteignaient les *Stèles de la Maafa*. Bien sûr, l'empressement de Boya à secourir un jeune homme agressé était louable et confirmait qu'elle avait les qualités d'empathie requises pour jouer au mieux son rôle auprès du mokonzi s'ils se mariaient. Néanmoins, Zama n'avait pu empêcher le trouble de l'envahir quand la femme rouge s'était mise à parler le fulasi, instaurant entre elle et l'étranger une connivence malvenue. Depuis, elle avait évité sa compagnie sous tous les prétextes imaginables, cherchant les mots pour l'interroger sur sa proximité avec ces gens. Pour Zama, ces visages pâles étaient une engeance malfaisante, n'ayant d'humaine que l'apparence. Affectée depuis bien des années au service de la famille d'Ilunga, elle avait entendu un soir des membres de l'Alliance dire tout le mal qu'ils pensaient des ressortissants du pays fulasi en particulier. On n'avait plus pris garde à sa présence dès lors qu'après avoir servi à table, elle avait reculé d'un pas, attendant en silence d'être à nouveau sollicitée. Elle avait écouté, enregistré. Cela ne s'était pas produit, souvent l'Alliance cultivait le secret, il était habituel de ne rien partager de ses activités au sein de l'organisation, y compris avec ses proches. Ce qu'il lui avait été donné d'entendre ce soir-là, bien qu'évoqué en quelques mots vite balayés par d'autres, l'avait plutôt rassurée. Lorsque l'on s'était souvenu d'elle, on l'avait priée de disposer. À cette occasion, elle avait vu de près Igazi pour la première fois. Il n'était pas encore le kalala, l'État unifié lui-même n'était encore qu'un projet. Debout derrière lui, elle s'était délectée du spectacle de la courbe de son dos nu, il ne portait qu'un kèmbè et un collier de perles en cette saison de grandes chaleurs. Ornée de cauris d'un blanc immaculé, la pointe de ses nattes lui caressait la nuque, ce qui attirait encore plus l'attention sur la peau sombre, les omoplates saillantes. Selon la distribution traditionnelle des rôles, il prenait la parole après que les autres l'avaient eue, alternant avec Ilunga dans cette position d'autorité.

Cet homme avait été pressenti pour être le mokonzi. Le Conseil et l'Assemblée des mikalayi avaient élu Ilunga. La charge ne se demandait pas, et ne se refusait pas. On disait que c'était bien ainsi, que nul mieux qu'Ilunga n'aurait pu avoir cette vue d'ensemble requise pour la mission suprême ; que nul mieux qu'Igazi n'aurait pu assumer la fonction de défenseur en titre du Continent. Aujourd'hui, il se trouvait dans son ndabo, y ayant pénétré à son insu, et ce qu'il avait à lui dire la renversait. Zama ne chercha nulle part son reflet, ce n'était pas la peine. Elle se savait ébouriffée, peu élégante c'était le moins que l'on puisse dire. Et même quand il en allait autrement, que l'on se mette à lui faire la cour l'aurait rendue hilare. Celle qui avait été la gouvernante de l'aile des femmes eut à l'esprit les chairs abondantes de ses cuisses et de son arrière-train, la poitrine dont elle empaquetait la mollesse dans des sous-vêtements de géante. Les hommes n'étant pas aveugles, loin de là, celui-ci avait donc bien mesuré l'ampleur du désastre ambulant qu'elle était convaincue d'être. Dans son regard, elle n'avait vu nulle trace de moquerie, d'hypocrisie, rien qui indique qu'il s'agisse soit d'une plaisanterie de mauvais goût, soit de quelque manigance pour se servir d'elle. Qu'était-ce alors ? Que fallait-il penser de la bonne santé mentale d'un homme pouvant se laisser séduire par la moins avenante des femmes ? À son corps défendant, elle les imagina tous deux, pas même encore sous les draps mais simplement debout. Bien que de belle carrure, Igazi n'avait pas cette hauteur de colosse qu'il aurait fallu pour la dominer. Tout au plus son menton pouvait-il se nicher dans le cou de Zama. Cela ne présentait aucune difficulté technique pour faire l'amour, mais la vie ne se déroulait pas au lit. De plus, ses fantasmes, du temps où elle s'autorisait ces divagations, présentaient un couple classique : homme plus âgé, plus grand, mieux établi socialement. Le kalala ne répondait qu'à la troisième condition. Tout en préparant le jus de fruit choisi par Igazi, elle se demanda si elle le trouvait attirant. Peut-être. Ce qui lui faisait le plus d'effet, ce n'était pas tellement la masse de muscles qu'elle devinait sous le sokoto et l'agbada, le teint foncé des gens de sa région. Plus massif qu'Ilunga, le kalala semblait un arbre ancien, image qu'accentuait sa coiffure, des locks lui poussant dru sur le crâne, comme autant de branches rétives à toute discipline.

Ce qui la touchait, peut-être, c'était le contraste entre cette figure impressionnante et la délicatesse des manières. Il ne manquait pas d'humour non plus. Mais que voulait-il en réalité ? On en avait vu, de ces pervers dont le désir ne s'éveillait qu'à la vue de corps peu conventionnels. Elle n'était certes pas la plus grasse, de celles dont le corps n'était que bourrelets et qui, pour éviter de torturer davantage leur squelette, se déplaçaient à bord de sièges roulants quand il y en avait pour les porter. Elle ne se pensait pas jolie cependant, ne se connaissait aucune qualité pouvant attirer un homme ne sachant rien de son caractère, de ses goûts, de sa sensibilité. Le besoin d'être étreinte, cajolée, la traversait quelquefois. Il pouvait se faire si impérieux que la solitude lui paraissait insurmontable. Puis, cela passait. Elle cautérisait cette plaie intérieure à l'aide de plats savamment mijotés, ingérés en conscience, jamais régurgités. On ne pouvait vivre à la fois seule et sans plaisir. Si d'aventure elle cédait à cet homme, cela ne serait-il pas pour tromper une douleur qui se ferait plus aiguë aussitôt qu'Igazi s'en serait allé voir ailleurs ? Il avait eu une épouse, une femme qui n'avait vécu que pour mettre au monde deux enfants, la naissance du second coïncidant avec son retour vers les ancêtres. Il ne devait pas les voir souvent, ces petits. Si, comme il l'avait déclaré, un autre motif que cette cour inattendue l'avait mené à elle, pourquoi n'avoir pas confié à un agent la tâche de la rencontrer ? Zama frissonna, pensant qu'elle ne l'avait pas vu s'introduire chez elle. Il était impossible d'y venir sans être remarqué. Même après avoir rencontré les sentinelles. La seule ouverture directe sur l'extérieur était la terrasse que prolongeait le jardin. Clôturé, il ne communiquait ni avec le parc de la résidence, ni avec la nzela qui courait au-delà, vers l'avenue Ménélik II. Pour pénétrer dans son antre, il convenait soit d'escalader le haut mur d'enceinte, soit de passer par le vestibule de l'aile des femmes pour emprunter l'élévateur dont seules quelques personnes étaient en mesure d'enclencher le mécanisme. Zama soupira à nouveau. C'était le kalala du Katiopa unifié, membre éminent de l'Alliance. Il avait plus d'un tour dans son sac.

Elle allait emporter le plateau sur lequel trônaient une pleine cruche du plus crémeux jus de corossol et deux verres, quand ses yeux rencontrèrent ceux d'Igazi. Ne la voyant pas revenir, il s'était dit qu'elle avait besoin d'aide. Peut-être fallait-il épépiner les fruits, en découper la chair, la broyer. *Je m'en voulais de te faire tant travailler, owesifazane.* L'homme s'était levé pour la rejoindre. Il se tenait dans l'embrasure de la porte, occupant l'espace les séparant du ndabo. À quelques mètres de lui, Zama ne pouvait détacher son regard du vide qui, au-dessus de la tête de l'homme, lui offrait une perspective nette sur la pièce voisine. Voir au-delà parce qu'elle était plus grande, trop grande, l'embarrassa tant qu'elle baissa les yeux. Elle n'eut pas envie de signer pour dire que tout était prêt, qu'elle le suivait de l'autre côté. Alors, Zama se contenta de prendre le plateau, d'avancer afin qu'il se retourne et la précède dans le ndabo. L'homme resta immobile. L'air soudain grave, il dit : *Tu es sublime. Écoute, je* sais *que ce n'est pas facile...* Un homme comme lui, dont la guerre était le métier, dont on savait qu'il avait tué ou fait tuer, qu'il n'hésiterait pas à recommencer. Il imaginait qu'elle se posait des questions, et c'était bien normal. *Je suis tout à fait disposé à y répondre. Mais avant, c'est moi qui t'en poserai une.* S'il avait une chance de lui plaire, s'il lui aurait plu sans ce qu'elle savait de lui, voudrait-elle d'abord être informée des raisons professionnelles de sa présence ou aimerait-elle mieux le rencontrer ? Zama se tint coite un instant. Ayant reposé le plateau, elle répondit : *Indoba, en ces circonstances comme en d'autres, il me serait difficile de travailler pour toi sans te connaître.* Igazi souligna qu'il n'avait pas parlé de lui confier une tâche. *Je sais,* acquiesça la femme, *mais pourquoi te serais-tu déplacé en personne ?* Et puisqu'ils en étaient là, elle ne se sentirait pas le moins du monde gênée d'apprendre comment il était entré. Il rit : *Tu connais la réponse. Si ce n'est pas le cas, tu en as une idée.* Igazi présenta ses excuses pour avoir employé des méthodes peu courtoises. Une déformation due à l'habitude. Néanmoins, s'il lui était permis de la revoir, il préférait procéder de la même manière. Il ne se voyait pas se présenter aux sentinelles, décliner son identité, faire savoir qui l'attendait. *En revanche, tu seras prévenue de ma visite, cela va sans dire.*

Zama servit le jus de fruit, reprit place sur son fauteuil, hocha la tête. Elle eut l'air pensif un instant. Nier l'étrangeté et le caractère inquiétant de la situation aurait relevé de la plus profonde inconséquence. Mais n'était-ce pas ainsi que le destin choisissait d'opérer, surtout lorsque l'on avait formulé un vœu ? Son existence lui semblait vide, elle voulait faire quelque chose, mobiliser son énergie dans un but précis, se sentir occupée. Bien qu'il lui soit indispensable de savoir à qui elle avait affaire pour s'engager, Zama se disait que le kalala ne pouvait être mû que par de nobles desseins. Par cela, elle n'entendait pas que les actes posés soient toujours les plus amicaux, ni même qu'ils aient été guidés par la morale commune. L'action était impure, comme l'affirmaient certains au sein de l'Alliance. Pour elle, entrer au service de la famille d'Ilunga avait été et restait une forme de participation à l'édification du Katiopa unifié. Élever le fils d'un combattant, protéger les frasques de son épouse, c'était alléger l'esprit de celui qui devait consacrer sa force à l'avènement de l'unité. S'il avait fallu, Zama en aurait réalisé davantage. Alors qu'une torpeur menaçait de figer ses jours, la vie lui en offrait peut-être l'occasion. En prenant le temps de la rencontre – ce qui, entre deux êtres, pouvait nécessiter une durée indéfinie – ne risquait-elle pas de retarder une opération urgente ? Elle voulut s'en assurer. Cette fois, ce fut Igazi qui haussa les épaules. Rien de ce qui concernait l'État ne pouvait vraiment être différé, dans le domaine de la sécurité dont il avait la charge. Il avait bien eu l'intention de la solliciter à cet égard. *Je ne voudrais pas tout mélanger*, expliqua-t-il, *ni te brusquer*. La mission devrait donc être remise à plus tard. Seule Zama lui semblait à même de l'accomplir, il s'agissait d'une affaire délicate.

La femme ne dit pas ce qu'elle saisissait à travers ces propos, que sa position devait la rendre incontournable parce qu'elle habitait la demeure du mokonzi. Igazi ne pouvait avoir eu l'intention de l'envoyer en filature à travers les rues de Mbanza. Elle en était capable et rendrait les meilleurs services, nul n'aurait eu l'idée de la soupçonner de quoi que ce soit. Son travail l'avait de plus accoutumée à se fondre dans le décor, à créer une ombre là où il n'y en avait pas, à faire de sa présence une absence. Se mêlant à son besoin d'agir et à son idéal politique, sa curiosité se mit à la torturer. Comment reprendre sa parole à présent ? C'était elle qui avait fixé, sans contrainte aucune, l'ordre des priorités entre eux. Se dédire aurait le défaut de la faire passer pour une personne indécise, peu fiable. Zama examina le terrain, chercha une piste sèche pour éviter celles, plus nombreuses, où elle pourrait s'embourber. Pensant l'avoir trouvée, elle recourut à la langue des signes de la région australe du Continent, celle de sa conversation avec son visiteur, depuis le début. Ses gestes tracèrent des courbes dans l'air, des ports de bras à la précision élégante, un énoncé auquel le silence conférait une tonalité sans appel : *Indoba, voici ce que nous allons faire. Tu viendras me voir ici trois soirs de suite, à l'heure du dernier repas.* Il se raconterait à elle dans les moindres détails. Ainsi, Zama en saurait autant que lui qui avait dû consulter son dossier. La femme ne l'ignorait pas, l'État possédait une documentation exhaustive sur toute personne qui, comme elle, vivait dans l'entourage du mokonzi. Puisqu'il ne l'avait pas convoquée dans les quartiers de la Sécurité intérieure, instaurant un lien de subordination qui aurait rendu extravagante sa requête, elle se sentait en droit de la formuler. Au terme de ces trois soirs, Zama dirait s'il lui agréait que soit dévoilée la teneur de la mission.

Igazi n'indiqua pas qu'il avait déjà passé un certain temps à l'observer, qu'il lui avait consacré trois soirs et même une nuit, au cours de laquelle, pénétrant dans son ndabo, il avait tenté de sonder sa personnalité. Il fallait bien travailler un peu pour la conquérir. L'homme porta à ses lèvres le jus de corossol, se délecta de sa saveur légèrement citronnée, reposa son verre. Dans un logement ordinaire, il aurait cherché la fenêtre, la vue d'une étendue dont l'immensité pouvait être incorporée d'un simple regard, de telle façon que l'on se sente encore un peu libre. Mais il n'y avait d'ouverture que la porte coulissante menant sur la terrasse, qu'il distinguait à peine dans la pénombre. Seule la cuisine était éclairée, d'où parvenait une impression lumineuse, une vague idée qu'absorbait le couloir séparant les deux pièces. Puisqu'ils allaient épuiser une partie de cette première nuit, Igazi aimait autant qu'une lampe soit allumée, ce qu'il recommanda. Par chance, il dormait peu et se passait de dîner. Sans se faire prier davantage, les yeux dans ceux de la femme qu'il espérait séduire, Igazi plongea dans sa mémoire la plus ancienne. Jamais encore il n'avait fait cela, et ce pourrait être en pure perte, Zama ne lui ayant rien promis. Il n'éprouvait pas le désir de commander, faisant le pari qu'il exercerait une tout autre forme de domination si cette femme lui était destinée. Comme il se mettait à parler, Igazi n'écouta pas les mots qui lui venaient, s'attardant au contraire sur ceux qu'il ne pourrait dire. Sa voix intérieure, son intuition. Ce qu'il entendit le rassura. Il y avait trop longtemps qu'une femme ne l'avait pas tant attiré, pour qu'il faille en rester là. De son côté, Zama, qui se montrait prudente, avait fait plus qu'entrebâiller la porte, s'exposant à ne plus être en mesure de la refermer.

Il vint comme convenu, à l'heure de la descente du soleil et de l'apaisement des grandes chaleurs qui, tout le jour, accablaient les habitants de la kitenta. C'était la longue saison sèche et, dans cette région autrefois préservée des touffeurs, il arrivait que l'on tire un peu la langue. La démarche des citadines se faisait plus lente, on quittait plus tôt sa demeure afin de prendre son temps, ne pas arriver au travail, à l'école, étourdi par la fournaise. Le baburi faisait le plein de voyageurs, tous les autres modes de transport nécessitant un effort qu'il n'était pas question de consentir. Dès que possible, on prenait d'assaut les jardins, les marchands de glaces à l'eau faisaient fortune. La fin de la journée convenait bien à Igazi. Zama et lui prenaient place sur la terrasse, elle servait un repas pour deux qu'il honorait volontiers, en dépit de ses habitudes. Sachant qu'elle aurait cuisiné, il s'imposait un jeûne dont la rupture, bienvenue, ajoutait au plaisir que lui procurait la compagnie de Zama. Le matin de sa deuxième visite, il avait pensé à Ilunga, comprenant un peu ce qui avait dû lui tomber dessus. Ce phénomène qui faisait baisser le taux de testostérone. Une apparition sur la voie balisée du devoir et de l'engagement qui rappelait que la vie était aussi ailleurs. Que l'âme réclamait sa ration de beauté, de légèreté, et que ces moments pouvaient être vécus au crépuscule, alors que l'on faisait le récit d'une existence tumultueuse. Mais la femme rouge d'Ilunga n'avait rien à voir avec sa reine à lui. La Rouge était une puissance trouble, une déesse du désordre, quand Zama était tout l'inverse. Plus il la regardait, plus il était convaincu qu'ensemble ils seraient la réplique du couple originel. Oui, ce serait eux, le couple qui ferait renaître l'Univers. Les membres de l'Alliance faisaient de leur action une lecture ésotérique selon laquelle le mokonzi et sa compagne devaient former, pour le Katiopa unifié, la plus parfaite représentation des divinités premières. Jusqu'ici, chacun s'était accordé pour reconnaître que c'était là le point faible d'Ilunga : l'épouse inadéquate. Et il allait récidiver. Se tromper deux fois dans ce domaine n'était-il pas révélateur ? Igazi n'aurait pu dire de quoi exactement, mais une pensée se formait dans son esprit. Il ne tentait pas de la dissiper, la laissant prendre corps peu à peu.

Ilunga et lui étaient des frères d'armes, une loyauté sans faille les unissait. Ils voyaient différemment certaines choses, mais chacun connaissait la valeur de l'autre, son investissement pour la grandeur de Katiopa. Il ne ferait rien qui aille à l'encontre de la fidélité que se devaient les membres de l'Alliance. Son action devrait donc être nocturne, ce qui lui permettrait de conserver ses attributions actuelles, des fonctions que nul autre n'occuperait mieux que lui. Il laisserait volontiers l'éclat du jour à Ilunga. Zama et lui constitueraient une arme secrète. Le moment venu, ils devraient sans doute se présenter devant les instances adéquates, mais il n'en était pas là. Igazi se reprit, mit un terme à ces spéculations. Ce qui importait dans l'immédiat, c'était d'éloigner cette femme rouge. Pour le moment, Ilunga n'entendrait pas raison. Une fois la situation assainie, ils se parleraient. Si les membres de l'Alliance s'accordaient à ce sujet, le Conseil n'aurait qu'à entériner leur décision. La vie de l'État se déroulait sur plusieurs plans, et la reconquête des terres avait été un succès parce que toutes les dimensions avaient été prises en compte. Plus que cela, elles avaient été associées, rétablissant l'équilibre des forces. Lorsque l'Alliance avait, en une seule nuit, fait tomber ce qu'il restait des régimes issus de l'ère coloniale, le monde en était resté bouche bée. Le Continent faisait alors l'objet d'un quadrillage tel que ce renversement semblait inimaginable. Bien sûr, on savait que l'Alliance existait, mais elle n'était pour tous qu'une organisation quelque peu étrange : parti politique ici, simple association à visée éducative ailleurs. Le nom d'Alliance n'était connu que de ceux qui en faisaient partie, la vitrine, à l'appellation plus folklorique, n'attirant pas vraiment l'attention. Pas même quand elle s'était implantée partout, sur la Terre Mère et sur l'Autre bord. Dans leur morgue, les puissants d'autrefois avaient vu en cela un aboutissement, quand ce n'était aux yeux des combattants que le commencement.

La bataille, la vraie, c'était ce qu'ils faisaient à présent. Toutes les autres, la guerre contre Mukwetu pour se rendre maîtres de la F.M., la lutte acharnée contre les adorateurs de la lune fanatisés n'avaient été que des étapes. Igazi se rappelait cette époque, non sans fierté. Pendant que les médias avaient les yeux braqués sur ce que l'on qualifiait de désordre supplémentaire au cœur du Continent décidément noir, ils en avaient profité pour commettre, sur d'autres territoires, quelques attentats ciblés, de façon à affaiblir les structures étrangères. Ces actes, non revendiqués – parce qu'il n'était pas utile de converser avec ces personnes ni de respecter leurs règles –, avaient frappé de stupeur les grands de ce monde. On les avait habitués à une politesse extrême et singulière : ne détruire que les siens, s'entretuer, mettre un point d'honneur à ne jamais toucher qui n'était pas de la famille. Dans bien des cas, on avait même cru à des accidents. L'arrogance. L'accoutumance à ses propres délires, comme à une drogue. Igazi s'honorait d'avoir plastiqué seul une ambassade. Il y avait été employé comme factotum plusieurs mois durant, se rendant indispensable, connaissant les horaires, l'emploi du temps de ceux qui y travaillaient. Lorsque la bâtisse était partie en fumée, il se trouvait à des milliers de kilomètres de là, aux prises avec la garde rapprochée de Mukwetu. Il n'y avait pas eu de victimes, pas cette fois. Chacun des hommes de l'Alliance avait à son actif une opération similaire, exécutée dans une région précise du Continent. Elles avaient touché les sièges de multinationales, des équipements divers, les signes extérieurs du prestige colonial ou néocolonial. Pour l'une de ces offensives, Ilunga, Kabeya et lui avaient agi ensemble. Là, ils avaient pris des vies, en grand nombre. Ce n'était pas tout de risquer la mort pour une cause. Cette faculté était à la portée du premier illuminé venu. Des hommes comme eux savaient que mourir vraiment, c'était accepter de tuer. Se salir l'âme. Katiopa méritait ce sacrifice. Encore aujourd'hui, ils n'en parlaient pas, mais l'action s'était révélée décisive pour faire savoir aux populations que le vent tournait, dans leur sens. Ceux qui avaient compris s'étaient appliqués à garder le silence.

Igazi ne voyait pas la moindre marque d'indignité dans ce mode opératoire souterrain, dans le fait de ne pas signer les actes posés. L'asymétrie des forces en présence leur imposait cette tactique. C'était la prise de la F.M. qui avait dévoilé le bras armé de l'Alliance. Ses guerriers avaient infiltré les troupes de Mukwetu, jusqu'à sa garde rapprochée. Cela leur avait pris du temps, mais ils étaient rompus à la patience. Une fois le chef de la F.M. vaincu, ils ne l'avaient pas tué, le laissant s'établir dans son village natal, tandis que ses hommes faisaient allégeance aux nouveaux-venus. Nul ne l'avait regretté. Ni ses homologues qui ne l'avaient jamais reconnu comme l'un des leurs, ni le peuple auquel il avait fait vivre un cauchemar de chaque instant. Il était fou, Igazi ne le lui reprochait pas. Bien des pathologies mentales avaient longtemps guetté les hommes du Continent. Être l'un d'eux était même devenu une affection en soi : des siècles durant, ils avaient été, à la surface du globe, les seuls que l'histoire ait si durablement privés de territoire. Mukwetu n'était habité que par la rage de récupérer ce bien qui n'était pas matériel. Une fois qu'il l'avait eu entre les mains, il n'avait pu se conduire que comme un affamé devant une montagne des plus savoureuses victuailles. Ses grands travaux, pour la construction de la première ligne du Mobembo notamment, s'étaient réalisés sur des empilements de cadavres. Son désir de prouver la valeur des sciences du Continent l'avait amené à dépenser des fortunes dans des expériences extravagantes dont il n'était pas resté grand-chose, à part les cubes électrifiés dont se servaient les estropiés de son armée. Ils étaient ses hommes augmentés. On en voyait parfois à Mbanza, le buste dépassant du caisson métallique que certains, par coquetterie, habillaient d'une étoffe colorée. Parce qu'ils lui devaient tout de même une fière chandelle, les gouvernants du Katiopa unifié avaient décidé de verser une allocation à Mukwetu. Dans sa résidence surveillée, l'homme s'était laissé vieillir d'un coup. On le disait l'initiateur d'un culte baroque dont les offices se tenaient sous son toit, ce qui ne dérangeait personne. Il prophétisait tout son saoul, ne semblant pas se rappeler ses hauts faits du passé. Igazi savait que le mokonzi lui avait rendu visite à quelques reprises. De cet homme, il n'y avait à recevoir aucune recommandation. Il incarnait cependant à sa manière la profondeur des blessures que l'on voulait maintenant guéries.

Il laissa ces souvenirs s'évaporer pour se concentrer à nouveau sur Zama. C'était elle qui lui faisait venir à l'esprit l'idée d'une autre destinée. Ou plutôt, sans même qu'il l'ait touchée, elle lui donnait le sentiment de pouvoir pénétrer dans la vie qui aurait dû être la sienne. Un élément avait pesé dans la balance lorsque le Conseil s'était réuni pour choisir le mokonzi. Les anciens avaient siégé après les mikalayi qui n'avaient pu départager Ilunga et Igazi. Ils s'étaient fondés sur des critères liés à l'équilibre des forces, dans la vie intime des pressentis. L'un d'eux avait une épouse certes imparfaite, mais bien vivante. Ils avaient également pris en considération le fait que l'un des deux ne manifeste pas le désir d'occuper cette fonction. Igazi n'en concevait pas d'amertume, le titre de mokonzi n'était pas un trophée mais une charge. Pour l'assumer au mieux, peut-être fallait-il l'avoir un peu voulu, ce qui n'était pas le cas d'Ilunga. Ce dernier avait accepté la fonction, guidé par le sens du devoir plus que par le désir. Igazi pensait qu'il fallait les deux. Zama leva un sourcil en le voyant rire, avait-elle dit quelque chose de drôle ? Igazi répondit que non, c'était de lui-même qu'il se moquait, des divagations de son esprit depuis leur rencontre. *Je ne t'ai même pas encore effleurée, et tu me mets déjà la tête à l'envers. Alors, Indlovokazi, que faisons-nous ?* Zama baissa les yeux, troublée non pas en raison du désir de cet homme dont elle ne doutait plus qu'à moitié, mais parce qu'il venait par ses mots de la couronner. *Indlovokazi* signifiait reine et il avait prononcé ce mot avec un naturel désarmant. Un instant, elle fut presque heureuse de ne pouvoir dérouler de longues phrases sans les avoir d'abord mûries. Il lui fallait s'ouvrir à cet homme sans aller trop loin, sans se rabaisser. Ne pas exposer ses doutes, ses complexes, le trouble qu'elle ressentait à l'idée d'être désirée. Personne ne la voyait, elle s'y était habituée. Zama prenait grand soin de son apparence pour aller travailler. Elle le faisait aussi pour recevoir Igazi, ne plus se laisser surprendre dans la tenue négligée du premier soir. Ainsi, elle était décente, plus que cela même, majestueuse. Elle savait habiller sa formidable stature de façon à impressionner plus par sa hauteur que par sa rondeur. Au bout d'une heure passée dans ces ensembles élégants, elle habitait une autre peau, s'y sentait à l'aise. Ce n'était malgré tout qu'un déguisement, dans la mesure où n'était révélée qu'une infime partie de sa personnalité. Le flegme, la tranquille autorité. Nul ne savait ni ne pressentait d'elle la fragilité, la douceur, le cœur de fillette qui battait sous les épaisseurs de chair. Tant d'autres choses. Elle ne pouvait être aimée que d'une personne capable de percevoir cela. Non pour se complaire dans ces aspects de son tempérament, mais pour s'autoriser à les dévoiler. Que quelqu'un, parfois, soit heureux de lui tenir la main. Elle n'inspirait pas cela. Ce corps massif saturait l'espace. Elle avait appris à n'en faire qu'une ombre, à ne l'illuminer que brièvement. Son mutisme l'aidait beaucoup à faire oublier sa présence et même à disparaître. Elle se tenait dans l'angle des pièces, telle une statue oubliée là par les siècles. On ne se souvenait d'elle qu'en cas de besoin. Le seul à avoir jamais approché les différentes facettes de son être était Tshibanda qu'elle avait élevé. Pour le fils de celui qui n'était pas encore le mokonzi, elle avait fait des pitreries, préparé des beignets, lancé son corps dans des courses sans fin. Lors de ses visites, rares depuis qu'il était à l'université, il arrivait qu'elle redevienne cette autre personne. Il ne voyait pas sa taille, n'évaluait pas son poids, faisait des signes rapides pour lui parler, ce langage lui étant naturel.

Zama avait évidemment pensé à Igazi, à ce qu'ils pourraient être l'un pour l'autre. Du moins s'y était-elle ardemment essayée. Lui plaisait-il ? Oui, mais cela ne ferait pas tout. Encore à présent, il était pour elle une image à contempler de loin. Elle ne se voyait pas lui livrer ses chairs ramollies, l'avachissement de sa poitrine. Elle n'avait presque pas connu d'homme. Ce qui lui était arrivé dans ce domaine n'avait rien de romantique et ne se racontait pas. Zama avait été de ces jeunes femmes que les hommes prennent comme par inadvertance, avant de s'endormir, leur ayant tourné le dos. Sous la tente commune lors de sorties en forêt, après qu'on avait un peu bu. Dans sa chambre d'étudiante un soir d'orage parce qu'on ne pouvait rentrer chez soi et qu'elle avait fait la bêtise d'ouvrir, de se laisser fléchir par les jérémiades. Celui-là avait attendu qu'elle soit endormie. Bien sûr, on ne gardait aucun souvenir des événements. Elle était, de toute façon, cette montagne mouvante qui ne pouvait parler. La rencontre avec Ilunga l'avait sauvée d'une existence sans intérêt. Elle faisait la cuisine dans un restaurant de quartier que Kabeya et lui fréquentaient, dans la région de KwaKangela. Affables, ils prenaient part aux débats enflammés qui rythmaient la vie du lieu, en profitaient pour diffuser des points de vue inhabituels, faire de l'éducation organique, sauvage même. Celui dont on ignorait qu'il serait un jour le mokonzi du Katiopa unifié avait remarqué sa discrétion, l'empressement qu'elle mettait à s'effacer derrière les fourneaux dès que la serveuse avait emporté les plats. Il avait entrepris de l'approcher, commençant par la remercier une fois le repas terminé. Puis, il lui avait rapporté les assiettes vides, se faufilant dans la cuisine pour faire un brin de conversation. D'abord sur ses gardes, elle s'était peu à peu détendue, ravie de rencontrer quelqu'un qui sache la langue des signes. Un soir, après son service, il l'avait attendue. Depuis, elle ne l'avait plus quitté. Tshibanda était alors âgé d'à peine un mois. C'était un nourrisson dodu et remuant, la huitième merveille du monde. Ses parents étaient de jeunes mariés dont l'amour n'avait pas résisté à sa naissance. Le couple se trouvait loin de la famille d'Ilunga. Celle de Seshamani refusait son aide, leur fille s'étant rendue coupable de mésalliance. L'atmosphère entre eux était gelée, au point que l'on se demandait comment l'enfant avait pu voir le jour. Seshamani faisait une dépression post-partum et ne s'en occupait pas volontiers, passant le plus clair de son temps en étirements du corps et contractions de la zone périnéale. Il lui fallait à tout prix s'assurer que sa silhouette ne garde pas trace de la mésaventure, que le fait d'avoir été dotée d'un utérus ne lui retire pas son individualité, la liberté qu'elle voulait se donner d'être plus qu'une femme ou autre chose le cas échéant. Elle n'avait pas levé les yeux sur Zama le premier jour, mais le long soupir qu'elle avait exhalé en lui indiquant le berceau de son fils avait été des plus explicites. Depuis, Zama les avait suivis au gré des déplacements d'Ilunga pour le compte de l'Alliance.

Elle était devenue la gouvernante. Un membre de la famille, une personne sûre, discrète, diplômée en puériculture, aimant la littérature et sachant cuisiner. C'était plus qu'elle n'aurait pu espérer. Elle s'était initiée aux arts martiaux et au tir avec Tshibanda, mais n'avait pas osé monter à cheval : la pauvre bête aurait dû la tracter, l'affaire se serait terminée en supplice moyenâgeux du pays fulasi. Elle avait parcouru le Continent pendant les vacances familiales, découvrant aussi l'Autre bord, l'île des Ingrisi et les temples de Bhârat. Leur compagnie l'avait un peu consolée du décès de sa grand-mère. Sans l'amour et la détermination de l'ancienne, jamais elle n'aurait mis les pieds à l'école. La voyait-elle de là où elle était ? Dans les yeux de sa grand-mère, Zama était une créature divine, une beauté. Quelqu'un dont l'existence ne serait pas celle des gens ordinaires mais une destinée, de ces histoires que se transmettent les générations. Elle louait sa haute taille, son postérieur proéminent, ses dents du bonheur et le brun de sa peau. Les hommes, cependant, n'avaient pas pour les femmes les yeux que posaient les grand-mères sur leurs petites-filles. Avec les années, elle avait compris que les éloges devaient tordre le cou à l'abattement et donner du courage à la vieille qui s'occupait seule d'une enfant singulière. Zama se souvenait du jour où elle avait cessé de se regarder dans les miroirs. Avant cela, il lui arrivait de se trouver magnifique tant qu'elle n'était pas vêtue. Puis, l'adolescence lui était tombée dessus, tel un avion gros-porteur sur le sommet d'une montagne, faisant saillir poitrine et hanches, lui fourrant sous les bras une odeur épaisse qui prévenait chacun de l'imminence de son passage. Les garçons, qui avaient toujours été trop petits, l'étaient devenus encore plus. Ils préféraient les demoiselles efflanquées et volubiles, peu importait que certaines soient capables de leur faire voler le cerveau hors du crâne à coups de baffes ou veuillent connaître la saveur de tous leurs copains. Elles étaient des filles. Zama, on ne savait trop ce qu'elle pouvait être. Ses bonnes notes lui épargnaient la déchéance absolue, mais elle exigeait une rétribution pour faire à leur place les devoirs des autres. Jamais elle n'avait permis qu'on la prenne en pitié.

C'était d'elle-même qu'était venu le dédain, un après-midi où, seule dans sa chambre, elle dansait sur des tubes à la mode. Croisant dans la glace le reflet de son corps en mouvement, elle avait été frappée, littéralement, par le contraste entre la créature qui bougeait là et son être intérieur. Au fond d'elle, Zama ne se sentait pas comme cela, n'était pas cette personne, ne voulut plus s'en infliger la vue. Ce moment s'était violemment imprimé dans sa mémoire. L'image revenait quelquefois l'agresser sans crier gare, comme un malfaiteur surgi de l'ombre pour se livrer à un tabassage en règle avant de s'évanouir, emportant avec lui sa sérénité. Elle en souffrait plus que d'avoir été privée de la parole. La voix d'Igazi, plus douce que la première fois, répéta les paroles qui l'avaient émue : *Alors, Indlovokazi, que faisons-nous ?* Zama ne sut quoi répondre. Elle ne s'entendit même pas penser les propos que ses mains tracèrent dans l'air, une réflexion sur le fait que les femmes de son âge, pour certains peuples de cette région, étaient considérées comme des hommes. Il partit d'un grand rire. *Eh bien, dans ce cas, il n'y a rien que tu ne puisses me dire.* Il connaissait son âge et pensait qu'elle exagérait un peu. Qu'elle réponde à sa question en toute simplicité ne l'offenserait pas. Zama regarda l'homme dans le fond des yeux et confia ce qui ne se raconte pas, sans omettre un détail. Les dates, les heures, les couleurs, les odeurs. Les pensées, les sentiments, la solitude, le doute.

Ce qu'elle ne confessa pas ne pouvait l'être. De façon curieuse, il était plus aisé de divulguer des informations intimes que d'avouer l'embarras causé par une petite différence de taille, par l'idée que l'on se faisait d'un couple présentable. Aussi, quand Igazi promit douceur et délicatesse, qu'il jura qu'elle n'aurait qu'un geste à faire pour le repousser si cela ne lui plaisait pas, Zama ne sut quels termes opposer à sa requête. Bien lui en prit, car elle reçut ce soir-là son premier baiser véritable et s'aperçut que les mains d'Igazi contenaient à merveille ces parties de son corps qu'elle avait crues incommensurables. Il savait de plus prendre dans sa bouche ses seins affaissés, lui écarter les jambes d'une main leste, aussi aisément qu'il l'eût fait de branches d'arbustes pendant un peu trop bas dans un bois. Et lorsque cet homme enfouit sa tête entre ses cuisses, Zama apprit aussi que la jouissance avait la puissance de certains rythmes qui poussaient à la danse les corps les plus rigides. Elle ne sut à quel moment cela se produisit, mais le sommeil s'empara de son être comme jamais auparavant. Le jour s'était levé depuis bien des heures quand elle ouvrit les yeux. Igazi s'en était allé. Seule dans sa chambre, Zama eut envie de se voir dans un miroir, de porter une tenue plus ajustée que celles rangées dans sa garde-robe, d'être à nouveau touchée. La journée s'écoulerait une fois de plus sans obligations. Peut-être Boya voudrait-elle passer un moment en sa compagnie. Elle trouverait un prétexte, une excuse pour garder encore sur le visage les traces de la félicité. Le démon du doute allait s'insinuer dans son esprit, mais elle ne se laissa pas faire, congédia la possibilité qu'il se soit agi d'une ruse de la part d'Igazi : faire d'elle son esclave sexuelle avant de lui demander d'accomplir quelque chose de dangereux. Elle l'avait suffisamment observé pour n'en rien croire et pensait avoir deviné ce qu'il attendait. Elle y était prête. Non pour s'assurer qu'il revienne lui donner du plaisir, mais parce que son engagement pour Katiopa ne se discutait pas. Ce qu'il souhaiterait serait juste. Oui, Zama était tout à fait disposée à rapporter au patron de la Sécurité intérieure ce qu'il voudrait savoir à propos de la compagne du mokonzi. Elle consignerait les mots, dénicherait les secrets. Quand allait poindre une interrogation sur ses motivations profondes, sur la solitude qui rendait fragile et mettait à la merci du premier venu, Zama chassa ces pensées importunes. Cela n'avait rien à voir avec la situation. Elle en voulait pour preuve sa fermeté à repousser le chargé des Affaires diasporiques lorsque celui-ci, l'ayant convoquée au sujet du San Kura des étudiants venus de l'étranger, s'était permis des mots, des gestes déplacés. Elle n'avait pas éprouvé le désir de recevoir chez elle ce mamba noir maniéré et suffisant. Igazi lui plaisait, Igazi était sûr, elle partageait sa détestation des Sinistrés, sa désapprobation de la légèreté avec laquelle Boya les traitait. Avait-on idée d'en faire monter un dans la berline du chef de l'État ? Zama consignerait les mots, dénicherait les secrets, et se ferait, s'il le fallait, la confidente de la femme rouge.

16

Ilunga attendait la réponse de Boya. Que pensait-elle des images qu'ils venaient de voir ? La question de l'amant ne les avait pas occupés longtemps. Ilunga s'était contenté de plaisanter à ce sujet, disant qu'il s'en serait aperçu si la mécanique de Boya s'était enrayée. Comme elle pouvait s'y attendre, les agents chargés de sa sécurité n'avaient rien négligé. Pendant qu'elle s'affairait à la défense du jeune Sinistré, ils approchaient, l'un d'eux prenant des images de la scène à l'aide d'un petit équipement portatif. *Rassure-toi*, avait dit Ilunga, *tes faits et gestes ne sont pas filmés en permanence.* Cependant, la situation de cette nuit-là, le nombre d'inconnus impliqués nécessitaient que l'on puisse effectuer quelques recherches. Boya savait donc désormais que Kabongo avait toutes les raisons d'être louche. En revanche, le motif de sa présence n'avait pas été élucidé. *À mon avis*, avait murmuré Ilunga, *il s'agit d'un concours de circonstances.* Nul, en effet, n'était informé de l'envie soudaine qu'aurait l'amie du mokonzi de se rendre à pied jusqu'aux *Stèles de la Maafa*. Sur la vidéo, on voyait Kabongo se diriger depuis le kiosque vers le centre de l'esplanade. Ses pas étaient lents, ses yeux semblaient chercher ceux des agresseurs. Ce n'était qu'après avoir établi avec eux ce premier contact visuel qu'il s'était fait entendre. Ilunga avait pensé qu'ils étaient en cheville, sans comprendre ce que pouvait représenter un Sinistré tout juste sorti de l'adolescence. Puis, de nouvelles informations avaient été portées à sa connaissance. D'abord, il avait appris que les agresseurs étaient de jeunes recrues de la Sécurité intérieure. Il n'avait pas interrogé son kalala, préférant s'en remettre à Kabeya qui n'avait pas son pareil pour ausculter les souterrains de l'État. C'était ainsi que cet enregistrement, copié à partir du communicateur de Kabongo, lui était parvenu. Boya admit que les propos tenus par le jeune homme lui paraissaient ahurissants. Depuis l'agression, le souvenir qu'elle en avait était celui d'un être sans défense dont la mémoire restait en partie brouillée. Il était revenu à lui, mais toute trace des événements l'ayant conduit à l'hôpital s'était effacée. Les analyses sanguines avaient révélé la présence d'une toxine bien connue des sangoma d'autrefois. On lui en avait injecté une dose infime, mais le produit, obtenu à partir d'une écorce que l'on râpait en principe avant de l'ingérer, était directement passé dans le sang. Il aurait pu perdre tout à fait la raison.

Le film qu'ils venaient de voir montrait Amaury Du Pluvinage quelques heures avant, assis près de son père sur une terrasse que Boya connaissait de vue. Elle faisait face à celle de Charlotte qui partageait sa maison avec une de ses filles et sept ou huit de ses petits-enfants. Il lui était arrivé de saluer les habitants de la demeure mitoyenne, mais jamais Boya ne s'était rendue de l'autre côté de la pelouse. Ses visites étaient discrètes, les horaires imposés par la matriarche toujours choisis avec soin. Ce qui la stupéfiait, c'était le cynisme du jeune homme. Il était si différent de celui à qui elle avait porté secours. Elle avait rencontré un être élégant et fier, une personne dont rien ne laissait soupçonner la roublardise. Cette histoire ne tenait pas debout, mais que penser d'autre ? Sa déception était immense. Amaury n'incarnerait pas, comme elle l'avait espéré, l'intégration des Sinistrés à la population locale. Un autre devrait jouer ce rôle, mais il faudrait attendre et elle n'était pas certaine d'en trouver un qui présente les mêmes atouts. Les choses n'allaient pas dans le sens espéré. Pourtant, elle restait persuadée que les jeunes Sinistrés voudraient être délivrés du carcan identitaire dans lequel ils étouffaient. Ils étaient les plus nombreux. Les abandonner à leur sort serait une hérésie. Amaury avait certes évoqué un groupe partageant ses visées et prêt à s'engager dans son incroyable entreprise. Sans lui, ils y réfléchiraient à deux fois. Par ailleurs, le projet ayant été découvert, les mesures adéquates seraient prises. En dépit des apparences, la situation restait inchangée : il fallait assimiler les nouvelles générations de Sinistrés, en faire des enfants de Katiopa, jusqu'à la moelle des os. Ce n'était pas sans raison que Du Pluvinage père se montrait circonspect à l'annonce de la machination.

Boya exposa son point de vue. Ilunga l'écouta avec patience avant de lui répondre. Son souhait était plus que jamais de rendre ces étrangers au territoire qu'ils avaient déserté, de les contraindre puisqu'il le fallait à mener des existences honorables ou à mourir dans la dignité, ce qui revenait au même. S'ils devenaient des adversaires, des ennemis déclarés, que l'on puisse au moins leur témoigner quelque respect. Il n'éprouvait pas de haine à l'égard de ces gens. Simplement, les troubles dont ils souffraient ne pouvaient devenir ceux de Katiopa, et on n'allait pas leur retirer leurs enfants sous prétexte que ceux-ci voudraient bien appartenir à cette terre. L'aimer, la protéger. Précisément parce qu'ils étaient des enfants, ils s'acclimateraient vite à leur nouvel environnement. Plus on tardait, plus on se compliquait la tâche. Il suffirait que le Conseil soit informé des événements pour que les sages révisent leur position et acceptent que soit mis en place un programme d'expulsion. On n'avait pas de relation diplomatique avec le pays fulasi, mais les Sinistrés clamaient assez fort cette appartenance pour qu'elle ne puisse leur être déniée. Et ils détenaient des documents d'identité pour en attester. Ces personnes pouvaient donc être remises à l'une des représentations de leur pays au nord du Continent. Tout généreux qu'il fût, Katiopa n'avait pas à héberger le monde entier. Sortie de ses flancs afin de peupler la planète, l'humanité ne pouvait exiger de la Terre Mère qu'elle devienne l'hypogée où seraient inhumées toutes les désolations. Les Sinistrés ne travaillaient pas, ne s'acquittaient d'aucune taxe. Un dispensaire les accueillait, s'ils voulaient bien s'y rendre. Les soins étaient à la charge de la collectivité, comme pour tous les démunis.

On frappa à la porte du bureau, ce qui interrompit les pensées d'Ilunga. Reconnaissant aussitôt le toucher de Kabeya, il quitta son siège pour lui ouvrir. Bien qu'invité à pénétrer dans la pièce, son frère se tint d'abord sur le seuil. C'était son attitude en présence de Boya, un témoignage discret de considération, surtout lorsqu'il devait descendre dans l'aile des femmes.

Quelle qu'ait pu être la teneur de la conversation entre le mokonzi et elle, Kabeya y voyait un moment d'intimité, se sentait gêné de venir le troubler. Aussi attendait-il d'être autorisé à pénétrer dans les lieux par la femme rouge, qu'elle dise : *Semeki ya mobali, rejoins-nous.* Cet après-midi plus que les autres fois, cette politesse était justifiée. Ce qu'il avait à dire concernait Boya. L'homme avança jusqu'au centre de la pièce, laissant la porte ouverte derrière lui. Là, il leur fit savoir que deux jeunes femmes étaient au bout de la nzela, sollicitant une entrevue avec l'amie du mokonzi. Tels avaient été leurs mots. Ne voulant pas commettre d'impair, les sentinelles les retenaient en attendant les ordres. En temps normal, elles les auraient refoulées, mais la vie avait bien changé à la résidence. Boya affirma n'avoir prévu aucune visite, elle ne voyait pas qui se permettrait de venir la chercher ici, en dehors de sa modiste. Elle avait communiqué la liste de ses éventuelles invitées et ne recevait jamais quiconque sans en avoir averti au préalable la sécurité. Kabeya répondit que, d'après leurs propres dires, celles qui la demandaient n'avaient pas été conviées. L'une d'elles avait néanmoins insisté, disant se nommer Funeka. La femme rouge voulut voir la personne en question.

Kabeya ne tarda pas à lui donner satisfaction. Il avait accès aux écrans de contrôle de la résidence et s'était muni d'une capture. La femme hocha la tête, il s'agissait bien de la Funeka qu'elle avait récemment introduite dans la Maison des femmes. À voix basse comme toujours, Kabeya indiqua qu'il s'était renseigné sur les deux étrangères. Celle qui n'avait pas été nommée était une chanteuse à la notoriété grandissante. Il fut décidé qu'elle ne les verrait pas dans l'enceinte de la résidence. Un point de rendez-vous assez proche fut fixé, un café peu fréquenté à cette heure, situé à quelques stations du baburi. Lorsqu'elle s'y rendit, Boya regretta d'être seule pour entendre ce qu'on lui apprit. Elle n'avait pas eu la présence d'esprit d'enregistrer la conversation, mais on ferait en sorte que les propos tenus soient confirmés. La lumière éblouissante de l'après-midi s'était adoucie lorsqu'elle retourna auprès d'Ilunga. L'affaire était plus complexe qu'il n'y paraissait, mais elle se fit fort d'en révéler tous les détails. D'abord, Funeka et Mawena étaient de proches parentes et n'avaient pas de secret l'une pour l'autre. La nouvelle entrée dans la Maison des femmes avait donc révélé l'identité de son instructrice. Lorsque certains événements s'étaient produits, Mawena s'était souvenue de cette confidence. *J'ai supplié Funeka de me conduire à vous. Pardonnez mon audace, mais je n'ai pas d'autre recours.* Boya l'avait laissée parler, écoutant avec attention. L'artiste n'avait rejoint les Gens de Benkos que depuis peu, afin de vivre en paix une histoire d'amour que sa famille désapprouvait. Se terrer à Matuna ne servirait pas sa carrière, mais elle y était à l'abri. Le temps de trouver un endroit pouvant accueillir son couple. Ce ne serait pas si facile, on ne s'affichait pas avec les Sinistrés. *Amaury pense que mon statut nous protégera, mais je n'en suis pas si sûre. Je préférerais qu'on quitte le Continent…* Elle avait esquissé un geste illustrant la fuite. Le problème était que le garçon avait disparu et qu'elle était sans nouvelles. Or, ce n'était pas son genre. Il devait se rendre chez ses parents sous prétexte de récupérer quelques effets, en profiter pour parler à son père. *On ne voulait pas avoir à lutter sur tous les fronts.* C'était Amaury qui avait eu l'idée de faire croire à son père qu'ils contracteraient un *mariage gris*. Mawena, elle, ignorait jusqu'à l'existence de ce terme.

Le mensonge était énorme, elle le reconnaissait, mais Amaury voyait là le seul moyen de convaincre les siens. Il n'était pas pensable de leur révéler que, derrière son grand projet d'infiltration, de possession d'un bout du territoire, se cachait le désir du mélange. Il se sentait d'ici, ne connaissait rien d'autre, ne voulait se rendre nulle part ailleurs. Comme d'autres de son âge, il souffrait de la distance le séparant de la population locale, de n'avoir pu fréquenter les mêmes écoles, prendre part aux mêmes réjouissances, s'incliner devant le souvenir des mêmes héros. Pour Amaury, la race n'avait pas d'importance. Il s'identifiait spontanément à ceux qui, sur le Continent et sur l'Autre bord, avaient combattu pour leur dignité. Il se tenait du côté de la justice plus que de celui de la puissance et ne se définissait que comme un être humain. L'annonce faite à son père était sans doute un peu bancale à cet égard, puisqu'elle venait le rassurer quant à la vénération que l'on vouerait toujours à des ancêtres conquérants, à la foi qu'ils avaient abjurée en actes. Cependant, il n'avait vu que ce moyen pour se libérer : laisser entendre que la mémoire des colons serait sauvegardée, que l'on s'enorgueillirait à jamais de leur œuvre civilisatrice, ce don exceptionnel qu'ils avaient fait à un monde vivant alors sous l'empire de l'obscurantisme. Le culte de ces ancêtres était pratiqué avec une telle ferveur au sein de la communauté sinistrée que seule une idée extravagante pouvait lui faire face.

L'angoisse torturait Mawena. La manœuvre avait dû tourner court, et peut-être les Du Pluvinage séquestraient-ils leur rejeton. On pouvait lui avoir imposé l'isolement, le temps de lui faire entendre raison, elle craignait de ne pas le revoir. *Comment l'avez-vous rencontré ?* Boya posa cette question qui lui était soudain venue à l'esprit. C'était la première fois que ce fait lui sautait aux yeux, la témérité dont avait dû faire preuve un Sinistré pour fréquenter une fille du pays. Baissant la tête, la jeune femme expliqua qu'une partie de sa famille logeait près de la communauté fulasi. Elle s'y rendait depuis toujours, pendant les grandes vacances. Les siens n'avaient pas, contrairement à d'autres, les moyens de parcourir le Continent, d'aller visiter l'Autre bord. Alors, ses frères et sœurs étaient envoyés là, à une vingtaine de kilomètres du centre-ville de la kitenta. Amaury et elle se connaissaient depuis l'installation des Sinistrés dans la localité. Ils s'étaient rencontrés un jour où, après une dispute avec ses cousins, elle s'était aventurée trop loin de la maison. Il l'avait ramenée. Les chemins vicinaux n'avaient pour lui aucun secret, même quand ils ne faisaient pas l'objet d'un tracé précis, ne devant leur existence qu'aux déambulations anciennes des habitants. Ils s'étaient ensuite donné rendez-vous. Curieux de tout et attentif à ce qui l'entourait, il connaissait déjà quelques mots de la langue du pays, qu'il maîtrisait à la perfection aujourd'hui. Désormais, il ne souhaitait plus se cacher. Ce dont elle était certaine, c'était qu'il l'aurait rejointe à Matuna, à moins qu'un imprévu ne se soit dressé sur son chemin. Quelque chose d'assez grave pour qu'elle n'ait pas reçu de message, pas un mot.

La femme rouge s'enquit des raisons pour lesquelles on s'était tourné vers elle. À cette question, la jeune femme apporta une réponse simple, formulée sur le ton de l'évidence, comme si la kitenta tout entière connaissait ses recherches universitaires, ses entretiens avec des Sinistrés. Cela lui permettrait de se rendre chez les Fulasi et, peut-être, de découvrir ce qui était arrivé. Hochant la tête, elle garda un temps le silence. Au moins ne lui demandait-on pas de faire intervenir des relations qu'elle aurait en haut lieu, cela l'aurait embarrassée, surtout de la part de Funeka. Bien sûr, il n'était pas exclu que sa nouvelle position ait suscité des espoirs, même inconscients. Que les moyens de l'État soient employés pour secourir le disparu. Que l'on remue ciel et terre, que l'on arrache le garçon à ses parents si peu ouverts d'esprit. Boya comprenait. En d'autres circonstances, son émotion se serait exprimée avec emphase. Le feu intérieur qui l'animait ne s'était pas éteint, mais la vie aux côtés d'Ilunga lui enseignait tous les jours la tempérance. Les événements de la période écoulée n'avaient pas fini de livrer leur lot de surprises. On ignorait encore comment ce garçon s'était retrouvé là où Kasanji et sa sœur l'avaient découvert. On ne savait qui lui avait administré le produit l'ayant mis dans un état que l'on n'était pas pressé de faire connaître à son amoureuse. Il y aurait donc plus de questions que de réponses à formuler pour l'instant. Évoquer l'agression ne lui sembla pas la plus riche idée. Prenant entre les siennes les mains de Mawena, elle la remercia de sa confiance. Sans promettre de se rendre chez les Du Pluvinage pour délivrer Amaury des siens – inutile de mentir –, elle fit venir la serveuse et demanda l'addition.

Elle ferait signe dès que possible, prendrait pour cela contact avec Funeka.

Lorsqu'elle fut de nouveau dans l'enceinte de la résidence, Boya se sentit plus à son aise. Les idées claires à présent, elle se félicita de ne s'être pas avancée, d'avoir su se taire. Avant tout, il lui fallait recueillir l'avis d'Ilunga après les révélations qui lui avaient été faites. Elle ne savait que penser. La vidéo montrant les Du Pluvinage père et fils était plus que convaincante. Le jeune homme lui avait fait bonne impression sur l'esplanade où l'on s'en était pris à lui. Il ne lui avait pas semblé capable de jouer à ce point la comédie. S'il avait menti, était-ce à son père ou à Mawena ? Ce fut la question que posa Ilunga lorsque, l'ayant retrouvé dans son bureau, elle lui rapporta les propos de la jeune femme. *Mwasi*, dit-il, *il va falloir un peu de temps pour démêler cet écheveau.* La protection de Boya avait été confiée à des gardes ne relevant pas de l'autorité du kalala mais de celle de Kabeya. Pourtant, Igazi pouvait, lui aussi, avoir un œil sur elle. Ce dont il était impossible de douter, c'était que des ordres aient été donnés à Kabongo, en raison même de l'enregistrement copié à partir de son communicateur. Or, Igazi ne s'était pas empressé de lui en parler. Il était aussitôt accouru après sa visite chez les Gens de Benkos, mais là, il n'avait rien laissé transpirer. Jamais Ilunga n'avait eu à déplorer la déloyauté de son kalala. Le respect qu'ils se portaient n'avait pas été entamé par leurs désaccords et, si des reproches devaient lui être adressés, Igazi ne se privait pas de le faire. Pourtant, quelque chose le dérangeait sans qu'il puisse mettre des mots dessus. Boya acquiesça, c'était le cas pour elle aussi. Les événements se déroulaient trop vite. La première décision à prendre en pareilles circonstances était de faire halte sur le chemin, de ne pas se laisser entraîner.

Ce qu'elle pensait du sort à réserver aux Sinistrés demeurait inchangé. Il y avait peu de chances que cela évolue, le sujet lui était depuis longtemps familier. Elle préférait toutefois réfréner ses ardeurs, se donner le temps d'examiner la signification de tout cela. Comme souvent quand ils étaient assis l'un en face de l'autre, Ilunga lui fit signe d'approcher. Sa visite au roi des Swazi l'avait épuisé. Le vieux monarque avait réitéré son chantage à la sécession. Cette fois, il ne souhaitait pas seulement être prié de n'en rien faire, il espérait obtenir de l'État des avantages ne pouvant lui être consentis. Il en allait sans doute de son autorité sur ses sujets, du maintien de sa grandeur. D'habitude, on lui dépêchait le chargé des Relations intérieures, dont la mission était de veiller à la consolidation de l'union. Dans les régions où l'Alliance avait nommé un mikalayi sans ancrage local parce qu'elle n'y avait eu que des sections à visée sociale, il arrivait que certains manifestent quelque aigreur. Peu nombreuses, ces localités avaient souvent rejoint le Katiopa unifié par lucidité. C'était le cas du souverain des Swazi. Ilunga avait dû déployer des trésors de patience pour arriver à lui parler, lui rappeler pourquoi il avait demandé à rejoindre le grand État. Il n'y avait que des intérêts, d'autant que son royaume, situé à l'intérieur de l'une des régions les plus importantes, était en quelque sorte cerné. Seul, le Swazi deviendrait une minuscule zone enclavée. Il pourrait toujours tenter de commercer avec l'étranger, cela serait rendu impossible. Pour accéder à son territoire, il faudrait obtenir de passer par d'autres,

ce qui ne serait pas accordé. S'en remettre à des tribunaux internationaux serait peine perdue, ces instances
ne jouissant d'aucune autorité ici. De plus, les Swazi
se trouvant à la fois au sein du royaume et dans les territoires voisins où ils s'étaient établis depuis plusieurs
décennies, il priverait une partie de ses gens de leur
sol ancestral, ce qui serait une contradiction. C'était
en faisant partie intégrante du Katiopa unifié que le
Swazi étendait son influence et même sa superficie, si
l'on considérait chaque individu comme un morceau
du royaume. Le vieux savait tout cela. Ce qu'il voulait dans le fond et sans que cette exigence repose sur
rien de tangible, c'était obtenir l'implantation chez lui
d'un pôle industriel. Or, les plus importants se trouvaient dans des régions ayant acquis au fil des ans un
savoir-faire, la maîtrise de techniques avancées. *Enfin*,
dit Ilunga, *on verra quoi lui proposer dans un autre
domaine, tout en évitant la surenchère. Il s'agit quand
même de ne pas distribuer des bakchichs pour maintenir la cohésion...* L'homme soupira, il se chargerait
plus tard de ces sujets. Pour le moment, ce qui l'intéressait, c'était de savoir où ils passeraient la nuit. Chez
Boya ou chez lui ? Il n'avait pensé qu'à elle durant ces
trois jours passés au loin. Ils s'étaient trop peu parlé,
elle lui avait manqué. Promenant ses doigts sur les parties du crâne dénudées par l'amasunzu d'Ilunga, Boya
répondit qu'elle n'avait pas de préférence. Elle ne pensait pas tellement à se coucher, il fallait réfléchir à ce
qu'il se passait. Plus que cela, elle éprouvait le besoin
de recentrer les choses, de saisir le message du tumulte
naissant, car il y avait fort à parier que d'autres surprises étaient en route. Ils devaient se tenir prêts à les
accueillir. Ne ressentait-il pas cela lui aussi ?

Ilunga hocha la tête, si, bien entendu, mais il avait arrêté la marche à suivre. Puisqu'aucun d'eux ne comptait modifier sa position quant aux Sinistrés, son vœu était que Boya expose, quand elle y aurait pensé, le moyen d'atteindre deux objectifs : d'abord, que Katiopa ne voie pas ses forces affaiblies par la présence en son sein d'une communauté égrotante ; ensuite, que la solution la plus adéquate soit mise au jour pour ces enfants dont elle se souciait tant. En somme, la femme devait dire comment faire en sorte que tous deux soient satisfaits. Puisqu'ils agissaient dans l'intérêt de l'État, elle parviendrait à concilier leurs points de vue. Interloquée, Boya interrogea : *Serait-ce un test ? J'ai l'impression que tu as déjà une idée ? Je pense*, rétorqua Ilunga, *que nous serons à nouveau placés devant ce type de situation.* Pour lui, la question n'était pas seulement politique. Si tel avait été le cas, il n'aurait pas cru nécessaire de l'y impliquer davantage. Il était assez bien entouré pour cela. Cependant, de façon étrange, Boya était liée aux Sinistrés. La deuxième fois qu'il l'avait vue, c'était en leur compagnie. Ses travaux universitaires actuels portaient sur eux. Sa visite à Matuna s'était faite pour venir en aide à l'un d'eux. Alors qu'elle se promenait en ville, c'était elle qui avait secouru un jeune Sinistré n'ayant rien à faire là. Elle encore qui avait été contactée lorsqu'il avait été découvert gisant dans les hautes herbes d'un chemin de campagne. Tout cela avait dû la frapper elle aussi, cette convergence vers elle de tant de voies sinistrées. Et que dire de cette famille dont les membres ne cessaient de croiser son chemin ? Ilunga imaginait sans mal la lecture qu'un esprit comme celui de son kalala, par exemple, ferait de ce faisceau d'éléments. Peut-être en avait-il d'ailleurs tiré des conclusions, ce qui expliquerait qu'il ne l'ait pas informé des suites de la mise sur écoute du Sinistré à casquette. Igazi ne l'en informerait pas tout de suite, s'il avait sa compagne en ligne de mire. Il voudrait au préalable disposer de preuves irréfutables, dont il ferait état en annonçant dans la foulée les mesures à mettre en œuvre. Cela leur laissait un peu de temps mais, comme elle le suggérait, ils ne devaient pas se laisser désarçonner. *Considère cela comme un apprentissage, une manière de voir comment nos énergies opèrent ensemble*, conclut-il. Il faudrait qu'ils n'aient plus à se parler pour se comprendre, qu'elle sache, y compris en son absence, ce qu'il aurait dit ou fait. C'était le premier fossé qu'ils allaient enjamber, les difficultés posées par la rencontre de Boya et de Seshamani n'étant, comme il l'avait pensé, qu'une petite mare de boue. À présent, un plus grand nombre de personnes seraient concernées. La décision prise aurait des conséquences sur la société. Ilunga s'adossa à son fauteuil et resserra son emprise sur Boya. *Mais je ne te presse pas. Peut-être pourrions-nous dîner ? J'ai faim.* Pas elle, à vrai dire.

L'enchaînement des faits qu'il avait rappelé à l'instant ne lui était pas apparu avec autant de clarté. Elle en venait presque à se demander ce qui l'avait poussée à choisir celui-là, entre plusieurs groupes sociaux marginalisés. Il lui avait fallu des mois pour approcher les Fulasi. À aucun moment elle ne s'était découragée, bien au contraire. N'osant se rendre dans la communauté sans y avoir été invitée, Boya, qui ne croyait pas au Christ, s'était mise à fréquenter assidûment l'église où priaient les Sinistrés. C'était là, à la sortie d'un office, que l'allure distinguée de Charlotte Du Pluvinage l'avait attirée. Elle était la plus âgée et en savait davantage. Il émanait d'elle une force que ses congénères semblaient avoir perdue. Tous lui témoignaient une déférence évidente, se pressant vers elle tels des marcheurs égarés dans la nuit. C'était avec cette femme-fanal qu'il lui fallait s'entretenir, elle en avait été aussitôt persuadée. Son air sévère, l'orgueil dont elle se parait lorsqu'il lui était imposé d'emprunter le même trottoir que des gens du pays auraient pu rebuter Boya. En tout état de cause, rien ne lui laissait espérer qu'un dimanche en apparence ordinaire la chute d'une fillette sur le perron de la chapelle lui permettrait d'aborder la vieille dame. Sans doute était-il difficile de la rabrouer quand on était censé aller dans la paix du crucifié. L'ancienne l'avait aimablement remerciée d'avoir aidé la petite à se relever, d'avoir calmé ses pleurs. Le premier service auquel elles avaient assisté, celui de sept heures, était animé par un prêtre fulasi connu pour s'être joyeusement tropicalisé. Ce curé, qui ne partageait ni ne comprenait la mélancolie des Sinistrés, était leur unique recours. Ceux qui s'étaient établis à Katiopa, portant leur foi en bandoulière et partout ailleurs, avaient omis d'emporter avec eux quelque abbé. Ce dernier n'aurait pu se reproduire, mais peut-être sa présence aurait-elle suscité des vocations au sein de la communauté. Il ne leur restait que celui-là, arrivé sur le Continent dans ses jeunes années et à prendre en l'état : une figure vivante de la déclaration conciliaire *Nostra Ætate*. Du chapelain, on savait qu'il ne goûtait rien tant que les veillées villageoises, les réunions de cercles initiatiques, l'un d'eux l'ayant accueilli en son sein après l'avoir baptisé d'un nom tout à fait bantou. Il s'en honorait et clamait à qui mieux mieux sa katiopianité, le désir que sa dépouille, le jour venu, soit ensevelie sous la terre rouge des abords de Matuna. C'était là que se déroulait son existence, dans un ravissement constant, une sorte de béatitude terrestre. Il arborait en permanence un odigba ifa et un pendentif d'or à croix. Le soleil de Katiopa lui avait tanné la peau et fait griller le verbe. Les mots du fulasi lui ondulaient dans la bouche, imitant, dans leur tournoiement, celui du bassin des danseuses langoureuses qui électrisaient les nuits de Mbanza. Une fois ce premier office achevé, il prenait un peu de repos, se présentait deux heures plus tard pour dire la messe à un auditoire plus coloré, plus fringant, auquel il s'adressait dans un idiome civilisé. Le prêtre, qui sortait lui aussi par la porte principale de l'église, se dirigeait vers elles lorsque l'enfant était tombée. Leste en dépit de son âge, tenant d'une main le bas de sa soutane blanche sous laquelle était un kèmbè rouge – couleur de l'Esprit Saint, il les avait rejointes. Boya avait remis la fillette sur ses jambes et essuyé ses larmes, s'apprêtait à la rendre à son arrière-grand-mère. Peut-être cela fut-il la cause de l'attitude cordiale de la matriarche à son égard. C'était ainsi qu'elle avait été invitée à lui rendre visite. Puisqu'elle s'était permis d'assister à l'office destiné aux Sinistrés et parce qu'elle connaissait bien la langue fulasi, son identité avait fait l'objet de supputations puis de conclusions quelque peu hâtives.

Boya avait laissé planer le doute sur son ascendance. On avait voulu voir dans sa complexion la marque d'un mélange, la conséquence d'un acte certes blâmable, mais qui l'élevait au-dessus du commun des sauvages. Elle n'avait rien dissimulé de ses desseins. Sa recherche, les entretiens qui lui furent accordés avaient été perçus comme un moyen pour elle de connaître la civilisation supérieure qu'avaient produite les Fulasi. Charlotte Du Pluvinage n'était pas mécontente d'être écoutée. Réciter les vers d'un poète oublié la transportait de bonheur, elle en était transfigurée, ses bras s'envolaient dans les airs, elle s'en allait ailleurs à mesure que s'élevait la scansion :

À quel excès d'amour m'avez-vous amenée !
Que ne me disiez-vous : « Princesse infortunée,
Où vas-tu t'engager et quel est ton espoir ?
Ne donne point un cœur qu'on ne peut recevoir. »

Arrivée au terme de la mélopée, la vieille baissait la tête comme pour se saluer elle-même, apportait une nécessaire précision : *C'est* Bérénice, *par Jean Racine. Sans doute l'avez-vous lu ?* Boya hochait la tête, se promettant de le faire pour tenter de comprendre ce qui, dans cet air monocorde, suscitait tant d'émoi et faisait revenir, dans le sang de la vieille, la mémoire des ancêtres. Raconter le pays perdu, le pays dont elle n'avait jamais foulé le sol, lui procurait une indicible joie. Ses émotions n'étaient guère explosives de façon générale, c'était dans l'éclat soudain plus ardent de ses yeux qu'elles apparaissaient, dans son insistance pour que l'on prenne une crêpe de plus, un morceau de quatre-quarts. Lorsque Boya se présentait chez elle, l'aînée des Du Pluvinage et de la communauté sinistrée s'éveillait de sa sieste, l'esprit clair, le verbe prêt à fuser. Elle s'installait dans sa bergère au revêtement un peu élimé, faisait servir une collation par une de ses filles qui les laissait ensuite. De peur que le soleil ne lui brunisse la peau, lui conférant cet air de métèque qu'arboraient certains, Charlotte Du Pluvinage ne prenait jamais place sur la terrasse. Les deux femmes restaient dans le ndabo, à l'abri des redoutables rayons et des regards inquisiteurs. Des rendez-vous bihebdomadaires s'étaient mis en place depuis plusieurs mois maintenant. Il s'était écoulé assez de temps pour que ses visites, quand on les remarquait, ne suscitent plus l'inquiétude. Elle ne voyait pas les adolescents, les jeunes adultes comme Amaury, et ne connaissait pas tout le monde. Mais il arrivait que les enfants de la maisonnée et leurs petits copains lui parlent, veuillent jouer. S'il lui avait été possible d'entraîner un groupe sur la place Mmanthatisi le jour du San Kura, c'était bien qu'une relation s'était consolidée.

Sans parler d'amitié, la méfiance s'était assez vite dissipée. La courtoisie prévalait, et le mépris de la doyenne pour les populations de Katiopa ne s'exprimait avec tant de véhémence que parce qu'il ne rencontrait, de la part de Boya, aucune contestation. Elle posait des questions, relançait la conversation, se gardait de contredire. Il n'était pas rare qu'*un ange passe*, selon l'expression fulasi consacrée, lorsque la vieille évoquait les deux visages du Sinistre : l'anéantissement identitaire et le renversement des valeurs. C'était devant ces calamités que son père et d'autres avaient dû capituler, abandonner la terre aimée. Ils ne s'étaient pas rendus sans combattre, mais certaines formes de violence les rebutaient dorénavant, l'idée d'avoir à massacrer les intrus leur donnait des cauchemars. D'abord, ils avaient pensé constituer leur dissidence en communautés au sein desquelles naîtraient les combattants du futur. Elles engendreraient ces chevaliers d'un temps nouveau qui, ceints de leurs racines chrétiennes, bardés de cette civilisation dont la grandeur avait jadis subjugué les humains du couchant au levant, ramèneraient l'humanité sur le droit chemin. Mais le prince de ce monde n'ayant pas dit son dernier mot, ce projet avait été ébranlé. Depuis le sud du Sahara, la fécondité des femmes avait déversé sur Pongo des cohortes déterminées à s'y implanter. Avant que l'on se soit retourné, elles avaient repiqué dans le sol leurs cultures, lesquelles s'étaient associées avec celle poussée du béton des villes périphériques pour faire du pays fulasi un séjour infernal. La doyenne des Sinistrés évoquait plus difficilement le second pilier sur lequel avait reposé le malheur des siens, cette haine du divin et de l'humain lui-même, le sacrifice de l'œuvre des pères sur l'autel du capitalisme. À ce sujet, elle restait évasive, se contentait de souffler que le poisson pourrissait par la tête. Puis, elle murmurait un verset tiré de l'Ecclésiaste, toujours le même : *Malheur à toi, pays dont le roi est un enfant...*

Quelques illuminés, dont la décrépitude limitait de toute manière les ambitions, s'étaient résolus à demeurer chez eux puisque c'était tout de même une vérité irréfutable et multiséculaire. D'autres, ne voyant dans ce destin de vestige humain rien qui prépare la régénérescence, avaient fait un autre choix. C'était ainsi que l'exode avait débuté. L'Oural devenant un phare dans cette obscurité, on s'était élancé vers l'est. Lorsque l'on ne s'était senti capable ni d'affronter le climat, ni de forcer en son être des langages quelque peu abrasifs, on avait opté pour les possessions fulasi de la Caraïbe, mais plus souvent pour Katiopa où nul ne réclamait de réparations à aucun propos. Cela paraissait désormais absurde, mais à l'instant même où le Continent exportait ses forces vives et en vertu des causes de cette hémorragie, il était, pour ceux qui se disaient victimes d'une colonisation migratoire, l'endroit du monde le plus hospitalier. La seule planche de salut. Et comme l'avaient prouvé les pionniers d'Orania, il était possible d'y fonder un éden immaculé. Charlotte Du Pluvinage était entrée à Katiopa dans le ventre d'une mère grosse de six mois, qui avait raconté en ces termes le débarquement : *Il pleuvait comme à Gravelotte, mais notre arrivée fut merveilleuse. Les gens savaient qui nous étions et voulaient à tout prix nous être agréables. Ils connaissaient leur place en ce monde et révéraient la nôtre. Dans la voiture qui nous a conduits à la villa, j'ai prié le chauffeur de rouler moins vite. Les rues portaient encore le nom de nos grands officiers, il y avait un monument à nos morts tombés ici, des bâtisses érigées par nos vaillants aînés. C'était émouvant. Rien n'avait été détruit parce que les gens d'ici savent, au fond d'eux, que notre action fut positive. Nous avons partagé avec eux la conscience d'être humain et les lois de l'hygiène...* La vieille Du Pluvinage avait connu les années fastes, la vie confortable, l'école fulasi au cœur des beaux quartiers, la déférence du peuple, le dévouement des domestiques. Un temps où l'on disait *les mindele*, sans affection et à voix basse, mais certainement pas *les Sinistrés*. Son amertume était plus intense que celle de personnes plus jeunes, incompréhensible pour les enfants de sa communauté, lesquels ne savaient de la vie que les longères tropicales se faisant face, la plupart faites de planches, quelques-unes en pierre. Les hommes les avaient érigées à mains nues comme leurs aïeux dans les campagnes d'antan, là-bas, dans le pays perdu. Ils avaient bien travaillé, la concession des Sinistrés n'appelait guère la commisération. Elle étonnait par sa physionomie, mais on en remarquait aussi l'heureux agencement, l'entretien constant qui conférait une sorte de maintien à l'ensemble modeste. Un lavoir en béton flanquait chacune des habitations. Des cordes à linge striaient çà et là l'espace, le tracé des jardins était d'une grande netteté.

Les premières fois qu'elle y était venue, Boya avait filmé l'endroit de l'extérieur, sous un angle différent à chaque occasion, prenant pour cela de l'avance sur son rendez-vous. Elle se disait à présent qu'il n'y avait de coïncidence que pour qui ne savait pas ou ne voulait pas voir. Il existait entre les êtres, entre les peuples, des liens parfois incommodants mais difficiles à rompre. Était-ce le cas ici ? La femme rouge ne sentait pas qu'un phénomène de reconnaissance s'était produit entre elle et la doyenne des Sinistrés. Elle n'éprouvait pas de proximité particulière avec ce groupe. En revanche, la curiosité des débuts faisait place à un sentiment de responsabilité, un engagement qu'elle ne manifestait pas pour d'autres déshérités de la société. *Je pense*, soupira Ilunga, *que nous ne dînerons pas dans l'immédiat.* Il n'avait pas prévu qu'elle veuille arpenter le ku bakisi au soir de son retour, mais tel était le sous-texte qu'il percevait dans ses propos. Elle souhaitait réfléchir, de façon active. Elle n'avait pas tort, il faudrait procéder ainsi. Toutefois, il avait pensé se détendre un peu. Le souverain des Swazi, qui avait réussi à le faire venir à lui, s'était démené pour l'étourdir avec les parades, chants et danses de

411

son peuple. Cela avait duré un temps interminable. Il lui semblait entendre encore le grondement des tambours. *Mobali makasi, homme puissant*, dit la femme avec espièglerie, *cette petite promenade n'ajoutera pas à ta fatigue. Et puis, demain est un jour chômé. Nous pourrons faire la grasse matinée avant d'assister à la reconstitution de Turuban. Je sais que tu voudrais y aller.* Lui scellant les lèvres en y appliquant les siennes, elle l'empêcha de répondre. Boya ne s'embarrassait pas de protocole lorsqu'ils s'en allaient ainsi dans sa nuit. Il n'était pas question de s'élever au-dessus de la kitenta, de devenir ensemble la même étoile filante, de poser soudain les pieds sur la terre sèche, de pénétrer ensuite de l'autre côté. Elle étreignait Ilunga, le monde autour d'eux s'assombrissait et quiconque serait entré dans la pièce les aurait trouvés comme endormis dans les bras l'un de l'autre. Par chance, nul n'avait encore assisté à ce spectacle.

17

Kabongo venait de retirer son bùbá. Il allait se diriger vers la salle de bains afin de le laisser dans le panier à linge sale, quand l'ordre lui fut intimé de ne plus faire un pas. Comme à son habitude, il n'avait pas pris la peine d'éclairer la pièce. L'obscurité le reposait de ses journées agitées. Ces temps-ci, elles ne lui apportaient que peu de satisfaction. Il n'avait pas retrouvé le Sinistré. Mort ou vif, nul ne l'avait vu. À dessein, il l'avait abandonné dans une zone que les caméras de la Sécurité intérieure ne couvraient pas, même de manière partielle comme c'était le cas dans certains quartiers de la kitenta. Il était rentré ce soir en se reprochant de n'avoir pas encore visité les hôpitaux, mais d'autres tâches l'avaient occupé. Le patron était évidemment hors de lui, le contrôle d'identité qui aurait permis de contraindre l'individu à quitter le territoire n'avait pas eu lieu. L'agent évacua ces soucis de son esprit, tenta de fixer son attention sur cette voix qu'il ne connaissait pas. Il fallait de l'audace, plus que de l'assurance, pour pénétrer chez lui, l'attendre tranquillement dans sa chambre à coucher, le sommer de faire ci et ça. Il ne bougea pas, s'interrogeant mentalement sur la place qu'occupait l'inconnu, sur sa position. Était-il assis ou debout ? Par chance, Samory et Thulani, ses fils, étaient ce soir chez leur mère. Elle les conduirait le lendemain sur la place Mmanthatisi, où la municipalité organisait, comme tous les ans à cette période, une reconstitution historique. Les écoliers de la kitenta étaient mis à l'honneur lors de ces manifestations qui déplaçaient un public nombreux. Cette année, on jouerait la bataille de Kansala, appelée Turuban Kello par les Mandingues. Ses fils avaient perdu le sommeil tant ils étaient excités à l'approche du grand jour. Bien sûr, tous deux avaient voulu se trouver du côté des Gaabunke plutôt que de celui de l'envahisseur pulaar, bien que ce dernier l'ait emporté. Ayant encore l'âge des lectures romantiques de l'histoire, ils s'émouvaient de la résistance du Gaabu face à l'irrédentisme de son voisin. Ils voyageaient en imagination à Kansala, mythique kitenta du royaume défait.

Kabongo acheva de se concentrer. Cela faisait bientôt dix ans qu'il exerçait son métier. D'abord pour le compte de la nation coloniale dont il avait été malgré lui un citoyen, puis au sein de la Sécurité intérieure du Katiopa unifié qu'il s'honorait de défendre. Pour lui qui n'avait pas participé à la Chimurenga de la reprise des terres, réussir dans son travail était la seule compensation valable. À trente-cinq ans, il s'enorgueillissait de n'avoir jamais été pris en défaut, de s'être fait au contraire une spécialité : devancer les attentes de ses supérieurs. C'était ainsi qu'une place de choix lui avait été attribuée dans le cercle fermé des hommes de confiance du kalala. À l'évidence, il ne la méritait plus. Et l'heure n'était pas aux lamentations, ni même aux interrogations. Il attendit. L'inconnu lui ordonna de se retourner lentement, il voulait voir son visage. Quand il eut fait un demi-tour, Kabongo dut s'arrêter. Seule une ombre s'offrit à sa vue. Il n'aurait pu décrire l'homme assis sur le siège placé près de la fenêtre. De là, on avait une bonne vue sur la rue, l'épicerie, la garderie, les maisons du voisinage. Le moindre détail l'intéressait, il connaissait par cœur les habitants du quartier, remarquait les événements de leur vie, le passage de visages nouveaux. La surveillance, l'écoute le cas échéant, lui étaient désormais une seconde nature. Cela ne l'avait pas mené bien loin ces derniers temps, il fallait le reconnaître. Il garda son calme, fixant des yeux la silhouette qui lui faisait face, occupant son fauteuil préféré. Un mouvement brusque ne lui échapperait pas. *Je ne suis pas armé*, déclara l'étranger, un sourire dans la voix. *Du moins, pas comme tu l'imagines. Je suis venu te parler, rien de plus.* Kabongo ne percevait que le scintillement d'un iporiyana, peut-être porté sous un long ibora qui en masquait les côtés. Il ne connaissait personne qui s'accoutre ainsi et n'avait d'ailleurs qu'une vague certitude quant à ce qui lui apparaissait. Pourtant accoutumés à l'obscurité, ses yeux ne distinguaient que des formes imprécises.

Il réprima son désir d'approcher l'homme, préférant laisser entre eux assez de distance pour prendre de l'élan si nécessaire. Son vis-à-vis sourit à nouveau, expliquant que Kabongo n'aurait pas l'occasion de lui sauter à la gorge. Contrairement à lui, il prenait ses précautions avant d'agir. *J'irai droit au but, ce qui nous évitera de perdre un temps précieux. Tu as mis sur écoute l'épouse du mokonzi. Combien sommes-nous à le savoir ?* Kabongo se surprit à répondre à cette question comme aux autres, les mots s'évadant de sa gorge sans qu'il puisse rien y faire. Il pensait une chose tout en faisant l'inverse. Deux entités l'habitaient, l'une désireuse de se taire, l'autre s'empressant de livrer non seulement ce qui lui était demandé, mais tout le reste aussi. Il était en proie à un engourdissement, figé au garde-à-vous devant l'inquisiteur. Celui-ci dut hocher la tête car son iporiyana bougea imperceptiblement, avant de briller d'un éclat plus soutenu. Le magnétisme de la parure clouait Kabongo sur place et lui arrachait les informations. Il indiqua que son communicateur se trouvait dans la poche droite de son kèmbè, eut l'impression de ne voir avancer vers lui que le plastron lumineux. L'inconnu s'empara de l'engin, prit le temps d'effacer les écoutes incriminées, s'enquit ensuite de la manière dont le mouchard était contrôlé. S'étant assuré que Kabongo n'ait plus accès aux conversations téléphoniques de Seshamani, l'homme s'éloigna à reculons. Il le regarda un instant encore, lui donna un avertissement pour la forme : *C'est ta vie que je prendrai si nous devons nous revoir.* Kabongo se sentit s'affaisser, le corps soudain spongieux. Ses pensées tournaient à toute vitesse, comme déconnectées de la chair gagnée par l'inertie. L'inconnu avait dû nettoyer son ordinateur, le communicateur de l'épouse du mokonzi serait remplacé. Il n'avait pas encore eu l'occasion d'exploiter les données accumulées. Le jeu en valait-il la chandelle ? Lorsqu'il fut en mesure de se redresser, le visiteur avait quitté les lieux par la porte, ses pas avaient retenti dans l'escalier.

*

Boya et Ilunga cheminaient le long d'une allée de terre rouge. Le ciel au-dessus de leur tête semblait un orage immobile. L'homme rappela qu'ils devaient se hâter. Il ne craignait rien, mais la position dans laquelle leurs corps avaient été abandonnés ne lui semblait pas la plus heureuse. *Tu devrais maîtriser un peu mieux le processus*. Elle apprenait vite et bien, mais se souciait peu de leur sécurité. Nul autre que Kabeya ne pénétrerait dans son bureau, a priori. Ce n'était donc pas si grave, a priori. La femme rouge balaya ces remarques d'un geste nonchalant, la main dessinant mollement un arc dans l'air, comme pour chasser, sans même le regarder, un insecte importun. Ilunga n'en prit pas ombrage. C'était ainsi lorsqu'ils s'introduisaient dans cet espace dont elle n'avait longtemps perçu que les contours, le devinant à travers ses rêves ou ses intuitions. Aussitôt qu'elle s'y aventurait, le milieu la happait. Seul le fait d'avoir quitté son corps la préservait de la transe, lui permettant de garder une pleine conscience de ce qu'elle vivait. Sans être proscrites, les conversations entre eux restaient brèves. C'était au retour qu'ils parlaient plus amplement des enseignements reçus. À l'inverse de lui, Boya ne fréquentait pas encore ce versant de la vie comme elle le faisait avec l'autre. Elle ne l'avait pas dit, mais il savait que seule la rencontre avec sa mère le lui permettrait. Elle s'y sentait prête, et cette fois, ils ne se contenteraient pas d'approcher la porte de la demeure. Boya allait connaître sa nuit, les âmes qui la peuplaient, celles qui l'accompagnaient sur la terre depuis que le temps existait. Elle avait cerné la nature du lieu. C'était le domaine de la force féminine. Celles et ceux qui s'y trouvaient manifestant cette énergie dans leur existence charnelle. Ilunga ignorait s'il lui serait donné de passer le seuil avec elle. Si tel n'était pas le cas, il prendrait son mal en patience. Autour d'eux, une végétation d'algues brunes s'épanouissait, des porifères jaunes formaient çà et là de petits buissons. Il n'y avait pas un bruit, l'océan lui-même, dont la masse les recouvrait, ayant fait le choix du silence. On les voyait, ils le sentaient tous deux. Bientôt, ils atteignirent des rochers larges et plats, disposés en une pente descendante. Au moment d'emprunter ces marches, Boya le prit par la main. L'homme vit qu'elle avait le souffle court, mais la femme rouge ne tremblait pas. Fixant des yeux la lueur orangée qui éclairait le bas de l'escalier, elle l'entraîna à sa suite sans dire un mot. Ilunga se demanda si elle sentait comme lui la douce rugosité de la pierre sous la plante de ses pieds, la chaleur qui tout à coup les environnait. Une tiédeur de fin d'après-midi, l'heure tendre où l'on retrouvait sa mère après l'école, l'heure réjouie où l'on allait, nanti de quelques pièces, faire la queue chez la marchande de beignets. Lorsqu'ils furent descendus, un feu avait été allumé au milieu de trois pierres, un foyer comme il y en avait eu autrefois dans les cuisines. Une femme était assise là, ils la voyaient de dos, sa chevelure tressée au fil lui courant en vagues sur le crâne. La taille ceinte d'une étoffe cramoisie, le buste nu, elle fredonnait une comptine. Ses mains esquissaient des gestes vifs, plongeant quelque part entre ses jambes avant de lancer au loin des graines à peine visibles. Une autre femme vint vers elle et lui fit face en souriant, la débarrassa de la calebasse coincée entre ses genoux, pointa du doigt les nouveaux-venus. La première ne bougea pas, hochant simplement la tête : *J'ai vu notre fille. Elle ne m'a pas encore saluée.* L'autre rit : *Peut-être parce qu'elle est aussi notre mère et qu'il nous revient de lui rendre hommage ?* Posant à terre le récipient, elle aida sa compagne à se lever, puis la fit se retourner.

C'est alors que les deux femmes, réplique parfaite l'une de l'autre, s'inclinèrent légèrement. Les flammes du foyer soulignèrent leur teint cuivré. Elles se présentèrent : *Je suis Inina, Et moi, Inyemba. Bienvenue chez toi, dans la maison que tu nous as rendue.* Boya comprit qu'elle avait été, plusieurs siècles plus tôt, cette fillette qui, ne cessant de répéter le nom des jumelles disparues, les avait rappelées au sein de la demeure familiale. Elle connaîtrait bientôt toutes les identités endossées au fil du temps, les plus lumineuses, les moins glorieuses. Les aïeules l'embrassèrent, l'entourèrent avant de l'attirer vers l'endroit d'où était venue Inina. Ce fut Inyemba qui pensa à prier Ilunga de s'asseoir, on viendrait le chercher. Les trois disparurent, le laissant là. Regardant plus attentivement autour de lui, l'homme remarqua qu'il se trouvait dans une cour d'apparence ordinaire. Des cases nichaient dans l'ombre, à bonne distance de lui, disposées en arc de cercle autour de la place. Il y en avait sans doute d'autres, derrière, se dérobant à sa vue. Les membres les plus importants de la communauté devaient résider là, à l'abri des regards, les habitations du premier rang formant un bouclier. À l'avant, c'était toujours la garde. Cela pouvait être aussi, à l'instar de ce que l'on voyait chez les vivants, le logis des personnes de rang inférieur, bien que cette hiérarchie n'ait pas chez les esprits une valeur similaire. Il n'y avait pas ici de condition servile dont les générations se doivent de conserver la mémoire, afin que chacun connaisse toujours sa place au sein des assemblées. Il s'agissait plutôt de marquer l'ancienneté, l'expérience, la somme des connaissances accumulées. On pouvait aussi faire le choix de cette position, celle de sentinelle, de veilleur. Tout cela était symbolique, une manière pour les êtres de se témoigner de l'affection. Faire quelque chose les uns pour les autres. C'était ainsi que cela se passait chez les siens. Il avait hâte d'y retourner avec Boya, de lui montrer ce qu'elle n'avait pu voir encore, des personnes dont elle reconnaîtrait la vibration. Leurs visages seraient souvent différents de ceux affichés dans la vie courante, mais elle saurait. Il n'aurait plus besoin de répondre à la question qui ne se posait plus qu'en silence. Respectueuse de certains principes, Boya avait accepté les circonstances, mais il lui fallait les comprendre. Que l'esprit et le cœur soient en harmonie.

Ni l'un, ni l'autre, n'avait plus prononcé le nom de Seshamani. Il affrontait seul les assauts de son épouse qui, jusque-là, avait eu l'élégance de ne pas venir lui faire de scène à demeure. Elle ne s'avouait pas vaincue pour autant, se servant de Tshibanda, leur fils, pour que soient transmises ses protestations, habilement formulées sur le mode victimaire : elle avait été chassée du jour au lendemain parce que Ilunga voyait quelqu'un. Le garçon, qui avait souffert de l'intérêt modéré que lui portait sa mère, enfilait promptement son costume de justicier pour défendre la femme bafouée. Sa situation n'était pas banale : qu'elle lui ait manqué sa vie durant, alors qu'elle était là, tout près. Il rattrapait des années perdues en accueillant ses plaintes. Jamais mère et fils ne s'étaient autant parlé. Agissant sur ce point en parents traditionnels, ils ne s'étaient pas ouverts à lui de leurs difficultés. Les enfants n'avaient pas à être informés de ces choses, mais Tshibanda était un homme à présent. Il pouvait entendre. Installée elle aussi à Ikapa, Seshamani le voyait peu, préférant s'échapper avec sa compagne lorsqu'il venait chez elle en fin de semaine ou pour les vacances. Le jeune homme avait atteint l'âge où l'on se console vite de l'absence des parents, l'espace laissé vacant étant aisément occupé par les copains. C'était aussi pour lui le temps des voyages, si bien que la villa, lovée à dessein dans une enclave féminine, restait surtout le refuge des amours secrètes de Seshamani. Leur fils n'avait pas idée de la relation qui unissait sa mère à celle qui n'était, pour lui, qu'une amie proche. Il tomberait probablement des nues. Enfin, Ilunga préférait ne pas trop croire à la sûreté de son jugement, s'agissant de la vision que pouvait avoir du monde un jeune d'aujourd'hui. On verrait bien. Il avait appris à garder son calme en toute circonstance, surtout quand on ne pouvait rien faire de plus qu'attendre. Son attention se reporta sur les alentours. Cet enfoncement qu'ils avaient gagné en descendant ces marches pierreuses avait des allures de grotte. Les parois n'en étaient pas visibles, mais comme ailleurs, il y avait des limites, sur les côtés et dans le fond, l'ouverture étant l'endroit par lequel ils étaient passés. La voûte qui les avait recouverts de son impassibilité avait perdu sa coloration orageuse, prenant ici l'aspect d'une matière cuprifère. Contre toute attente, cela accentuait la douceur du lieu, on y était bien. Il n'empêchait, sa soirée aurait pu se dérouler de manière tout aussi paisible dans un autre contexte, devant un repas. Là, il ne ressentait pas la faim, mais l'idée d'avoir été taraudé par elle une bonne partie de la journée persistait. Or, la pensée, à l'instar du verbe, recelait une puissance performative à laquelle il ne pourrait bientôt se soustraire. Il se laissa aller à sa contemplation, chassant de son esprit le souci que causaient les Sinistrés. Ce qui expliquait la constance de leur présence autour de Boya serait bientôt révélé, il n'en doutait pas. Et sans cela, il leur aurait tout de même fallu achever ce parcours à la rencontre des autres figures d'elle-même. Il lui faudrait les connaître à nouveau, de façon consciente et assumée, pour habiter avec aisance l'état et la fonction de femme du mokonzi. Cette conversation non plus n'avait pas eu lieu, ces questions devaient être comprises sans paroles.

Le Conseil et l'Assemblée des mikalayi avaient salué ses mérites, son tempérament, mais ils l'avaient aussi choisi parce que, des deux pressentis, lui seul avait une épouse. Le mokonzi devait avoir une vie d'homme, dans toutes ses dimensions. Son couple était très imparfait, on le savait, mais l'image présentée aux populations gardait son importance. Les propos de Ndabezitha, la doyenne du Conseil, lui revinrent. Ne se privant pas d'élever la voix dans le grand toguna accueillant les discussions préalables au vote des sages, l'ancienne avait déclaré : *Fils, ce n'est pas ton intimité que nous jugeons, puisque tu es père. Si tu ne l'avais pas été, il nous aurait fallu mettre en place le cadre traditionnel permettant la vérification de tes capacités. Ton enfant te ressemble trop pour que nous te fassions cet affront. Ce qui nous inquiète, c'est le rapport énergétique... L'image du divin doit se refléter à la tête de l'État. Peut-être devrais-tu*

*envisager de prendre une seconde femme ? Tu as bien
une épouse, nul n'en disconviendra. Mais la force
masculine est trop présente en elle. C'est pourquoi elle
ne peut réfréner cette inclination qui vous éloigne l'un
de l'autre.* Ce qui lui avait été dit cette nuit-là n'était
pas une surprise. Ilunga était arrivé à cette conclusion
plusieurs années auparavant lorsque, découvrant les
âmes partageant son origine, il avait à la fois compris
que toutes étaient d'essence virile, et que Seshamani
en faisait partie. Quand il l'avait connue, ceux qui
auraient dû le faire ne l'avaient pas encore instruit de
la manière dont une compagne devait être choisie : en
aucun cas au sein de sa communauté, il en était ainsi
depuis des temps immémoriaux, et pour de bonnes raisons. Il haussa les épaules. Aurait-il alors écouté les
aînés ? S'ils ne lui avaient pas parlé, c'était parce que
ses activités au sein de l'Alliance semblaient l'acca-
parer. Il n'avait pour ainsi dire pas d'autre existence,
les études elles-mêmes étant perçues comme entrant
dans sa formation pour le compte de l'organisation. On
ne savait ce qu'il deviendrait, quelles seraient plus tard
ses attributions, mais chacun le pensait promis à un bel
avenir. C'était lorsqu'il avait eu un malaise à Bhârat,
pendant son initiation au *kushti*, que son erreur lui
avait été révélée. Entre la vie et la mort pour les médecins qui se chargeaient de le soigner, il s'était retrouvé
parmi les siens pour la première fois. Son heure n'était
pas venue, avait-on dit. Cela, et bien d'autres choses.
Il avait réintégré son corps, était rentré au pays.
Seshamani portait alors leur enfant. Seshamani était
son fardeau, la faute que chacun commet un jour ou
l'autre et qui laisse des traces. Si une rupture devait
avoir lieu, Ilunga ne la provoquerait pas. Il aurait pu

le faire à maintes reprises, avant son élévation par le Conseil et encore à ce moment-là.

Refusant de se plier aux lois métaphysiques régissant son nouveau statut, Seshamani ne l'avait pas accompagné dans le sanctuaire où le mokonzi devait passer quelques semaines avant de prendre ses fonctions. Sa présence était requise, certains des rituels les plus importants s'adressaient au couple. Toujours aussi terre à terre et suspicieuse à son égard, elle lui avait lancé : *Tu me prends vraiment pour une idiote. Tu vas me faire hypnotiser ou je ne sais quoi encore pour me remettre sur le droit chemin.* Cela faisait pourtant des années qu'il ne cherchait plus à la toucher. Il l'avait longuement regardée, se demandant à quel point il avait pu la blesser autrefois. Avait-il quoi que ce soit à voir avec ce qui la faisait tant souffrir ? Elle avait conservé les habitudes de son milieu, cette incapacité à se confier, à dénouer par la parole les situations difficiles. À aucun moment elle n'avait évoqué une séparation. Son existence se passait à lui prouver qu'il ne la possédait pas. C'était le plus profond témoignage d'attachement dont elle était capable, il le recevait comme tel. Elle les libérerait un jour, si le bon sens prenait enfin le dessus. Il faudrait pour cela qu'elle s'apaise et s'accepte. Il en serait heureux. Un margouillat à la tête rouge et au corps doré lui fila entre les jambes. Quelque esprit mutin s'amusait de prendre cette forme. Peut-être un enfant, une jeune âme. Il le savait, tout autour de lui était vivant et habité. Le lézard se perdit entre les ramifications d'un de ces petits buissons jaunes que Boya et lui avaient vus plus tôt, ne laissant apparaître que sa tête entre deux branches. Il n'y avait pas de soleil sous la chaleur duquel se prélasser, il n'y avait pas non plus de lune, à supposer que ces bestioles en apprécient le rayonnement plus tempéré. Ilunga rit : *Esprit*, dit-il, *j'ignore qui tu es, mais l'autre vie et ses lois te sont inconnues...* Observant le lézard, Ilunga pensa qu'il s'agissait peut-être d'une sentinelle, quelqu'un qui devait être là pour garder un œil sur l'étranger. Ou alors, on voulait lui tenir compagnie. On l'avait vu arriver, des vibrations négatives auraient été perçues. Il n'aurait pas atteint l'endroit où il était assis.

Fut-ce Inina ou Inyemba qui vint à sa rencontre ? La dernière des deux à avoir respiré l'air du monde le jour de leur naissance était l'aînée selon la tradition, mais elles se ressemblaient comme deux gouttes d'eau. Sans un mot, l'air grave, l'aïeule lui fit signe d'approcher. Tandis qu'il se levait pour la rejoindre, elle regarda ses pieds, hocha la tête. On se déchaussait pour fouler un sol sacré, on se déchaussait pour épouser la terre. Ilunga marcha derrière la femme, le long d'une nzela qui coupait à travers champ. Les plantes qui poussaient là, encore au ras du sol, ne ressemblaient à rien qu'il connaisse, mais les cultures étaient entretenues avec soin. L'œuvre du féminin. Ilunga aurait compris que la communauté ne lui soit pas présentée dès ce soir, même si ce n'était pas tout à fait sa première visite. La fois précédente, ils s'étaient arrêtés avant d'avoir atteint l'entrée du village. L'émotion de Boya étant trop forte, d'innombrables visions l'avaient assaillie. Cependant, ils avaient déjà pénétré sous l'orage. Il n'était plus tout à fait un inconnu. À mesure que son guide et lui avançaient, les habitations se faisaient plus précises. Des torches fixées aux devantures révélaient l'ocre des murs, la forme conique de gros tengade encastrés dans la terre. Certaines de ces demeures avaient été ornées de frises bordant la partie inférieure, une coquetterie qui le fit sourire. Une case pouvant être un kiobo, abri dans lequel masques et objets rituels étaient conservés, lui apparut à droite, un peu à l'écart des maisons. Ilunga se sentit soudain ému à l'idée de se trouver exactement là où il aurait dû se présenter, plusieurs années auparavant, pour demander la main d'une femme. Celle-là, qui l'avait entraîné à sa suite, happé, sans en avoir la moindre idée. Marchant derrière elle dans la zone désaffectée de Mbanza, mû seulement par son instinct, il n'avait plus pensé à rien.

Ilunga imagina un moment postérieur sans être trop éloigné, où les familles chemineraient l'une vers l'autre pour se donner leurs enfants. C'était presque puéril de sa part, vouloir mêler le romantisme au sacré. Il lui semblait ne franchir qu'à présent cette étape de la vie qui s'offrait de façon générale aux jeunes adultes. Pour lui, c'était maintenant, à quarante-cinq ans. Si Boya était passée près de lui quelques années plus tôt, il ne l'aurait pas vue. Peut-être cela s'était-il produit. Au bout de la nzela, l'aïeule se tourna vers lui et le fit passer devant elle. Une autre place était là, sur laquelle étaient rassemblés femmes, hommes et enfants, tous entourant Boya. Une fillette albinos lui tenait la main gauche, une femme d'âge mûr avait saisi la droite. L'enfant s'élança vers lui, un large sourire aux lèvres. Posant les yeux sur la petite, il lui trouva l'air familier, se laissa entraîner vers le groupe.

À l'inverse de la sienne où les gens présentaient une complexion assez foncée, la famille de Boya déployait toutes les couleurs de Katiopa. La nuance cuivrée affirmait sa présence, la teinte rouille de la toilette des femmes en rehaussant l'éclat. Ce ne fut pas Boya qui s'adressa à lui, mais l'aînée qui lui tenait la main, cette mère qui n'avait pas arpenté ses songes. Elles étaient pourtant là, dans une attitude non seulement sereine mais tendre, accédant en ce lieu à ce qui ne s'était pas manifesté dans l'existence terrestre. Venir à la rencontre des âmes de sa lignée, c'était abolir le ressentiment. Aussitôt que l'on passait le seuil de la demeure originelle, les émotions liées au monde matériel se désagrégeaient pour ne faire place qu'à la vérité. Boya n'avait pas eu besoin d'interroger sa mère pour comprendre son silence, l'épreuve qu'avait été leur compagnonnage de l'autre côté de la vie. Les deux femmes sourirent lorsque la plus âgée salua : *Sois le bienvenu, fils. Nous saluons aussi celle qui t'a donné le jour. Boyadishi et toi êtes visibles d'ici, mais il nous tardait de faire vraiment ta connaissance.* Comme les anciennes de l'assemblée, elle arborait un khat sobre, sans broderies, taillé dans un tissu fluide. Le volume de sa chevelure sous cet antique couvre-chef lui donnait des airs de reine Tiyi. Ilunga s'inclina, remercia, fit connaître son plaisir et sa gratitude d'être accueilli. Son regard s'attacha aux hommes dont l'attitude restait modeste. Chacun s'était placé à gauche d'une femme et un demi-pas derrière elle, certains tenant aussi un kalengula, bouclier de bois reconnaissable au masque sculpté en son centre. C'était une partie de la garde armée. Tête et torse nus, arborant un kèmbè à l'étoffe coralline, ils portaient sur les épaules un ibora rouge feu, dont l'ouverture dévoilait des colliers de perles en bronze. Les femmes étaient parées de même, avec de plus un idzila dont les spirales leur enserraient le haut du bras. C'étaient elles qui détenaient l'autorité. Ilunga se figura que cela était juste, étant donné la nature de l'endroit, le fait qu'il soit placé sous les auspices du féminin.

Lorsque les salutations prirent fin, le groupe s'écarta, laissant au centre Boya et Ilunga. Se tenant dans l'espace ainsi dégagé, ils firent face à celle qui devait être la personne la plus importante de la communauté. Assise quelques mètres plus loin, sur un siège dont le dossier large et de forme arrondie l'entourait d'un halo ambré, elle avait posé son chasse-mouche sur ses genoux. De l'autre côté, il se serait agi d'une queue de jument que l'on se serait procurée à prix d'or en raison de sa rareté. Les longs poils roux distinguaient les individus de rang élevé. D'un geste de la main, elle les invita à avancer. Autour de son cou, un menat rouge et or semblait une encolure au grand bùbá qui l'enveloppait du buste jusqu'aux pieds. Lorsqu'ils furent près d'elle, elle plongea les yeux dans ceux d'Ilunga qui l'identifia en silence. Il n'était pas exactement surpris de la rencontrer là. Boya l'avait peut-être été, n'ayant pas encore découvert qui, parmi les vivants, appartenait à cette autre partie de son existence. L'aïeule, dont le visage était différent ici, dénoua son collier pour le tendre à la femme rouge. Esquissant ce geste, c'était Ilunga qu'elle scrutait en silence, d'un regard qui semblait examiner chaque étape de son parcours, depuis que son âme avait quitté la matrice originelle de l'humanité. Elle lui dit : *Je te salue, homme. Mon nom est Mampuya, je suis la mère et le souffle de tous ici. Rien de ce qui concerne les miens ne m'échappe. En particulier lorsqu'il s'agit de Boyadishi. Aussi, j'ai vu que tu avais planté deux palmiers royaux dans ton jardin. C'est donc que tu apprends de tes erreurs. Pour autant, la femme que tu désires devra être élevée au rang qui lui convient. Ne compte pas sur notre mansuétude s'il devait en être autrement.* Ilunga acquiesça d'un hochement de tête, c'était bien ainsi qu'il concevait les choses. L'ancienne poursuivit, passant la main sur sa chevelure rousse striée d'argent : *Tu nous autorises donc à la défendre si l'on s'en prend à elle.* Sans attendre sa réponse, elle ajouta que Boya serait seule lors de ses trois prochaines visites. Elle savait désormais comment procéder. On le remerciait d'avoir fait sauter les derniers verrous qui retardaient l'achèvement de son instruction. Cette nuit, Boya avait reçu des informations nécessaires à son épanouissement, des réponses à ses interrogations les plus pressantes. *Je l'ai baptisée, plusieurs générations avant sa naissance. Elle connaît désormais l'origine de son nom et les devoirs qu'il lui impose pour remettre au monde l'Univers. Rentrez à présent, nous nous reverrons.* Elle leva les bras comme pour chasser une nuée de criquets.

Ils furent projetés hors du ciel d'orage, eurent à peine le temps d'apercevoir sous eux l'océan bordant la kitenta, ouvrirent les yeux dans le bureau de la femme rouge qu'ils avaient prestement quitté. Ils ne parlèrent pas du village de ses aïeules. Boya tombait de fatigue. Son corps sur celui d'Ilunga se faisait lourd, tandis qu'elle luttait pour garder les paupières ouvertes. S'il dînait ce soir, ce serait seul. Ilunga ne s'en formalisa pas. La dernière fois qu'il avait espéré déguster un repas cuisiné par elle, Boya, occupée à son travail, l'avait envoyé promener : *C'est le moment d'aller à la chasse. D'ici là, j'aurai peut-être fini. Nous ferons griller le gibier que tu auras tué.* Il s'était fait cuire un œuf, laissant la femme rouge à la correction d'un devoir portant sur les agodjie, guerrières du royaume fon devenues des personnages mythiques. L'anachronisme et l'extranéité des conceptions féministes que certains avaient appliquées à leur examen de ces figures jusqu'à la fin de la Première Chimurenga étaient maintenant dépassés. Boya avait fait plancher ses étudiants sur le caractère marginal de ces femmes. Le fait que cette compagnie n'ait pas connu d'équivalent et qu'elle ait été constituée de personnes ne s'appartenant pas. Faire la guerre n'avait pas toujours été un choix, mais plus souvent, la condition de leur survie. Peut-être alors pouvait-on voir, dans leur bravoure et leur acharnement au combat, l'expression du désespoir acculé au silence. À leur sujet, les récits abondaient. Les étudiants devaient en faire l'analyse, effectuer des recoupements, tenter de mettre au jour la vérité de ces égéries. Leurs différents profils en faisaient des réprouvées. Certaines, à ce que l'on disait, avaient été des épouses indociles dont on s'était débarrassé en les envoyant se battre, puisqu'elles s'en pensaient capables. D'autres, on le savait, étaient des captives arrachées à des voisins vaincus. D'autres encore, assurait-on, étaient des servantes, des vierges qui voueraient leur vie et leur féminité au service du souverain. Leur statut de combattantes les éloignait de la vie ordinaire. Elles n'étaient pas étreintes, ne portaient pas d'enfants. Les prérogatives du féminin au sein de la communauté leur étaient retirées. Pour les agodjie qui n'étaient plus ni hommes, ni femmes, vivre revenait à mourir. Qu'avaient-elles servi à célébrer à travers les âges, lorsque les peuples de Katiopa, sur le Continent et au-delà, tentaient de s'inventer de glorieuses références ? D'autres avaient fait cela et le feraient encore. Les Fulasi illustraient à merveille ce trait commun aux groupes humains blessés.

Ce soir-là, consentant à faire une pause, Boya avait sans mal trouvé le chemin de la cuisine privée d'Ilunga. Elle s'y était installée sans façons, ne dédaignant pas l'omelette proposée, priant son compagnon d'incorporer à la préparation de fines rondelles de patate douce. Il l'avait écoutée parler de ces aïeules dont il ne s'agissait pas de ternir la mémoire. *Je pense*, avait-elle indiqué en se remplissant la bouche, *que leur rendre hommage c'est accepter toute cette complexité. L'idée de la souffrance.* Il n'y avait pas eu de cimetière des agodjie. Et ceux qui les avaient chantées plus tard n'avaient pas érigé de monument en leur honneur. *Est-ce une pétition ?* avait demandé Ilunga. La femme rouge avait souri. Cette exploration des marges la passionnait. Non, elle ne réclamait rien. À la communauté concernée de prendre une décision s'agissant du souvenir de ces femmes. Les mikalayi pouvaient entendre ces requêtes. Là, dans ses bras, elle avait l'air angélique d'une petite fille vaincue par la fatigue après avoir tourmenté ses proches par des jeux aussi bruyants qu'animés. Il se redressa légèrement pour mieux supporter son poids, mieux la contempler aussi. Le sentant bouger, elle s'éveilla à moitié. Ilunga saisit l'occasion pour l'inviter à se lever, ce qu'elle fit en titubant un peu. Quand elle fut debout, il lui vint assez d'énergie pour dire : *Tu ne voudras pas le croire, mais j'ai trouvé Kabongo parmi les hommes. Celui qui portait une coiffure de moran samburu. Bien sûr, ce n'était pas son visage, mais… Enfin, tu comprends. J'ai vu que tu avais reconnu Mampuya.* Ilunga la prit par la main pour la conduire à la chambre où il l'aida à se déshabiller. *Tu veux dire que c'était le gars avec de l'argile sèche dans les cheveux ?* C'était bien de celui-là qu'elle parlait, en effet. Elle voyait qu'il savait exactement à quoi ressemblait le style capillaire du moran samburu. Ilunga rétorqua qu'elle ne pouvait se mettre au lit après lui avoir appris cela. Il allait de ce pas lui préparer un café, une conversation plus nourrie était nécessaire. Boya protesta, non seulement le jebena buna qu'appréciait Ilunga requérait tout un cérémonial, mais en plus de cela, il était trop fort. Rien que d'y penser lui donnait des palpitations. Elle ne comprenait pas son goût pour ce breuvage. Ceux dont il était la tradition avaient souverainement dédaigné le Katiopa unifié, et leur negus divinisé s'était associé aux impérialistes étrangers. La femme rouge voulait se laisser une chance de fermer l'œil au terme de leur discussion. Elle ferait donc l'effort de ne pas s'endormir tout de suite. Se dirigeant vers le dressing, l'homme en revint avec une étoffe qu'il lui tendit, faisant signe de le rejoindre sur la terrasse. Il n'était pas question de rester dans cette pièce où, attirée par le lit, elle se laisserait mollir. Il la précéda à l'extérieur. Lorsqu'elle le retrouva, Ilunga lui indiqua la banquette. Il s'était installé sur une chaise afin de lui faire face. Tandis qu'elle prenait place, il demanda : *Alors ?*

Ilunga ne cherchait pas à connaître les détails de la visite de Boya aux esprits de sa lignée. Cependant, ce qu'elle comprenait du fait que le dénommé Kabongo fasse partie de ce groupe l'intéressait. Lui et celle qui s'était présentée sous le nom de Mampuya. La femme rouge eut un sourire espiègle devant cette mine d'examinateur qu'il affichait pour l'écouter, c'était ainsi qu'elle-même se conduisait avec ses étudiants. Or, ils n'étaient pas tout à fait dans ce contexte. Ce qui le pré-occupait ne se rapportait pas vraiment à l'expérience qu'il venait de vivre. D'après elle, il voulait savoir si elle en saisissait les implications dans son cas à lui. En effet, le fait qu'elle soit ainsi tombée sur le double de personnes connues dans le monde des vivants signifiait que c'était arrivé à Ilunga. Eh bien, non seulement avait-elle compris cela, mais elle se dou-tait aussi que sa réticence à se séparer de son épouse pouvait avoir là son explication. Le respect pour l'en-gagement pris autrefois, quand ils étaient de jeunes gens sans cervelle, n'était pas son unique motivation. Il s'agissait de ne pas heurter une âme-sœur, même si le lien entre eux ne devait pas être amoureux dans cette vie. *Je comprends ton souci. Bien que Kabongo ne m'ait pas reconnue, je souhaite qu'il ne lui soit fait aucun mal. Ce n'est pas sa faute si nous nous sommes trompés d'histoire, si nous avons mal interprété ce qui nous poussait l'un vers l'autre.* Comme Seshamani, l'agent n'était pas un être spirituel. Sa méconnais-sance de ces sujets le coupait donc de son autre côté. Ilunga écoutait en silence, constatant que cette pre-mière plongée dans ses profondeurs avait déjà permis à Boya de faire des avancées significatives. La femme rouge y était prête depuis longtemps, il ne lui avait été utile que pour comprendre comment ouvrir la porte dont elle avait déjà trouvé une des clés : l'océan. Se penchant vers lui, elle prit entre les siennes les mains de l'homme et conclut : *Nous l'avions cru ailleurs et peut-être ne nous sommes-nous pas trompés, mais à mon avis, le gouffre à enjamber est là.* Il fallait trouver la bonne distance avec ces personnes. Ce serait plus aisé pour elle. En ce qui le concernait, la situation était différente.

Il avait raison de ne pas répudier son épouse. C'était à Seshamani de rompre. Sans le savoir, Boya avait déjà fait sa part du travail. La jalousie qui s'était emparée d'elle l'y avait aidée, elle le remerciait de lui avoir cédé, ce n'était pas l'acte le plus élégant qu'elle ait posé. Se remémorant cette période, elle se crispa un peu, entendant au fond d'elle l'écho de ses alarmes d'alors. Elle avait eu une réaction animale, en contradiction avec ses valeurs. Elle aurait voulu aimer cette femme, comprendre qu'Ilunga lui soit attaché. Ils n'auraient plus besoin ni d'en parler, ni de prendre soin d'éviter le sujet comme c'était le cas depuis. Ce qui devrait être énoncé le serait. D'ailleurs, elle allait inviter Tshibanda et sa mère à passer quelques jours à la résidence pour apaiser la situation. Ils pourraient en profiter pour sortir ensemble, tous les quatre. Elle ferait de son mieux pour ne pas être la cause de tensions supplémentaires. Si Seshamani ne pouvait se résoudre à la rupture, ils feraient avec. *Mwasi, je te trouve l'esprit plus affûté que jamais pour une dormeuse debout...* Ilunga plaisantait lorsqu'il était ému. Cela fit rire la femme rouge. Oui, la fatigue l'avait quittée. Elle lui raconterait plus tard ce que lui avaient appris les esprits. *Tu as vu que Mampuya était opposée à notre mode de vie. Elle l'est également dans cette dimension. Pour elle qui m'a baptisée avant ma naissance afin que j'accomplisse l'œuvre de Nana Buruku, l'image de notre couple ne sied pas à cette aspiration. Et nous en sommes d'accord. Il nous faudra prouver que les apparences sont trompeuses...* Ce n'était pas tout. Alors qu'elle se trouvait seule avec Mampuya, la

434

femme rouge avait eu une étrange vision. Elle s'était vue pénétrer dans une pièce inconnue de la résidence. Dans sa hâte, elle n'avait pas remarqué l'absence de sol sous ses pieds. Sans trop savoir pourquoi elle avait baissé les yeux, et une main puissante l'avait tirée en arrière. Quelqu'un dont elle n'avait pas remarqué la présence était aussitôt tombé à sa place. *Tout ce que je peux dire, c'est qu'il s'agissait d'une femme.* Mampuya, qui pratiquait pour sa fille un rituel d'entrée dans la demeure ancestrale, avait perçu cela comme l'annonce d'un danger imminent. C'était pour cette raison qu'elle avait tenu à mettre l'homme en garde. Puisque rien de ce qu'ils vivaient ensemble ne venait corroborer les inquiétudes de l'ancêtre, Boya avait tenté d'argumenter, suggérant que les images pouvaient avoir une valeur symbolique, qu'il ne fallait pas les prendre au pied de la lettre. Mampuya avait secoué la tête. Depuis sa case, tout ce qui se rapportait à l'autre côté apparaissait dans sa vérité. Les esprits n'avaient pas besoin de métaphores, ils accédaient d'office au sous-texte.

Enfin, ils en parleraient plus tard. S'il le voulait bien, le plus important était de prendre une décision quant aux Sinistrés. C'était là qu'ils en étaient lorsqu'elle avait éprouvé le besoin de sortir, d'aller auprès des aïeules chercher des réponses. Elle voyait clair à présent. L'argument d'Ilunga se tenait, elle le partageait. C'était la manière de résoudre le problème qui les opposait. Le Katiopa unifié ne gagnait rien à abriter une telle population. Toutefois, l'expulsion de tous, et sans préalable, lui semblait une erreur. *Tu ne peux l'envisager sans avoir pris la peine de t'adresser à eux.* C'était ce qu'elle recommandait et qui n'avait pas encore été fait. Nul n'avait eu l'idée de parler à cette communauté. C'était pourtant le meilleur moyen à la fois de les reconnaître et de les placer face à leurs responsabilités. Après tout, ceux des leurs qui s'étaient établis sur le Continent depuis plusieurs générations, s'y étaient résolus parce qu'ils se pensaient victimes d'une expropriation territoriale. Katiopa n'était pas menacé par cela, mais les Sinistrés étaient les mieux placés pour comprendre que l'on se refuse à accueillir chez soi une population si ardemment réfractaire à l'assimilation. Ils seraient les premiers à admettre que ne soit pas créé le statut de réfugié identitaire. Ilunga s'adossa à sa chaise, plissa un peu les yeux, attendit la chute. Il pensait avoir deviné ce qu'elle avait en tête, de quelle façon elle comptait manier l'épée du jugement. Elle allait trancher au milieu, laisser à chacune des parties son lot d'obligations. Lorsqu'elle s'en fut ouverte, il interrogea : *Pourquoi ?* L'invitant à s'asseoir à ses côtés sur la banquette, la femme rouge se massa doucement le cou, s'attardant sur les clavicules. Le menat offert par Mampuya était là, encore invisible à l'œil nu. Lorsque viendrait le jour, il apparaîtrait sous la forme d'un tatouage, un talisman incrusté dans sa chair. *Parce que*, expliqua-t-elle, *notre défi est aussi de faire la paix avec la part de nous que représentent ces Fulasi. Nous réussirons en agissant envers eux sans haine ni mépris. Donnons-leur le choix. Entre deux options claires.*

Lorsque, par la voix de son mokonzi, l'État aurait déclaré : *Katiopa, tu l'aimes ou tu le quittes*, quand on aurait fait connaître les preuves d'amour acceptables et celles que l'on donnerait, les Sinistrés devraient prendre position. Des désaccords se feraient jour, qui mèneraient vite à la division. Ce n'était pas le but, mais ce serait utile pour amener ceux qui le désiraient à demander leur intégration, laquelle n'irait pas sans assimilation. *Je te suggère d'en informer le Conseil. Les sages ne pourront s'opposer à cette proposition.* Une fois les anciens ralliés, Ilunga pourrait prendre la parole sans consulter aucune autre instance. Il ne fallait pas perdre de temps, le kalala, on le pressentait, s'était mis sur le sentier de la guerre. N'avait-il pas commandité l'agression d'un Sinistré ? S'il ne l'avait pas fait, les ordres donnés à son agent avaient favorisé l'événement. Or, il était exclu que l'on porte atteinte à l'intégrité physique des personnes, cela affaiblirait l'État. Assis près d'elle qui s'était lovée contre lui, Ilunga répéta à voix basse : *Katiopa, tu l'aimes ou tu le quittes.* Cela sonnait bien, et on avait en effet les moyens d'une telle politique. Boya disait vrai, le Conseil ne pourrait formuler d'objection, les populations non plus, bien au contraire. Il écrirait lui-même son discours. Par loyauté envers ses frères de l'Alliance réunis au sein du Gouvernement, il les informerait individuellement, évitant ainsi d'avoir à programmer de longs débats. En tant que chef de l'État, il pouvait prendre seul une telle décision, dès lors que les anciens, qui représentaient les ancêtres, ne s'y opposaient pas. Les frères seraient surpris, mais la plupart verraient assez vite l'avantage de la mesure. Il appellerait Igazi en dernier lieu, afin que la latitude de semer le doute parmi les autres ne lui soit pas laissée. Ilunga soupira d'aise : *Au train où vont les choses, tu prendras bientôt ma place. Je n'aurai plus qu'à exécuter tes décisions.* L'homme sentait se renouveler son intérêt pour le travail effectué à la tête de l'État.

Il pénétrait enfin dans cette autre phase qu'il lui tardait d'explorer. Boya lui apportait ce qui manquait à son entourage, aux institutions même, quelle qu'en soit la composition. C'était à cette force féminine qu'il espérait s'associer, cette autre manière de régler les problèmes, de combattre, de vaincre. Les Sinistrés ne pourraient se plaindre d'avoir été rejetés. Ils ne pourraient pas non plus prétendre que le Katiopa unifié s'était refusé à eux, ce serait tout l'inverse. Cette méthode serait bien plus redoutable que tout ce qu'avait pu imaginer le kalala. Se remémorant une séquence de leur promenade vespérale, Ilunga s'enquit de l'identité de la fillette : *Tu sais, la petite albinos qui est venue à moi.* Avec une désinvolture qui le laissa sans voix, Boya rétorqua : *Là-bas, elle s'appelle Lusamba. Elle a dit nous avoir choisis pour être ses parents. Mais bon, Mobali na ngai, mes orphelines suffisent à combler mes sentiments maternels et nous avons à faire tous les deux...* D'ailleurs, si l'enfant se présentait avec cette carnation, les détracteurs de Boya s'empresseraient de faire remarquer ce teint de Sinistrée. Car elle n'avait aucun doute à ce sujet, les flèches qui n'avaient pas encore été décochées le seraient dès l'instant où le mokonzi ferait sa déclaration aux étrangers venus du pays fulasi.

18

Igazi s'apprêtait à se rendre chez Zama comme il le faisait désormais deux soirs sur trois. Il ne pouvait plus se passer d'elle. Umdali lui avait massé les lèvres et le clitoris, faisant du sexe de cette femme une contrée que l'homme ne se lassait pas d'explorer. Mais ce n'était pas seulement son corps, l'odeur de sa peau, l'abandon qui était le sien lors de leurs ébats, qui lui donnaient cette impression d'être à nouveau en vie. D'avoir une vie. Zama était la femme idéale, celle qui savait glisser ses pas dans ceux de l'homme. Lorsqu'elle avait à émettre une pensée, une éventuelle objection, c'était toujours avec nuance. Igazi pensait avoir touché son cœur. Tout allait vite entre eux, mais pour une fois, il cheminait sans méfiance sur cette voie longtemps délaissée. De grandes réalisations étaient à leur portée. Il ne lui avait pas encore parlé de l'autre univers qu'ils habiteraient et depuis lequel leurs puissances conjuguées gouverneraient secrètement le Katiopa unifié. Dans l'éclat du jour, Zama ne serait, pour tous, qu'une femme handicapée, ne pouvant représenter l'État. Dans l'ombre dont il lui ferait connaître la beauté, elle se découvrirait autre, entendrait le son véritable de sa voix, se verrait telle qu'elle était à l'intérieur. Non seulement cela lui donnerait-il confiance, mais elle se sentirait légitime pour exercer le pouvoir qu'il lui proposerait de partager. La situation du mokonzi était trouble. Son épouse ne pouvait jouer le rôle attendu, bien qu'elle donne à merveille le change et parvienne à leurrer le peuple. Sa compagne actuelle n'avait guère qu'un statut de concubine, et lorsqu'ils se marieraient, si cela se produisait, elle ne pourrait ravir les prérogatives de la première femme. Tel qu'il le connaissait, Ilunga ne congédierait pas Seshamani. C'était un comportement trop vulgaire, trop égoïste pour une âme si noble. De son côté, elle ne le quitterait pas, ayant pris l'habitude de vivre ses amours contre nature sous l'aile protectrice de son époux. Igazi avait le champ libre pour constituer ce qu'il envisageait comme une sorte de gouvernement fantôme. Le caractère occulte de l'opération aurait voulu qu'il lui trouve une désignation plus appropriée, mais son esprit allait de Zama à la communication publique du mokonzi, attendue sur les antennes d'une minute à l'autre. Il ne l'avait appris que dans la matinée et n'était pas le seul. Ilunga l'avait appelé en personne pour lui demander où en était la surveillance des Sinistrés. Il était resté évasif, on avançait. C'était alors qu'Ilunga avait porté à sa connaissance son projet. Le Conseil ayant approuvé la manœuvre, aucune objection n'avait pu s'exprimer. Ainsi, le mokonzi allait-il s'adresser aux Sinistrés. Faisant fi de la collégialité qui avait toujours prévalu au sein de l'Alliance, Ilunga mettait en quelque sorte ses frères devant le fait accompli. Il avait pris des précautions en les appelant l'un après l'autre, mais la réalité était là : ils n'avaient pas décidé ensemble.

Autant dire que les hostilités étaient déclarées. Cette façon de procéder traduisait soit une perte de confiance dans le groupe – ce en quoi Igazi ne croyait pas à vrai dire, soit l'influence néfaste de la Rouge. Qui d'autre avait pu suggérer cela ? S'agissant de cette question précise, Ilunga et lui n'avaient pas eu besoin, jusque-là, d'accorder leurs balafons. Si ces étrangers n'avaient pas encore été contraints de quitter le territoire, ce n'était pas à cause des failles juridiques qu'il avait décelées dans le dispositif encadrant leur présence, mais en raison des réticences des sages notamment. Ilunga était en train de perdre le nord, et ce sens de l'orientation défaillant portait l'empreinte de la femme. C'était elle. La Rouge. Igazi regarda l'heure et quitta ses écouteurs. Il monta le son de la télévision, se cala dans son fauteuil, ne perdit pas un mot du discours. L'homme aurait pu regarder tout cela sur une tablette ou même sur son communicateur, mais il voulait contempler en grand le spectacle. L'incroyable faux pas du premier mokonzi du Katiopa unifié. Il écouta sans broncher le propos étrange, le choix offert aux Sinistrés de l'assimilation ou du départ. Le ton se faisait ferme puis chaleureux selon les paroles prononcées. Ilunga exprima son souci de la jeune génération qui devait bénéficier de toutes les facilités offertes aux enfants de Katiopa. S'il était vrai que l'on appartenait à la terre de son enfance, l'État était prêt à les reconnaître, à les prendre en charge comme il le faisait pour les autres. D'ailleurs, sans pour autant bafouer l'autorité de leurs parents, on ferait en sorte de les entendre, surtout les adolescents et les jeunes adultes qui avaient depuis longtemps dépassé l'âge de raison. Les Sinistrés feraient connaître leur réponse au mikalayi dont ils dépendaient. Le Katiopa unifié leur tendait la main. Ils feraient leur choix en conscience.

La manœuvre était belle. Simplement, elle créait un problème en offrant à cette pollution humaine de prendre racine dans le sol de la Terre Mère. Le mokonzi ignorait ce qu'avaient révélé les dernières écoutes, mais justement, il aurait dû exiger d'en recevoir le résultat avant de s'exprimer comme il venait de le faire. Il n'y avait pas d'urgence a priori à lancer cette invitation. Ayant entendu le vipereau dérouler son plan de bataille, Igazi se représentait la manière dont ses complices utiliseraient l'offre du mokonzi à leur avantage. Ils feindraient de désirer l'assimilation et poursuivraient leur objectif de s'emparer d'un bout du territoire. Même chez ceux qui n'avaient pas encore cela à l'esprit, leur condition actuelle ne les invitant pas à nourrir pareille ambition, cela viendrait. L'aisance retrouvée, la fluidité des relations avec les populations locales et la possibilité de circuler à travers le Katiopa unifié leur donneraient des idées. Leur nature profonde s'éveillerait, mais il serait trop tard pour reprendre ce qui avait été si généreusement accordé. Ce n'était donc pas ainsi qu'il convenait de procéder avec cette engeance à l'intelligence destructrice. Igazi connaissait l'histoire des peuples. Trop bien pour ne pas avoir remarqué qu'elle était le fait des hommes, de la manière dont ils concevaient la relation avec ce qui les entourait. Les rigueurs hivernales et le manque n'avaient pas eu sur tous les mêmes effets, loin de là. Pour s'en convaincre, il n'y avait qu'à se pencher sur la manière dont les naufragés du *Mayflower* s'étaient conduits avec leurs hôtes habitant eux aussi une région au climat tempéré. Les pauvres n'avaient pas été assez sauvages pour venir à bout des envahisseurs. Il y avait, pour ainsi dire, des humanités différentes. De celle-ci, il fallait à tout prix se garder, c'était ainsi. Le visage du jeune Sinistré lui revint à l'esprit. On en avait perdu la trace. L'agression factice ourdie par l'agent Kabongo n'avait pas connu de fin heureuse, l'opération ayant été interrompue. La rouge amie du mokonzi avait surgi de nulle part pour voler au secours de l'individu. Il tenait cela de l'un des agents recrutés pour jouer les voyous.

La dernière fois que l'on avait vu le garçon, il prenait place dans une berline aux plaques d'immatriculation reconnaissables. Il avait passé un savon à Kabongo qui n'avait rien dit pour sa défense, gardant le silence sur l'arrivée inopinée de cette femme. Connaissant son homme, le kalala pensait qu'il cherchait le moyen de rattraper les choses, c'était pour cette raison qu'il n'avait pas remis son rapport. Il était trop tard. Kabongo ne lui avait donné que des motifs de satisfaction, jusqu'au moment où il l'avait chargé de séduire la femme rouge. Elle ne lui avait échappé que pour apparaître sans crier gare sur le site d'une offensive dont il avait eu l'idée. Il était impensable que cette fauteuse de troubles soit allée jusqu'à héberger un Sinistré dans la demeure du chef de l'État. Où l'avait-elle laissé ? Le faisait-elle protéger par la garde personnelle du mokonzi ? Non. Kabeya et ses hommes avaient mieux à faire. Et il l'aurait su, si un intrus avait été admis entre les murs de la résidence. On remettrait la main sur ce gamin, ce n'était pas un sujet. Ce qui en constituait un, en revanche, c'était la Rouge. La Sécurité intérieure gardait toujours un œil sur elle, mais il soupçonnait Kabeya et Ilunga lui-même de protéger cette femme par des moyens peu orthodoxes. On l'apercevait, puis elle disparaissait. Le temps était venu d'exposer à Zama la raison qui l'avait amené à l'épier trois soirs de suite avant de lui parler. Étant donné la tournure que prenaient les événements, des mesures plus radicales que prévu s'imposaient.

La conversation entre hommes, entre frères, qu'il avait envisagée avec Ilunga lui semblait superflue à présent. Le mokonzi avait tout dit en prononçant son adresse aux Sinistrés. C'était la première fois, depuis qu'ils se connaissaient, que l'un des membres les plus éminents de l'Alliance se rendait coupable de tels agissements. Igazi se faisait fort de réunir un groupe qui approuverait sa décision d'éliminer celle qui, régnant sur le cœur du mokonzi, lui avait ravi sa raison. Les faits d'armes d'Ilunga, la manière dont il avait conduit les affaires de l'État jusqu'ici, ne permettraient pas que l'on s'empresse de le déposer ou seulement de le sanctionner. On aurait moins de scrupules à l'égard de sa concubine. Igazi savait qui contacter le moment venu. Avant d'en arriver là, des éléments devaient être réunis, qui constitueraient un dossier à charge. Que cette femme ait voulu jouer les justicières dans les rues de la kitenta ne suffirait pas à convaincre. Il trouverait de quoi étoffer l'affaire. La route de la Rouge croisait fréquemment celle des Sinistrés. En dehors des forces de l'ordre chargées d'effectuer les contrôles d'identité, nul ne les approchait autant. Il l'avait vue à Matuna, en compagnie de l'un d'eux qui se trouvait être le père du disparu. Il avait ensuite appris qu'elle fréquentait la communauté fulasi dont elle recueillait la parole. On devait se procurer ces enregistrements. S'ils ne prouvaient pas que la femme rouge ait eu connaissance d'un complot contre l'État, ils illustreraient la haine que nourrissaient les étrangers pour Katiopa. De cela, Igazi était persuadé. Elle était une ennemie de l'État, bien avant de faire son entrée dans la vie de Celui qui avait été élevé. Quiconque aurait capté les propos venimeux des Sinistrés en aurait fait part à la Sécurité intérieure. Cela n'aurait pas constitué un acte de délation, mais un geste d'amour à l'égard du pays. La femme rouge n'en avait rien fait. Elle avait continué à amasser des témoignages et que savait-on encore. Une fois de plus, il se demanda où le mokonzi avait rencontré cette personne, et pourquoi sa vue s'était brouillée devant elle. Après cinq années presque sans nuages, le ciel se couvrait soudain. Qui aurait imaginé qu'une femme assombrirait ainsi le jour neuf qui s'était levé ? Elle faisait cela rien qu'en existant, parce qu'elle n'était pas à sa place. Igazi ne croyait pas aux coïncidences. Celles-ci étaient des indications, et il saisissait parfaitement le message. L'homme se leva. Attrapant au passage la télécommande, il éteignit le poste de télévision et quitta son bureau.

*

Kabongo ouvrit la porte. Ses fils s'introduisirent dans la maison à la manière d'un fléau s'abattant sur la Création. La reconstitution de la bataille de Kansala ne les avait pas privés de leurs forces, et la journée promettait d'être longue. Ils ne furent pas surpris de le trouver là, ne remarquèrent pas qu'il traînait dans un vieil agbada en aso oke, son vêtement des mauvais jours. Zanele, qui les avait ramenés, s'en aperçut. Elle lui demanda s'il allait bien, ce qu'elle n'avait plus fait depuis leur séparation, ne le gratifiant que de salutations froides. Il n'eut pas le cœur de feindre la joie de vivre, répondit que cela irait, qu'il ne souhaitait pas vraiment en parler. Ce n'était pas comme s'ils se faisaient des confidences. Elle insista sans raison apparente, il n'était pas au mieux de sa forme, mais ne se pensait pas non plus à l'agonie. Il ne lutta pas davantage, elle finirait par s'en aller. La maison lui rappelait leur vie à deux, elle n'y pénétrait pas volontiers. La laissant se glisser dans l'embrasure de la porte, il lui proposa un kinkeliba, il venait d'en faire. Dans la cuisine où leur parvenaient les heurts de la bataille qui se poursuivait entre gens du Gaabu et Peuhls, à moins qu'il ne s'agisse de celle de Kirina où l'on s'affrontait pour le trône du Mandé, Kabongo comprit ce qui amenait son ex-épouse. Un quart de fesse collé au bord de l'un des tabourets hauts qui entouraient la table, Zanele n'avait pas avalé une gorgée quand elle demanda : *Penses-tu pouvoir m'obtenir un rendez-vous avec la compagne du chef de l'État ?* Boya n'avait pas encore accordé d'entretien à la presse. Ce serait un formidable coup de pouce pour elle. Des annonceurs plus en vue pourraient accepter de soutenir l'émission qu'elle animait depuis peu sur une radio numérique. Kabongo trouva la question incongrue. Il était évident que l'amie du chef de l'État ne fréquentait plus ses anciens amants et que ses prises de parole publiques étaient décidées en haut lieu. Lorsqu'elle voudrait s'adresser aux médias, on le saurait. Alors qu'il lui assénait cette réponse peu coopérative mais en tout point fondée, Kabongo eut une idée qui le réchauffa, le requinqua, le fit presque sourire. *J'ignore ce que tu comptais lui demander, mais peut-être pourrais-tu plutôt inviter son épouse ? Ce sera plus simple à mon avis, et elle doit avoir des choses à dire sur sa nouvelle vie de famille. Enfin, c'est toi qui vois...* Il avala d'une traite son kinkeliba brûlant, observant Zanele pour voir s'il avait fait mouche. C'était le cas.

Les yeux louchant au-dessus de sa tasse comme devant l'oscillation d'un pendule, Zanele réfléchissait à toute vitesse. Elle pensait déjà aux questions sulfureuses, à ce qu'il faudrait demander pour attirer des auditeurs plus nombreux et des annonceurs à la réputation plus lumineuse. Elle ne toucha pas son infusion, se leva prestement pour prendre congé. Zanele n'avait plus qu'un talon à l'intérieur de la maison quand elle se retourna, posa la question qui résonna dans la pièce plusieurs minutes après son départ : *Au fait, tu as peut-être écouté le discours du mokonzi ? Je me demande ce qui lui a pris de faire cette proposition aux Sinistrés. Il leur a dit : Katiopa, tu l'aimes ou tu le quittes.* Le tout-Mbanza ne parlait plus que de cela. Convaincu que Zanele serait l'instrument dont il avait besoin pour faire entrer Seshamani dans le jeu et parvenir à semer la discorde sous le toit du mokonzi, Kabongo se dirigea vers son bureau où il trouva sa tablette. Il n'avait plus osé la toucher depuis la nuit précédente, mais une énergie positive affluait à nouveau en lui. S'il n'avait été initié à aucun savoir occulte ni ne disposait d'un iporiyana au magnétisme paralysant, Kabongo ne se sentait pas dénué de tout pouvoir. L'envie d'éprouver ses forces le démangeait. C'était une sensation agréable. Des brèves lui apparurent, résumant le propos de Celui qui avait été élevé. Il ne s'avouait pas vaincu. L'inconnu qui lui avait rendu visite n'était pas étranger à l'entourage d'Ilunga. Aussi, ne chercherait-il pas dans l'immédiat à espionner à nouveau l'épouse légitime. Elle se servait d'une messagerie cryptée, bien protégée d'éventuels pirates. Insérer un micro dans son communicateur était le moyen le plus simple de l'atteindre, mais cela comportait des risques à ne pas prendre en ce moment. Et puis, il en savait assez. Elle n'attendait qu'une occasion pour se venger d'avoir été évincée. Elle ne pourrait résister à la sollicitation de Zanele, il en était persuadé. L'épouse bafouée n'hésiterait pas à piétiner son devoir de réserve, avec toute l'élégance dont on était capable dans la bonne société. Elle dirait les choses sans en avoir l'air, les sous-entendus seraient appuyés, l'amertume camouflée sous des épaisseurs de sens du devoir et d'abnégation. Bien sûr, elle ne parlerait pas de ses amours secrètes, de ce dégoût des hommes, de la manière dont il lui était venu. Le mokonzi n'avait pas l'intention de la répudier comme il aurait pu le faire étant donné les circonstances. Assurée de cela, elle ne ménagerait pas ses efforts pour pousser vers la sortie celle qui avait déréglé son univers. Un des objectifs que lui avait fixés le kalala serait ainsi atteint.

Boya ne se précipiterait pas vers lui pour se consoler, mais à elle non plus, il ne renonçait pas. La femme rouge s'était montrée assez glaciale sur l'esplanade, ce qui n'avait rien de très étonnant. Les hommes de sa garde l'entouraient. Dans un autre contexte, les choses pourraient se révéler différentes. La priorité était de retrouver ce jeune Sinistré qui aurait dû être appréhendé sans pièce d'identité lors d'un banal contrôle. En abandonnant son corps inanimé dans les fourrés, il n'avait pas sonné les cloches pour indiquer l'endroit où le chercher. Cela aurait dû se faire en toute tranquillité, on aurait annoncé, le lendemain matin, l'arrestation d'un Sinistré en piteux état et sans papiers. La nouvelle serait tombée sur le canal de la Sécurité intérieure, sans qu'il ait eu à bouger le petit doigt. Son travail se faisait dans l'ombre. En dépit de la façon dont s'étaient déroulés les derniers événements, Kabongo tenait à prouver qu'il n'avait pas perdu la main. Les enfants jouaient comme si leur vie en dépendait, faisant un raffut de tous les diables. Ils étaient heureux et sa bonne humeur retrouvée l'incitait à passer avec eux un moment. Sa sœur rentrerait comme prévu en début de soirée. Il sortirait alors pour visiter chacun des hôpitaux de Mbanza et des environs. Ses recherches seraient prudentes, il se ferait un plaisir de semer ceux que l'on avait certainement mis à ses trousses. Qu'ils se déplacent en lévitation ou passent à travers les murs, il se promettait de leur échapper. Cela se serait su, si l'on pouvait régler les problèmes de l'État avec des tours de prestidigitation. On l'avait menacé de mort. Cela le galvanisait, ses forces en étaient décuplées. Kabongo ne travaillait jamais aussi bien qu'en présence du danger.

Le gosse était en vie, il ne lui avait pas administré une dose létale de toxine. Tout au plus pouvait-il avoir l'esprit vaseux quelques jours, avant que la mémoire ne lui revienne peu à peu. Il parlerait alors, mais ne serait pas en mesure de décrire celui qui l'avait enlevé à la gare. Si l'individu avait été transporté à l'hôpital par un passant n'ayant pu réfréner sa sollicitude, il mettrait tout en œuvre pour l'en faire sortir. Le mokonzi venait de faire une proposition inédite aux Sinistrés. En ce qui le concernait, rien n'était changé pour autant. Il n'avait pas été dit que les évadés du pays fulasi étaient autorisés à déambuler sans papiers. Force restait à la loi qui ne connaîtrait pas de modifications significatives avant un certain temps, si cela devait se produire. *Katiopa, tu l'aimes ou tu le quittes.* On disposait d'éléments concrets pour confirmer que le jeune Du Pluvinage ne portait pas cette terre dans son cœur.

19

Boya referma son communicateur et fit quelques
pas vers la minuscule fenêtre de son bureau, sur le
campus de l'université. La communauté sinistrée ne
déplorait aucune disparition et ne savait qui pouvait
être le jeune homme que l'on avait admis à l'hôpital
Mukwege. On avait effectué des vérifications auprès
des familles et, non, on ne voyait pas de qui il pouvait
s'agir. Tels avaient été les propos de la doyenne des
Fulasi. Nul ne se rendrait donc à l'hôpital. La femme
rouge ne savait trop comment procéder. Fallait-il
révéler ce qu'elle savait ? Convaincue qu'il se trouvait à Matuna, la famille ne cherchait pas son fils.
Elle avait hésité à demander que des hommes soient
postés devant la porte de sa chambre, mais Kabeya ne
l'avait pas attendue. Ayant découvert l'enregistrement
dont le kalala n'avait parlé à personne, il avait envoyé
sur place deux des gardes placés sous son autorité.
Ces derniers avaient reçu la consigne de ne pas se
faire remarquer. Inutile d'ameuter les foules. Cela lui
convenait, il fallait réfléchir. Les Sinistrés s'étaient fait
traduire le message du mokonzi par leur prêtre. On les
disait désemparés. La proposition d'Ilunga n'était pas

sujette à discussion, il n'y aurait pas de négociation possible. Les Fulasi le constataient, le Katiopa unifié n'avait pas besoin d'eux. Il leur était difficile de s'imposer, à moins d'accepter l'assimilation qui leur ferait perdre, à terme, leur identité. Ils devaient soit épouser leur société d'accueil et s'y fondre sans faire d'histoires, soit plier bagage. Les plus radicaux se résoudraient au départ, à la découverte des restes du pays perdu. Ceux qui ne souhaitaient s'y rendre à aucun prix se mettraient probablement en route pour l'Oural, vers des terres où leur fierté raciale serait autorisée à s'exprimer. Cette marche en direction du levant leur ferait découvrir des pays conservés dans leur jus pour n'avoir pas voulu s'approprier le monde. Les bigarrures de l'humanité s'étaient surtout invitées chez ceux qui avaient un jour jugé bon de se lancer à l'assaut des pays les plus lointains. Et ils les avaient prises, ces contrées inconnues. C'était viril et raisonnable. On ne pouvait décemment laisser s'opérer une sédimentation de la sauvagerie, de l'ignorance, de l'incapacité. Mais ces régions du globe étaient peuplées, leur principale caractéristique résidait là. Elles n'avaient cessé d'en apporter la preuve au cours des âges.

À Katiopa notamment, on avait pu observer l'opiniâtreté des populations à engendrer de nouvelles générations, à les faire naître sans relâche en dépit des mille visages que s'était donnés la mort afin de les écœurer d'être sur la terre. Ils étaient morts plus souvent qu'à leur tour, à leur manière toujours spectaculaire, mais n'avaient pas été détruits. C'était là une technologie dont ils avaient seuls le secret, une sorte de je-m'en-foutisme forcené, de sourde oreille déterminée aux injonctions de leurs frères humains, affolés par cette prolifération. Leur corps était devenu l'arme la plus redoutable qui soit, indispensable aux travaux des autres, hostile à leur hégémonie par sa seule puissance de vie. Les guerres bactériologiques avaient fait long feu à mesure que passait le temps, que les frontières étaient franchies avec ou sans laissez-passer. On avait bien vu qu'il y en aurait toujours de ces gens-là, que l'on ne serait sans eux en aucun lieu, car ils avaient découvert leur talent dans l'existence : celui de naître inlassablement. On avait cru que c'était le rythme, la danse, le rire, et sans doute avait-on eu un peu raison. Tout cela façonnait cette compétence inouïe, concourait à la parfaire, en favorisait la récurrence : cadence, ondulations et cabrements, réplétion postérieure à l'écoulement des fluides, ces étapes s'ordonnaient pour créer une manière d'exister. Le siècle précédent avait atteint la moitié de son parcours lorsque, confirmant les dires des oracles, une multitude avait quitté la Terre Mère pour s'établir à Pongo, apportant une coloration plus soutenue aux anciennes puissances coloniales. Ces masses n'avaient représenté qu'un faible pourcentage des voyageurs de Katiopa, de ces rêveurs avides de découvertes. Cela avait suffi à transformer l'univers des puissants. Aujourd'hui, la communauté fulasi résidant au sein du Katiopa unifié devait décider de sa destinée. Elle ne pouvait se prévaloir, pour ne pas s'y rendre, de la terrible métamorphose de son pays.

Des débats houleux devaient avoir lieu en ce moment pour savoir quoi faire. Boya se demandait ce que déciderait madame Du Pluvinage. Elle avait passé l'âge des grands voyages. Pour les jeunes gens de la communauté, ceux qui s'étaient réjouis de prendre part aux festivités du San Kura, la déclaration du mokonzi recelait des promesses d'épanouissement. Oseraient-ils affronter leurs aînés ? Ces derniers eux-mêmes ne pourraient aisément s'accorder sur la marche à suivre. Il fallait attendre. Bientôt, le mikalayi référent entendrait chacun. Boya ne se mettait pas martel en tête au sujet de la machination qu'avait pu concevoir le jeune Amaury. S'il avait exposé le fond de sa pensée, s'il était vrai que d'autres, de sa génération, le suivraient volontiers dans cette aventure, les cartes venaient tout de même d'être rebattues. Certains parmi les Sinistrés feraient le choix du départ, d'autres se soumettraient au dessaisissement identitaire. Seule se posait la question du nombre. La femme rouge imaginait les prochaines fêtes du San Kura. On pourrait recevoir à la résidence quelques jeunes Sinistrés qui seraient alors devenus des enfants de Katiopa. On pourrait aussi mettre en place un programme d'intégration, promouvoir la mixité sociale afin de mettre fin à la vie communautaire des Sinistrés. Plus tard, elle ferait une liste de mesures à prendre. Pour l'instant, l'envie de savoir quelle atmosphère régnait dans les longères la tenaillait. Elle prit la décision de rendre à Charlotte une visite inopinée, sous prétexte de lui montrer une image de l'inconnu que l'on soignait à l'hôpital Mukwege. Reconnaissant son petit-neveu, l'ancienne le ferait ramener auprès des siens. Mais auparavant, il serait plus prudent de prendre des nouvelles du garçon. Se souviendrait-il de l'agression et de ses suites ? Pourrait-il dire ce qui lui était arrivé après qu'on l'avait déposé à la gare ? Boya ne craignait rien. Il lui serait aisé d'expliquer son silence. S'il avait recouvré la mémoire, elle lui dirait simplement :

Je n'ai pas voulu parler de tout cela avec votre grand-tante. Vous lui direz vous-même.

Le jeune homme n'aurait rien de négatif à exposer. Elle l'avait secouru, accompagné à la gare afin qu'il ne manque pas son train. Ce serait la même chose avec Mawena. Cela lui avait déchiré le cœur, mais elle s'était refusée à l'inquiéter, ne sachant encore comment son amoureux se remettrait du mal étrange dont il souffrait. Après s'être fait tant de souci, Mawena n'aurait pu affronter l'amnésie d'Amaury. Tout cela était vrai. Rassurée, la femme rouge s'installa derrière son bureau pour examiner les projets de recherche qui lui étaient soumis. Les étudiants devaient choisir des thématiques et obtenir sa validation. Certains, qui n'étaient pas inscrits à ses cours, souhaitaient malgré tout être suivis par elle. La chose était possible, mais on préférait tout de même éviter les fâcheries entre collègues, cet esprit de compétition qui ne devait pas avoir cours au sein du Katiopa unifié. Parfois, il arrivait que ces jeunes lui soient adressés par leurs professeurs, ce qui était plus confortable lorsque le sujet l'intéressait. C'était le cas avec celui qu'elle avait sous les yeux, mais il n'était accompagné d'aucune lettre de recommandation. Il s'agissait donc d'une démarche spontanée. Une jeune femme se proposait de répondre à la question : *De quoi Hyperborée est-il le nom ?* Boya leva un sourcil à la lecture de cet intitulé. À partir de documents de nature diverse, couvrant une partie du siècle dernier jusqu'à la période contemporaine, il s'agissait d'interroger les pathologies identitaires de certaines populations de Pongo. En effet, on avait observé, chez des Fulasi en particulier, un désir de retourner aux sources, de se reconnecter avec leurs ancêtres païens. Cette démarche, dont les débuts coïncidaient avec la période du Sinistre et de ce qu'ils percevaient comme une colonisation migratoire, les avait amenés à révérer Hyperborée. C'était, affirmaient-ils, de ce territoire mythique qu'étaient venus leurs aïeux, Katiopa n'étant pas le berceau de leur blonde humanité. Boya sauta quelques paragraphes pour examiner le plan proposé. Ce n'était pas mal. Il manquait peut-être quelque chose, mais c'était pour cette raison que l'on s'en remettait à une directrice de recherche. Elle parcourut à nouveau quelques lignes, hochant la tête parfois, s'étonnant à d'autres moments des audaces conceptuelles de la rédactrice qui ne reculait pas devant l'invention de néologismes :

Si certains des intéressés ont qualifié de charlisme *un esprit prévalant à leur époque, fustigeant par-là une perte de sens au sein d'une société prônant la liberté d'expression quand elle criminalisait l'énonciation de leur pensée ou s'effarant devant le spectacle de peluches et de ballons brandis en signe de grand deuil, n'hésitons pas quant à nous à proposer l'appellation de* soixante-huitisme *pour désigner l'ensemble des pratiques discursives et comportementales dont ils avaient à cœur de se distancier : on l'aura noté en effet, ces tenants d'un nouveau conservatisme témoignaient une gratitude des plus modérées à l'égard de leurs aînés, les accusant de s'être montrés égoïstes et, surtout, irresponsables dans bien des domaines, l'importation en masse d'immigrés postcoloniaux au mépris des dommages causés par cette présence étrangère sur l'identité nationale – laquelle comprenait, de leur point*

de vue, des aspects génétiques à ne pas minorer
puisqu'il était aussi question de préserver la qua-
lité supérieure du génome fulasi – n'étant pas des
moindres, car on le savait, cela ne produirait à
terme qu'une caste de déracinés, un groupe de gens
nourris de fureur et de rancœur qui ne pourraient
épouser une nation perçue comme meurtrière,
attendu qu'ils avaient vu le jour dans le prolon-
gement de l'aventure coloniale, du fracas qu'elle
avait été selon ce que leur dictait une mauvaise foi
revancharde, laquelle faisait fi...

Les phrases étaient interminables. Il était fréquent
que les étudiants les composent comme si chacune,
devant être la dernière, avait à contenir la totalité de
leur pensée. C'était exténuant. Elle arrêta là sa lecture pour examiner les quelques éléments joints au
dossier. Les Sinistrés la suivaient décidément partout,
puisqu'il s'agissait là de se pencher sur la genèse de
leur débâcle. La femme rouge voulait savoir comment cette affaire hyperboréenne lui était parvenue et,
aussi, deux ou trois choses s'agissant de l'expéditrice.
Cette étudiante disposait de documents rares, impossibles à rassembler sur le Continent. Se saisissant
de son communicateur, elle l'appela. La voix qui lui
répondit presque aussitôt aurait pu émaner d'une fillette, n'eussent été l'assurance et la détermination que
l'on y décelait. Sans se laisser émouvoir par cet appel
qu'elle n'attendait pas, la jeune personne apporta les
informations voulues, fit savoir que son directeur de
recherche attitré s'était détourné du sujet. C'était
en discutant avec une amie inscrite en Études culturelles qu'elle avait entendu parler de Boya. Selon elle,

Hyperborée avait sa place dans un questionnement sur les marges, d'autant que des Sinistrés étaient présents dans la région. Si nécessaire, elle pourrait leur consacrer un chapitre. La jeune femme avait réponse à tout, y compris aux interrogations non encore formulées. À celle de savoir de quelle façon lui étaient parvenus les supports alimentant sa réflexion, elle répondit : *J'ai passé quelques années au pays fulasi. Mes parents ont décidé de rentrer sur le Continent lorsque le mokonzi a lancé son appel. Je les ai suivis. C'est mon père qui a amassé cette documentation pour des articles qu'il comptait rédiger. Disons qu'il m'a transmis cette obsession.* Boya salua sans rien indiquer de sa décision, ne l'ayant pas encore prise.

Elle s'adossa à son siège, le fit pivoter vers la lucarne tenant lieu de fenêtre dans cette pièce exiguë. On venait à oublier que bien des Katiopiens avaient vécu à l'étranger, que certains d'entre eux connaissaient Pongo, qu'ils y avaient été perçus comme les opérateurs du Sinistre. La persistance de ce motif dans son existence ces derniers temps la décida à se rendre dans la communauté fulasi comme elle l'avait envisagé. Boya classa les fichiers reçus dans un dossier, se mit en route vers l'hôpital Mukwege. Elle n'appela pas le chauffeur, préférant s'y rendre seule, ne pas se faire remarquer. La plupart des habitants de Mbanza prenaient les transports en commun. La berline et son immatriculation particulière attiraient vite l'attention, ce n'était pas le moment. Cela lui serait reproché, mais lorsqu'elle monta dans le baburi, que l'engin s'ébranla pour traverser la ville, la femme rouge retrouva une tranquillité oubliée et se laissa porter. Bien sûr, quelqu'un la suivait toujours, mais elle n'y pensa pas.

À l'accueil, on se souvint sans rien en dire de son passage précédent, et elle fut autorisée à voir Amaury.

Le garçon semblait en bonne forme. On lui avait procuré de la lecture à sa demande, ce qui occupait ses journées. Il ne gardait aucun souvenir de Boya et n'était toujours pas en mesure de dire ce qui lui était arrivé. Ce qu'il y avait de plus préoccupant dans son état ne se rapportait pas tant à son amnésie qu'à un autre fait : son unique langue d'expression n'était pas le fulasi mais l'idiome officiel de la région, dont il faisait rouler les vocables entre ses lèvres avec la dextérité d'un jongleur. Bien entendu, il ne se posait à ce sujet aucune question. Savait-il encore que sa couleur le distinguait ? Il s'était en tout cas donné un nom, Mubiala, qui signifiait *l'infréquentable*, dans une autre des langues de la contrée. Il s'exprimait évidemment sans accent, et quiconque l'entendait ne pouvait douter que cette parole émane des profondeurs de son être. Qui était-il, quelle était sa vérité ? Boya reconnaissait à peine le jeune homme dont elle avait pris la défense, encore moins celui qui se promettait de devenir bientôt un poison dans l'eau du Katiopa unifié. Celui qui occupait cette chambre d'hôpital, vêtu du grand bùbá rouge dont on habillait les malades, pouvait être le jeune homme que seule Mawena fréquentait, un enfant du pays connaissant mieux que d'autres les chemins de campagne. La femme rouge prit place sur le fauteuil faisant face au lit, se démena pour ne rien laisser paraître de son trouble. Comment sa famille réagirait-elle ? Pouvait-elle se rendre dans la communauté sinistrée uniquement pour le faire identifier au moyen d'un document visuel ? Était-ce auprès de ces gens qu'il serait le plus à son aise ? Une vision la traversa, de la doyenne des Sinistrés armée d'une hache à douille, levant les bras pour occire elle-même l'héritier perdu, à jamais souillé. La femme rouge se retint de fermer les yeux, combattit la crispation de ses muscles. S'il ne devait s'exprimer que de cette façon, les siens ne lui feraient pas bon accueil et se passeraient de chevaux pour se réserver la joie de l'écarteler à mains nues. Ce serait trop pour eux, en particulier en ce moment où ils étaient sommés de se fondre en Katiopa ou de débarrasser le plancher.

La belle énergie qui s'était emparée d'elle quelques instants plus tôt la quitta presque. L'idée qu'il ne puisse concevoir de machination destructrice dans un langage autre que celui de ses pères la rassura un instant. Puis, Boya se demanda de qui Mubiala était le rejeton, ce qui lui donna presque le vertige. Elle lui parlait de tout et de rien, tentant de démêler la situation. Le plus simple serait sans doute de faire en sorte que Mawena apprenne qu'il était là, qu'elle ait le courage de l'en faire sortir, quitte à l'emmener chez les Gens de Benkos dans un premier temps. Elle n'aurait qu'à dire que la présence d'un Sinistré avait été signalée à l'hôpital Mukwege. L'amour serait le meilleur remède et, puisque les siens ne le recherchaient pas, il pourrait connaître une douce convalescence. Boya opta pour cette solution, qu'elle mettrait en œuvre un peu plus tard. Le garçon insista pour quitter les lieux, la pria d'intervenir dans ce sens auprès des médecins. Il ignorait où aller mais n'en pouvait plus de ces quatre murs et n'était d'ailleurs pas persuadé d'avoir les moyens de régler les soins. Les rues ne l'effrayaient pas, il était prêt à s'en aller. Boya retrouva bientôt l'air libre, seule. S'éloignant de l'hôpital, elle comptait prendre le baburi, donner rendez-vous au chauffeur quelque part en ville. Ce n'était pas la peine de faire courir ceux des gardes qui devaient la suivre, qui ne l'approcheraient pas par respect. La voyant avec le chauffeur qui était l'un des leurs, ils seraient rassurés et prendraient le chemin du poste l'esprit tranquille. Elle hâta le pas, pressée de s'entretenir avec Ilunga. Leurs conversations lui permettaient toujours d'y voir plus clair. C'était l'heure de pointe, on se bousculait pour prendre le train de ville, ne pas avoir à attendre le suivant. Elle se résolut à ne pas monter dans l'immédiat, s'écartant un peu de la foule pour ne pas être reconnue. Les gardes voleraient à la rescousse si nécessaire, mais ses nouveaux réflexes s'ancraient peu à peu, si bien qu'elle traversa spontanément la chaussée afin de s'isoler. Il n'y aurait que cinq ou six minutes d'attente. Quand elle fut de l'autre côté, que le baburi quitta son arrêt, elle reconnut le dernier passager à en être descendu. L'homme était de dos, elle aurait pu faire erreur, mais cet ensemble vert pastel avait trop souvent rejoint le sol de sa chambre de Vieux Pays. Cette façon de poser le pied à terre, de se passer la main sur le crâne, l'avait trop souvent attendrie. Kabongo se dirigeait vers l'hôpital Mukwege. Sans tergiverser ni savoir ce qu'elle ferait, la femme rouge lui emboîta le pas.

20

Ce jour-là, Zama avait attendu la sortie de la Rouge, l'épiant en feignant de contrôler, à cette heure matinale, le soin apporté au ménage effectué dans l'aile des femmes. Par chance, il lui était permis de traîner dans le vestibule, dans la salle à manger qui devait accueillir bientôt une ribambelle de petites visiteuses. C'était aussi l'heure où était servi le premier repas de Boya et, bien qu'elle ait toujours décliné l'invitation de celle-ci à le partager, sa présence discrète restait justifiée. C'était à elle qu'il revenait de superviser les équipes de la résidence pour toutes ces questions. Il était par ailleurs compréhensible qu'elle y consacre davantage de temps et d'attention, ses autres attributions ayant été supprimées. L'ombre de celle qui n'était plus la gouvernante de l'aile des femmes avait donc glissé le long des murs, se nichant dans les angles, s'étirant sur les larges portes de bois, sur la surface vitrée des fenêtres à ouvrir pour que pénètre l'éclat du jour, l'air non encore chargé d'humeurs humaines. Lorsqu'elle avait entrepris sa tâche d'espionne, les derniers esprits de la nuit lambinaient encore dans les parages, ce qui ne l'avait guère émue. Fixée sur son objectif, Zama ne s'était laissé distraire par aucune apparition, ni troubler par aucun souffle. Elle ne s'était pas interrogée sur la nature véritable de l'oiseau aventureux dont l'affolement avait quelque peu perturbé le calme du patio. Elle avait simplement levé ses grands bras, devenant alors un arbre animé, pourchassant à pas lents le volatile, jusqu'à s'en saisir pour le relâcher avec mille précautions dans le jardin. Rien ne lui avait échappé des mouvements de la Rouge. Lorsque celle-ci s'était dirigée vers la sortie, Zama se trouvait dans l'entresol de la résidence dont un des balcons offrait une vue nette de la grille. Elle avait vu Boya prendre place dans la berline, le véhicule s'élancer vers l'extérieur. Alors, sans hâte, elle avait gravi les quelques marches conduisant à l'aile des femmes, s'était introduite dans les appartements où dominaient l'or et le carmin, heureusement adoucis par des beiges. Les vastes pièces avaient permis aux décorateurs d'exercer leurs talents. En dépit du choix de coloris très marqués, ils étaient parvenus à faire triompher l'élégance. Les lignes sobres du mobilier de bois, les dalles de terre crue, le raphia des revêtements, invitaient au repos.

La résidence faisant l'objet d'une surveillance de tous les instants, Boya n'avait pas jugé utile qu'un dispositif de sécurité particulier soit placé sur la porte. Il n'y avait pas non plus de caméra, l'intimité du lieu devant être préservée. Zama n'avait donc eu qu'à faire coulisser la porte pour se retrouver dans le logement qu'elle connaissait bien pour y avoir souvent été invitée. Elle avait su où se rendre et comment procéder, s'étant préparée à cette intrusion qui ne devait pas laisser de traces. De cela, elle s'était fait une spécialité au fil des années. Nul ne surpassait en délicatesse cette femme imposante, nul ne savait mieux qu'elle fouiller dans le fond des tiroirs sans que l'on puisse soupçonner le moindre effleurement. Elle avait opéré froidement, écoutant sans faiblir les battements de son propre cœur, refusant de s'abandonner à la danse qu'ils tentaient de lui imposer, celle de la frénésie, celle de la mauvaise conscience. Zama ne s'était rien reproché. Certes, il avait fallu la demande d'Igazi pour qu'elle songe à poser cet acte, mais elle ne voyait là que du bon sens. Déjà, cette nuit où la femme rouge s'était portée au secours d'un Sinistré, se permettant de le transporter dans un véhicule de l'État, se montrant familière avec lui, Zama avait été prise d'un profond malaise. Le souvenir de ces instants provoquait en elle un resserrement, un mouvement de rejet, elle aurait dit de dégoût si les termes de cette nature, les mots pesant leur poids d'investissement émotionnel, n'avaient pas depuis longtemps été bannis de son vocabulaire. Elle ne parlait donc pas ainsi mais sa pensée prenait moins de détours.

Cet épisode lui avait rendu Boya beaucoup moins sympathique. Aussi écourtait-elle leurs rencontres chaque fois que possible, de peur que ses yeux ne finissent par trahir ce que sa chaleureuse politesse tentait de dissimuler. Personne ne se souciait des opinions politiques de Zama. En dehors d'Igazi, nul ne lui en prêtait. Cependant, sa passion pour ces questions n'avait d'égale que l'épaisseur de ses silences. La Rouge avait pu s'en douter la fois où elles avaient évoqué ensemble les Sinistrés, mais depuis, leurs rares conversations n'avaient plus concerné ces questions. Sa mission à l'esprit, Zama était redevenue la gouvernante dévouée du premier soir, lorsque la Rouge, enlevée par les hommes de la garde, avait été conduite à la résidence. Bien sûr, elle faisait de son mieux pour que la compagne du mokonzi n'ait à se plaindre de rien et ne se figure pas l'impossibilité catégorique d'une amitié. Il ne lui était pas difficile de taire son intérêt marqué pour la vie de l'État à laquelle elle ne prenait aucune part. Cependant, le temps passé dans la demeure de l'un des plus éminents membres de l'Alliance avait alimenté sa curiosité. Zama laissait habilement traîner ses oreilles, s'amusait à recouper les informations partielles qu'elle récoltait, obser- vait beaucoup. Elle s'honorait de ne poser jamais la moindre question, de découvrir malgré tout les pièces manquantes des puzzles qu'il lui fallait reconstituer mentalement. Le Katiopa unifié était une passion. Il n'y avait là rien d'exceptionnel. Comme ceux de la génération d'Ilunga, comme ceux qui les avaient pré- cédés sur ce sol depuis l'ère coloniale, elle avait été bercée par le rêve de l'unité. L'Alliance le réaliserait. Autant que possible, elle avait suivi les étapes du pro- cessus, n'osant solliciter son admission au sein de l'or- ganisation. Un refus l'aurait ravagée : réformée pour cause de mutisme et de surcharge pondérale. Depuis qu'elle connaissait Igazi, remarquant l'attention qu'il accordait à son opinion, il lui arrivait de se dire que l'Alliance l'aurait peut-être accueillie. Plus tôt. Cela ne l'aurait pas empêchée de veiller sur Tshibanda, les deux tâches se seraient harmonieusement complétées. Igazi prenait toujours les décisions en dernier ressort, indiquait la marche à suivre, mais il écoutait. Cela seul suffisait à la combler. Elle avait à cœur de réussir, de mériter sa confiance. Ilunga aussi la remercierait, plus tard, quand il aurait fait son deuil de la Rouge. Le Katiopa unifié passait avant tout, le mokonzi le savait.

Ce matin-là, l'idée de rejoindre le mouvement avait affermi ses gestes, affûté son regard. Elle avait quitté les appartements de Boya munie de pièces qui seraient utiles à Igazi. Bien sûr, la Rouge se déplaçait avec un certain nombre de documents consignés dans les outils numériques qui lui servaient au quotidien. Mais elle conservait chez elle, dans son bureau, assez d'éléments pour contenter le kalala. On ne pouvait accéder à ses écrits sur les Sinistrés, ce qui était regrettable dans la mesure où c'était précisément dans ces notes que serait apparue la complicité. Mais ce n'était pas si grave dans le fond, car elle avait laissé des enregistrements. Zama avait pris la peine d'en consulter quelques-uns pour s'assurer de la valeur du dossier constitué lors de la fouille. La plupart lui étaient restés inaccessibles car elle ne connaissait pas la langue fulasi. Outre ces matériaux sonores cependant, elle avait mis la main sur une vidéo, l'avait copiée sur sa tablette afin d'y faire apparaître des sous-titres au moyen d'un logiciel fort utile. Là, elle n'avait pas été déçue. On y entendait les propos les plus abjects sur Katiopa, sur ses populations. Une parole haineuse s'écoulait sans retenue, des torrents de mépris que l'on s'était transmis de génération en génération. Pouvait-on décemment imaginer que quiconque s'établisse chez des gens auxquels si peu de qualités étaient reconnues, que l'on s'installe sur des terres ensanglantées par ses ancêtres, sans nourrir de projet néfaste ? Ces Fulasi étaient de grands malades, et ceux qui leur ouvraient la porte déraillaient eux aussi. On ne pouvait appliquer aucune sorte de morale au traitement de leur présence ici, et vouloir chercher parmi eux des individus à sauver était une erreur. Il y avait toujours dans les communautés des êtres de valeur, des visages auxquels s'accrocher pour se fier encore au genre humain, se le représenter comme une grande famille. Cette sensiblerie n'avait pas sa place quand il s'agissait de résoudre des problèmes majeurs. Raisonner à partir de cas exceptionnels n'avait pas de sens. Les Sinistrés s'étaient sciemment construits en marge d'une société pour laquelle ils n'avaient aucune estime. Ceux d'entre eux qui pouvaient ne pas partager la vision du groupe ne s'en étaient pas soustraits pour autant. Ceux qui avaient encore une vague idée de l'honneur s'en étaient allés lorsque le Katiopa unifié avait été fondé et qu'il avait fait connaître sa politique. C'était tout ce qu'il y avait à savoir. Cela et le comportement inqualifiable des premiers d'entre eux à s'être établis sur le Continent, laissant en d'autres mains leur patrimoine ancestral pour venir ici se lamenter de cette perte. C'était, à n'en pas douter, ce que Zama méprisait le plus, cette défection. Lorsqu'ils racontaient leur histoire, c'était un passé lointain qu'il fallait convoquer afin de n'avoir pas à affronter leurs incapacités actuelles, l'inanité de leur présence au monde. Avoir été ne signifiait pas que l'on serait à nouveau, l'inverse avait plus de chances de se produire. Si Katiopa faisait un jour prochain le choix d'accueillir en son sein des peuples étrangers, il lui faudrait prendre garde à ce qu'ils ne soient pas de cette nature. Qu'ils aient à partager autre chose qu'un interminable deuil de soi-même, l'impossible retour vers un passé enfui.

Il était certes difficile pour les Sinistrés, dans la situation qui était la leur pour l'instant, de rêver à quelque forme d'hégémonie. Ce n'était plus la violence armée qu'il fallait redouter de leur part. Il leur était par ailleurs impossible de revenir à leur ancienne Doctrine de la découverte par laquelle ils s'octroyaient jadis le droit d'envahir les terres infidèles à un Christ que nul n'y connaissait alors. Néanmoins, ils ne renonçaient pas à empoisonner les âmes, ce qui était aussi préconisé. Autrefois, en effet, les bulles papales leur dictant la conduite à tenir face aux peuples à subjuguer les invitaient à pénétrer ces esprits vides. Que leur pays se soit sécularisé n'avait pas effacé l'empreinte de leur culte. Il était donc resté, chez eux comme chez tous leurs congénères, la certitude de posséder la vérité. Jamais on ne pourrait se fier à eux. Le Katiopa unifié ne pouvait abriter une population avec laquelle il faudrait compter d'une manière ou d'une autre, sans pouvoir jamais se reposer sur elle. Ces gens étaient des parasites, et de la pire espèce, car ils ne se contentaient pas de dévorer leur hôte, il leur fallait aussi l'empoisonner. Leur absence de considération pour ceux qui les entouraient, de même que leur arrogance, était toxique. Il était absurde et dangereux d'entretenir des gens dont la désaffection pour eux-mêmes atteignait ce niveau d'intensité. Et l'avenir n'offrirait aucune raison de s'enorgueillir d'avoir jadis eu la faiblesse d'engraisser une irrévérence qui, confiante dans ses possibilités, s'empresserait de prendre une forme plus nocive. La chose était quasiment certaine, le mokonzi s'étant fendu d'une déclaration invitant ces étrangers à franchir la distance les séparant de la collectivité. Peut-être pariait-il sur l'absorption de cette communauté par la population locale. Pour Zama, c'était là le problème : tout corps était altéré par ce qu'il ingérait, et pas toujours pour le meilleur. Les Sinistrés seraient transformés, Katiopa ne pourrait éviter de l'être. L'idée de la sélection, voire de la discrimination, ne rebutait pas Zama. Elle avait beau se poser la question, ce que l'on pouvait espérer de ces gens continuait de lui échapper. Pour la première fois depuis qu'elle le connaissait, la gouvernante était en désaccord avec Ilunga, et regrettait qu'il ne s'en soit pas remis à Igazi dont le jugement sur les Fulasi lui paraissait plus sûr. À l'inverse du chef de l'État, Igazi n'avait pas vu le jour dans une région autrefois colonisée par ces étrangers, un endroit où leur langue s'était répandue, où l'on avait longtemps accepté de recevoir d'eux la monnaie dont on se servait. Était-ce de là que venait la générosité du mokonzi à leur égard ? Était-elle le fruit d'un attachement aussi coupable qu'imprudent ? Zama peinait à le croire, n'ayant jamais entendu Ilunga chanter les louanges des Fulasi, bien au contraire. Il y avait peu de temps encore, son souhait était de les faire expulser du territoire. L'évidence s'imposait alors : *la Rouge*. Elle avait dû lui raconter une histoire, on ne savait laquelle, mais force était de constater qu'il y avait cru. Assez pour dénaturer l'unité, ce grand projet qui commençait seulement à fleurir, après une germination séculaire.

Nés dans la région de KwaKangela au sud du Continent, Igazi et elle avaient connu les restes d'un monde traumatisé par une invasion venue de Pongo autrefois pour semer la terreur et la mort. Ils pouvaient témoigner de l'existence d'une post-humanité antérieure aux délires transhumanistes, car il avait fallu s'extirper de la race des hommes pour leur faire endurer tant de violence et d'injustice. Lui parlant des

Fulasi en particulier qu'elle connaissait moins bien, ne faisant que les assimiler à tous ceux qui partageaient leur phénotype, Igazi l'avait convaincue de ce qu'il n'existait, pour l'esprit de Katiopa, aucune présence plus néfaste. Leur plus grand résistant avait déserté le champ de bataille pour lancer, depuis l'étranger, ses appels au combat. *Sais-tu que c'est ici, sur nos terres*, avait ajouté Igazi, *que cet homme s'est trouvé une kitenta et une partie des troupes sans lesquelles sa défaite aurait été plus lourde ?* Il avait aussi évoqué l'éventrement par ces gens des tombeaux de leurs rois, la gigantesque profanation qui avait enfanté leur République, le fait qu'ayant vu culminer en ce point leur folie, ils se soient privés de substance. Zama avait écouté éberluée, imaginant ces rituels macabres dont l'idée ne pouvait que choquer. En fin de compte, ce n'était pas tant la pauvreté spirituelle des Sinistrés qui lui posait problème. C'était qu'ils soient venus de Pongo d'où le malheur du Continent avait émané, n'ayant d'avenir que selon le bon vouloir d'autres.

Katiopa avait eu son lot de souffrances. Il ne serait plus la déchetterie du monde. L'hospitalité ancestrale avait vécu, et lorsque le grand État serait prêt à s'ouvrir, seuls pourraient y pénétrer des individus ayant démontré qu'ils étaient les meilleurs de leur espèce. Des individus, pas des groupes, certainement pas des communautés. On les laisserait passer au compte-gouttes, ils ne seraient durablement accueillis que dans le cas extrême et fort improbable où ils détiendraient des savoirs introuvables sur le Continent. Zama se méfiait aussi des émigrés, surtout ceux de longue date, qui s'étaient réjouis de séjourner parmi les tortionnaires du passé. Peut-être même ces émigrés la dégoûtaient-ils davantage encore. Comment les comprendre ? Ils étaient à leur manière des sinistrés, des êtres désorientés. Zama se représentait les pays de Pongo comme des asiles à ciel ouvert. Elle y voyait des royaumes de la dégénérescence où la descendance décadente des colons s'accouplait avec celle tout aussi perturbée des colonisés. Parfois, les uns se dressaient contre les autres, mais ils restaient inséparables, emportés dans une danse funèbre, un bal qui se donnait dans une salle tapissée de cadavres. S'il était vrai que chacun portait dans ses gènes la mémoire de ses ascendants, l'idée d'intervertir un jour les rôles relevait de l'aporie et celle de l'apaisement tenait de la chimère : une monstrueuse hallucination. Le caractère malsain de cette association sauterait aux yeux de l'observateur le moins averti. Tandis que ces pensées remuaient lentement dans son esprit, chacune charriant maintes illustrations confirmant la perversion du binôme, Zama avait copié tous les fichiers sonores et visuels relatifs aux Sinistrés. Elle avait quitté l'aile des femmes avant l'heure du deuxième repas, attendant de se trouver sur la terrasse de son appartement pour envoyer un message codé à Igazi. L'homme l'avait rejointe aussitôt qu'il l'avait pu, en fin de journée.

Igazi mettait un point d'honneur à ne pas s'absenter sans motif, les services dont il avait la charge étant peuplés de personnes dressées pour avoir l'œil sur tout. Leur activité professionnelle était une seconde nature, ils l'exerçaient en permanence, consignant mentalement les détails les plus insignifiants, gardant en mémoire les horaires, la couleur des vêtements, la cadence de la marche. On avait sans doute remarqué que, certains soirs, la porte de son bureau était fermée à double tour, qu'il réapparaissait le lendemain, impeccable dans son uniforme, sans que l'on se souvienne de l'avoir vu quitter les lieux la veille. Bien sûr, il attendait toujours que son assistante soit passée le saluer, qu'une bonne demi-heure se soit écoulée après son départ, signalant ainsi que nul ne pouvait plus être introduit chez lui. Cela n'empêchait pas quelques audacieux de tenter leur chance, bien que cette partie du bâtiment soit très sécurisée, encore plus lorsque l'accueil et le secrétariat étaient vacants. Parmi les agents désireux de se faire remarquer, il s'en trouvait toujours un qui juge indispensable de s'entretenir en personne avec lui. C'était ce que disait Igazi. Ce soir-là, il était venu peu avant la descente du soleil, pressé de savoir ce qu'elle avait trouvé. Lui non plus ne maîtrisait pas le fulasi, mais avant de faire traduire les enregistrements sonores, il avait tenu à visionner tous les films. Demander une traduction, cela signifiait mêler une troisième personne à l'affaire, au moins pour vérifier la translation effectuée par le logiciel utilisé. Il fallait s'assurer du bien-fondé de la démarche.

Zama l'avait reçu comme à l'accoutumée, dans le plus grand calme, peut-être avec une certaine gravité. D'abord, il l'avait interrogée sur le déroulement de l'opération. La grandiloquence du propos avait presque fait sourire la femme, qui s'était ravisée devant l'air sérieux de son hôte. Elle lui avait tout rapporté dans les moindres détails, recevant ses félicitations sans joie excessive. Igazi n'éprouvait aucune difficulté à scinder en plusieurs fragments son existence, à être pendant deux heures le kalala du Katiopa unifié à la recherche d'éléments pour écarter une menace. Ensuite, cela prenait fin, il redevenait cet homme dont le désir l'avait embarrassée au début, celui qui avait fait naître, dans son esprit, l'image d'une montagne prise d'assaut par une crevette. Elle avait exagéré, il n'était pas si petit, loin de là, et ne l'approchait pas dans l'intention de l'assiéger. Zama s'était longtemps représenté les ébats amoureux les plus aboutis comme une bataille dont les belligérants sortaient à la fois défaits et victorieux. Le saccage d'une terre et l'érection à partir de la même glaise d'un glorieux édifice. Ce n'était pas exactement de cette façon que les choses se passaient. Lui ne mourait pas. Igazi lui faisait traverser toutes les dimensions en retenant cette explosion dont parlaient les livres, que montraient les films. Jamais l'instant ne venait où des secousses parcouraient son corps pour le laisser vide et repu comme elle avait le sentiment de l'être. Au début, il ne la pénétrait pas, se délectant du plaisir que lui procuraient ses caresses, jusqu'à ce qu'une nuit, sentant en elle une ouverture trop vaste pour n'être comblée, Zama l'avait supplié de venir là, à l'intérieur. Elle avait cru s'entendre crier en dépit des défaillances de son larynx, et l'homme avait demandé dans un murmure : *Indlovokazi, en es-tu sûre ?*, avant de lui infliger cette brûlure, de faire sourdre d'elle la moiteur qui l'apaiserait, gicler le liquide qui viendrait à bout du brasier.

Il avait retenu son explosion, savourant, dans la lumière de la chambre, le spectacle qu'offrait la femme disloquée. Et cela s'était produit ainsi jusqu'à ce qu'au milieu d'une nuit, elle ose lui demander pourquoi. En effet, il avait fallu interroger l'homme qui s'était longuement réjoui de l'orgasme suscité par la lente intromission de son poing dans le sexe de Zama. Il y avait d'abord glissé un doigt, puis deux, les yeux rivés sur les lèvres charnues qui semblaient se nourrir de sa chair, ne parlant que pour souligner la beauté de ce sexe pétri par la main d'Umdali, le dieu créateur. Sa voix, rendue sépulcrale par l'émotion, répondait aux gémissements étouffés de la femme, se réjouissant de lui faire connaître cette félicité. De son autre main, il lui agaçait habilement le clitoris, souriant de voir frétiller le membre. C'était elle qui, d'un geste, avait une fois de plus sollicité une pénétration plus commune, sans laquelle l'étreinte lui semblait incomplète. Répondant de bon cœur à son appel, il avait néanmoins retenu le débordement de sa jouissance. Alors, Zama avait dû s'enquérir des raisons pour lesquelles il procédait ainsi. Elle avait peu pratiqué la chose, son sexe inactif avait recouvré une étroitesse quasiment virginale, mais la femme se savait bien renseignée. S'il ne se répandait ni dans son ventre ni sur sa peau, était-ce qu'il n'éprouvait pas de plaisir ? Zama l'aurait volontiers cru, bien que tout dans l'attitude de son amant démente cette hypothèse. Igazi l'avait rassurée, promenant le plat de sa main sur les fesses opulentes de la femme qu'il ne se lassait pas de caresser. Sa jouissance, avait-il dit, était profonde et inépuisable. Il ne la prenait que pour le plaisir, pas pour l'ensemencer. Cette autre énergie servait aux missions du kalala, ce qu'il n'était pas dans les bras de Zama. Ces mots l'avaient émue. Elle y avait entendu une expression pudique de l'amour et n'avait pas tardé à oublier ses complexes, à faire un usage concret de la souplesse acquise à force d'exercices, à trouver gracieuse sa nudité. Parfois, lorsqu'ils parlaient des affaires de l'État, elle surprenait sa pensée à vagabonder, son regard à déshabiller l'homme qui feignait de ne rien remarquer. Parfois, parce qu'elle ne pouvait s'empêcher d'y penser, parce qu'elle continuait de trouver quelque chose de déplacé à leur relation, Zama s'inquiétait des suites de cette histoire. Un homme dans sa position devait avoir une compagne, une épouse même. Ne pouvant prétendre occuper cette place, elle préférait prendre les devants, ne pas se laisser congédier.

Elle aurait voulu lui en parler ce soir-là, lui dire qu'elle comprendrait qu'il s'attache à une autre, mais ce n'était pas le moment. Igazi ne pensait qu'à ce qu'il faudrait faire des enregistrements, se demandait à qui les confier. Son choix aurait dû se porter sur un membre de l'Alliance proche de lui, afin que les informations ne soient pas divulguées. Ce n'était pas tant le contenu de ces pièces qui le préoccupait, c'était de devoir dire comment il se les était procurés. Pour l'instant, il n'était pas pressé de faire circuler ces documents sonores et visuels au sein de l'organisation. Sur certains d'entre eux, la Rouge apparaissait. Sur tous, on entendait sa voix, les questions qu'elle posait. Or, si le kalala était respecté au sein de l'Alliance, Ilunga l'était tout autant, et le prestige de sa fonction ne laissait pas indifférent. Des cas de conscience pourraient se poser, le mokonzi aurait vent de l'affaire. L'Alliance était une fraternité que l'on ne pouvait faire voler en éclats sans s'être assuré d'avoir pour cela les meilleures raisons. Vieille de plusieurs décennies, elle n'avait jamais été exposée à une situation de ce genre. Tant qu'il s'était agi de préparer l'union, la reprise des terres, la cohésion avait été sans faille. À présent que l'on avait fondé ce Katiopa unifié dont les générations avaient rêvé, les frères redeviendraient des hommes.

Leurs rivalités n'auraient plus pour but d'accroître les compétences à mettre au service du mouvement, de réaliser pour son compte l'action la plus éclatante. Elles seraient des luttes pour le pouvoir, et une fois ce processus enclenché, le retour de l'harmonie serait inenvisageable. Par sa déclaration aux Sinistrés, Ilunga avait creusé une première fissure dans un des murs de la bâtisse, mais en s'adressant à chacun de ceux qui constituaient le noyau de l'Alliance, il avait évité de s'attaquer aux fondations. En tant que mokonzi, il n'était contraint de prévenir personne, le Conseil l'ayant approuvé. En tant que frère, toutefois, il avait rompu un serment plus ancien que lui-même : pour ses membres, l'Alliance était première. Il y avait un Conseil parce que ses pères avaient jugé bon de s'en donner un.

Igazi ne se sentait pas vraiment d'obligation envers Ilunga à ce moment-là. De son point de vue, le mokonzi devait être considéré comme placé sous tutelle tant qu'il n'avait pas été délivré de l'emprise néfaste de la Rouge. C'était ce qu'il faudrait faire comprendre aux frères, afin de ne pas devenir celui qui romprait le pacte. Il fallait éviter de prononcer la moindre parole négative à l'encontre d'Ilunga, faire de son mieux pour ne pointer que la Rouge, l'influence qu'elle exerçait sur un homme ayant consacré tant d'années au combat. Igazi se montrerait d'autant plus persuasif que cette lecture des faits s'accordait avec sa pensée. Ce n'était pas maintenant que l'on verrait Ilunga retourner sa veste, il en était certain, mais il pensait aussi que l'amour lui montait à la tête. Il conviendrait d'en convaincre les frères, ce qui ne serait peut-être pas si simple. En dehors de la question sinistrée qui commençait seulement à prendre une envergure publique, Ilunga n'avait commis aucune faute. On l'avait vu sortir davantage, s'amuser un peu, rien de plus. Jamais il n'avait manqué à ses devoirs. Avant qu'il ne prononce sa déclaration aux Fulasi, seul Igazi se souciait de la question, lui seul mesurait l'importance qu'elle avait prise. Pour les autres, ce n'était pas un sujet majeur, juste une présence nuisible que l'on savait contenir. Les pièces qu'il détenait changeraient la donne. Les propos d'Amaury Du Pluvinage glaceraient quiconque les entendrait. D'ailleurs, on ne comprendrait pas qu'il n'ait pas encore été neutralisé, que la Sécurité intérieure ne l'ait même pas appréhendé. C'était aussi pour cette raison qu'il importait d'introduire dans le dossier les documents fournis par Zama. Cela détournerait l'attention tout en donnant une claire indication de l'ampleur du problème : la concubine du mokonzi fréquentait des ennemis de l'État et n'avait informé personne de ses découvertes. La manière dont son chemin croisait celui des Sinistrés ne pouvait être fortuite. Au contraire. On ignorait tout de la façon dont elle avait rencontré Ilunga. Il était permis de croire que cette rencontre même ne devait rien au hasard. Oui, c'était cela, il tenait l'argument. Le dérèglement auquel était sujet le mokonzi n'était pas dû à la lassitude du combattant, mais à une manœuvre occulte de cette femme. Et bien sûr, ses services s'en chargeaient.

Pensant à voix haute, il s'était peu à peu rassuré sur sa capacité à semer, dans l'esprit de ses frères, un doute plus que raisonnable. Il s'était décrispé, avait même esquissé un léger sourire. Inutile de se faire tant de souci pour la traduction de ces documents. Les compétences nécessaires se trouvaient au sein de l'Alliance. Et puisqu'il s'agissait d'écarter une menace pesant sur celui qui incarnait l'État, sa démarche était louable. Lorsque tout cela serait terminé, Ilunga retrouverait le sens des priorités. Son titre ne serait pas contesté, il resterait l'image du Katiopa unifié, une de ces figures que la mémoire des générations se plaisait à sacraliser. On continuerait d'applaudir l'homme qui s'était tenu face au monde pour annoncer que Katiopa reprenait en main son destin, non pour affronter les autres, mais afin de mieux les servir. Igazi avait ri en se remémorant cet instant, la première grande déclaration d'Ilunga. Cette fois-là, ils s'étaient concertés. Sa position à lui ne l'avait pas emporté. Pour lui, il s'agissait, hier comme aujourd'hui, d'arracher le Continent à ses prédateurs historiques et de n'avoir plus jamais rien à faire avec eux. Pas de service qui tienne, que chacun suive sa route, et jusqu'au bout. Le rayonnement du Continent ne l'intéressait pas. Seul le préoccupait son épanouissement. Le reste du monde ne s'en était jamais soucié. Il n'avait pas été entendu, mais ce n'était pas grave. Pendant qu'Ilunga continuerait à polir l'apparence de l'État afin de le rendre désirable à ceux qui ne l'avaient pas rallié, Igazi agirait de façon souterraine. Il n'avait besoin pour cela que d'une petite équipe que l'élimination de la Rouge souderait. Ceux qui la composeraient seraient choisis parmi les frères siégeant au Gouvernement et au sein de l'Assemblée des mikalayi. Il aurait ainsi un pied dans deux des institutions les plus hautes, l'idéal pour préparer la suite. S'il avait pu envisager de déposer Ilunga avant de se raviser, le kalala considérait à présent que garantir la victoire revenait à se projeter dans un avenir dont on ne verrait pas les contours. Décider qui remplacerait Ilunga le moment venu, d'ici cinq années tout au plus.

Aucune durée n'avait été fixée pour cela, mais il faisait le pari qu'Ilunga ne souhaiterait pas se maintenir au pouvoir au-delà d'un certain temps. Il laisserait la main et les frères devraient faire un choix. Il avait été question d'appointer des mikalayi n'appartenant pas à l'Alliance, mais cela ne se produirait pas avant un moment. Les populations ne se plaignaient pas de leurs représentants actuels et ces derniers ne manifestaient pas le désir d'être remplacés. Un cas de force majeure pouvait survenir, évidemment. Il faudrait alors agir dans l'urgence. Il devait s'y préparer.

Zama avait vu l'homme, satisfait que sa réflexion aboutisse ainsi, se détendre, laisser son corps s'enfoncer dans les coussins de la causeuse, allonger les jambes. Un sourire lui avait étiré les lèvres, il avait eu ce regard qui indiquait que son cerveau se mettait peu à peu en congé de l'État. S'attendant à ce qu'il l'invite à s'asseoir près de lui, elle avait eu la surprise de l'entendre lui faire une proposition d'un autre genre. *Indlovokazi*, avait-il dit, *je sais que tu t'intéresses peu à l'envers des choses visibles.* Certes, elle était curieuse et méthodique dans ses apprentissages, mais la dimension cachée de l'existence ne l'attirait pas. Ce que certains qualifiaient d'ésotérisme pour rester discrets, quand lui disait simplement sciences occultes. Il y avait, dans cet univers-là, bien des découvertes qui l'enchanteraient. Il existait un espace où l'image de soi était conforme à l'idée que l'on s'en faisait, où l'on avait l'apparence de son âme. Un lieu où elle entendrait sa voix, où elle aurait, si tel était son désir, la légèreté d'une plume. Il n'avait pas besoin de l'y conduire pour la désirer, l'ampleur de son corps le ravissait au-delà des mots, elle était à ses yeux l'être

479

vivant le plus adorable. Cependant, il serait heureux de la voir tout à fait épanouie, consciente de sa magnificence comme de sa puissance. *Indlovokazi, si cela ne te déplaît, nous n'irons plus, je n'en parlerai plus. Mais veux-tu m'y accompagner au moins une fois ?* Zama avait accepté de visiter cette contrée extraordinaire, imaginant là encore approcher un des mystères de l'Alliance. Ce n'était en aucun cas parce qu'elle avait été si seule, si longtemps, que cet homme obtenait aisément satisfaction. D'ailleurs, pour le prouver, il n'y avait qu'à se souvenir de la manière sèche et sans appel dont elle avait repoussé les avances du chargé des Affaires diasporiques…

21

Ilunga ouvrit les yeux sur le plafond ocre où se croisaient des madriers d'ébène et se redressa lentement, tandis que se dissipaient ses dernières visions. Assise à quelques mètres dans un coin de la vaste pièce, Ndabezitha murmurait des incantations, ponctuant chaque phrase d'un geste ferme. Dans les charbons rougeoyants du brasero placé devant elle, la vieille sangoma jetait des poignées de feuilles sèches qui s'embrasaient aussitôt, dégageant un parfum piquant, un peu de fumée. Le lieu était sombre, ils s'y trouvaient seuls. L'ancienne, près de la porte sur un banc, son corps menu disparaissant sous un grand bùbá blanc, un kitambala écarlate lui couvrant les cheveux. L'homme, au milieu d'un cercle tracé au sol à l'aide de kaolin en poudre dont on lui avait badigeonné le buste et le visage, vêtu d'un kèmbè immaculé. Il avait le torse et les pieds nus. Face à lui se trouvait une large bassine de terre dans laquelle l'ancienne l'avait baigné. Derrière la cuvette, une table sur laquelle Ndabezitha laissait bouteilles d'huile et d'alcool, plantes et graines diverses. Au-dessus, accrochés au mur, pendaient plusieurs sacs de toile dont le renflement indiquait qu'ils étaient plus ou moins pleins. Dessous, sur un tapis de raphia, des pots contenaient des onguents, des préparations que seule la maîtresse des lieux pouvait identifier. De part et d'autre du mur, deux torches éclairaient faiblement la pièce. Ayant un instant fixé du regard ces objets, l'homme se tourna vers l'ancienne sans dire un mot, l'air préoccupé. Ce fut elle qui prit la parole : *Tu es parti plus longtemps cette fois, mais c'était nécessaire. Ton attention doit se porter en permanence sur les quatre points cardinaux. Il te faut tout voir, pour guider et pour garder. Sans doute aurions-nous dû faire cela plus tôt cette année, mais rien n'est perdu, puisque tu es informé. Que comptes-tu faire, Nkozi ?* Elle ne l'appelait ainsi que dans les instants graves, lui rappelant son titre, sa fonction, l'état particulier qui était devenu le sien. Recourant pour cela à sa langue maternelle, une de celles parlées dans la région australe, la vieille sangoma convoquait, dans ce seul mot, les devoirs qu'imposait le pouvoir à ceux qui l'exerçaient. Ce terme n'était-il pas aussi l'une des multiples appellations du divin ? L'homme répondit qu'il avait son idée, mais qu'il lui plairait d'entendre les recommandations de l'aînée. L'heure était grave, une menace pesait sur l'Alliance, et sa demeure avait cessé d'être un lieu sûr. Il avait beau y penser, il lui était impossible d'en vouloir à Zama. C'était à lui-même qu'il faisait le reproche de n'avoir pas veillé sur son bien-être dans tous les domaines. L'estime qu'il avait toujours eue pour elle ne l'avait guère conduit à se soucier de ses besoins affectifs. Et comme il n'était pas censé connaître la situation, il ne pouvait la mettre en garde. D'ailleurs, il était trop tard pour cela. Les dés étaient jetés. Ndabezitha hocha la tête. *Tu ne pourras la protéger. Nous avons toujours le choix. Zama n'est pas venue te trouver. Elle ne t'a rien dit.* Ainsi, elle s'était en quelque sorte détournée de lui avant d'être approchée par Igazi. Une porte s'était ouverte en elle, et Igazi n'avait presque pas eu à la pousser. Quant à ce dernier, pouvait-on vraiment s'étonner ? On connaissait depuis longtemps sa vision des choses, les décisions qu'il aurait prises, la manière dont il les aurait mises en œuvre. Lui aussi avait eu l'occasion de parler et ne l'avait pas fait.

Ce n'est pas toi qui romps l'Alliance. Tu as agi selon tes prérogatives et avec notre accord. Sans y être contraint, tu t'es adressé à tes frères avant d'énoncer la moindre parole publique. Dans leur majorité, ils ont approuvé ta démarche, même quand ils en ont été surpris. Igazi semble avoir oublié que tu fréquentes toi aussi l'autre côté. Et il s'imagine qu'un envoûtement quelconque pourrait t'endormir en dépit de ma présence. Ces propos venaient d'être énoncés à voix basse, presque dans un murmure. Ilunga esquissa un léger sourire. La fureur tranquille de Ndabezitha le rassurait et l'amusait à la fois. Elle ne tolérait aucun manque de respect. Le fait que quiconque ait pu oublier d'une part ce qu'était un mokonzi et d'autre part qui était la sangoma attitrée de celui-ci appelait des sanctions qu'elle ne manquerait pas d'administrer. Se gardant de rire, Ilunga répondit qu'à l'évidence Igazi ne le réveillerait pas s'il avait le malheur de s'endormir. Ce serait tout l'inverse. *C'est bien pour cette raison, Nkozi, que je te demande ce que sont tes intentions.* La vieille se leva, marcha vers lui à petits pas comme elle faisait toujours, tenant d'une main le bas de son long bùbá, de l'autre une brassée

483

de feuilles vertes dont une nervure enserrait les tiges. Lorsqu'elle fut près de lui, Ndabezitha posa à terre son chasse-mouches végétal et entreprit de lui masser les tempes, le crâne et la nuque. La tête d'Ilunga luisait par endroits de l'huile dont elle l'avait enduit après le bain, lui faisant ensuite tenir le kèmbè dans lequel il s'était allongé sur le sol où la sangoma lui avait passé du kaolin sur le haut du corps. Elle le débarrassa de la terre encore accrochée à sa peau, attendant en silence une réponse à sa question. Ilunga se leva sans traverser la ligne tracée sur le sol. La sangoma ramassa son faisceau de feuilles, s'en servit pour effacer le cercle dont elle fit lentement le tour. L'homme put alors se déplacer dans la pièce close, des murs de terre sans autre ouverture sur l'extérieur que la porte près de laquelle la vieille s'était installée. Marcher lui permettait d'ordonner ses idées, de les exprimer dans le plus grand calme.

Boya n'était pas en danger hors de la résidence, puisque les hommes de la garde ne la quittaient pas d'une semelle. Elle les faisait courir un peu chaque fois qu'il lui prenait l'envie de faire quelque chose d'imprévu, mais c'était leur métier. Ils le faisaient bien. Quoi qu'il ait à l'esprit, Igazi ne prendrait pas le risque de la faire attaquer dans la rue, on remonterait trop vite à lui. Ilunga ne craignait pas non plus qu'elle ait revu son ancien amant. Ce n'était pas de cet homme-là qu'il fallait la protéger. *Je sais que ses aïeules veillent sur elle, mais je vais l'emmener chez les miens. Et, si tu le permets, nous viendrons te voir.* Ndabezitha approuva d'un hochement de tête. Elle suggéra : *Nkozi, j'ai vu que tu avais planté des palmiers, mais... Tu dois avancer la date des noces. C'est cela que nous préparerons lorsque vous viendrez. Ne tardez pas.* L'homme acquiesça. S'agissant de l'autre aspect de la question, la menace concrète que ses visions avaient révélée, Ilunga s'en tint à quelques mots : *Je m'en occupe.* D'un pas vif, l'homme gagna la porte.

Il ouvrit les yeux sur les coussins de sol de son ndabo. Ilunga ne s'étonnait pas de découvrir les agissements de son kalala, et n'en était pas déçu. Ce jour devait arriver. Ni lui, ni Igazi n'auraient pu l'empêcher. Des années durant, ils avaient évité ce duel, sachant que les circonstances le provoqueraient. C'était maintenant, il ne se déroberait pas. On était venu le chercher jusque sous son toit. Si son intuition était bonne, ce serait là aussi qu'un piège serait tendu. On pouvait penser à l'université où Boya se rendait fréquemment, ou à la Maison des femmes. Pourtant, Ilunga entendait en lui une voix suggérant autre chose. La résidence du mokonzi. L'endroit de l'État le mieux gardé, celui où nul n'oserait s'aventurer pour s'en prendre à elle, celui dont le personnel était le plus irréprochable. C'était là que l'on chercherait à l'atteindre, même s'il ne savait encore comment.

Ce qui le chagrinait, c'était de savoir Zama mêlée à l'affaire. Il tenterait de ne pas la heurter mais ne pourrait peut-être pas l'empêcher. Elle avait suivi Igazi dans sa nuit, et celle-ci n'avait rien d'ordinaire. Le kalala ne cherchait pas à maintenir une relation avec ceux de sa lignée, son intérêt pour l'invisible se caractérisant par d'autres quêtes. S'il éprouvait pour Zama des sentiments sincères, cela ne le dérangerait pas pour autant de la faire pénétrer dans un monde où rien n'était offert sans contrepartie. Ce serait même l'inverse : plus il lui serait attaché, plus il voudrait l'entraîner dans ces vallées obscures, lui en faire savourer les fruits défendus. Quand elle aurait goûté à la puissance promise, quand elle se serait sentie complète et magnifique, il lui faudrait à nouveau éprouver cela. Elle en aurait besoin. L'existence nocturne prendrait le pas sur l'autre. Sans s'en apercevoir puisqu'elle était consentante, Zama deviendrait à la fois la compagne d'Igazi dans cette autre dimension et son offrande aux forces qui la gouvernaient. Elle serait cette princesse enlevée par un souverain ténébreux qui avait su vaincre ses doutes, ses réticences. Il s'entendait dire à Boya que jamais sa famille n'avait eu personne de plus dévoué à son service. C'était vrai, mais la vie avait bien changé depuis. Tshibanda avait grandi, Seshamani s'était installée loin du foyer. Ilunga soupira. Ce n'était pas la première fois que cela se produisait. Peu nombreuses car il ne se laissait pas si aisément séduire, les amours d'Igazi avaient toutes connu des fins tragiques. Ces femmes découvraient un homme charmant, car il leur dévoilait cette part de lui : sa décontraction, son rire plein de chaleur, sa capacité à entendre ce qu'elles ne disaient pas. Percluses de gratitude à l'égard de l'être fabuleux qui avait daigné poser sur elles son regard, toutes devenaient entre ses mains une matière à pétrir, à modeler. Il n'avait rien à faire pour obtenir leur consentement. Il lui suffisait de venir à elles, qui n'espéraient plus être regardées. Il les choisissait toujours un peu plus âgées, comme les initiatrices de sa prime jeunesse. Alors, il avait l'âge de faire surtout ce que disaient les grands, en particulier lors des jours de disette. Même lugubre, une initiation conservait sa valeur et, surtout, son influence.

Elle marquait les individus, déterminait leurs goûts. Soit ils luttaient contre leur vie durant, soit ils l'épousaient. Dans les deux cas, il n'y avait qu'elle, cette ineffaçable première fois. Ilunga n'éprouvait aucune hostilité particulière devant ce phénomène. C'était la vie, sa complexité, ses aspérités. Chacun s'en sortait comme il le pouvait. Il connaissait bien Igazi et comprenait ce qui se jouait une fois de plus. Ce n'était pas le moment, voilà tout, et il aurait préféré qu'Igazi élise pour ses jeux une autre partenaire.

Même dans les ténèbres, certaines lois demeuraient en vigueur. Igazi avait besoin de s'associer une force féminine. Il pouvait se révéler agréable qu'elle s'incarne de manière conventionnelle. L'homme avait une préférence pour les corps pleins, dans lesquels il voyait des archétypes, des femmes originelles, matrices et gouffres à la fois. Des terres généreuses dans lesquelles puiser à loisir, sans qu'il soit nécessaire de les ensemencer. Quand il l'avait fait, cédant aux suppliques de son épouse d'alors qui désirait plus que tout lui donner une descendance, la femme avait perdu la vie. Deux années de suite, elle avait ajouté à l'embonpoint la grossesse, martyrisant sa chair et méprisant le temps. Elle avait en effet quelque peu dépassé l'âge admis pour ces parturitions. La dernière l'avait emportée. Ceux qui savaient voir les autres avaient remarqué le chagrin d'Igazi, la violence accrue, l'incapacité à endosser le rôle de père. Ses fils ne manquaient de rien, mais il les voyait peu. Il semblait avoir renoncé au grand amour à travers lequel la divinité prenait place parmi les vivants, il semblait avoir rompu avec l'idée de rechercher cette force que seule recelait l'union du masculin et du féminin. Jusqu'à Zama, qu'il avait dû vouloir rencontrer dans un but précis.

Sa nature conquérante ne le guidant jamais vers des victoires faciles, Igazi aimait ces femmes-montagnes qui ne seraient pas seulement des sommets à gravir, mais qui abriteraient un esprit qu'il s'honorerait de subjuguer. Il savait les reconnaître, leur parler, les attendre si nécessaire. Outre leur présence imposante et parfois de ce fait, elles avaient en commun d'avoir été peu courtisées, de ne pas se savoir désirables. De ce point de vue, Zama était à n'en pas douter plus fragile que d'autres, en raison de ce trouble de la phonation que seule une prothèse externe compensait. Elle n'aimait pas s'en servir, le son de sa voix lui était douloureux. Depuis que Tshibanda avait quitté la maison pour le campus universitaire, Ilunga avait oublié que Zama pouvait rire, qu'elle était une personne tendre et chaleureuse, qu'elle lisait avec plaisir encyclopédies et dictionnaires, qu'elle aurait fait une tireuse d'élite. C'était une personne merveilleuse. Igazi avait dû vite s'en apercevoir. Les visions qu'il avait eues auprès de Ndabezitha ne lui laissaient que peu d'espoir. Toutefois, Ilunga refusait de renoncer à Zama sans rien tenter. C'était lui qui était allé la chercher, il y avait déjà bien des années. C'était lui qu'elle avait suivi, à lui d'abord qu'elle avait été fidèle. Il devait la voir.

Quittant les larges coussins de sol sur lesquels il s'était allongé comme pour une sieste, Ilunga se dirigea vers la terrasse. Le soleil amorcerait bientôt sa descente. Était-ce à cette heure-ci qu'Igazi se présentait chez la gouvernante ? Sans doute un peu plus tard. Combien de fois était-il venu avant de persuader Zama d'aller fouiller dans les appartements de Boya ? Ces questions n'avaient plus grande importance. Il fallait à présent éliminer les problèmes un par un. Le jour de sa dernière visite au jeune Sinistré, Boya allait empêcher l'agent du kalala de mettre la main sur le petit, quand elle s'était fait griller la politesse par un des hommes de la garde affectés à sa sécurité. Tous avaient reçu le signalement du suspect, tous savaient que Kabeya en faisait une affaire personnelle. On le suivait, on l'avait vu écumer les hôpitaux de la région. Ce que l'on ignorait encore, c'était la manière dont il s'y était pris pour mettre le garçon dans cet état, mais il avait certainement quelque chose à y voir. On ne lui reprochait pas d'obéir aux ordres, de chercher à régler son compte à un individu mal intentionné. Cet après-midi-là, l'homme qui l'avait pris en chasse s'était approché de Boya, lui chuchotant de ne pas s'inquiéter, son collègue et lui avaient les choses en main : *Mwasi ya mokonzi, vous devriez rentrer. Nous allons faire notre travail.* Reportant son attention sur celui qu'il avait pris en filature, l'envoyé de Kabeya n'avait pas fait à Boya l'affront de s'assurer qu'elle obtempère. Ainsi l'avait-il contrainte à lui rendre son respect. Elle avait quitté les lieux sans avoir approché ce Kabongo, qui ne représentait en fin de compte qu'un problème secondaire. Dans l'ombre se tenait Igazi, lequel gardait secrètes ses actions parce qu'il avait une idée derrière la tête. C'était le meilleur kalala que l'État aurait avant de nombreuses années. Un officier méritant et dévoué, infatigable et déterminé. Igazi était aussi à l'aise sur le terrain que dans les bureaux où l'activité des forces armées prenait une forme plus abstraite. Il aimait le combat comme la stratégie, savait mener les hommes, imposer son autorité sans avoir pour cela de grandes démonstrations à faire. Il ne cherchait pas l'affection des équipes, préférant leur déférence. Cependant, il savait écouter, veiller au confort des troupes, transmettre son savoir avec patience. Sa haine des périodes au cours desquelles Katiopa avait vécu sans défense était devenue le sang irriguant son corps. Son être entier ne vivait que pour la protection du territoire et des populations. Il lui arrivait d'inspecter lui-même les frontières, d'y effectuer des contrôles inopinés. L'État n'était pas aisément accessible, l'essentiel des régions côtières l'ayant rejoint. Et si l'on pensait y pénétrer par les pays encore rétifs, on rencontrait vite les frontières séparant ces derniers du Katiopa unifié. Là, un déploiement massif de militaires tenait lieu de comité d'accueil. On disposait aussi d'engins de brouillage efficaces prenant en charge radars satellites ou terrestres comme les systèmes aériens.

L'État s'était doté de trois porte-avions construits dans les ateliers de Nok-Ife, par des ingénieurs formés à Bhârat et à Zhōnghuá. Igazi aurait souhaité que l'on dispose d'au moins un vaisseau supplémentaire afin d'assurer une présence à la mer conséquente pendant les opérations de maintenance. Pour Ilunga, ces engins dispendieux avaient d'abord une fonction politique, presque d'affichage. Ils avaient travaillé ensemble à tout cela, bien avant d'être en mesure de le mettre en œuvre de façon concrète. Ils avaient aussi conçu la structure de l'école militaire, l'Académie Sankara, que l'on avait commencé à installer dans chaque région. Et ils s'étaient battus au sein de l'Alliance, prenant leurs responsabilités lors de la Deuxième Chimurenga, celle qui avait en grande partie consisté en attentats et autres opérations nécessaires dans le cadre d'une guerre asymétrique, celle sans laquelle la reprise des terres serait demeurée un vœu pieux. La chute de la F.M. n'avait pas signé la fin de la Deuxième Chimurenga. Elle avait contribué à leur fournir les moyens d'un État, permettant en outre d'éradiquer le fanatisme des *adorateurs de la lune*, comme on les appelait dans les faubourgs de Mbanza. Jamais Igazi et lui ne s'étaient opposés à cette époque. Les objectifs étaient clairs, les moyens de les atteindre aussi. Ils avaient mis leur vie en jeu, s'étaient sali les mains et l'âme, parce que le but à atteindre valait ce sacrifice. Mourir deux fois, comme ils disaient entre eux, parce que prendre des vies humaines, c'était se condamner.

Mais voilà. Le Katiopa unifié avait vu le jour. Certains de ceux qui avaient réalisé cela se comporteraient comme des chasseurs ayant pris dans leurs rets une proie de choix. Que faire à présent ? Engraisser l'animal ou le dépecer pour s'en partager les morceaux ? C'était en fonction de la réponse apportée à cette question que se détermineraient les hommes qui choisiraient le camp d'Igazi. Pensant mener l'État vers un destin plus glorieux encore, ils le tailleraient en pièces. Car il suffirait de leur fronde, de leur changement de cap, pour réveiller les désaccords tapis dans les cœurs. Les tensions méticuleusement aplanies seraient ravivées, l'union se fissurerait faute d'avoir été consolidée. Dans le meilleur des cas, des régions feraient sécession tout en restant telles que constituées après la dernière Chimurenga, conservant les structures mises en place, le pesa par exemple, la monnaie de l'État. Dans le pire des cas, tout serait à refaire et ne pourrait l'être. Le Katiopa unifié devait avoir à sa tête un pacificateur, un homme ayant la volonté de fédérer. Désormais, cela ne se ferait plus autour d'une cause uniquement. Il faudrait approuver un homme et son projet. Ilunga examina sans complaisance les actes posés jusque-là, anticipant les réserves, voire les reproches. Même dans la déclaration faite aux Sinistrés, il ne voyait pas de faute. Elle était en accord avec les décisions prises et permettait de débarrasser Katiopa d'un antagonisme absurde qui fermentait en lui. Et si d'aventure il se présentait une situation grave et imprévue, rien n'interdisait de la corriger. Igazi ne pouvait se prévaloir de cela contre lui.

Ilunga haussa les épaules. Cette bataille-là ne l'effrayait pas. Retournant dans le ndabo, il fit quelques pas vers la porte d'entrée qu'il n'atteignit pas. Kabeya pénétra dans la pièce et referma derrière lui, une interrogation dans les yeux. *Fais savoir aux bandeko que je veux les voir*, dit Ilunga. *Tous. Au Nyerere Hall.* Kabeya indiqua qu'il faudrait quelques jours pour que chacun se libère, car les bandeko formaient le Gouvernement, l'Assemblée des mikalayi et dirigeaient les sections de la diaspora. Pour ces derniers, on pouvait envisager une participation par visioconférence, étant donné l'urgence, mais il fallait tenir compte du décalage horaire. Ce ne serait pas aisé. L'homme ajouta qu'il ne serait pas superflu d'annoncer un ordre du jour. *Je te donne soixante-douze heures. Le motif, c'est que je souhaite leur parler et les entendre. Dis-moi demain matin comment ça s'organise.* Kabeya n'insista pas. La convocation valait pour lui aussi. Il était simplement le premier à la recevoir. Encore heureux qu'il ne lui ait pas été demandé de réunir la famille entière.

À nouveau seul, Ilunga se rendit dans la salle de bains. Ensuite, il enfilerait une tenue décente. Lorsqu'il serait prêt, il proposerait à Zama de partager son dernier repas, le lendemain, pour ne pas donner l'impression de la croire à sa disposition. Il y avait longtemps qu'ils n'avaient pas fait cela, ce serait l'occasion de se parler. Il ne comptait rien dévoiler, simplement offrir à son interlocutrice l'occasion de dire ce qu'elle avait sur le cœur. Soit elle ferait un pas vers lui, soit elle s'y refuserait, il n'aurait qu'à l'observer pour saisir le message. Avant cela, c'était avec Boya qu'il était urgent de s'entretenir. Il regarda l'heure, espéra qu'elle était rentrée, décida de l'appeler. La femme rouge répondit aussitôt. Elle avait quitté le campus, mais se dirigeait à présent vers la concession des Sinistrés. Ils en avaient parlé sans tomber d'accord à ce sujet, mais le mieux serait, d'après elle, que Mawena soit informée de la situation d'Amaury. On le garderait encore un peu à l'hôpital, c'était là qu'il était plus aisé de veiller sur lui. Il n'y serait plus seul, son amie voudrait l'assister de son mieux, et sa présence réveillerait peut-être ses souvenirs. Les tourtereaux ne pouvaient ni se rendre chez les Gens de Benkos, ni être livrés à eux-mêmes, tant que le garçon n'était pas tout à fait revenu à lui. Boya pensait aussi que sa famille devait avoir connaissance de son état, et comptait profiter d'une visite à Charlotte Du Pluvinage pour lui montrer une photo du jeune Fulasi que l'on avait admis à l'hôpital Mukwege. *C'est leur enfant*, dit-elle, *ils doivent savoir.* Ilunga soupira. Elle avait raison, mais la famille n'aimerait pas rencontrer Mawena dans ces circonstances. *D'ailleurs, ils se demanderont qui l'a avertie. Tu seras inutilement exposée.* Boya cessa un instant de répondre. Elle envoyait des messages écrits pour n'être pas entendue du chauffeur, tandis qu'Ilunga lui parlait. Elle poursuivit, saisissant les mots à toute vitesse. Il lui semblait difficile de faire un choix entre les liens du sang et ceux du cœur. Elle ne cessait d'y penser et se sentait une forme de responsabilité. Charlotte Du Pluvinage n'était pas une amie, mais elle n'était pas non plus une inconnue et lui avait ouvert les portes de sa demeure. Cela avait de l'importance, traiter les personnes correctement. Elle ne savait rien de Mawena, mais celle-ci l'avait appelée à l'aide et lui avait confié son histoire. Ces deux femmes étaient légitimes. Ilunga lut son dernier message, y répondit en disant que Boya n'avait jamais rencontré le jeune homme lors de ses visites à la doyenne des Sinistrés, qu'elle ne savait rien de leurs rapports. De toute façon, les choses étaient changées, des événements nouveaux devaient être pris en considération.

Il souhaitait qu'elle renonce à son projet et le retrouve à la résidence. Ce n'était le moment ni d'être vue avec les Fulasi, ni de signaler quoi que ce soit à Mawena. Elle devait s'effacer, il espérait que cela ne la tourmente pas trop, proposait une solution pour la rassurer. *Nous allons procéder autrement*, suggéra-t-il. Le personnel de l'hôpital ferait une déclaration aux médias et signalerait la présence d'un étranger dans ses locaux. On verrait quelques images du jeune homme. L'information serait assez amplement diffusée pour que ses proches, quels qu'ils soient, se pressent à son chevet. *Cela coupera l'herbe sous le pied de quiconque voudrait s'en prendre à lui, et les hommes de la garde resteront à leur poste. Toi, Boya, tu ne bouges pas.* Ilunga ne l'appelait jamais par son prénom. La femme rouge pria le chauffeur de changer d'itinéraire : *Nous rentrons.* Elle se sentait délivrée d'un poids. Cela faisait des semaines que la situation d'Amaury Du Pluvinage la perturbait. Elle s'en sentait presque coupable, pensait qu'il lui aurait été possible d'éviter un drame, simplement en faisant quelques pas avec lui dans l'enceinte de la gare, jusqu'à ce qu'il prenne son train. Elle aurait pu confier cette tâche au chauffeur, à quelqu'un, il y avait toujours quelqu'un. Après tout, le garçon venait d'être agressé. Sans avoir l'idée qu'il se soit agi d'un coup monté, elle aurait pu se montrer plus attentionnée. Elle l'avait déposé sur le parvis, l'avait laissé s'éloigner. Il lui était peut-être arrivé malheur là, derrière les portes vitrées de la gare, aussitôt qu'elle avait eu le dos tourné. Que s'était-il passé exactement ? Quelle violence, quel empoison- nement, quel traumatisme pour qu'il soit aujourd'hui coupé d'une part de lui-même, comme sommé, pour survivre, de faire un choix entre les univers l'ayant enfanté ? Plus que jamais, il incarnait le trouble du monde qui l'environnait, celui dans lequel des êtres, habités par des forces se voulant irréconciliables, devaient trouver l'harmonie. Choisir, ici, n'était pas seulement délaisser, ni même se priver de, c'était périr. Le jeune homme qui se faisait appeler Mubiala, ne s'exprimant que dans une des langues de la grande famille bantoue, n'était plus tout à fait Amaury. C'était sa face cachée, le visage de l'interdit pesant sur ses jours. Pour être pleinement lui-même, il fallait le tout : le pays réel, le pays rêvé, le pays à faire pour qu'enfin les deux autres occupent leur juste place.

Au fond d'elle, Boya avait du mal à voir en ce jeune homme un maître du cynisme nourrissant de sombres desseins, un criminel en puissance. Ce que lui avait dit Mawena pouvait sembler tiré par les cheveux, mais c'était de ce côté-là que penchait son intuition. Parce qu'une menace grave pesait sur sa vie et qu'il était sans recours, l'âme d'Amaury se réfugiait en Katiopa, cette part de lui qui ne serait pas attaquée. C'était ainsi qu'elle expliquait l'oubli de la langue ancestrale, la prépondérance de celle du territoire. Il n'y avait pour lui d'autre sol que celui de cette région du Continent. Elle saurait par la presse ce qu'avaient décidé les Sinistrés. Le mikalayi de la région avait peut-être commencé à les faire entendre en audiences préliminaires, avant de les recevoir lui-même. Si tous se soumettaient à la procédure, elle nécessiterait un certain temps. Ils étaient plusieurs milliers, et les journées du mikalayi comptaient toujours le même nombre d'heures, lesquelles devaient aussi être consacrées à d'autres occupations. La déclaration d'Ilunga avait pris tout le monde de court. C'était une bonne chose, bousculer un peu les gens, faire avancer la situation. La femme rouge s'autorisa à se détendre. Après tout, il n'y avait pas de raison pour que Charlotte Du Pluvinage s'interdise de prendre contact. Si d'aventure elle décidait de quitter l'État sans la revoir, sa recherche universitaire prendrait une autre direction, voilà tout. Elle avait passé du temps à comprendre cette femme et, à travers son histoire, celle de sa communauté. Son sort lui importait, mais sa considération pour elle n'avait pas à se muer en attachement. C'était le moment de retrouver un peu de sérénité. La requête d'Ilunga tombait à point nommé.

Boya demanda au chauffeur d'allumer la radio. Il y aurait peut-être un magazine intéressant, quelque programme culturel qui lui changerait les idées. Non, elle n'avait pas de station favorite, pas en ce moment, le trajet ne serait pas très long. *Nous écouterons celle qui vous plaît, Ikemba.* De cette façon, elle connaîtrait ses goûts. L'homme eut un rire bref, ce fut la première fois qu'il se laissa aller de la sorte. Comme tous ceux placés sous le commandement de Kabeya, il lui témoignait en général une déférence distante, ne l'appelant jamais que Mwasi ya mokonzi, pour se souvenir de l'abîme qui les séparait. Comme ses collègues, il ne la regardait pas dans les yeux, c'eût été inconvenant, une intrusion dans la propriété du mokonzi. Certaines habitudes anciennes avaient survécu aux siècles. Aussi, les hommes savaient-ils observer les femmes en évitant toute attitude frontale, vite équivoque. Surtout quand elles étaient la compagne du chef. Le générique d'une émission se fit entendre, la voix d'un célèbre baryton originaire de la région de Nok-Ife, un artiste particulièrement apprécié des élites cultivées. Bientôt, l'animatrice prit le relais, saluant les auditeurs, présentant en quelques mots la formule de cet entretien qui serait désormais proposé tous les quinze jours. L'invité était une personnalité en vue. La conversation avait un caractère intimiste. Un auditeur pourrait poser une question quelques minutes avant la fin. *Bienvenue tout le monde, vous écoutez* La chamade, *sur la webradio Quilombola.*

Elle crut avoir reconnu la voix, sut que c'était bien le cas lorsque, la réclame passée, la présentatrice déclina ses nom et qualité, puis fit part du grand bonheur de se savoir écoutée, de l'immense honneur de recevoir une personne si rare sur ces antennes. *Vous la connaissez, vous ne connaissez qu'elle. Issue d'une*

famille renommée de la région de KwaKangela où elle
réside d'ailleurs en partie si nos informations sont
bonnes – elle nous le dira –, celle que j'ai le privilège
de soumettre à la question en cette fin d'après-midi
est la championne des œuvres sociales et culturelles.
Mais peut-être l'ignore-t-elle d'ailleurs – nous ver-
rons cela –, notre Grande Royale du jour inspire de
nombreuses femmes par son élégance et sa beauté.
Évidemment, certaines l'envient de partager depuis
si longtemps l'intimité de l'un des plus illustres com-
battants de la dernière Chimurenga. L'animatrice rit,
indiquant que là, en principe, on devait avoir deviné
l'identité de son invitée. Et si tel n'était pas le cas, le
voile serait bientôt levé. Seshamani fut priée de prononcer son nom, le susurra, et on joua un premier morceau de musique, une chanson dont elle dirait pourquoi
l'avoir choisie. Boya vit le geste d'Ikemba, le chauffeur, qui s'apprêtait à passer sur une autre station. *Non,*
laissez, dit-elle. Hochant la tête, il prit la première à
gauche pour regagner le centre-ville, les ramener au
plus vite à la résidence. Comprenant son intention,
Boya le laissa faire. Lorsqu'ils atteignirent les grilles
du parc dit *Jardin de nos mères*, fermé à cette heure,
elle le pria de garer le véhicule. Rien ne devait la distraire. Or, en voiture comme dans le baburi, peut-être
à cause du mouvement, sa concentration s'évadait de
temps à autre. Boya n'aurait pu dire pourquoi, mais
elle avait le sentiment que quelque chose dans cette
conversation entre Zanele et Seshamani lui était destiné. Qu'elles soient en présence l'une de l'autre lui
donnait l'impression que le destin lui asbénait une gifle
en disant : *Je commence seulement à m'occuper de*
toi. Pour l'instant, elles en étaient aux préliminaires,

se tournaient autour, entamaient du bout des lèvres les amuse-bouche, des questions sans relief : enfance, famille, et *Quelle profession faisait rêver la petite fille que vous étiez ?* Le sourire de Seshamani s'entendit dans sa voix, et chacun put se représenter son air attendri par le souvenir de la fillette qu'elle avait été. *Petite fille*, révéla-t-elle, *j'étais attirée par les voyages. Je voulais parcourir le monde et en rapporter des images.* Ses lectures d'alors avaient fait naître dans son esprit des visions de chevauchées à travers les paysages du globe, mais tout cela pouvait sans doute se faire aujourd'hui par d'autres moyens. Zanele renchérit : *Une artiste baroudeuse... On vous dit motocycliste ?* L'invitée acquiesça : *Vous êtes bien renseignée.* Elle avait d'ailleurs effectué à moto une traversée de Katiopa, d'est en ouest. Une aventure mémorable. Le Continent, ses paysages, ses peuples, étaient d'une incomparable beauté.

Les deux femmes furent bientôt prêtes à déguster le plat de résistance. *La chamade.* Ce qui se passait côté cœur. On n'allait pas faire cela n'importe comment tout de même, il s'agissait de l'épouse du mokonzi. Il était impensable de l'inviter à dresser la liste de ses anciens amants s'il y en avait eu, ou de lui demander de relater sa première nuit d'amour. Elle évoqua tout de même un garçon de l'école qui, l'année de ses sept ans, avait habité ses rêves silencieux. Il ne la voyait pas, lui préférant des gamines plus délicates et au verbe moins incisif. *Oublions-le, il ne vous méritait pas...* Zanele faisait très bien cela, riant fort à propos, sachant passer les plats que l'on goûterait avec plaisir. Seshamani, qui n'était pas venue sans raison, attendait l'occasion de donner un sens à sa présence sur la webradio Quilombola. Aussi prenait-elle soin de se ménager pour la suite. Boya pensa qu'il n'était pas aisé d'approcher l'épouse, puis d'obtenir de sa part un entretien exclusif. Ses interventions médiatiques étaient connues d'avance et ne se rapportaient qu'aux œuvres sociales dont elle avait la charge. Elle avait sans doute répondu à des questions personnelles de temps en temps, au début, quand Ilunga et ses proches devaient se faire connaître et apprécier. Ce n'étaient là que des supputations, Boya n'en savait rien, cela lui semblait plausible. Toutefois, une chose était certaine : si de tels entretiens avaient bien eu lieu, on les avait préparés, on avait préféré un autre type de support, une chaîne mieux établie, plus consensuelle. La vie privée de l'épouse était et resterait secrète pour le public. C'était bien pour cette raison que Boya tendait l'oreille. Les battements de cœur que Seshamani comptait faire entendre ne révéleraient rien de cette existence qui ne pouvait se savourer que dans une discrétion soigneusement entretenue. Le chauffeur de Boya avait eu la politesse de la laisser seule. Soucieux de sa sécurité, il s'était adossé à la portière, les yeux rivés sur les alentours. La rue était déserte, on passait peu par là à cette heure. Il y eut seulement, quelques mètres devant la berline, la silhouette d'une élégante resserrant autour d'elle sa nguba avant de disparaître au coin de la rue. Les yeux de la femme rouge s'agrippèrent à la floraison écarlate d'un érythrine poussant dans le parc, près de l'un des kiosques. Pour l'instant, elle ne ressentait rien de précis, rien en tout cas qui puisse être verbalisé.

Bientôt, la seule question qui valait, celle qui justifiait la discussion, fut posée. Avec tact. *Alors, nous l'avons tous compris, votre famille s'est élargie. Je ne dis pas recomposée, ce n'est pas de cela qu'il s'agit, mais un élément nouveau est apparu.* Il n'y avait pas de point d'interrogation, rien que cette affirmation suspendue qui appelait bien des développements. Seshamani toussota puis se tut. Lorsque son silence eut pesé de tout son poids dans le studio et chez les auditeurs où qu'ils soient, elle glissa une parole hésitante, suivie d'une autre, tout aussi tremblante. En effet. Le mokonzi, qui était un homme dans la fleur de l'âge, fréquentait quelqu'un. À vrai dire, elle n'avait pas de détails à communiquer à ce sujet, rien que le public ne sache déjà. Une rencontre avait eu lieu, c'était tout ce qu'elle pouvait indiquer. Zanele saisit habilement la balle au bond : *Là, vous nous étonnez un peu. La première épouse... Enfin, celle qui occupera cette place si l'homme convole en justes noces avec une autre, est en général informée. Il arrive même que ce soit elle qui désigne... Enfin, je vous ai interrompue, veuillez m'en excuser.* Boya imagina le hochement de tête signifiant *Je vous en prie*, la mine un tantinet éplorée de l'épouse, sa lutte pour préserver un maintien digne de son rang. Eh bien, le mokonzi et elle-même formaient pour ainsi dire un vieux couple. Ils s'étaient connus au sortir de l'adolescence. Les femmes qui écoutaient comprenaient sans mal ce qu'elle voulait dire. *Quand notre fils, Tshibanda, a été admis à l'université, j'ai jugé bon de l'accompagner, au moins pour l'installer. Depuis, je suis souvent à Ikapa où il étudie. Vous savez, ils ont beau grandir, nous pensons que nos enfants ont besoin de nous.* Les mères qui écoutaient n'avaient aucune peine à la comprendre. Boya put apprécier le talent de Zanele, qui ne relança pas immédiatement son interlocutrice. Chacun pouvait se représenter la situation. L'usure d'une relation déjà ancienne, l'absence de la femme laissant l'homme en proie à des besoins naturels, l'étrangère qui profitait des circonstances. Ilunga n'était pas le premier venu. On ne pouvait ignorer qu'il était marié, ni avec qui. *Mais*, s'empressa d'ajouter Seshamani avec un petit rire, *il s'agit comme vous l'avez précisé d'une famille qui s'élargit*. Rien de plus. Les relations étaient bonnes, il n'y avait pas un nuage entre elle et l'amie du mokonzi. D'ailleurs, elle savait combien il était aisé de s'éprendre de cet homme. N'avait-elle pas été la première dans ce cas et bien avant qu'il ne devienne le chef de l'État ? Ne continuait-elle pas de le chérir comme au premier jour ?

Zanele s'enquit de la répartition des tâches entre les deux femmes partageant maintenant l'intimité du chef de l'État, en ce qui concernait la vie publique, par exemple. Cette question constituait bien entendu le point d'orgue de l'événement radiophonique, le clou du spectacle. Le sous-entendu était évident. Le domaine privé étant le pendant de l'autre, il suffisait de soulever le problème de la distribution des attributions pour que l'auditoire en décline les aspects, ce qui le mènerait vite aux portes de la chambre à coucher. Boya se demanda comment était vêtue Seshamani. Sans doute arborait-elle un de ces mishanana revisités qui faisaient fureur depuis que les coquettes de l'État les avaient découverts à travers elle. Coupés dans des étoffes soyeuses et fluides, dénudant une épaule, ils avantageaient les femmes à la silhouette longiligne. Ils conféraient grâce et douceur au mouvement, n'avaient rien de commun avec les combinaisons de cuir que l'on pouvait revêtir pour se rendre dans l'entre-soi nanti des *Forges d'Alkebulan*. Seshamani aimait la couleur rose qui faisait ressortir son teint foncé et adoucissait le caractère de sa coiffure. C'est avec suavité qu'elle répondit, peut-être en haussant légèrement les épaules, que tout cela se mettrait en place sans difficulté. Ce serait une question de bon sens, on ferait en fonction des disponibilités de chacune, de ses centres d'intérêt, de ses compétences. *C'est aussi pour réorganiser tout ça que je reviens à Mbanza.* À aucun moment le nom de Boya n'avait été prononcé. Elle n'avait été évoquée que de deux manières : d'abord, elle était apparue comme cette autre femme qui s'était glissée dans l'espace laissé vacant par la légitime ; ensuite, comme un élément perturbateur générant des modifications dans un système bien réglé. La machine survivrait à cela, elle en avait vu d'autres. Seshamani comptait elle-même en huiler les rouages. Elle revenait à la kitenta dans cette intention. C'était la nouvelle du jour et le motif de sa participation à cette émission. Boya accorda moins d'attention à ce qui suivit. Les deux oratrices savaient leur affaire rondement menée. Chacune ayant obtenu ce qu'elle désirait, il n'y avait plus qu'à reprendre le pas de deux des premiers instants, en se tenant la main cette fois, car on n'était plus des inconnues. Zanele ne doutait pas que Tshibanda soit maintenant capable de se passer de sa maman, il en avait l'âge. *Avant de prendre un auditeur à l'antenne, dites-nous quelle était cette chanson. Vous avez voulu nous faire écouter* Raise the flag, *par le groupe... X-Clan.* Seshamani confirma. Son époux écoutait ce morceau la première fois qu'ils s'étaient parlé. Il était féru de ce style musical ancien. Cela avait donc bercé leur vie. *On vous sent un peu nostalgique de vos débuts ensemble ?* Seshamani ne répondit pas, laissant les auditeurs arriver comme des grands à la conclusion que cette mélancolie se rapportait à une époque où l'on était deux, le temps d'avant l'élargissement.

Il y eut une virgule sonore, un jingle annonçant que quelqu'un aurait à présent le privilège d'interroger l'invitée de *La chamade*. Une sorte de déflagration, un bruit métallique, mécanique, tout à fait dans l'air du temps. Puis, on apprit que plusieurs centaines de personnes tentaient encore de joindre la station, que ce n'était plus la peine. L'élue exprima sa joie, une émotion dans la voix qui faisait trembler certaines des syllabes prononcées. Elle dit aussi son admiration pour l'épouse du mokonzi qui faisait tant pour les déshérités, les jeunes, les artistes. Ce soir, elle s'était mise à la portée du plus modeste des habitants, des femmes surtout, et beaucoup s'étaient sûrement reconnues en elle. L'auditrice, qui avait dit s'appeler Mwambi, confessa un léger embarras à l'idée de poser la question qui lui était venue. Elle savait cependant que nombreuses étaient celles qui partageaient sa curiosité, il ne fallait donc pas en prendre ombrage. Cela ne lui fut pas garanti, l'interpellée ayant la prudence d'attendre de savoir ce qui se présenterait. *Eh bien*, fit l'auditrice, *nous savons que le mokonzi a une amie, et son profil a d'ailleurs surpris les observatrices. Mais nous avons entendu parler d'autres femmes, issues de chaque région de l'État, et qui résideraient dans un harem, au sein de la résidence... Ma question est double : que deviendront-elles dans le cadre de la nouvelle composition familiale, et l'amie du mokonzi ne fait-elle pas double emploi avec l'une des concubines au moins qui viendrait du même espace culturel ?* Mwambi remercia d'avance pour les éclaircissements que l'on voudrait bien lui apporter. Boya se dit que Seshamani n'était décidément pas venue pour rien. Elle devrait jouer jusqu'au bout cette comédie, ne pouvant rien dire qui ressemble de près ou de loin à la vérité. Selon sa réponse, l'image d'Ilunga serait plus ou moins écornée. L'épouse ne se laissa pas démonter, fit sortir de sa gorge un rire cristallin, fut presque inarrêtable tant la plaisanterie était drôle. Puis, se reprenant comme elle savait le faire, elle exhala un long soupir et dit : *Il ne faut pas croire toutes les rumeurs. Le cœur des hommes est vaste, mais tout de même pas à ce point. La résidence du mokonzi ne comprend pas de gynécée, et je doute que cela se produise jamais.* Elle s'en tint là. Zanele aussi, qui se borna à mentionner les noms de ses collaborateurs, à rappeler la date de la prochaine édition de *La chamade*, à souhaiter à tous une bonne soirée à l'écoute des programmes de la radio, en direct ou en différé.

Boya examina en silence ses émotions, ne trouva parmi celles-ci aucune forme d'éréthisme. Cependant, une puissante exaspération colorait l'ensemble. Les propos de l'épouse lui revinrent : *Vous n'aurez à le partager que sur le papier.* Elle était donc curieuse de savoir ce que serait ce retour sous le toit conjugal. Des appartements confortables avaient été aménagés pour Seshamani, c'était la moindre des choses. Il lui était donc possible d'y loger à sa convenance, pour le temps qui lui plairait. Elle avait invité Seshamani et son fils à passer quelques jours à Mbanza. Des questions d'agenda lui avaient été opposées, on était débordée en ce moment, on rappellerait. C'était fait, ce soir, par le truchement d'une émission de radio entendue de façon fortuite. Évidemment, l'épouse savait que ses propos seraient repris dans la presse, décortiqués, lus entre les lignes, soumis à toutes les extrapolations. Il fallait que la question de ses amantes éconduites ait été résolue de façon certaine pour qu'elle se soit permis d'évoquer ainsi le prétendu harem. Elle s'était donc assurée que ses maîtresses se tairaient. À moins d'être assez joueuse pour s'aventurer sur ce terrain sans balise. Boya ne se souciait pas tellement de la question. Ce n'était même pas le retour à la maison, à vrai dire, qui la contrariait. Cette perspective n'était pas la plus réjouissante, mais elle s'était au moins préparée à des visites de Seshamani, pensant que celle-ci souhaiterait protéger ses acquis et renforcer les liens l'unissant à Ilunga. Ce qui la dérangeait, c'était le procédé mis en œuvre, cette manière de porter les coups dans le dos. Elle haussa les épaules. C'était sans doute ainsi que sa propre démarche avait été perçue, lorsque, sans crier gare, elle s'était installée à la résidence, délimitant seule les espaces de l'aile des femmes, les faisant réaménager sans consulter quiconque. Elle avait eu besoin d'agir ainsi pour des raisons qu'une intelligence limitée pouvait concevoir, mais il ne fallait pas s'attendre à être comprise de celle qui s'était sentie brutalisée. Cela nécessitait une hauteur de vue et un confort intérieur qui faisaient défaut à Seshamani. D'autant qu'Ilunga avait pris le parti de la femme rouge, puisqu'il avait laissé faire. Ils n'en avaient pas parlé, mais cela avait dû provoquer un semblant d'amertume. Par son invitation, Boya avait voulu tendre la main, donner des signes d'apaisement.

Cela avait pu être interprété au contraire comme un geste d'autorité, la maîtresse de maison conviant l'exclue à contempler le domaine conquis. Il n'y avait pas de bonne façon de se conduire dans sa situation, le cas étant atypique. L'étiquette était ici à inventer. Seshamani n'y apporterait pas volontiers son concours et venait de le démontrer. La femme rouge décida de faire comme si de rien n'était. Elle n'avait pas envie de parler de l'épouse ce soir. Il serait bien temps de le faire au lever du jour, lorsque les premières brèves seraient tombées.

Il lui vint à l'esprit que le retour annoncé pouvait avoir lieu en cet instant, alors qu'elle se trouvait près du *Jardin de nos mères*, les yeux rivés sur les fleurs rouges de l'érythrine qu'éclairait maintenant la lueur orangée d'un réverbère. La manœuvre deviendrait plus inconfortable après que les journaux se seraient emparés de l'affaire, qu'ils l'auraient déposée sur toutes les lèvres. Dans ces conditions, Ilunga ne ferait pas bon accueil à l'épouse. Si elle faisait plutôt le choix de se glisser dès à présent dans l'aile des femmes, Seshamani n'aurait pas à affronter le courroux d'Ilunga avant même d'avoir pénétré dans la demeure. À sa place, c'était ainsi que procéderait Boya. Mais son adversaire – car il ne fallait plus se voiler la face – opterait peut-être pour une entrée tambour battant. Peut-être voudrait-elle opérer sur le mode viril, provoquer un affrontement. Cogner à l'aide des membres supérieurs plutôt qu'employer ceux du bas comme elle venait de le faire, mettant en jeu sa force féminine. L'idée de reconduire l'immémoriale rivalité des femmes n'était guère engageante, mais Boya devait bien reconnaître qu'elle avait sa part dans la tournure des choses. Il faudrait se garder d'attaquer, mais toujours répliquer. Laisser tout cela entre les mains d'Ilunga serait plus qu'un aveu de défaite. Cela signifierait qu'elle n'était pas à sa place auprès de lui, que l'homme s'était trompé sur son compte. Il l'avait priée de regagner la résidence. Elle avait décelé dans son timbre des préoccupations, des choses qui ne pouvaient être dites sur un communicateur, même crypté. La femme rouge baissa la vitre de la portière, pria le chauffeur de la rejoindre. Ils avaient assez perdu de temps. Les lumières de Mbanza scintillaient quand ils reprirent la route. Boya promena son regard sur la ville, ses places, ses passerelles, ses stations de vélos, la couleur ocre de ses immeubles, ses espaces verts qui bleuissaient sous l'éclairage du soir. Elle contempla aussi les gens, ceux pour qui la journée s'achevait, ceux pour lesquels une autre commençait. Ce n'était pas cela qu'elle voyait, en réalité. Ce qui se déployait devant elle, c'était le rêve de plusieurs générations, la création d'un monde inattendu, longtemps insoupçonné, les siècles ayant mis en déroute l'esprit de Katiopa. Ce dernier s'éveillait. Pour la première fois, la femme rouge se dit qu'elle souhaitait contribuer à cela. Jusque-là, elle avait dispensé son enseignement en se tenant à distance d'une pratique plus concrète de la politique, se satisfaisant de former des esprits affûtés, de leur apprendre à lire le dessous des cartes. Elle pouvait sans doute faire davantage. Il fallait y réfléchir. La question de ses attributions avait été posée sur l'antenne de Quilombola. Afin de ne pas empiéter sur les bonnes œuvres de l'épouse, il serait judicieux de suivre une autre voie. La guerre des femmes du mokonzi n'aurait pas lieu. Pas sous cette forme. Seshamani n'aurait pas de rivale en son pré carré. *Prends ta place*, avait suggéré Ilunga. Il s'agirait aussi de l'inventer. Boya avait fini d'avancer à tâtons et voyait clair en elle-même. Non seulement la lumière s'était-elle faite là, mais la femme rouge acceptait sans mal ce qui s'y trouvait. Ce qu'il y avait en elle d'ambition, de détestation résolue et de férocité latente. Connaître cela lui était précieux, elle se sentait complète, aboutie.

La berline quitta le boulevard Chivambo Mondlane, tourna au bout sur la rue Mangaliso Sobukwe dont la pente faisait le bonheur des joggeurs du matin, et pénétra dans l'avenue Ménélik II. Boya n'éprouvait aucune appréhension particulière à l'approche de la résidence. Pour elle, c'était devenu la maison. Les sentinelles postées à l'entrée de la nzela se penchèrent dans un mouvement réflexe pour voir de près le visage des occupants du véhicule. Les ayant reconnus, ils se contentèrent d'un hochement de tête qui eut valeur à la fois de salut et d'autorisation. Bientôt, les gardes placés de part et d'autre de la grille leur adressèrent également un signe, tandis que les battants du portail, ornés en leur centre d'un oudjat stylisé, s'écartaient pour laisser passer la voiture. Comme à son habitude, Boya préféra descendre avant que le chauffeur n'ait atteint le garage. Elle aimait passer sous les arcades longeant une partie du jardin minéral, apercevoir de loin l'étang dont les eaux miroitaient sous la lumière, adresser un signe de la main aux hommes de la garde en train de faire leur ronde, lever la tête pour admirer les gravures au plafond de la coursive. Sa marche la conduisait jusqu'à l'entrée principale de la résidence par laquelle la femme rouge accédait au hall.

À l'extrémité gauche lorsque l'on venait de l'extérieur, se trouvait un petit auditorium pouvant accueillir cent cinquante personnes assises. À droite, se tenait l'escalier près duquel un vestiaire avait été installé à l'intention des visiteurs. Les sculptures en relief courant sur la porte du dressing la frappaient toujours autant par leur délicatesse. Là, elle montait les marches menant à l'entresol où était la grande salle des fêtes qu'une galerie et une oasis d'intérieur séparaient du réfectoire des employés, lequel jouxtait la cuisine. L'escalier menait ensuite au premier étage où se situait l'aile des femmes. Lorsqu'elle pénétra dans le vestibule, tout lui parut comme à l'accoutumée, tranquille et chaleureux grâce au nouvel agencement des lieux. Boya poussa la porte de ses appartements, se débarrassa de ses sandales, passa dans le bureau pour y déposer ses affaires, ressortit aussitôt pour emprunter l'élévateur. En principe, elle prenait une douche avant de voir Ilunga. Ce soir, elle remettrait cela à plus tard. Rien ne filtrait depuis le logement faisant face au sien, celui qu'elle avait fait redécorer en respectant les couleurs et le style de Seshamani. Elle s'était inspirée du précédent, ne faisant que l'agrandir. La violence de ses émotions d'alors ne l'avait pas dispensée de quelques égards dont elle se félicitait. Boya était pieds nus lorsqu'elle se présenta devant Kabeya. Ce dernier l'introduisit dans les appartements d'Ilunga.

Avait-elle pensé y trouver Seshamani ? Il n'y avait que lui, debout sur la terrasse donnant sur le jardin végétal et sur le fleuve au loin. Elle le vit d'abord de dos, tenant à la main son communicateur, ses écouteurs dans les oreilles afin de préserver la confidentialité de la conversation. Il se servait peu des fonctions visuelles de l'appareil, ne s'amusait pas à projeter devant ses interlocuteurs des hologrammes donnant l'illusion d'une présence physique. Comme souvent près de lui, Boya sentit s'envoler les contrariétés. Se retournant, il la vit, prit congé de son interlocuteur et s'avança vers elle. Résolue à ne rien dire de *La chamade*, à ne pas anticiper la fièvre médiatique du lendemain, la femme rouge se laissa étreindre. *Je t'attendais plus tôt*, dit l'homme, faisant remarquer que les embouteillages étaient rares dans la kitenta. Boya expliqua qu'elle avait voulu s'arrêter en chemin, réfléchir à diverses choses. *Tu voulais me parler ? Tu m'as semblé soucieux tout à l'heure.* Ilunga avoua ne pas bien savoir par quel bout prendre les choses. Les événements se bousculaient, les nouvelles n'étaient guère plaisantes. Elle lui proposa d'ouvrir la série par les moins alarmantes dans ce cas, histoire de lui laisser le temps d'arriver. Il l'entraîna vers la cuisine. Ils pourraient grignoter en bavardant. Ilunga prit le temps de servir à boire, de proposer un menu, de commencer à découper des tomates en rondelles pendant qu'elle écrasait de l'ail dans un petit mortier. *Seshamani a donné un entretien à une radio. Quelque chose d'assez personnel. Et...* Boya l'interrompit. *Je ne voulais pas t'embêter avec ça ce soir.* L'homme s'essuya les mains sur son tablier, se tourna vers elle. La femme rouge expliqua être tombée par hasard sur l'émission diffusée ce soir sur la webradio Quilombola, s'être arrêtée en chemin pour en écouter l'intégralité, ce qui avait causé son retard. *J'ai demandé à Ikemba de garer la voiture près du* Jardin de nos mères. *Il est resté dehors, mais il a entendu l'invitée se présenter.* Ilunga remarqua : *Tu es quand même rentrée.* La femme acquiesça. C'était là qu'elle habitait, et ils savaient qu'une chose de ce genre se produirait. D'ailleurs, elle avait pensé trouver l'épouse à la résidence où un appartement lui était réservé. Elle se doutait que l'information serait publiée dès l'aurore sur tous les supports imaginables et que, tôt ou tard, celle qui avait fait connaître l'imminence de son retour apparaîtrait. Le mieux qu'ils aient à faire était d'affronter cela ensemble. Il hocha la tête, ajouta que l'épouse se trouvait d'ores et déjà à Mbanza. *Elle est descendue à l'Uhuru Palace, tu sais que la chaîne appartient à l'un de ses frères. C'est là que l'entretien a été enregistré en fin de matinée.* Il ne faudrait donc pas s'étonner de la voir débarquer d'un moment à l'autre, en effet. Seshamani ne manquait pas de dons pour le spectacle, comme elle avait pu s'en apercevoir. Toutefois, il ne pensait pas que Seshamani reste longtemps à la résidence. Elle avait une compagne et n'envisagerait pas de rompre uniquement pour préserver sa place de première épouse. *Peut-être, mais elle veut quelque chose. Nous découvrirons bientôt ce dont il s'agit.* Ilunga se dit soulagé par la réaction de Boya. Il avait besoin que rien ne trouble l'harmonie de leur couple, étant donné ce qu'il allait lui apprendre à présent.

Tandis qu'ils picoraient, Ilunga lui fit part de ses découvertes et des recommandations de la sangoma. Comme elle pouvait le constater, la vie les pressait. Ils n'avaient passé ensemble qu'une année, pas tout à fait d'ailleurs, à peine un tiers du temps qu'ils s'étaient accordé. *Tout va très vite*, conclut-il, *mais j'ai le sentiment que nous savons un peu où nous en sommes. L'un par rapport à l'autre.* La femme rouge, qui le fixait du regard, eut besoin d'éclaircissements.

Lui demandait-il de l'épouser ? Ilunga rit. Il ne faisait que réitérer sa proposition et souhaitait qu'elle confirme sa réponse : *Tu as accepté qu'on se marie au bout de trois ans. J'aimerais savoir si tu le ferais au terme d'une année seulement.* Boya le trouva un peu sûr de lui, ce qu'il nia absolument. C'était son amour pour lui qui ne faisait aucun doute. N'était-elle pas rentrée ce soir, prête à en découdre avec les difficultés si nécessaire ? La femme s'étonna qu'il plaisante de cette façon. Les raisons pour lesquelles leurs projets étaient changés auraient perturbé n'importe qui. Elle n'était pas certaine que son esprit ait assimilé la signification des informations reçues. De plus, la duplicité de Zama la glaçait. Était-elle sous l'emprise d'Igazi ou gardait-elle encore son libre arbitre ? Comment vivre avec elle dans les lieux à présent ? *On ne change rien. Pas de serrure digitale, pas de caméra de surveillance.* Ilunga pensait que Zama se rendrait vite compte de quelque chose si ces équipements faisaient subitement leur apparition. *De toute façon, je pense qu'ils ont ce qu'il leur faut. Ne t'inquiète pas, on s'en occupe.* Elle n'était pas anxieuse. L'envergure du problème était telle qu'éprouver de l'angoisse semblait ridicule. *Mais que veut-il exactement ? Le kalala ?* Boya était effarée à l'idée que la machination décrite soit indispensable pour l'éloigner d'Ilunga. Vraiment, elle n'en revenait pas. Les Sinistrés ne présentaient tout de même pas un tel danger pour l'État, et avant d'en arriver à ces opérations d'espionnage, pourquoi le kalala ne l'avait-il pas fait interroger par les services de la Sécurité intérieure ? Elle n'avait rien à cacher. Ilunga la pria de se concentrer sur les priorités. Les noces pourraient-elles être annoncées bientôt ? Il suggérait que cela se fasse le jour du San Kura. Si elle en était d'accord. Cela aurait aussi l'avantage de couper l'herbe sous le pied de ceux qui se permettraient de parler d'elle de façon désobligeante. Seshamani avait déjà fait assez de dégâts.

Ce n'était pas l'instant romantique dont elle aurait rêvé. Ils parlaient de leur union comme d'un problème lié à la sécurité de l'État, un moyen de sauver leurs vies. Ilunga n'avait évoqué aucune menace de mort, n'évoquant qu'une manœuvre du kalala pour les séparer. Cependant, l'injonction de la sangoma lui semblait reposer sur des motifs assez clairs. L'urgence que l'on mettait à accomplir les rites la persuadait de la nature des risques d'ores et déjà encourus. Elle se sentait dépossédée de son intimité avec Ilunga, sommée d'admettre l'idée qu'il en soit ainsi désormais. Son premier mouvement aurait été de refuser, au moins de chercher à gagner du temps, de ne pas se laisser emporter par les circonstances. Elle ne souhaitait pas le quitter, mais ils avaient à peine bâti leur demeure que des infiltrations la menaçaient de tous côtés. Ils étaient donc contraints de se replier dans un petit coin en attendant, soit de réparer cela, soit de passer leur temps à empêcher le plafond de leur tomber sur la tête. De prime abord, il n'y avait là rien de très désirable.

Elle ne lui donna pas satisfaction tout de suite, voulut savoir s'il avait écouté *La chamade*. Ilunga répondit par l'affirmative. *Puis-je alors te soumettre une idée s'agissant de la répartition des tâches ?* L'homme esquissa un sourire : *Mwasi, tu pourrais peut-être dire : oui je le veux, et me faire connaître ton programme politique après. Je te propose que nous fassions cela dans cet ordre ?* Il voyait qu'elle avait un

514

projet précis, du genre qui ravirait Igazi, le protocole et les commères. Évacuer la question la plus simple avait du sens, puisque le reste serait à négocier. Ce fut au tour de Boya de se moquer. Elle avait remarqué, dans le regard d'Ilunga, cette lueur gourmande, cette impatience sans rapport avec les sujets débattus. Faisant le tour de l'îlot placé au centre de la pièce, il s'était approché, s'apprêtait à la prendre dans ses bras, quand elle s'offusqua faussement : *Que t'arrive-t-il ? Je pensais que nous ne réglions pas les problèmes de cette manière ?* Elle n'avait rien à craindre, il attendrait sa réponse avant de la toucher, mais tenait à s'assurer de bien l'entendre. Parce qu'elle éprouvait apparemment des difficultés pour s'exprimer à voix haute. Ilunga résuma son propos, réitéra sa demande. Si elle le voulait bien, l'annonce serait faite dans quelques semaines, le jour du San Kura. Les noces auraient lieu le plus tôt possible, le temps de préparer les festivités, de permettre que chacun se libère. Avant, leurs familles se seraient rencontrées. C'était un préalable. Alors, qu'en disait-elle ? *Je dis que tu n'as pas évoqué notre lune de miel. Lieu et durée ?* L'homme recula d'un demi-pas. Ce voyage qu'entreprenaient les jeunes époux était une tradition étrangère. Elle n'allait pas exiger qu'ils échangent des anneaux ? Cela non plus ne se faisait pas. Peut-être, mais puisque tout était hors normes dans cette histoire, pourquoi se priver d'un peu de fantaisie ? Elle n'avait encore jamais vu les chutes de Maletsunyane, ni le Kilimandjaro. Cela lui ferait plaisir de les découvrir en sa compagnie. Bien sûr, le mariage devrait avoir lieu pendant ses prochaines vacances. Pas celles succédant aux réjouissances de l'an neuf, elles étaient imminentes. Ce seraient les suivantes, celles de la Chimurenga. Elles se déroulaient un trimestre plus tard et présentaient aussi l'avantage d'être plus longues, trois semaines environ, au cours desquelles festivals et manifestations diverses célébraient les luttes ayant mené à l'unité. *Nous pouvons oublier les bagues, ce n'est pas important*, conclut-elle.

L'homme hocha la tête. Il n'était qu'à moitié satisfait. *Tu n'as pas dit... Si*, l'interrompit-elle doucement, *je viens d'accepter de t'épouser. Mais puisque cela ne se passe pas comme prévu, je voudrais un voyage de noces. Un moment un peu moins politique.* Ilunga soupira d'aise. Il y aurait donc une lune de miel, et la presse, et tout le monde ne parlerait que de cela. Ce serait une preuve de plus qu'il lui mangeait dans la main. Igazi crierait à qui voudrait l'entendre que les coutumes sinistrées avaient maintenant droit de cité sous le toit du mokonzi, qu'en un mot, c'était la chienlit. La femme rouge le gratifia d'une moue espiègle. Cela ne l'impressionnait pas. Au point où en étaient les choses, le kalala pouvait dire ce que bon lui semblait. De son côté, elle était convaincue que cette pratique étrangère et colonialiste séduirait les femmes du Continent. Les jeunes amants voudraient tous connaître le lieu ayant accueilli leurs ébats, les couples plus anciens s'y rendraient pour renouveler leurs promesses. *Nous avons intérêt à faire le bon choix, le tourisme va s'emballer dans cette région.* Il faudrait sans doute prévoir d'autres excursions. Sans ça, le chef de l'État serait accusé de favoritisme. Ilunga siffla : *Mais tu es plus politique que moi. Je pensais qu'il fallait justement échapper à cela ?* Elle rit : *C'est toi qui m'as corrompue.* Si c'était là le résultat de son action, l'homme ne s'en plaignait pas, bien au contraire. Il avait d'ailleurs l'intention de la suborner davantage, et sans tarder. La femme rouge crut opportun de rappeler qu'elle avait une idée à soumettre s'agissant de la distribution des rôles au sein du gynécée, *Si ta grandeur peut encore m'accorder un instant.* L'homme confirma qu'il avait de longs moments à lui consacrer, pour une conversation d'un autre ordre en apparence. En réalité, il serait bien question de ses attributions…

22

Kabongo ne croyait pas particulièrement aux esprits, mais quelque chose s'employait à lui mettre des bâtons dans les roues. Depuis cette visite nocturne, il se savait suivi, constamment épié, bien qu'aucun dispositif de surveillance n'ait été détecté à son domicile. En temps normal, il n'avait pas son pareil pour brouiller les pistes, se fondre dans le paysage urbain, disparaître au milieu de la foule sans réapparaître avant un long moment. Recourir aux transports en commun était un atout. Il sautait d'un train de ville à une bicyclette, enfourchait tout à coup une moto électrique après avoir déambulé à pied pendant trois quarts d'heure. En temps normal, nul mieux que lui ne savait repérer ceux qui le filaient, quel que soit leur talent. En temps normal, ses investigations ne s'éternisaient pas, surtout lorsqu'il s'agissait d'arpenter un périmètre assez restreint pour mettre la main sur un jeune homme mal en point. Il n'avait pu pénétrer dans l'enceinte de l'hôpital Mukwege comme prévu cet après-midi-là. À peine descendu du baburi, alors qu'il avançait en direction du centre de santé, il avait remarqué la présence de deux hommes, l'un marchant vers lui, l'autre traversant la chaussée pour le suivre. Un échange de regards entre eux avait attiré son attention. Ils allaient le coincer, l'enlever peut-être. Très vite, il avait compris que ces hommes n'étaient pas des voyous, mais les émissaires de son visiteur du soir. Le type ne manquait pas d'humour. Il devait savoir quelque chose à propos du coup monté de l'esplanade. C'était peu après cela qu'il avait débarqué chez lui. *Si nous devons nous revoir, c'est ta vie que je prendrai.* Ces mots avaient résonné dans son esprit, lui insufflant l'énergie nécessaire pour faire basculer celui qui l'approchait de derrière et foncer vers le train de ville dont le vrombissement signalait l'arrêt imminent. À présent, il se disait qu'en courant dans le sens opposé, il aurait peut-être atteint sa destination initiale, entraînant ses assaillants dans un lieu préservé. La distance à parcourir était plus longue de ce côté-là. Son choix spontané avait été le plus pragmatique. Ils ne l'avaient pas suivi, se contentant d'observer sa fuite. Il n'aurait pu en exposer la raison, mais cette rencontre l'avait persuadé d'être sur la bonne piste. Le jeune Sinistré était bien dans cet hôpital. Kabongo avait laissé passer quelques jours avant d'oser une nouvelle tentative. Cette fois, il emploierait les grands moyens et ne dissimulerait pas sa venue. Il se présenterait au Mukwege avec un véhicule de la Sécurité intérieure, brandirait son insigne, poserait ses questions à haute et intelligible voix, verrait le gosse et le placerait en garde à vue. Le simple fait d'arborer les uniformes de service le rendait méconnaissable. Il améliorerait son déguisement en se grimant avec sobriété : une moustache, une perruque de locks synthétiques. On en faisait de très bien, qu'il fixerait sans mal sur sa boule à zéro. Enfin, il faudrait voir. Et ce ne serait que pour quitter les locaux de la Sécurité intérieure. Il arriverait au bureau par le boulevard Rei Amador comme à son habitude, en tenue civile. Puis, une fois passé par le vestiaire, il sortirait du bâtiment en empruntant le parking souterrain qui donnait sur la place Amina de Zaria. L'homme comptait agir le lendemain, à la première heure.

La veille au soir, l'écoute de *La chamade*, sur la web-radio Quilombola, avait ramené sa bonne humeur. Zanele s'était débrouillée comme un chef, il n'en attendait pas moins d'elle. Lorsqu'elle l'avait rappelé pour savoir s'il avait une idée permettant de rencontrer l'épouse du mokonzi, il avait dit, un tantinet désinvolte : *Oh, je ne sais pas trop. On dit qu'elle vit dans le sud, mais Mbanza a souvent l'honneur de la recevoir. Je l'ai vue moi-même à l'Uhuru Palace la semaine dernière, lors d'un rendez-vous avec un client. J'ai cru comprendre qu'elle y descendait souvent, la chaîne appartient à l'un de ses frères.* Ce qu'il savait surtout, c'était qu'elle y venait une à deux fois par semaine depuis que ses maîtresses avaient été délogées de la résidence du mokonzi. Seshamani serait-elle assez habile pour maintenir ce mode de vie encore un moment ou finirait-elle par installer un harem dans sa résidence d'Ikapa ? En tout cas, elle avait été royale pendant l'émission, en disant juste assez pour incommoder son époux et donner de Boya une image peu aimable. Elle s'était mis les auditrices dans la poche. Ce n'étaient là que ses premières salves, puisqu'elle avait annoncé son retour à Mbanza. Le message était bien sûr destiné à la presse qui, dès ce matin, s'était saisie de l'affaire. On n'osait incriminer le mokonzi dont le comportement, aux yeux de la plupart, était celui d'un homme ordinaire. Tout au plus faisait-on remarquer, à demi-mot, que l'élue de son cœur aurait pu être plus jeune. Une quadragénaire ne lui donnerait pas d'enfant. Or, une naissance, c'était ce que l'on attendait de ces unions. La deuxième femme, rappelait-on, avait pour mission d'égayer les jours de l'homme, dans tous les sens du terme. Enfin, la nouvelle du retour de l'épouse donnait lieu à maintes spéculations. Elle n'en resterait pas là. Boya finirait par se lasser de cette agitation et voudrait retrouver une existence plus convenue. Même amoureuse, elle était avant tout une femme libre. Il ne l'imaginait pas abandonnant son travail pour se consacrer à des œuvres caritatives.

Kabongo ouvrit un des placards de la cuisine, sortit un paquet de chips de plantain, le vida dans un bol, et retourna dans le ndabo. Les garçons ne rentreraient que d'ici une heure, sa sœur un peu plus tard. Il se laissa choir sur la méridienne qui complétait le grand canapé qu'affectionnaient ses fils et fit comme eux quand ils se vautraient là. Enfournant dans sa bouche une poignée de chips, il dirigea la télécommande vers le téléviseur, fit défiler les chaînes. Une chance que le Katiopa unifié ne reçoive plus les programmes du monde entier. Ceux produits sur le Continent étaient déjà si nombreux. Comme toujours, il revint aux chaînes déjà connues, les plus anciennes de la région, et se fixa sur la première, celle de l'État. On y diffusait du théâtre classique, une pièce sur les résistances à la Déportation transatlantique. Ce n'était pas le sujet le plus divertissant. Kabongo regarda l'heure, appuya sur la touche permettant d'accéder à la suite de la programmation. Le spectacle prendrait fin sous peu, laissant place à un magazine de société. Avant cela, ce seraient les informations locales, puis le journal du soir. Ses fils rentreraient une demi-heure environ après le début du magazine. Ce n'était pas bien grave, il cherchait à se changer les idées, rien de plus. Les enfants y contribueraient avec efficacité. La pièce s'acheva sur un monologue soporifique, une tirade à propos de l'honneur des vivants et la mémoire des morts. Un de ces prêches conçus pour provoquer l'enlisement de la pensée, l'hypertrophie du sentiment. L'homme étouffa un bâillement. On ne pouvait regretter l'époque où ces textes avaient été écrits. L'idée que l'on se faisait alors de la poésie laissait à désirer. La Chimurenga de l'imaginaire avait produit son lot de verbiage avant de gagner en profondeur. Certains des choix de la chaîne publique avaient de quoi étonner. Ils semblaient émaner d'une volonté affirmée de pousser au suicide les pauvres gens, tant leur austérité était marquée. Dès qu'il s'agissait d'art, de création, un intellectualisme forcené imposait ses fureurs. Les responsables de la culture s'étaient donné pour mission de désintoxiquer les populations de leur propension à la gaieté, à la sensualité. Ils entendaient les guérir de ce tempérament chaud qui en avait fait des êtres émotifs, bons à amuser la galerie et à se gaver de sucreries, au sens propre comme au sens figuré. Ils allaient remettre tout ce beau monde à l'endroit. Lorsque le Katiopa unifié s'ouvrirait au monde afin de l'éblouir par son rayonnement, il présenterait des peuples considérablement refroidis, métallisés. Il ne pouvait y avoir d'autre explication. Les actualités régionales sonnèrent bientôt la délivrance. Il ouvrit l'œil et tendit l'oreille.

L'homme manqua de s'étrangler avec ses chips quand il vit apparaître le visage d'Amaury Du Pluvinage. Filmé dans sa chambre d'hôpital, le garçon avait l'œil vif, la parole fluide. Il avait enfilé un bùbá de couleur rouge qui ne lui allait pas au teint, mais que devaient porter tous les patients. C'était bien lui, même s'il disait s'appeler Mubiala et ne s'exprimait que dans la langue de la région. Interrogée à son sujet, la doctoresse chargée de son cas lançait un appel à quiconque le connaîtrait. Il ne pouvait s'agir que d'un Sinistré dont les aïeux étaient venus du pays fulasi, bien qu'il ne connaisse plus l'idiome de sa communauté. Elle ne pouvait fournir aucune explication à cet égard, seulement une hypothèse : le jeune homme entretenait des relations avec des locuteurs de la langue. Enfin, une visite de ses proches susciterait peut-être un choc positif. Elle ne révéla pas ce dont il souffrait, répondit à contrecœur à la question de savoir comment ce malade était arrivé là. Il avait été découvert sur un chemin de campagne, inconscient. Ceux qui étaient tombés sur son corps inanimé s'étaient hâtés d'appeler les secours. Elle ne porta pas à la connaissance du public l'identité de ces personnes, préférant donner plus d'informations sur un autre sujet. À la question de savoir si l'on n'avait pas été surpris de devoir prendre en charge un Sinistré, le médecin répondit que *Non, évidemment.* Ce n'était pas comme si le Continent découvrait les ressortissants du pays fulasi. Le Katiopa unifié n'avait que cinq ans d'âge, et nombreux étaient ceux qui avaient eu l'occasion de visiter les contrées de Pongo. De plus, avec le soutien de donateurs, la municipalité de Mbanza avait installé un dispensaire dans la zone habitée par les Sinistrés. On les y soignait, on y mettait au monde leurs enfants…

Merde, siffla Kabongo. Une information aussi insolite ferait vite le tour de la ville. Elle parviendrait au kalala en moins de temps qu'il ne fallait pour y penser. Que faire ? Cueillir le gosse, le mettre aux arrêts comme prévu ? Aucune pièce d'identité ne serait trouvée sur le garçon. Les images de lui filmées par Nandi ne pouvaient être utilisées dans le cadre d'une procédure régulière. Elles avaient été obtenues sans l'aval d'une autorité judiciaire. Aussitôt qu'elles leur avaient été remises, les services du kalala auraient dû en aviser le magistrat de secteur. Mais le patron de la Sécurité intérieure avait une idée en tête, dont la réalisation l'avait amené à contourner le règlement. Il fallait reconnaître que les propos tenus ne tombaient pas vraiment sous le coup de la loi. Rien n'interdisait de rêver à des conquêtes hasardeuses. Le discours d'Amaury Du Pluvinage pouvait tout à fait être perçu comme une lubie, un fantasme permettant de supporter un quotidien peu satisfaisant. Dans son état, cette étrange pathologie qui l'amenait à ne parler que la langue régionale et à se présenter sous le nom de Mubiala, le Sinistré ne confirmerait pas son identité. Il serait difficile de l'appréhender. Peut-être pouvait-on espérer que sa famille, se rendant à son chevet, le trahisse. Mais il était concevable qu'elle le renie, ou que lui-même ne la reconnaisse pas. Le produit dont il avait fait usage était connu pour ses effets sur le cerveau, mais c'était la première fois que l'on observait pareil phénomène. Le gamin maîtrisait la langue, si bien que l'on était forcé de supposer qu'il la pratiquait depuis plusieurs années, de façon soutenue. Ce simple fait méritait réflexion. L'autarcie identitaire dans laquelle vivaient les Sinistrés ne laissait rien envisager de tel. Le cas d'Amaury Du Pluvinage était-il exceptionnel ? Résultait-il de la fréquentation d'une fille de la région ? Celle-ci ne manquerait pas de se présenter à l'hôpital. À sa vue, le garçon retrouverait-il son état normal ? Son immersion dans la culture locale était-elle compatible avec un projet néfaste pour l'État ? Kabongo se redressa, posa son bol de chips sur la table basse, éteignit le poste, alla chercher de quoi ramasser les miettes qu'il avait postillonnées.

Ce n'était pas le moment de se perdre en conjectures. La presse à sensation, toujours à l'affût d'histoires croustillantes, devait déjà se presser aux portes du Mukwege. Elle ne tarderait pas à recevoir des renforts venus des grandes villes de l'État. Les journalistes ne seraient pas autorisés à pénétrer dans les lieux. Qu'à cela ne tienne, ils camperaient à l'extérieur, se montreraient patients pour obtenir du personnel la plus petite information à monter en épingle, se jetteraient sur les visiteurs afin de leur soutirer des impressions, même un soupir. Les plus hardis n'hésiteraient pas à soudoyer les agents de nettoyage, à leur fournir l'équipement nécessaire pour voler des images, enregistrer des conversations. Peut-être n'auraient-ils pas à le faire, les employés de l'hôpital étant tout à fait capables de déceler eux-mêmes, dans cette situation, ce qui pouvait leur profiter. De nos jours, chacun détenait les outils adéquats. Autant dire que la ville entière serait bientôt au chevet de ce malade singulier. Bien sûr, quelqu'un avait ordonné la diffusion du reportage vu aux actualités. Il avait peine à croire que la direction de l'hôpital ait pris seule cette responsabilité.

Autrement, elle aurait communiqué ses préoccupations plus tôt, dès que le jeune était arrivé dans ses murs. Kabongo imagina un scénario dans lequel Boya contactait les secours, attendait leur arrivée près du jeune homme inconscient. Impossible. Elle n'avait pu se trouver à ses côtés, pas là où il l'avait abandonné. Quelqu'un d'autre était passé dans les parages, un habitant de la zone, sans doute. Cela pouvait s'être produit peu après son départ. Boya apprendrait la nouvelle de la même façon que le bon peuple de Mbanza. Il n'était pas plus avancé. Un léger abattement le gagnait. Sa vie semblait avoir basculé dans l'absurde depuis le jour où le kalala lui avait confié la mission d'infiltrer l'intimité de la femme rouge. Il avait perdu trop de temps à élaborer une méthode d'approche. Depuis, il était arrivé que Kabongo pense avoir manqué de conscience professionnelle. L'éthique de son métier aurait dû l'amener à tout avouer au patron. Comment aurait-il pu présenter la chose ? Qu'ils soient amants serait apparu comme un atout. Il n'aurait pu regarder son supérieur dans les yeux pour expliquer : *Je suis convaincu qu'elle a quelqu'un d'autre. La dernière fois qu'on s'est vus, je l'ai invitée à régler le problème. Je ne peux décemment reprendre contact si vite, elle se poserait des questions. De toute façon, je perdrais la face.* Il aurait fallu trouver le moyen de se faire remplacer. Son erreur avait consisté à accepter cette mission, sachant qu'il lui serait difficile de la mener à bien.

Qu'il se soit senti prêt à se mesurer au mokonzi d'homme à homme pour conquérir une femme ne changeait rien à la réalité : sur le plan professionnel, il s'était mis dans le pétrin. Ayant le sentiment que

Boya lui échappait, il s'était imaginé la garder un peu en se laissant affecter à sa surveillance. C'était cette faiblesse – le mot lui tombait dessus – qui avait déclenché la série d'événements fâcheux qui s'étaient succédé. Une montagne de choux blancs. Le point d'orgue de la catastrophe venait de se jouer sous ses yeux. Il n'avait pas suffi que Boya apparaisse sur l'esplanade des *Stèles de la Maafa* pour faire capoter une opération capitale. Ce n'était pas assez que le Sinistré, bien qu'inconscient, ait disparu du lieu reculé où il l'avait abandonné. Qu'un inconnu sans visage se soit introduit chez lui, l'ait neutralisé avant d'effacer de son communicateur des enregistrements précieux, devait certainement être vu comme une petite mésaventure. C'était pour cette raison que la vie avait cru nécessaire d'enfoncer le clou en lui servant la vision d'un Amaury Du Pluvinage devenu Mubiala et ne parlant plus le fulasi. Boya. Il était temps d'épuiser le sujet, de s'en défaire une fois pour toutes. Autrement, ce serait le drame, il perdrait son emploi. L'entrée soudaine de ses fils le tira de ses pensées. C'était pour eux la fin de la journée, mais ils débordaient de cette énergie presque surnaturelle qu'avaient les enfants lorsque l'on ne désirait pas s'en occuper. C'était à ce moment-là qu'ils requéraient le plus d'attention. Kabongo se laissa embrasser, emporter par le mur de l'œil, pousser vers l'intérieur du cyclone. Reprenant peu à peu les choses en main, il exigea de voir les cahiers de texte pour prendre connaissance des devoirs à faire et de l'emploi du temps des jours à venir, ceux de correspondance au cas où l'institutrice y aurait laissé un mot à son intention. Les élèves des classes primaires étaient formés comme l'avaient été leurs

527

aînés, avec des crayons et du papier, de la craie et des ardoises. Lorsqu'ils disposaient de communicateurs, les parents en restreignaient les fonctions. Ces engins ne pouvaient ainsi avoir d'autre usage que celui de les contacter en cas d'urgence, ce dont se chargeait en principe l'école où les enfants étaient supposés passer la journée. Ils n'avaient donc pas besoin de cet équipement. Les fils de Kabongo n'en possédaient pas et n'en avaient jamais réclamé. Une fois son inspection achevée, il les invita à se rendre dans la salle de bains, ce qu'ils firent sans protester. Aussitôt qu'ils sauraient leurs leçons, qu'ils auraient dîné, les jeux seraient permis. Ils s'y adonneraient avec la frénésie des nuits sans lendemain. Kabongo sonnerait la fin de la partie, les mettrait au lit pour leur conter une histoire, devrait s'interrompre avant la fin. Comme souvent, les garçons auraient rendu les armes, sans en avoir conscience.

Les choses se déroulèrent comme il l'avait envisagé. Biuma, sa sœur, glissa la tête dans la chambre des petits alors que ceux-ci enfilaient leurs habits de nuit. Cette apparition fut pour eux l'occasion de s'époumoner, de bondir dans tous les sens. Il était hors de question que la joie de ces retrouvailles quotidiennes se laisse tempérer par quoi que ce soit, à commencer par l'élégance, les bonnes manières. Elle ne s'en offusqua pas. Biuma portait à ses neveux l'affection des grand-mères plus que des tantes, leur passant à peu près tout. C'était ainsi depuis que, Kabongo et Zanele s'étant séparés, ils avaient dû se plier à une nouvelle organisation de la vie familiale. Le dîner fut un instant de joie profuse, comme souvent lorsqu'ils se retrouvaient tous les quatre. Kabongo n'oublia cependant rien de ce qui le tourmentait. Il sut donner le change, cela ne lui coûta que peu d'effort. Dans cette demeure qui avait été celle de leur enfance, sa sœur et lui avaient trouvé tout naturel d'unir leurs solitudes afin de recréer l'harmonie d'autrefois. Cela s'était fait tout seul. Il divorçait, elle revenait à Mbanza après des années passées dans la région de Kiri Nyaga, non loin du lac Turkana. De son côté à elle aussi le couple avait fait long feu, mais il ne s'était pas contenté de réduire en cendres les promesses de romance et de jouissance ininterrompues. Biuma avait en outre dû faire ses adieux aux émoluments tirés de son activité d'alors, laquelle consistait à promouvoir le travail de son compagnon, une sorte de tambourinaire se produisant seul en scène. Elle percevait un pourcentage des cachets versés au musicastre et s'en tenait là, la noblesse de ses sentiments lui interdisant d'exiger que lui soit reversée une partie des droits d'auteur. C'était pourtant l'usage et cela n'eût été que justice : n'endurait-elle pas au quotidien le vacarme usurpant le nom de musique ? Kabongo était persuadé que même l'amour ne pouvait l'avoir rendue sourde. Parce qu'il en était ainsi, elle avait élaboré, afin d'accomplir ses missions auprès de la presse et des lieux de spectacle, un discours dont s'absentait toute référence à l'art. Il n'y était question que d'ancêtres, de rituels, de transe, d'une parole émanant du fond des âges et de la terre. On venait voir une performance, et cela remportait un certain succès. Le gusse, hélas, envisageait autrement l'affaire et tenait à faire reconnaître ses talents de compositeur. Non, il n'était pas traversé par le souffle des ancêtres, il n'y avait que lui, son génie musical. Toujours sur la brèche pour lui donner satisfaction, Biuma avait eu l'idée de le faire accompagner par une balafoniste sur quelques titres choisis du nouveau répertoire, celui qui devait consacrer le talent de l'artiste. S'il n'avait pas d'oreille, le bougre ne souffrait nullement de cécité. La joueuse de balafon était jeune, jolie et disponible… Lorsque Biuma était revenue dans la ville de leur enfance, les garçons et lui occupaient seuls la maison.

L'État avait aboli la propriété terrienne, rendu le sol aux communautés. Sur le papier, le principe ne manquait pas de noblesse et rencontrait les exigences déjà anciennes de groupes jadis expropriés. Les faits, en revanche, témoignaient du vécu complexe des ensembles humains sur le Continent. Certaines populations n'avaient plus d'existence que dans les pages d'ouvrages ayant à ce point subi l'outrage du temps qu'il était difficile de s'en saisir sans risquer de les réduire en poussière. Le cas de ces peuplades disparues était fréquent dans les grands centres urbains, le destin des métropoles étant de se donner à tous pour n'appartenir à personne. Ceux dont la mémoire avait retenu qu'ils avaient été les premiers à s'y établir, avant l'époque de la domination étrangère et les altérations identitaires qu'elle avait souvent engendrées, s'étaient vite trouvés minoritaires dans ces villes. Puis, ils s'étaient éteints sans bruit, emportant avec eux genèse et généalogie. Quand ce n'était pas tout à fait le cas, il avait fallu s'assurer de la légitimité des prétendants au titre d'autochtones. Les colons ne s'étaient pas privés de faire et de défaire les rois, appointant les ayants-droit au territoire selon leurs intérêts. Prenant leur suite, les régimes néocolonialistes avaient continué sur cette lancée, fabriquant des autorités traditionnelles qui se prenaient sans mal au jeu. Un imbroglio que le

Katiopa unifié avait démêlé en confiant aux mikalayi la tâche d'administrer les terres litigieuses. Ensuite, il avait fallu régler la question des descendants de déplacés : l'ère coloniale avait jeté du monde sur les chemins, souvent pour mater les révoltes. Parfois, ces populations n'étaient pas retournées sur le sol ancestral, et il n'en était venu personne pour les y inviter. Elles s'étaient ancrées dans la terre imposée, l'arrosant de leur sueur, la nourrissant de leurs dépouilles à l'instant du trépas. L'histoire de l'appartenance au territoire avait en commun avec toutes les autres qu'il lui fallait un début. Celui-là valait bien ses homologues. Jusqu'où convenait-il de remonter le fleuve des migrations humaines pour légitimer la présence d'un groupe sur un sol ? Pour apporter à cette interrogation une réponse définitive, l'Assemblée des mikalayi avait adopté des mesures qui s'appliquaient désormais partout où l'on avait voulu se prétendre plus autochtone qu'un autre dont la lignée vivait et mourait dans les environs depuis trois cents ans à peine.

Les communautés avaient donc été réhabilitées, leur droit d'occupation du sol restauré. Elles avaient été étendues aux déplacés les plus récents : ceux des temps coloniaux, ceux des migrations postcoloniales, ceux dont elles avaient longtemps accepté la présence et qui s'étaient fondues en elles. On n'allait pas revenir en arrière, les humains n'avaient cessé d'arpenter les contrées de Katiopa. En ce qui concernait les biens immobiliers, les mikalayi avaient procédé différemment selon les régions. Ici, dans la kitenta et ses alentours, les communautés avaient été chargées d'arbitrer en leur sein les désaccords familiaux. Quand il n'y en avait pas, ce qui était le cas pour Kabongo et Biuma, les héritiers conservaient la pleine propriété des demeures transmises par leurs ascendants. Qu'ils les louent à des tiers n'était pas très bien vu, mais on fermait les yeux. La plupart des gens occupaient leurs maisons, se loger à Mbanza étant de plus en plus onéreux. Ceux qui possédaient des immeubles accordaient un droit de préférence à l'État qui y plaçait ses agents, ses services. Cela leur valait des avantages fiscaux dont ils ne bénéficiaient plus lorsqu'ils cédaient la jouissance des locaux à des établissements commerciaux. Ils ne perdaient pas au change, c'était souvent plus lucratif. La kitenta avait connu une période quelque peu agitée, quand il s'était agi de mettre en place ces nouvelles procédures. Certains les avaient toujours en travers de la gorge, mais nul n'osait regretter à voix haute les siècles du capitalisme débridé, le temps où l'on thésaurisait avec ferveur, les années fiévreuses de l'insécurité foncière où des relations bien placées permettaient de spolier comme on respirait. Kabongo et Biuma se partageaient la maison qu'avait fait construire leur grand-père paternel. Leurs parents avaient eu la bonne idée d'y ajouter un étage, ce qui facilitait aujourd'hui la cohabitation. La bâtisse était située dans un quartier résidentiel, assez familial. Les garçons s'y promenaient sans crainte, profitant des jeux du jardin municipal en compagnie de leurs copains. Les gens du coin se connaissaient et veillaient les uns sur les autres. Une fois les enfants couchés, Kabongo avait bavardé un peu avec sa sœur. Puis, elle s'était retirée dans ses appartements. Lui avait pris une douche, enfilé un ensemble sombre, mis le cap sur le *One Love*.

Dans le baburi qui le conduisait au bord de l'océan, dans une zone désaffectée où se trouvaient encore de ces blocs de béton qui diffusaient dans l'air leur pollution, Kabongo avait apprécié sa chance de vivre avec sa sœur. Elle avait trouvé un emploi dans une agence de communication, mais cela lui convenait d'habiter là. Biuma n'avait pas eu d'enfant et cette sorte de maternité à temps partiel que lui offraient ses neveux lui plaisait. Ils étaient assez grands pour n'avoir pas besoin d'être surveillés à tout moment, on pouvait avoir avec eux des conversations intelligentes. Les soirs où son frère s'absentait n'étaient pas rares, mais elle ne s'en plaignait pas. Aux côtés de l'aspirant musicien, elle avait vécu une existence remuante, incertaine à bien des égards. Leur histoire avait pris fin dans le fracas habituel des trahisons prévisibles. En tournant les talons pour ne plus revenir, Biuma avait laissé derrière elle un grand amour et trois quarts au moins de la confiance qu'il était raisonnable d'accorder à un homme. Elle en fréquentait peu, de jour le plus souvent, hors les murs de la maison. Pour des raisons différentes, le frère et la sœur avaient renoncé au compagnonnage archaïque entre hommes et femmes et ne s'en portaient pas plus mal. Il suffisait d'écouter les autres, ces innombrables qui perpétuaient la convention, pour se féliciter de ne pas leur emboîter le pas. De plus, loin d'être sans expérience, ils connaissaient de près ce qui les rebutait et ne chérissaient rien tant que les nuits passées seul au fond de son lit. Kabongo descendit du baburi et fit à pied le reste du chemin. La nuit babillait encore, mais d'ici peu, elle parlerait sans effort un langage cru. C'était ce dont il avait besoin. Une sorte d'introspection active qui lui rendrait, au petit jour, son être débarrassé de l'affliction due à la perte de la femme rouge. Le moment était venu de nommer clairement les choses, d'admettre qu'elle ne serait pas à lui. Kabongo comptait se livrer tout entier à ce qu'il envisageait comme une pratique purificatrice. Il n'était évidemment question ni d'un rituel ancestral, ni d'une cérémonie religieuse, tout cet intangible le laissait froid. Néanmoins, se sortir Boya de la peau tenait bel et bien du désenvoûtement. Cette femme proliférait dans son être, contaminant la moindre cellule, ce qui ne lui était jamais arrivé. Prenant prétexte de sa mission, il épluchait les articles de presse la concernant, devait se raisonner pour ne pas s'attarder sur les photographies lorsqu'il y en avait de nouvelles. Un exorcisme était requis. Il allait opérer de la manière la plus profane qui soit, mais ce qu'il recherchait était, au fond, du même ordre : qu'elle sorte de son corps, que son esprit lui soit rendu. Autrement, il perdrait plus que l'estime du kalala et ne serait plus apte à exercer son métier. Que ferait-il alors ? Sa couverture de comptable n'avait pas été choisie par hasard, il était diplômé dans ce domaine, connaissait le jargon de l'emploi, lisait avec assiduité les publications destinées aux professionnels, payait régulièrement sa cotisation à une de leurs associations et versait à l'État les taxes requises pour exercer. Le cadre avait été assez bien posé pour qu'il n'y ait plus qu'à le remplir. Pourtant, il lui était impossible d'envisager une reconversion. Il était un agent du renseignement, un de ces hommes de l'ombre grâce auxquels le Katiopa unifié pouvait rêver de puissance. Il faisait partie du corps des veilleurs, d'autres quant à eux étaient des cogneurs, voire des tueurs. Le kalala, il le savait, entretenait un groupe de barbouzes, d'anciens soldats pour la plupart. Fiers de servir l'État, ils officiaient dans les ténèbres et acceptaient d'y être ensevelis. Si leur mission tournait court, on ne tenterait rien pour les tirer d'affaire. On ne les connaissait pas, on ne leur témoignerait aucune gratitude. Kabongo n'éprouvait pas une once de mépris à leur égard, bien au contraire. Toute nation digne de ce nom, tout État, devait avoir à son service de telles figures, des individus prêts à prendre des vies autant qu'à sacrifier la leur. S'il ne se remettait pas sur les rails au plus vite, il n'aurait même pas l'honneur de rejoindre cette armée de l'ombre, ces mercenaires du pouvoir. Avec un peu de chance, il finirait au placard. Un agent tel que lui ne serait certainement pas remercié, on ne le rendrait pas à la vie ordinaire. Il en savait trop.

Il fut bientôt au cœur de la zone désaffectée que la municipalité éclairait chichement. L'endroit avait officiellement été évacué, l'érosion côtière rendant sa fréquentation périlleuse. Il arrivait encore que l'océan vienne y déverser sa fureur, contraignant les inconscients qui s'étaient aventurés là à gagner les étages les plus élevés des immeubles. Comme à son habitude, Kabongo avait consulté la météo marine afin d'éviter une mauvaise surprise. L'équipe du *One Love* procédait ainsi et l'imprévoyant trouvait alors porte close. Ce ne serait pas le cas cette nuit. Il n'avait encore rencontré personne, tout au plus avait-il aperçu des silhouettes furtives bifurquer à l'angle d'une nzela. Avant de l'approcher, on voudrait s'assurer soit de l'avoir déjà vu dans le coin, soit de l'avoir assez bien encerclé pour le maîtriser si nécessaire. On chercherait alors à le dépouiller. Autour de lui, derrière des carreaux de verre maculés de poussière quand ils n'étaient pas brisés, de petits points lumineux signalaient une présence humaine. Il ne s'attarda pas sur cette dalle séparant deux immeubles défraîchis. Autrefois, ceux qui avaient fait ériger ces bâtiments tenaient à préserver la vue du ciel et de l'océan. C'était ce que désiraient les vacanciers venus de Pongo qui s'agglutinaient là, soucieux d'humaniser la couleur de leur peau. Le plancher-béton qu'il venait de laisser derrière lui avait sans doute ressemblé à autre chose dans le passé. Peut-être y avait-on placé des arbustes en pot, un jardin de pierres, un bassin comprenant en son centre une fontaine. De l'élégance. De la gaieté. Il ne se souvenait pas d'y être venu autrefois, cette portion de plage étant alors la chasse gardée d'étrangers fortunés. Les seuls locaux que l'on pouvait y rencontrer étaient gens de maison ou fournisseurs habituels de denrées diverses, périssables ou non. La populace devait quant à elle se satisfaire d'espaces moins bien aménagés, jonchés de détritus et peu sûrs dès la descente du soleil. C'était cette face-là du monde qu'il fréquentait dans sa jeunesse. Il ne regrettait rien. Des fêtes mémorables avaient eu lieu sur la portion de plage laissée à la gueusaille. Kabongo passa la porte ouverte d'un immeuble à trois étages dont la structure étonnait. L'extrême étroitesse de la base contrastait avec l'envergure du dernier niveau. On aurait cru la bâtisse poussée entre deux autres qui la comprimaient, jusqu'à ce que, la liberté retrouvée, elle déploie sa cime au-dessus de ses tortionnaires, les surplombant et les recouvrant à la fois. À chacune de ses visites, Kabongo s'était demandé ce qui avait guidé l'architecte ayant conçu les plans du bâtiment, mais encore plus, pourquoi le *One Love* s'y était logé. On y révérait la discrétion. Le rez-de-chaussée était désert. Non seulement n'y avait-il personne pour accueillir le visiteur, mais l'espace était vide. Un escalier aux marches de granit, sans garde-corps, en occupait presque toute la surface et invitait à monter. Ou à décamper, selon la sensibilité. Il s'y engagea, passa le premier étage, lui aussi mis en valeur par cette forte présence du vide, ces murs couleur rubis, ce plafond bleu marine. Un silence épais accompagnait ses pas mais on le voyait, on l'observait. Kabongo savait que le *One Love* était gardé de l'extérieur et surveillé de l'intérieur. À vrai dire, il ignorait de quelle façon. Il lui avait simplement été donné de constater que jamais les visiteurs ne se croisaient. Leur ballet devait être orchestré d'une manière ou d'une autre. Kabongo ne souhaitait pas tout savoir, pas ici. Il en avait eu l'occasion et s'était sciemment tenu à l'orée de certains mystères. Dans l'escalier, il prenait son temps. Nul besoin de se hâter. Faire durer l'attente, se mettre dans les meilleures dispositions. Il trouverait ici le remède adéquat à cette aliénation qui promettait de ruiner sa vie. Il n'y avait que cet endroit pour le libérer des images mentales et des sensations fantômes qui le harcelaient, briser les barreaux de la cage qu'était désormais son désir pour la femme rouge. Elle devait régler ça, le rappeler aussitôt après. Quelque chose au fond de lui persistait à attendre. Elle n'aurait pas eu besoin de s'expliquer. Qu'elle l'invite à la rejoindre aurait été une réponse suffisante. La femme qu'il avait rencontrée dans un parc n'était pas de celles qui vous donnaient congé sans rien dire. Elle avait déménagé sans un mot. Depuis, il n'avait touché personne, n'avait même désiré personne. Autant dire qu'il s'était laissé mourir.

Au troisième étage, le rouge profond des murs avait un aspect plus rutilant. Comme si la peinture avait été refaite récemment. La porte, recouverte de la même teinte, n'était décelable qu'à ses contours enfoncés dans la paroi. Nulle inscription pour confirmer que l'on était arrivé à bon port, pas de code à composer, aucun bouton de sonnette sur lequel appuyer, ni système de reconnaissance digitale ou faciale. Kabongo sourit. Autant qu'il puisse en juger, rien n'avait changé. La porte du bas était ouverte, mais seuls les initiés passeraient celle du haut, close pour les importuns. Des souvenirs lui revinrent de sa découverte du lieu, il y avait bien des années. À l'époque, la Fédération Moyindo exhalait sans le savoir son dernier soupir. C'était douze ans plus tôt, il n'était qu'un tout jeune homme désireux de servir au sein des forces de l'ordre. Le régime de Mukwetu le rebutait cependant, il ne s'imaginait pas à la solde de ce despote atteint de démence. Alors, il traînait sur les bancs de la faculté d'Études économiques, prétendait se spécialiser en gestion. En réalité, c'était un temps où son organisme sommeillait d'ennui le jour durant pour s'éveiller à la nuit tombée. Alors seulement, trouvait-il de l'intérêt aux choses comme aux êtres. L'esprit soudain affûté lorsque le soir descendait sur Mbanza, il se glissait dans les lézardes, les fissures de la ville. Kabongo tenait une sorte de journal intime, au sens strict du terme, un carnet non écrit de ses explorations, comme s'il lui fallait s'assurer de retenir pour lui seul les contours de la fresque nébuleuse qui s'offrait à lui. Sa mémoire des noms, des visages, des lieux, des parfums, s'était aiguisée lors de ces exercices. Et, bien sûr, cette auscultation de l'envers du monde l'exigeant fréquemment, il y versait ses avoirs sensuels, payait de sa peau bien des révélations. Lorsque le Katiopa unifié s'était formé dans sa première mouture, celle qui embrasserait, sept ans plus tard, une grande partie des anciennes nations coloniales du Continent, l'homme était prêt. Il connaissait son environnement et savait l'essentiel à son propre sujet. La dernière fois qu'il était venu au *One Love*, Samory, son fils aîné, voyait le jour. Euphorique, Kabongo avait eu envie de réjouissances impossibles à partager avec Zanele. C'était loin, mais ce lieu unique ne semblait pas avoir changé. Il s'adossa au mur faisant face à la porte, un peu en biais, là où s'étirait un couloir menant à un autre escalier, celui-ci permettant de gagner la terrasse. Au bout de quelques minutes, le battant coulissa. Kabongo passa le seuil, se tint debout devant le comptoir de la réception, tandis que la porte se refermait doucement.

Une bourrasque bleue s'élança à sa rencontre. Talonnée par les fervents effluves d'un parfum poivré, la personne, qui se faisait appeler Ehema, avait chaussé des sandales à semelles compensées, lesquelles impulsaient à sa démarche un balancement délicat. Se pendant à son cou, collant l'une après l'autre ses pommettes fardées sur les joues de l'homme, elle émit deux petits bruits stridents qui s'évanouirent dans l'air. Les retrouvailles s'arrêtèrent là. Elle le lâcha et recula d'un pas. La dernière fois qu'il était venu, il y avait trop longtemps à son goût, Kabongo avait quelque chose à célébrer. Était-ce aussi le cas cette nuit ? Que pouvait-on faire pour lui être agréable et s'assurer que tant d'années ne s'écoulent plus avant que l'on se soit revu ? Tout en lui parlant, elle le fit asseoir sur un des fauteuils entourant une table basse, prit place à sa droite. Kabongo n'avait à se réjouir de rien, c'était tout l'inverse. Il n'alla pas par quatre chemins pour formuler sa demande, sachant qu'elle serait satisfaite. Le *One Love* avait la particularité de pouvoir répondre aux attentes les plus surprenantes, et la sienne ne l'était pas. La physionomie qui l'intéressait figurait au catalogue, il le savait, et en plusieurs exemplaires. Un seul profil avait suscité sa visite. L'unique question qui vaille à présent était celle de la disponibilité. L'ayant écouté, on hocha la tête avant de faire défiler, sur l'écran occupant le cœur de la table basse, les modèles encore libres pour la nuit. Il en restait neuf exactement. Celui qui le séduisait apparut le dernier. Lorsqu'il posa dessus un index déterminé, on leva un sourcil intrigué. *Kioni ? Elle n'est pas toute jeune, tu sais. En plus, elle a parfois, disons… des manifestations. Cela peut troubler.* On l'invita à regarder Makena. Plus fraîche sans donner l'impression d'avoir tout juste quitté l'enfance, elle présentait l'allure recherchée. Elle avait la taille haute, les hanches étroites, ce postérieur proéminent qui semblait prononcer un discours. Il secoua la tête. Ce serait Kioni. Il était venu pour elle. On haussa les épaules. Soit. Désirait-il qu'elle porte un nom particulier lors de la rencontre ? La voix de Kabongo ne trembla pas lorsqu'il fit connaître ses doléances en la matière, et son vis-à-vis les reçut sans broncher. L'homme rit intérieurement en imaginant n'être pas le premier à réclamer cela.

La bourrasque bleue, qui n'était devenue qu'une brise légère, le pria de patienter. En dépit de ses atouts certains pour accomplir cette performance et ce qui suivrait, Kioni aurait besoin de se préparer. Il lui faudrait se montrer créative, on ne savait rien de ce qu'il fallait pour élaborer tout cela, on devrait improviser. Kabongo rattrapa ces envolées inquiètes. Non, il n'y aurait rien de spécial à mettre en place. La toilette de l'intéressée comme le décor dans lequel elle se mouvrait seraient les plus ordinaires sans être indigents. Quelque chose de simple et de vivant. On se détendit. S'il n'y avait que cela, il pouvait faire confiance au *One Love*. L'attente serait moins longue. Elle disparut, les volants bleu électrique de son jupon fouettant le galbe de ses mollets cuivrés. Cette carnation cuprifère, jadis perçue comme une anomalie, faisait l'originalité du *One Love*. On venait y chercher des êtres du troisième type dont la peau rouge accentuait l'étrangeté, créer une situation permettant de repousser ses limites et donc, de faire connaissance avec son être profond. Il était déjà passé par là, et à plusieurs reprises. S'il n'avait plus poussé la porte écarlate du lieu depuis un bon moment, c'était que l'introspection avait porté ses fruits. Cette nuit, l'exploration de ses abîmes intérieurs, telle qu'il entendait s'y livrer, ne lui apprendrait rien sur lui-même. Son intention n'était pas de se découvrir, mais d'entreprendre le récurage méticuleux de l'aire infectée. Car Boya lui empoisonnait l'âme, il n'avait pas d'autres mots, ni pour désigner l'action délétère de la femme rouge, ni pour nommer la partie corrompue de son être. L'âme. Une notion qui, pour lui, agrégeait le cerveau et le cœur. Les deux formaient l'âme, telle qu'il pouvait la concevoir.

On lui fit bientôt savoir qu'il pouvait rejoindre Kioni. Il fut dirigé à l'opposé du comptoir de la réception, dans un couloir où régnait un silence si intense que l'on se serait cru hors du monde. Ce n'était ni le silence pesant qui s'abattait sur les grands embarras, ni celui menaçant qui annonçait des cataclysmes ravageurs, ni celui ému des joies trop fébriles pour être parlées, ni même celui de ces instants muets de n'avoir simplement rien à dire. Ce silence-là semblait provenir d'une autre sphère par sa matité comme par son ampleur. Le temps et le climat s'y abolissaient. L'avancée dans ce couloir aux multiples portes closes, derrière lesquelles se déroulaient des événements dont on ne saurait rien, était une immersion dans ce silence qui, déjà, vous dépouillait. Pas encore assez, car ce qui vous quittait n'était que la relation avec le monde extérieur qu'il fallait oublier pour prendre pied dans celui qui s'ouvrirait. Ce silence n'emplissait pas le passage, il était la voie, un sas. Devant la porte frappée du numéro dix-huit, il marqua un temps d'arrêt. Puis, il poussa. Lorsqu'il fut entré, un chuintement se fit entendre dans son dos, indiquant que la sécurité était mise. Ils ne seraient pas dérangés avant la fin de la séance, et elle s'achèverait selon son bon vouloir. Toutefois, une étape restait à franchir, dont il ne déciderait pas. Avant de rencontrer Kioni, il devait prendre place sur un fauteuil et regarder, à travers un argus, ce qui se déroulait de l'autre côté de la pièce. C'était là que le décor avait été planté, là aussi que son hôtesse se montrerait avant d'être touchée. Ce spectacle avait deux visées précises : permettre à celui qui avait commandé ce service d'approuver la scénographie, obtenir son consentement quant au costume de celle qui partagerait sa nuit. Sur l'accoudoir du siège qui l'accueillit, un boîtier muni de trois touches était encastré. Il pouvait ainsi faire savoir que tout était parfait, que des détails devaient être revus, ou qu'il renonçait à prendre part au jeu.

Lorsque Kioni apparut, vêtue d'un bùbá de couleur jaune porté sur un iro parfaitement ajusté, il en eut le souffle coupé. La ressemblance était troublante, on avait là un sosie de Boya, telle qu'elle était apparue dans la presse à sensation au début de sa relation avec le mokonzi. Le moment venu, oserait-il prononcer le nom de la femme rouge ? Le dire pour ne plus le conserver si fermement accroché à lui. Pour qu'elle ne soit plus un secret si bien gardé qu'il dominait toutes ses pensées. Pour lui arracher la caresse qui l'obsédait, la soumettre à des actes dont ils n'avaient pas eu idée. Pour en faire l'actrice d'une farce après avoir logé son identité dans le corps ambivalent de Kioni. Pour la payer à la fin et lui tourner le dos. Kabongo reporta son attention sur la scène qui se jouait selon ses vœux. L'occupante d'une chambre qui pouvait être celle de n'importe quelle femme issue de la classe moyenne – avec sa commode, sa lampe à gravité et son lit à deux places – retirait ses vêtements pour se nouer sous les aisselles une étoffe de couleur rouge. Elle s'était retournée afin de lui présenter des fesses rebondies qui se détachaient de hanches étroites. Ses gestes étaient lents et mesurés, une danse offerte au regard de l'homme dont elle feignait d'ignorer la présence. Kabongo ne put s'empêcher de se demander pour quelle raison les personnes dites du troisième type, bien qu'elles se soient donné diverses appellations à travers le temps et l'espace, venaient au monde dans des corps masculins. Qu'elles soient *hijras* de Bhârat ou *muxhes* d'Oaxaca, l'accoucheuse ne les avait pas déposées dans les bras de leur mère en disant : c'est une fille. Cette réflexion l'incita à se pencher en avant pour demander à celle qui lui faisait face à présent de prononcer une parole. Il avait omis de mentionner ce détail d'une importance cruciale : le son de la voix. Kioni sourit et l'invita à la rejoindre. Kabongo exhala un soupir de soulagement. Le *One Love* faisait preuve d'un professionnalisme inégalable : on avait pensé à tout. En quelques instants seulement, on avait fabriqué le personnage idéal. Kabongo allait pouvoir blasphémer à volonté son désir pour la femme rouge et se remettre la tête à l'endroit. L'homme se rappela les paroles d'une chanson d'autrefois, entendue dans un des numéros de music-hall du *Mfundu* :

You go to my head with a smile
That makes my temperature rise
Like a summer with a thousand Julys
You intoxicate my soul with your eyes

C'était bien ce dont il espérait guérir. Une inflammation. Une intoxication. Il se leva, passa de l'autre côté.

23

Seshamani croisa les jambes et se tut. Ses interlocuteurs n'en croyaient pas leurs oreilles. Tous trois
étaient assis dans le ndabo d'Ilunga, un repas avait
été servi. Ils n'y avaient pas touché. Boya fit de son
mieux pour contenir sa colère. D'une voix qu'elle
espérait tranquille, la femme rouge rompit le silence :
Vous êtes cinglée. La requête de l'épouse était évidemment irrecevable. Non pas que l'acte lui-même la
révulse, ce n'était pas le cas. Cependant, la proposition qui venait de leur être faite n'avait été formulée
que dans l'intention de blesser, d'humilier. Il n'était
donc pas question d'y souscrire. Boya croisa les bras
et se tut. Les deux femmes se fixaient du regard. Pas
un battement de paupières ne suggérait la possibilité
d'une trêve. Ni l'une, ni l'autre, ne baisserait sa garde.
Les obus étaient parés, la destruction mutuelle assurée,
et rien ne resterait du monde après la bataille. Quand
elles se tournèrent un instant vers lui, Ilunga pensa
être la première victime de cette guerre. C'était ce
qui se produirait s'il ne prenait pas une décision radi-
cale. L'homme ouvrit lentement les yeux. Les images
vues en rêve persistèrent un instant puis se dissipèrent.

Près de lui, Boya dormait à poings fermés, dans cette posture d'abandon qui ne cessait de le bouleverser. On l'aurait dite persuadée que le jour ne se lèverait plus jamais, simplement parce qu'elle était à ses côtés. Comme lui, elle était nue sous les draps. Il eut à nouveau envie d'entrer en elle, d'y demeurer, mais préféra la laisser dormir. La présence de Seshamani dans l'aile des femmes n'avait pas dérangé leurs ébats. Il n'en serait pas toujours ainsi. À la longue, cette situation deviendrait intenable. Si le songe de son dernier sommeil était bien une prémonition, Boya le quitterait. Elle n'attendrait pas que de nouvelles provocations – qui ne manqueraient pas – aient raison de sa bonne volonté. Elle ne voudrait à aucun prix faire de ses jours un pugilat permanent, ce qui empoisonnerait leur amour. Qui le lui reprocherait ? Il se leva, se dirigea sur la pointe des pieds vers la salle de bains. Maintes possibilités lui étaient venues à l'esprit s'agissant des caprices de Seshamani, des demandes extravagantes qu'elle pourrait formuler afin de n'être pas écartée. Bien des possibilités, mais pas celle-là. Il se repassa mentalement la conversation qui, pour le moment, n'avait eu lieu que dans une autre réalité. Seshamani relatait à sa manière des faits anciens, lui reprochant de l'avoir initiée aux perversions qui les avaient éloignés l'un de l'autre. Il n'était pas équitable ssque Boya conserve quant à elle sa pureté. Parce que ses droits d'épouse avaient été bafoués, qu'elle n'avait pas eu son mot à dire comme il aurait fallu, Seshamani réclamait que l'amie du mokonzi soit à son tour corrompue. Et par ses soins, tandis que l'homme assisterait au spectacle. On pouvvait louer sa mansuétude : elle n'exigeait qu'une seule et unique nuit. À elle, cela avait suffi. Une nuit pour faire d'elle une autre femme. Dans la réalité onirique, Ilunga gardait le silence, ahuri par l'aplomb de Seshamani autant que par sa requête. Dans celle-ci, il devait au plus vite parler à son épouse. Lui dire sans entrer dans les détails qu'il savait ce qu'elle avait en tête, attendre qu'elle se dévoile. Elle le ferait, non sans véhémence. Il pourrait alors l'interroger sur les représailles éventuelles, ce qu'elle comptait faire si son vœu n'était pas exaucé. À vrai dire, il ne voyait pas. Elle aurait semé le trouble dans l'esprit de Boya, mais devrait s'en contenter. Il était fort peu probable qu'elle convoque une conférence de presse pour révéler ce qu'elle avait mis tant de soin à dissimuler. Cela ternirait l'image d'Ilunga, mais de son côté à elle, il n'y aurait d'autre solution qu'un exil définitif. Inutile, donc, de se laisser impressionner. En revanche, prendre un peu d'avance ne serait pas une mauvaise chose. Il n'était pas improbable que l'unique objectif de Seshamani soit de pousser Boya vers la sortie. Ilunga devait lui faire savoir qu'il n'y aurait pas, pour elle, d'issue favorable. Elle ne resterait pas son épouse. Une palinodie de sa part serait certes un événement, mais on le poussait dans ses derniers retranchements.

Sous la douche, il tenta de déterminer l'instant propice à cette conversation avec Seshamani. Depuis son arrivée deux jours plus tôt à la résidence, elle se terrait dans ses appartements de l'aile des femmes, ne se rendant visible que de Zama. Elle faisait monter la pression. Ilunga n'excluait plus l'idée d'un divorce. Il y pensait sans émotion particulière, comme à un acte de légitime défense. S'il était contraint de faire un choix encore plus affirmé, il le ferait. Le sens du devoir était à ses yeux une valeur cardinale qui impliquait des obligations vis-à-vis de soi-même. Seshamani n'avait rien compris à son attitude, l'imaginant sans doute guidée par un sentiment de culpabilité qu'il était loin d'éprouver. Il ne pensait aucunement l'avoir corrompue, pervertie, acculée à la déviance. Elle ne le lui avait d'ailleurs reproché que récemment. Il sortit de la douche, commença à se sécher, ne put réprimer un soupir. Cette discussion ne pourrait avoir lieu avant le lendemain. Ce matin, il se rendait au Nyerere Hall. La journée serait longue. Certains des frères présents souhaiteraient lui parler après la réunion. Il lui serait impossible de se soustraire à ces échanges. Il allait quitter la salle de bains pour le dressing, quand Boya apparut, encore froissée par le sommeil, vêtue des réminiscences de leur nuit. Rien ne l'attendrissait plus que de la voir ainsi. Il ne voulut pas l'inquiéter en la priant d'éviter Seshamani en son absence. Se laissant embrasser, l'homme demanda simplement : *Te rends-tu à l'université aujourd'hui ?* Elle lui apprit que oui, une partie de la journée. Ensuite, elle irait à Vieux Pays. Une des anciennes du groupe d'initiées était au plus mal. Elle passerait donc à ses côtés un long moment et rentrerait tard. Depuis plusieurs jours, on se relayait auprès de l'aînée. Cet après-midi, selon le calendrier établi, c'était à elle qu'il revenait de la veiller. On pensait qu'elle ne passerait pas le mois. À contrecœur, Ilunga quitta la salle de bains. Achevant de se préparer, il se fixa sur les événemenssts de la matinée. Depuis qu'il était le mokonzi du Katiopa unifié, de tels rassemblements ne s'étaient pas souvent produits. Chaque fois, cela avait été pour débattre de questions importantes : l'arrêt de la reprise des terres, l'intégration des espaces de l'Autre bord ou les missions des sections de l'Alliance établies à Pongo. Des sujets que le Gouvernement ne prenait en charge qu'en fonction de ce qu'avaient décidé les frères. Pour ses membres, bien qu'ils respectent les institutions de l'État, l'Alliance était première. Sans son œuvre, il n'y aurait pas de Katiopa unifié. Un long chemin avait été parcouru. Ils pouvaient se féliciter de leurs accomplissements.

Cependant, la discorde prenait doucement place au sein de la demeure à peine érigée. Nul n'avait connaissance des choses obscures qui se tramaient et il ne pourrait les révéler. Pas encore. Mais il suffirait de ce commencement pour que se lèvent des légions qui saperaient vite le travail réalisé. Dans le meilleur des cas, l'union résisterait au sein de formations régionales plus ou moins étendues comme l'avait été la Fédération Moyindo lorsqu'ils l'avaient prise. Si le pire se produisait, tout serait à refaire et les chances de réussite étaient minces. Que l'union ait échoué une fois, après tous les sacrifices consentis en vue de son avènement, la disqualifierait de façon définitive. Le Continent ne serait jamais un pôle de puissance, il resterait à la remorque du monde, sommé d'avancer à marche forcée sur une voie tracée par d'autres. L'Alliance, qui avait donné à l'État ses mikalayi et les membres du Gouvernement, était constituée d'une matière humaine exceptionnelle. Toutefois, les dieux eux-mêmes, tels qu'ils avaient été créés, n'étaient pas exempts de faiblesses. Et surtout, l'Alliance n'opérait plus tout à fait en vase clos. Désormais confrontée aux populations, à une réalité mouvante donc, elle devait mettre en place des politiques élaborées de façon théorique ou testées à une petite échelle. Pour l'heure, les mikalayi jouissaient tous d'un fort ancrage régional, mais des oppositions encore souterraines s'affirmeraient vite, si l'organisation était affaiblie. Elles mettraient du temps à la faire vaciller, à lui arracher les rênes. Mais il ne serait possible de les contenir qu'en faisant preuve d'une autorité plus soutenue, n'excluant pas la violence. Ce serait une défaite. La guerre à nouveau, entre peuples du Continent. Et là aussi, il s'agirait d'une voie sans retour. L'équilibre atteint jusque-là demeurait précaire. Le Katiopa unifié avait fait le choix d'un type de démocratie devenu inhabituel, distant des méthodes auxquelles s'étaient accoutumées les nations coloniales. Sa conception avait emprunté à des pratiques anciennes, familières à certaines communautés, étrangères à d'autres. On avait procédé ainsi pour divers aspects de la vie collective, suscitant souvent le mécontentement de ceux dont les traditions n'avaient pas été mises à l'honneur. Or, pour une région donnée, même en cherchant à effectuer une répartition équitable selon les domaines, la variété identitaire était telle qu'il se trouvait toujours quelqu'un qui puisse se plaindre de n'avoir pas eu les faveurs du choix. On avait défait les chefferies locales partout où elles avaient usurpé leur titre, afin de réhabiliter leurs tenants légitimes. Là aussi, cela s'était révélé vecteur de ressentiment, les dédommagements versés n'étant que symboliques. Ilunga en avait conscience, le Katiopa unifié, après cinq années d'existence, avançait en terrain miné.

Il retrouva Kabeya à l'entrée de son ndabo. Tous deux se dirigèrent en silence vers le garage. Même à son plus proche ami, le mokonzi ne s'était pas ouvert de l'objet de la réunion. Il voulait garder en lui les mots, ne les prononcer qu'une fois. Les affaires se rapportant aux Sinistrés n'avaient été qu'un catalyseur. Ce moment serait arrivé de toute façon. Igazi et lui incarnaient deux visions irréconciliables de l'avenir. L'une et l'autre s'affronteraient tôt ou tard, chacune ayant ses chances de l'emporter. Pour l'heure, Ilunga jouissait du prestige lié à ses mérites et au fait que le Conseil l'avait choisi pour diriger l'État. Celui qui n'avait jamais cessé d'être son rival était lui aussi respecté. S'ils devaient se heurter un jour prochain, Ilunga souhaitait qu'il y ait là de la noblesse, que les choses se déroulent en pleine lumière. Et surtout, que sa vie privée ne serve pas de prétexte à des attaques qui, dans le fond, ne visaient que lui. Le kalala ne s'était convaincu du danger que représentait la femme rouge que pour une seule raison : son éviction par le Conseil lui avait laissé un goût amer, et il lui était difficile de se l'avouer. Tant qu'il ne l'admettrait pas, ses assauts seraient obliques. Il pourrait même envisager de former un Gouvernement fantôme, une structure parallèle dont la tâche serait de réaliser ce que l'institution officiellement appointée ne ferait pas. Ilunga, qui le connaissait bien, savait son goût du secret. Il en avait toujours été ainsi. Tandis que Kabeya et lui pénétraient dans l'élévateur qui les mènerait au sous-sol où se trouvait le garage, l'homme se remémora sa première rencontre avec Igazi. Ils avaient vingt-deux ans environ. Les pères de l'Alliance réunissaient les jeunes gens les plus prometteurs dans ce qui n'était pas encore la région de Nok-Ife mais une des plus importantes parmi les nations coloniales, à l'ouest du Continent. Les participants à cette réunion étaient pressentis pour

551

devenir le fer de lance de l'organisation. Ils devaient se connaître, se préparer à travailler ensemble. Ce qui avait alors l'allure d'un camp de vacances était en réalité une étape cruciale de leur formation. Le regard acéré des aînés, qui ne les lâchait pas d'un pouce, voulait détecter, parmi ceux qui étaient là, le *primus inter pares* de leur génération. Ils avaient été soumis à des épreuves physiques et intellectuelles. On avait observé leur comportement, décelé les compétences de meneur et de bâtisseur. On avait jaugé les talents de combattant et de conciliateur. On avait éprouvé la loyauté, le sens de l'honneur et du sacrifice. Bien sûr, les garçons, qui n'étaient pas stupides, se savaient sur la sellette. Même leur manière d'inspirer ou de poser le pied était scrutée. Connaissant de plus les principes de l'Alliance, ce qu'elle attendait de ses membres, chacun avait eu à cœur de se montrer sous son meilleur jour. Pour ceux qui étaient là, donner satisfaction aux anciens était primordial. Il était cependant malaisé de ruser avec sa nature profonde pendant plusieurs jours. On avait beau s'être habitué à la vie en groupe puisque des camps se tenaient dans toutes les régions où l'Alliance était implantée, celui-là, qui rassemblait un plus grand nombre d'individus, était une aventure particulière. Le regard expérimenté des pères savait voir au travers des attitudes fanfaronnes ou taciturnes. Ils débusquaient les vices cachés, les intelligences retorses, les disciplines de façade. Les clans – c'était ainsi que les aînés avaient choisi de nommer les équipes – réunissaient des jeunes ne se connaissant pas. Igazi et lui avaient été placés à la tête de clans rivaux. Il s'agissait de conquérir un espace, d'acquérir des ressources, de protéger son territoire, puis de l'étendre. La dernière phase était la plus violente, l'expansion induisant la plupart du temps la soumission des adversaires.

Lorsqu'il n'était resté que deux clans, le sien et celui d'Igazi, la férocité de la bataille avait contraint les anciens à y mettre un terme. Ils avaient été déclarés ex aequo. Les deux chefs de clan avaient été sanctionnés. Les corvées de nettoyage du camp leur avaient été imposées. Ils avaient aussi dû partager la même tente jusqu'à la fin du rassemblement. C'était ainsi qu'ils avaient commencé à se parler, chacun félicitant l'autre pour sa bravoure, son sens de la stratégie, son opiniâtreté. Au cours de leurs conversations nocturnes, déjà à cette époque, Igazi n'avait d'obsession que les savoirs occultes qu'il envisageait comme des armes parmi les plus utiles pour s'opposer *aux forces qui nous oppressent*. Il aimait que l'Alliance soit une sorte de société secrète, qu'une partie de ses enseignements soit ésotérique. Au cours du dernier repas, qu'ils prenaient à l'écart du groupe, Igazi se montrait volubile dès qu'il était question de pratiques guerrières. Aucune ne leur était inconnue, cela faisait partie de leur apprentissage. Lorsqu'ils faisaient ensemble la vaisselle pour tout le camp, Igazi égayait leur peine en racontant des histoires. Ilunga se souvenait avec précision de l'une d'entre elles, qui avait pour décor le Fako. Si cette dernière lui était restée en mémoire, c'était parce que son compagnon en faisait un exemple pour comprendre l'emprise qu'avaient eue les colonisateurs venus du pays fulasi sur les territoires qu'ils s'étaient appropriés. Une nuit, un parlementaire fulasi ayant la particularité d'être un Descendant doublé d'un grand maître de loge avait pris part, avec les autorités traditionnelles de la région, à un rituel devant sceller le destin de deux pays : le sien et la nation coloniale abritant le Fako. Un serment avait été prononcé, mis par écrit, et le document avait été enfoui sous les racines d'un arbre auquel des vertus mystiques étaient prêtées. On avait arrosé cela d'hémoglobine à provenance ovine, et de ce sang, chacun avait bu. L'ingestion du breuvage engageait les participants. Ils ne trahiraient pas le pacte, vivraient pour le faire respecter. Dans la contrée, l'affaire, a priori secrète, était connue de tous. Lorsque, bien des années plus tard, quelqu'un avait pris son courage à deux mains pour détruire l'arbre par le feu, le colosse végétal avait survécu et continué de s'élever. Sa croissance n'avait eu d'égale que la profondeur de l'enlisement de la nation coloniale. Pour Igazi, ces cérémonies, dont on pouvait penser qu'elles n'étaient destinées qu'à frapper les esprits, avaient eu des effets véritables. *Imagine*, demandait-il exalté, *qu'ils aient répété l'opération dans les quatorze pays formant leur pré carré ?* À ses yeux, c'était une évidence. Il n'y avait pas d'explication plus rationnelle à la manière dont les gouvernants de ces nations coloniales étaient restés arrimés aux maîtres d'antan, les autorisant à battre monnaie à leur place, signant avec eux des accords commerciaux ou de défense, investissant chez eux l'essentiel de la fortune dérobée à des populations plongées dans l'indigence. Et bien entendu, ces gens, ces colonisateurs fulasi, qui n'avaient à la bouche que les mots de probité et de bonne gouvernance, ne s'étaient jamais plaints que les sommes détournées aient servi à faire l'acquisition, dans les beaux quartiers de leur kitenta, de biens immobiliers luxueux. Les histoires que contait Igazi, qui fondaient solidement ses convictions vis-à-vis des étrangers venus de Pongo, étaient bien connues à travers le Continent. Elles étaient passées à toute vitesse sous le manteau, enrichies de détails, murmurées de plus belle. Ilunga savait qu'elles recelaient un fond de vérité, mais il lui était impossible d'en faire le prisme unique de ses analyses géopolitiques.

En ce temps-là, Igazi et lui étaient devenus des frères. Pas des amis. C'était la fraternité qu'il importait de sauver à présent. Elle les avait précédés et devait leur survivre. Selon l'attitude qu'afficherait aujourd'hui le kalala, il déciderait de la marche à suivre. Il n'était écrit nulle part que la préservation de la fraternité implique celle de tous ses membres. Kabeya prit place près du chauffeur tandis que lui s'installait sur la banquette arrière de la berline. Un jour tel que celui-ci, il lui fallait assumer ses fonctions de Responsable de la sécurité personnelle du mokonzi. Il avait troqué son kèmbè pour un ensemble de couleur noire. L'iporinyana qu'il ne quittait jamais apparaissait dans l'échancrure de son agbada. Ils n'échangèrent pas un mot dans le véhicule. Durant le trajet, Ilunga garda l'œil fixé sur la kitenta. Il en aimait l'architecture, les édifices en terre crue dont les plus anciens étaient vieux d'un siècle, les maisons des quartiers résidentiels qui mêlaient argile, pierre et bois, l'habitat vernaculaire de la vieille ville populeuse dont les murs en pisé seraient bientôt rénovés. Les jardins et les places aux murs végétalisés qui convoquaient la nature au cœur de la cité le ravissaient. Les passerelles électriques courant çà et là à travers la ville lui semblaient des pythons de métal, représentations animées, presque vivantes, de la divinité telle que l'avaient envisagée certains peuples. Le baburi en offrait un autre visage, plus coloré, plus terrestre, plus vif. Et il y avait les gens, la foule bigarrée, souvent élégante de cette métropole devenue la vitrine de l'État. Il aimait se promener parmi eux sans être vu, écouter les conversations, la langue urbaine qu'avaient inventée les jeunes en mêlant plusieurs des idiomes principaux du Katiopa unifié. Son seul regret, lorsqu'il lui arrivait de s'enfoncer dans les quartiers populaires, était de ne pouvoir s'offrir les mets que proposaient les marchandes des rues. Leur activité avait été réglementée, elles s'acquittaient d'une patente et se soumettaient à des contrôles sanitaires. Cependant, on avait jugé nécessaire de préserver un commerce sans lequel la Mbanza aurait perdu son âme. Juchée sur une de ces motos électriques louées à prix d'or par la ville, une femme doubla la berline. Sa monture et la couleur rose de sa toilette lui rappelèrent Seshamani. C'était en parcourant le Continent à moto qu'elle avait rencontré sa compagne. Il se demanda comment cette dernière vivait la situation, ce que lui confiait Seshamani.

Avant cette relation qui avait été un tournant dans la vie amoureuse de l'épouse, il pensait avoir élucidé un des mystères de sa sensibilité. Pour lui, ses passions féminines étaient charnelles, mais sur le plan des sentiments, elle ne s'éprenait que d'hommes. Dans son aveuglement et peut-être en raison d'une blessure narcissique, il avait voulu croire, durant toutes ces années, qu'elle éprouvait à son égard une sorte d'amour dévoyé. Que c'était la raison de sa présence auprès de lui. Sans doute lui était-il nécessaire de voir ainsi les choses pour endurer le sacrifice qu'imposait la situation. Il avait fallu qu'elle se mette en ménage avec une de ses conquêtes pour lui faire comprendre combien il s'était fourvoyé. Seshamani n'aimait qu'elle-même et le confort de son existence. Elle était prête à tout pour ne rien perdre de ce qu'elle considérait comme sien. Et il faisait partie de ses possessions, de ses biens meubles. C'était terminé. Il fallait admettre l'idée que deux âmes, même liées comme l'étaient les leurs, ne vibraient pas au diapason. Pas seulement le savoir : le reconnaître et en tirer les conséquences. L'esplanade du Nyerere Hall s'étirait devant la berline quand Ilunga parvint à cette conclusion. Il se sentait libéré d'un poids, l'esprit assez alerte pour faire face à ce qui l'attendait ce matin. Embrassant du regard le vaste parvis, il s'attacha aux statues de bronze qui en ornaient le côté droit. Chacune avait un visage, un nom. C'étaient les représentations de combattants pour la liberté, hommes et femmes ayant voué leur existence à l'avènement de la justice. *La quintessence* – tel était le nom du monument – recevait de nombreuses visites d'écoliers et attirait les touristes. Une émotion subite l'étreignit et sa pensée s'éclaira : commandée à un collectif de sculpteurs, cette œuvre symbolisait l'idéal du Katiopa unifié. Ce qu'avait recherché l'Alliance au cours des âges, ce qu'elle souhaitait faire advenir, c'était cela : la justice. La fidélité à soi comme la réinvention de soi étaient des moyens, pas le but. Le spectacle de ces deux cents colosses de bronze confortait la vision qu'il comptait partager avec ses frères. Ayant longé l'édifice, le chauffeur le contourna pour accéder à l'entrée des véhicules motorisés. Il ralentit devant les gardes et baissa la vitre. Le contrôle ne dura qu'un bref instant. La berline s'engouffra dans le garage souterrain du Nyerere Hall.

Boya n'avait pas voulu en parler. Ce matin, Ilunga réunissait les membres les plus importants de l'Alliance au Nyerere Hall. Elle ignorait tout du motif de ce rassemblement, mais le savait suffisamment décisif pour remettre à plus tard les affaires domestiques. Car elle avait choisi de voir les choses sous cet angle. Son dernier sommeil avait été troublé par un rêve à la fois étrange et trop précis pour qu'elle n'y accorde pas d'importance. Comme chaque fois qu'elle passait la nuit dans les appartements d'Ilunga, la femme rouge s'habilla dans le dressing où des vêtements neufs avaient été amenés à son intention plusieurs mois auparavant. Lorsqu'elle quitta les lieux, un des hommes de la garde avait pris la place de Kabeya. Elle le salua d'un hochement de tête, prit le chemin de l'élévateur qui la conduirait dans l'aile des femmes. Boya disposait de deux heures environ avant son premier cours de la matinée. La circulation n'étant jamais trop dense dans la kitenta, elle serait à l'université en peu de temps. Cela lui laissait un moment pour frapper avec insistance à la porte de Seshamani comme elle le faisait, appeler à voix haute, insister. L'épouse, qui se dérobait aux regards depuis son entrée dans la résidence, n'eut d'autre choix que de lui ouvrir, au risque de paraître inconvenante. Or, pareille attitude nuirait à ses démarches. Puisqu'elle n'optait pas pour l'attaque frontale après son assaut radiophonique, il était bon de se donner encore l'air de rien. Ce fut ainsi que Boya déchiffra la mine interloquée de la femme qui resserrait autour de sa longue silhouette les pans d'un déshabillé de soie mauve. Sans attendre d'y être invitée, la femme rouge pénétra dans la pièce, se dirigea vers la baie vitrée, écarta énergiquement les rideaux pour faire entrer la lumière du jour. Puis, prenant place sur un fauteuil, elle fit signe à Seshamani de s'asseoir à son tour. Préférant rester debout, celle-ci se croisa les bras sur la poitrine. Boya se remémora avec précision le rêve dans lequel c'était elle qui esquissait ce geste. Elle demeura assise. Les yeux plantés dans ceux de l'épouse, elle déclara : *L'exercice différé d'un droit de jambage ne vous sera pas accordé. Je ne compte pas non plus me séparer d'Ilunga. Quoi qu'il arrive.* Celle qui recevait ces propos écarquilla les yeux et laissa échapper un halètement : *Vous êtes cinglée !* La femme rouge haussa les épaules : *Si vous voulez.* L'idée même d'affronter une femme pour quelque motif que ce soit l'avait toujours révulsée. Cependant, on ne lui laissait guère le choix. Après sa sortie radiophonique, l'épouse avait certainement quelque funeste projet à l'esprit. Si tout cela ne menaçait pas la sérénité d'Ilunga, elle aurait été ravie de capituler afin que l'adversaire savoure sa victoire. Mais de quoi ce triomphe serait-il fait ? Boya fit part de son étonnement et de sa déception. Seshamani n'avait même pas l'excuse de l'amour contrarié. Protégée par celui à qui elle nuirait le plus, elle coulait des jours heureux auprès de son amoureuse. Elle était assurée de conserver son statut, son titre, les prérogatives qui lui tenaient à cœur. Mais cela n'était pas assez. Parce qu'elle avait été un peu bousculée, contrainte d'assainir la situation créée par l'abandon de ses maîtresses sous le toit du mokonzi, il lui fallait une revanche publique. *Choisir l'antenne d'une station de radio pour vous plaindre d'avoir été mise devant le fait accompli... Imaginez que nous procédions tous de cette façon à l'avenir. Qu'y gagneriez-vous ? Jusqu'ici, personne ne vous a vraiment tenu tête. Faites-moi confiance pour changer les choses.* Exhortant Seshamani à réfléchir pour déterminer ce qui lui importait le plus, elle se leva et lui souhaita une bonne journée. *Au fait*, ajouta-t-elle en se retournant, *il serait fort apprécié que vous quittiez de temps à autre vos quartiers. Le personnel n'a pas à connaître vos états d'âme.* Refermant dans son dos la porte qu'elle avait en quelque sorte forcée, Boya se félicita de n'avoir pas manqué d'autorité pour formuler sa mise en garde. Au moment où le kalala et ses acolytes menaçaient sa vie, il ne lui restait pas une once de patience pour les caprices de l'épouse. Elle pensait avoir été claire : qui cherchait la bagarre l'aurait. La femme rouge exhala un long soupir. Tout aurait pu se passer autrement. Elle ne s'était pas vraiment excusée du renvoi de Folasade et Nozuko, se bornant à reconnaître la violence du procédé. Même en agissant ainsi, elle ne s'en était pas prise à la citadelle abritant l'incapacité de Seshamani à s'accepter. Elle lui avait rendu service. Il ne lui revenait certes pas de l'exposer si telle n'était pas sa volonté, mais son acte, aussi brutal ait-il été, avait offert une chance à l'épouse, un nouveau départ. Seshamani était à un tournant de sa vie. Il ne tenait qu'à elle d'en écrire des pages lumineuses. Tandis qu'elle passait par ses propres appartements pour y récupérer ses effets avant de se rendre sur le campus, Boya soupira à nouveau. Elle avait bien exprimé sa pensée. Cependant, une partie de ce qui lui tenait à cœur n'avait pas été énoncé. C'était pourtant l'essentiel. La femme rouge quitta la résidence en se demandant pourquoi il lui était difficile de dire : *Je*

ne partagerai pas Ilunga, ni sur le papier, ni autre-
ment. Demandez le divorce. Au fond d'elle, dans
une des régions les plus reculées de son être, là où se
déroulait la longue reptation de vérités trop crues pour
être sans mal affrontées, c'était ce qu'elle ressentait.
Ce qu'elle voulait vraiment dire. Était-ce pour ne pas
dévoiler une faille qu'elle avait tu ces mots ? Peut-
être. Seulement, l'assurance d'avoir trouvé l'homme
qui lui était destiné, celle d'être pour lui la compagne
désignée, n'était en rien une faiblesse. Un si grand
amour ne pouvait souffrir la présence de parasites. La
cohésion de l'Alliance était en péril. Ilunga n'avait pas
besoin de vivre, sous son toit, d'autres affrontements.
Pour l'instant, ils avaient su se préserver, mais l'étan-
chéité de leur refuge ne serait pas toujours garantie.
Il lui était désagréable de s'apercevoir qu'elle n'avait
pas atteint ces sphères élevées où l'on se riait des passions ordinaires. Mais il n'y avait rien d'avilissant à
n'être qu'une femme amoureuse, à vivre dans l'alter-
nance de la félicité et du trouble. Elle allait en parler
à Ilunga. Avant l'annonce de leurs noces, ils devaient
avoir réglé l'affaire Seshamani.

*

Le Nyerere Hall était le siège officiel du Gouvernement. Huit de ses neuf départements y étaient logés,
seuls les services réunis sous l'autorité du kalala faisant
exception. Que le renseignement et les forces armées
constituent un pôle unique avait semblé évident à tous.
Que celui-ci occupe des locaux séparés et distants
des autres avait aussi été approuvé. Situé dans l'aile
administrative de sa résidence, le cabinet du mokonzi

n'avait pas été conçu comme faisant partie du Gouvernement au même titre que les Affaires diasporiques ou l'Énergie, par exemple. Le mokonzi était certes la tête du Gouvernement, mais il entretenait avec le Conseil qui l'avait élu des relations particulières. Elles le plaçaient en quelque sorte à cheval sur les deux instances qu'étaient le Gouvernement et le Conseil des anciens. Les bâtiments du Nyerere Hall formaient un ennéagone entourant un jardin. Le premier – baptisé *Le dôme* en raison de sa forme arrondie –, avec sa façade donnant sur *La quintessence*, abritait le toguna dévolu aux débats des trois pôles de l'État, lorsque ces derniers se réunissaient. C'était là aussi que se retrouvaient les membres du Conseil lorsque leurs obligations les requéraient à la kitenta, notamment dans les cas où leurs arrêts devaient être rendus publics. Ils y disposaient d'un sanctuaire, d'un restaurant et d'appartements. Dans ces quartiers privés, les anciens pouvaient recevoir, en audiences individuelles, les dignitaires de l'État. *Le dôme* était un domaine consacré, l'endroit où les affaires du pays étaient examinées sous l'angle spirituel et où l'on ne prenait pas le risque du mensonge. Il y avait là un pouvoir. On le savait, les membres du Conseil avaient effectué là maints rites et invocations. Chacun y avait convoqué ses esprits gardiens, ses guides, les ancêtres dont il avait l'oreille. C'était dans la salle de réunion qu'Ilunga avait choisi de rencontrer les représentants les plus importants de l'Alliance. Certains, il le savait, ne pourraient y être physiquement. On les entendrait par visioconférence. En comptant ceux-là, ils seraient vingt-sept. Ilunga patientait dans la bibliothèque. Kabeya, qui montait la garde à l'extérieur, le préviendrait quand tous auraient pris place dans le toguna. La partie de l'immeuble que l'on désignait ainsi en occupait le dernier étage. Conformément à la tradition, la pièce était basse de plafond. De larges baies vitrées en assuraient l'ouverture sur l'extérieur. Elle aurait dû se trouver au rez-de-chaussée afin de privilégier le contact avec la terre, mais on y avait renoncé, sur les recommandations du kalala. La protection des esprits n'invitait pas à la négligence, bien au contraire. De nos jours, il était impensable de s'exposer aux regards, à d'éventuels attentats. Ce toguna n'était pas le seul. Moins connus du public, les autres avaient une structure plus conventionnelle. Et il arrivait que le toguna soit tout simplement l'endroit où le mokonzi rencontrait le Conseil au complet.

La bibliothèque était consacrée aux croyances et pratiques médicinales du Continent. On y trouvait également des écrits d'invention mettant en scène ces aspects du vécu des Katiopiens à travers les âges, des ouvrages relatifs aux rapports qu'entretenaient les activités créatives avec la spiritualité, ou encore des traités de philosophie. Peut-être y avait-il autre chose encore, Ilunga l'ignorait. Les documents étaient innombrables et il n'avait pas souvent l'occasion de fréquenter ce lieu. Les anciens avaient souhaité que *Le dôme* soit en partie ouvert au public, bien que sous conditions. Une glyptothèque, exposant des objets anciens, accueillait quotidiennement les visiteurs. On y trouvait des pièces longtemps séquestrées dans les musées et collections privées de Pongo. Le mokonzi avait une préférence pour les masques, si longtemps réduits au silence : élégants et paisibles okuyi, majestueux kifwebe – appelés kimule dans leur version masculine, kikashi lorsqu'ils étaient portés par des femmes. Les objets funéraires le bouleversaient. Surtout ces énigmatiques gardiens de reliquaires arrachés à leur support. Détachées des restes qu'il leur fallait veiller, ces figures disaient la profanation qui avait souvent cheminé avec la domination.

Deux après-midi par semaine, *Le dôme* ouvrait sa bibliothèque aux universitaires spécialistes des domaines que couvrait son fonds d'ouvrages rares. Un autre jour était réservé aux thérapeutes reconnus, un dernier au tout-venant. Chaque fois, le nombre des admis ne pouvait excéder vingt, et les textes ne devaient être ni déplacés, ni copiés. Ilunga se sentait bien entre ces murs, au milieu des livres et des ordinateurs permettant de consulter les documents numérisés. On avait donné congé au personnel pour la matinée. Seuls les employés du restaurant se présenteraient, un peu plus tard. À l'intérieur de l'édifice, les hommes de la garde du mokonzi assuraient la sécurité, les agents habituels ayant été laissés à l'extérieur et à leurs postes dans les autres bâtiments. Kabeya avait réprimé son envie d'écarter tout homme n'étant pas sous son commandement. Ce n'était pas le moment de provoquer le kalala, pas encore, pas de cette façon. C'était pour cette raison que, même à son plus proche ami, Ilunga n'avait pas révélé ce que lui avait appris sa dernière séance chez la sangoma. Aux situations graves voire alarmantes, il opposait un visage impassible, les examinant comme on le ferait d'une carte posée à plat sur une table. Les détails cent fois soulignés lui restaient gravés en mémoire, si bien qu'il devenait superflu de recourir au plan. L'Alliance l'avait dressé pour affronter le danger. C'était ce qu'il comptait faire. Lorsque Kabeya frappa à la porte comme convenu, le mokonzi du Katiopa unifié se leva. Ils traversèrent le hall depuis lequel on voyait les premières rangées de *La quintessence*, passèrent devant l'escalier mécanique descendant au sous-sol où se trouvait le sanctuaire des anciens, dépassèrent la glyptothèque, s'arrêtèrent face à l'élévateur qui les mènerait au toguna. Celui-ci occupait un peu plus de cent mètres carrés de superficie au centre de ce dernier étage de l'immeuble dont la verrière le surplombait et l'abritait. Fixées à ses piliers, de larges baies vitrées ouvraient sur l'espace alentour, puis sur la kitenta dont on avait une vue plongeante, bien que *Le dôme* soit le moins haut des bâtiments du Nyerere Hall. Un des côtés ouvrait sur le jardin et sur les autres édifices, tout de même assez distants pour ne pas offrir de vis-à-vis gênant. Ils formaient une demi-lune à l'arrière du *Dôme* qui apparaissait comme un joyau jalousement gardé, aussi bien par les grands arbres du jardin que par les immeubles du Hall. Les bronzes de *La quintessence* lui tenaient lieu de bouclier ou de vigie, selon le regard que l'on posait sur l'ensemble.

Ilunga pénétra dans le toguna par sa porte est. En dépit de la faible hauteur sous plafond – un peu moins de deux mètres –, ceux qui l'y attendaient se levèrent, inclinant le buste pour le saluer, prononçant à l'unisson les formules d'usage. Ceux dont la taille n'était pas assez haute pour les exposer aux heurts d'une intimité avec le plafond, courbèrent néanmoins l'échine et baissèrent eux aussi les yeux. Ilunga salua de même puis se dirigea en silence vers la place restée vacante face au groupe. Lorsqu'il fut assis, tous en firent autant et Kabeya s'avança vers le fond de la pièce où il s'installa seul, les bras croisés sur la poitrine. Le mokonzi ne prit pas immédiatement la parole. D'abord, il fixa des yeux l'assistance, et ce regard immobile s'attacha au moindre détail. Il avait souhaité qu'à l'inverse des réunions habituelles, il n'y ait pas, cette fois, de plan de table. Les convives s'installeraient selon leurs préférences, sans doute selon leurs affinités. Ces dernières ne lui étaient pas inconnues, mais celles qui s'affirmeraient le plus spontanément seraient les moins nocives. Ceux qui avaient quelque chose à se reprocher tenteraient de dissimuler leurs intentions en évitant de se montrer ensemble. Igazi avait ses fidèles et d'autres pourraient le rallier. Ilunga avait déjà désigné la taupe qu'il enverrait infiltrer le camp adverse. Kabundi serait excellent pour tenir ce poste. C'était un diplomate-né, le gars qui savait être à son aise dans n'importe quel environnement, plaisanter sans en penser moins, promettre son soutien en préparant la mise à mort du requérant, jurer l'inverse de ce à quoi il s'était résolu bien avant de prêter serment. Pour Igazi, ce serait la plus belle prise. Ilunga savait cependant que son chargé des Affaires diasporiques ne placerait jamais rien au-dessus de l'Alliance. La fraternité, telle que conçue par ses fondateurs dont les noms étaient gravés sur les piliers du toguna, était la seule cause à laquelle il sacrifierait sa vie. Cet homme saurait sans mal berner le kalala. Son unique faiblesse résidait dans son goût pour les femmes, surtout lorsque celles-ci lui résistaient ou, simplement, quand elles ne se pâmaient pas devant sa beauté. Enfin, n'étant pas marié et ne chassant pas sur les terres des autres, il ne causait, en la matière, que des dommages mineurs. Aujourd'hui, son élégance avait pris place entre Gbayara, le kakona du Katiopa unifié et Bankole, son kadima. L'un était responsable du Budget et des questions économiques de façon générale. L'autre avait reçu le portefeuille de l'Agriculture. À la droite du premier, toujours au bord de l'hilarité tant que les débats n'avaient pas commencé, se tenait Yohanseh, le mwambi du Gouvernement, dont la mission était de répondre à la presse, aux collectivités et au public, d'expliquer les décisions prises, les actions en cours. C'était vers lui que l'on se tournait avant de parler à l'un des responsables de département. Sa tâche nécessitait une rare polyvalence, une maîtrise des dossiers dans différents domaines. Son titre de mwambi, de porte-parole donc, pouvait sembler inapproprié pour le seul des membres du Gouvernement dont les attributions impliquaient une transversalité presque totale. Les autres étaient des spécialistes, lui un omniscient. Tous lui ouvraient les portes de leur domaine. Tous, excepté le kalala qui communiquait lorsque bon lui semblait et n'en référait qu'au mokonzi ou au Gouvernement réuni. Kabundi, Gbayara, Bankole et Yohanseh ne chahutaient pas tout à fait, mais en d'autres circonstances, ils ne s'en seraient pas privés. De ces quatre-là comme d'un certain nombre d'autres, Ilunga était sûr. Son regard ne croisa pas celui d'Igazi, mais il le vit, assis à contrecœur à l'une des extrémités de la table basse en forme de U. Un mètre et demi les séparait. Comme à son habitude, le kalala s'était placé de façon à ne pas se sentir à l'étroit. Il lui fallait de l'air, de l'espace pour faciliter ses mouvements. Lui faisant face à l'autre bout de la table, se trouvait Botshelo, l'une des six femmes présentes. Elle était leur aînée d'une dizaine d'années environ, ce que nul n'aurait deviné à la fraîcheur de ses traits. Connue pour son esprit vif et mordant, elle était la mikalayi de la KwaKangela. Sa foi fervente dans la race comme notion valide et opérante n'avait d'égale que sa misogynie. Botshelo n'accorderait sa bienveillance ni à Boya, ni aux Sinistrés. Igazi et elle paraissaient ne pas se voir, ce qui requérait la mise en œuvre de stratégies d'évitement particulièrement éprouvées. S'ils n'avaient encore ressenti le besoin d'unir leurs forces, cela ne tarderait pas.

Quand il eut fait le tour de l'assemblée, Ilunga esquissa un geste en direction de Kabeya. Des écrans fixés de part et d'autre de la pièce, sur des piliers latéraux, s'allumèrent l'un après l'autre. Les visages qui y apparurent étaient ceux des personnes n'ayant pu se déplacer. Ilunga attendit de voir Katakyie, le responsable de l'Alliance en pays ingrisi, et Thiam, son homologue en territoire fulasi. On vérifia le bon fonctionnement du matériel audiovisuel. Les essais furent rapides, les appareils avaient été testés un peu plus tôt dans la matinée. Lorsque tous furent présents et que l'attention de chacun lui fut acquise, Ilunga salua à nouveau les bandeko, les remerciant de s'être libérés pour ce rendez-vous dont ils ignoraient le motif. Il plaisanta : *Si je ne connaissais pas chacun d'entre vous, je m'étonnerais que des personnes occupées à recréer le monde aient trouvé le temps...* Pensant avoir déridé les anxieux, le mokonzi du Katiopa unifié ne prit pas de détour : *Comme vous le savez, je me suis adressé aux étrangers du pays fulasi. Les membres du Gouvernement en ont été informés de façon individuelle. Cependant, nous n'en avons pas débattu. J'ai simplement fait savoir que mon propos concernerait leur avenir au sein de l'État... J'ai cru comprendre que ma démarche et mon discours avaient suscité un malaise...* Ilunga ne perdit pas de temps à souligner qu'il avait agi conformément à ses prérogatives. Sa fonction lui conférait en effet une autonomie que même la fraternité ne pouvait contester. Au contraire, il avait toujours été attendu d'un chef qu'il exerce son autorité, assume son statut et, bien entendu, les conséquences de ses actes. Il en allait ainsi de celui qui était devenu le premier mokonzi du Katiopa unifié, comme autrefois des chefs de clan formés dans les camps de l'Alliance. C'était bien pour cette raison que le choix de cet homme ne pouvait concerner les populations d'un État aussi divers. Ces foules sentimentales remplissaient les églises dites d'éveil trois décennies plus tôt à peine, se mettant à la merci de prestidigitateurs animés par la cupidité et un goût affirmé pour l'abus de pouvoir. D'ailleurs, elles ne réclamaient pas cette forme de démocratie qui, dans les pays où on l'avait vue prospérer, s'était faite le plus sûr allié de forces du désordre. Quand il n'en était pas ainsi, les gouvernants de ces nations n'avaient cessé de contourner leur propre loi, de piétiner leur prétendu idéal pour agir à leur guise. C'était donc sans angoisse ni vergogne que le Katiopa unifié avait opté pour d'autres modalités de la démocratie. Et si les fondateurs de l'Alliance s'étaient inspirés de figures anciennes pour inventer sa fonction, le mokonzi n'était pas un de ces chefs ayant plus de prestige que de pouvoir véritable, d'autres instances régnant à travers eux. On avait préféré plus de verticalité, certes en assortissant cela de quelques garde-fous. Jusqu'à son adresse aux Sinistrés, Ilunga n'avait entrepris aucune action proprement solitaire. Il considérait que ce n'était toujours pas le cas, mais concevait que sa méthode ait pu donner l'impression inverse. Le Conseil avait été averti, mais il n'était pas l'Alliance. Les frères siégeant au Gouvernement avaient été avisés un par un, mais tant qu'ils n'étaient pas tous ensemble, il n'y avait pas d'Alliance.

Alors, sans s'appesantir sur aucun de ces aspects, il fit connaître la raison de ce rassemblement. Son importance justifiait que le cœur de l'Alliance se retrouve ce matin. Ilunga poursuivit : *Eh bien, je n'aime pas l'idée que mes décisions soient source de trouble, surtout si nous n'en débattons pas comme nous l'avons toujours fait pour résoudre nos problèmes. Nous ne pouvons nous permettre un manque de cohésion à ce stade de notre parcours. Je vais donc vous demander de me renouveler ou non votre confiance au terme de cette rencontre. Avant cela, je propose que nous mettions à plat les questions contentieuses. Ensuite, nous passerons au vote selon nos conventions.* Ces mots signifiaient une chose : les propos échangés sous le toguna ne seraient nulle part divulgués, ni même évoqués entre soi hors de cet espace ; le jugement de chacun serait connu de ses pairs, le vote n'était pas secret. Devant l'air outré de certains qui allaient s'empresser de protester – car, bien entendu, ils avaient confiance et voyaient en lui le plus légitime d'entre eux à exercer la fonction de mokonzi –, Ilunga eut un geste d'apaisement. Non seulement allait-on aborder les sujets conflictuels ou potentiellement tels, mais il mettait bien son titre en jeu. *Deux choses*, précisa-t-il, *nous resterons dans le cadre du problème fulasi, puisque c'est à partir de lui que des incompréhensions se sont signalées. Et vous serez libres de mentionner ma compagne. J'ai cru comprendre qu'elle était rendue responsable de ce que certains perçoivent comme un*

570

déficit d'acuité de ma part. Ilunga se tut. Sans révéler la source de ses informations, il venait de devancer Igazi. Celui-ci n'en resterait pas là, mais quoi qu'il entreprenne désormais contre lui, ce serait en désaccord avec la décision majoritaire. Car Ilunga ne pensait pas être désavoué. Il se passerait du temps avant qu'une telle possibilité se fasse jour. Le kalala resta stoïque. Il avait reçu le message. Ilunga saurait, au vu de son comportement, où en étaient ses sombres projets. S'il avait déjà réuni autour de lui un groupe dissident, même sans avoir eu connaissance de l'ordre du jour et déterminé la marche à suivre, Igazi se risquerait à voter le dernier. Il prendrait alors le parti de la défiance. S'il n'avait pas encore constitué cette faction séditieuse, il devrait au moins dévoiler ses doutes, voire son animosité, faire comprendre à ceux qui partageaient son opinion que l'opposition aurait un chef. Ils ne seraient donc pas isolés. Dans ce cas, Igazi s'abstiendrait de juger son mokonzi, le temps d'organiser la fronde qui serait d'abord souterraine. Il n'y eut pas un murmure dans le toguna, pas un son pendant plusieurs longues minutes. Les membres de l'Alliance avaient beau être des combattants aguerris, ils n'avaient pas souvent eu l'occasion de s'illustrer dans des joutes de cette nature. Il était question de se prononcer sur la loyauté du chef de l'État et, à vrai dire, nul ne le soupçonnait de félonie : on ne voyait pas bien pour quelle raison il déciderait subitement d'agir contre les intérêts du pays. Pas sciemment, pas lui, c'était impossible. Alors, oserait-on affirmer, et devant témoins, que l'on attribuait à la femme rouge une influence délétère sur celui dont elle partageait la vie ? Sans mettre en cause la fidélité d'Ilunga à l'Alliance, cette allégation reviendrait à interroger la fiabilité de son jugement et, de fait, sa légitimité à occuper encore la première place. Autant dire que l'on était invité à marcher pieds nus sur des braises ardentes. On ne se hâtait pas. Il convenait de peser ses mots car il était impensable de ne rien dire, et chacun devrait faire connaître sa position.

Tandis que l'on étendait une main vers la coupe contenant des noix de cola blanche ou que l'on se versait à boire, ce fut Botshelo qui rompit le silence. *Puisque nous avons à débattre avant de faire ce que tu exiges, Nkozi, et puisque tu nous autorises à mentionner ton… amie, pouvons-nous savoir quelle relation elle entretient avec les Sinistrés ? Pour ma part, je n'ai reçu aucune information à ce sujet. Or, si certains parmi nous lui reprochent ta générosité à leur égard, il est probable que cela se fonde sur des éléments tangibles. Sans vouloir t'offenser, Nkozi.* Elle avait parlé de cette voix suave que tous lui connaissaient, prenant soin d'afficher une attitude modeste cependant qu'elle mettait généreusement les pieds dans le plat. Car la question sinistrée n'était qu'un sujet annexe. Elle ne s'était hissée au rang d'affaire d'État que depuis l'entrée de cette femme rouge dans la vie du mokonzi, ceux qui pouvaient additionner un et un s'en étaient aperçus. Avant de faire la connaissance de cette femme, Ilunga était favorable à l'expulsion des Fulasi et cherchait le moyen de persuader le Conseil de la pertinence d'une telle mesure. Les regards s'élevèrent pour se fixer sur le visage du mokonzi. L'homme ne se déroba pas. Quelque peu désinvolte, Ilunga saisit l'occasion pour désigner Boya de façon adéquate, annonçant que leurs noces auraient lieu sous peu, qu'il en

572

informerait la population lors des prochaines festivités du San Kura. La femme rouge n'était donc pas à ses yeux une concubine mais sa future épouse. Quant à sa relation avec les Sinistrés, elle était avant tout d'ordre intellectuel, puisqu'une partie de ses recherches universitaires portait sur cette catégorie sociale. Dans le cadre de son travail, elle avait été amenée à s'entretenir avec des étrangers venus du pays fulasi, un nombre restreint d'entre eux, et il n'y avait là rien de personnel. *Nkozi*, ajouta Botshelo, *je ne souhaite pas monopoliser la parole. Nos frères ont à dire. Aussi, je serai brève : quel peut être l'intérêt d'un tel travail de recherche, surtout s'il induit la fréquentation des Fulasi ? Ces gens ne sont pas des nôtres, et il est entendu que cette première étape du parcours de l'État soit consacrée à nous connaître nous-mêmes à nouveau...* Ilunga espérait entendre de tels propos. Ils étaient en parfaite adéquation avec ses anciennes conceptions, et il s'était préparé à y répondre. C'était bien de ce *nous-mêmes* qu'il s'agissait. Quel était-il au fond ? Les études relatives à la présence sinistrée, au mode de vie de cette communauté et surtout à sa vision du monde, avaient la même validité que celles portant sur tout autre groupe humain habitant le pays. On avait eu tort de ne pas y recourir, de se limiter aux opérations de contrôle. D'accord, on avait eu des raisons et les Sinistrés se montraient eux-mêmes réticents à se lier aux autres. Mais il avait réfléchi, prenant appui sur les déclarations du Conseil qui avait préconisé la fusion avec les étrangers. Tous ici avaient cela en mémoire.

Il était allé plus loin que ne l'avaient fait les anciens, ceux-ci recommandant une méthode organique grâce à laquelle la communauté fulasi, absorbée par la population de la région où elle était établie, disparaîtrait sans laisser de traces. Il n'y aurait qu'à attendre, les Sinistrés mettraient un terme à leur isolement afin de garantir leur survie. Alors, ils se mêleraient aux autres, seraient phagocytés. Ce serait l'affaire de deux générations au plus. Et s'ils ne procédaient pas ainsi, leur destinée serait celle de ruines, ces dernières ayant ici la particularité de s'être exportées en un lieu où elles seraient à jamais muettes, privées de signification. Ce serait pire encore que de s'être coulé dans le sang de familles katiopiennes, dans leur souvenir et dans leurs lendemains. Enfin, Ilunga avait révisé son approche de la question sinistrée. Il restait convaincu que le Katiopa unifié ne gagnait rien à nourrir une population si obstinément tournée vers un ailleurs mythifié. Cependant, s'était-on assuré que tous parmi les Sinistrés cultivaient ce fantasme ? Si tel n'était pas le cas, n'y aurait-il pas une injustice à rejeter ceux qui se seraient volontiers donnés à Katiopa ? *Il m'a semblé*, déclara-t-il, *que tendre la main à ceux qui voudraient la saisir nous honorerait et nous renforcerait. Cela va dans le sens de notre projet.* Le problème que posaient les Sinistrés était sans rapport avec leur origine. En revanche, il avait tout à voir avec leur attitude. Quelqu'un se racla la gorge. Ilunga aurait pensé que cette interruption viendrait d'Igazi, celui-ci ne pouvant se retenir de faire remarquer que la provenance des êtres influait sur leur nature qui, à son tour, guidait leur comportement. Ce fut Horo, le mikalayi du Grand Faso, qui tint ce discours, notant au passage que les Sinistrés y accordaient assez de crédit pour préférer la mort en vase clos à un épanouissement les contraignant au mélange. *Je ne comprends même pas*, siffla-t-il, *que l'on s'interroge à leur sujet : ceux d'entre eux qui ne partageraient pas la vision commune n'ont pas quitté le groupe pour autant. Celui-ci leur importe donc plus que tout.* Un murmure d'approbation parcourut une partie de l'assistance. Ilunga admit l'évidence. Précisément, si elle avait la solidité que l'on pouvait envisager, l'affaire connaîtrait un dénouement rapide : les Sinistrés quitteraient le territoire. Mais s'il se trouvait dans leurs rangs un seul individu désireux de rejoindre le Katiopa unifié, la porte lui serait ouverte. *Je dois dire*, ajouta-t-il, *que ton propos m'étonne. L'Assemblée des mikalayi au sein de laquelle tu sièges s'est opposée au renvoi de ces personnes sur leurs terres ancestrales. C'est d'ailleurs pour cette raison que je ne vous ai pas consultés avant ma déclaration : vous aviez statué sur ce cas.* Horo hocha la tête en signe d'assentiment, avant d'expliquer ce qui avait guidé la décision de l'Assemblée. Il avait fallu tenir compte de l'émotion des populations, du besoin inconscient qu'elles avaient de se venger de l'histoire tout en prétendant le contraire. Elles refusaient que ces étrangers fassent l'objet d'un rapatriement forcé, mais se satisfaisaient de les voir mordre la poussière, faire l'expérience de l'infériorité, de l'invisibilité, du silence. Ce n'était pas le comportement le plus charitable, mais c'était ainsi, le passé avait laissé des traces. Sans se l'avouer, on se réjouissait de voir les maîtres de l'ancien monde réduits à leur plus simple expression humaine, passés de premiers à derniers. Cette petite revanche n'avait pas encore duré assez longtemps pour que l'on en soit repu. Le mokonzi devait tenir compte de cela. Du nord au sud de l'État, on savait par cœur ce qu'avait été la Chimurenga, les diverses formes qu'elle avait prises à travers les époques afin que le Katiopa unifié voie le jour. L'avènement de l'unité par les moyens que l'on savait contenait ou détournait l'acrimonie de ceux des Katiopiens auxquels on l'avait imposée. Tous dans cette enceinte savaient que l'apaisement n'était pas acquis, qu'il ne le serait pas avant longtemps, et que l'on ne pouvait se permettre la moindre distraction. *Dans ces conditions, il ne faudra pas nous étonner que ta main tendue aux Sinistrés prive les nôtres de ressources – appelons-le ainsi – encore nécessaires à leur épanouissement. Voir les subalternes devenir des égaux n'est nulle part une perspective engageante. Permets cette mise en garde, frère*, conclut Horo. Des troubles pouvaient surgir, qui emploieraient inutilement les forces de l'État.

Ilunga aurait fait preuve de malhonnêteté en feignant avoir envisagé certains des éléments mis en avant par le mikalayi du Grand Faso. S'il y avait pensé, ce n'était pas en ces termes. Ce fut son tour d'étendre la main vers les noix de cola blanche posées devant lui, de prendre le temps de se verser un verre d'eau. Non, tous les Katiopiens ne verraient pas d'un bon œil les transformations induites par l'intégration des Sinistrés. Mais certains en seraient ravis, même pour de mauvaises raisons. Il faudrait accompagner le processus. Les points qui venaient d'être soulevés n'étaient pas le cœur du problème et ne l'inciteraient pas à amender sa décision. La question, et il comptait la poser de façon claire, était celle de savoir ce qu'était ce *nous* au nom duquel on se montrait circonspect, voire franchement réticent à accueillir ceux des Fulasi qui voudraient devenir des Katiopiens. Sa réflexion sur ce sujet était ce qu'il avait de plus important à transmettre. Lorsqu'il l'aurait exprimée, le vote de la confiance ne paraîtrait plus si fantaisiste. Depuis toujours, deux conceptions théoriques, l'une hypogée, travaillaient l'Alliance. La question sinistrée favorisait le choc entre elles. Il fallait en passer par là, et le mokonzi ne craignait pas d'être défait. Il avait circonscrit le cadre des débats, mais personne au sein de l'assemblée ne prendrait de décision sans tenir compte de son action de façon générale. Ses acquis plaideraient pour lui, l'assentiment du Conseil aussi. L'homme vida lentement son verre puis le reposa. Il allait répondre à Horo, quand Botshelo sollicita à nouveau la parole. Elle semblait avoir eu une sorte d'illumination, cela se voyait sur son visage. La question qu'elle posa suscita la première réaction notable d'Igazi qui ne put que lui accorder toute son attention lorsqu'elle demanda : *Au cours de ses entretiens avec les étrangers, ta future épouse a pu recueillir des informations intéressant différents services de l'État. Je pense à la Sécurité intérieure, par exemple. Si tel est le cas, a-t-elle fait connaître ses découvertes ?* Les yeux d'Igazi et de Botshelo se croisèrent. Puis, le kalala se tourna vers Ilunga. Jamais la femme rouge n'avait approché la Sécurité intérieure, il pouvait en témoigner. Ilunga haussa les épaules. Était-il à la portée d'une universitaire d'apprécier ces choses ? Si d'aventure il leur venait l'idée de nuire à l'État, à la société, même les Fulasi ne seraient pas assez stupides pour se dévoiler. Ils étaient par ailleurs très bien surveillés. La Sécurité intérieure connaissait donc ceux des Katiopiens qui se rendaient de façon régulière dans leur communauté, ces allées et venues n'étant pas courantes. S'il y avait eu quoi que ce soit de suspect, cela n'aurait pas échappé aux services du renseignement. Or, rien ne lui avait été rapporté au sujet des entretiens menés par sa compagne pendant une longue période, bien avant leur rencontre. *Jamais Boyadishi n'a pris contact avec la Sécurité intérieure*, ajouta-t-il à l'endroit d'Igazi, *mais celle-ci ne l'a pas inquiétée non plus. Cela devrait clore la discussion sur ce chapitre.*

Cette rencontre sous le toguna était, pour Ilunga, une conversation avec son vieux rival. Elle n'avait pas d'autre utilité, bien qu'il compte s'en servir pour obtenir l'allégeance d'une majorité des membres éminents de l'Alliance. Ceux du Gouvernement avaient été informés de sa démarche à l'endroit des Sinistrés. Au cours de cet entretien, ils lui avaient communiqué leurs réserves, leurs éventuels désaccords. Le plus grand nombre s'était rangé à son avis, dès lors qu'il leur avait fait saisir les avantages du *Katiopa, tu l'aimes ou tu le quittes* : se débarrasser des radicaux, absorber les intégrationnistes. La seconde catégorie serait la moins importante, et les jeunes en constitueraient l'essentiel. Il s'agirait d'individus encore malléables, animés par un désir concret d'appartenance. On en ferait vite des Katiopiens, ils étaient prêts, ne demandaient que cela. Sans attendre la réaction de son kalala, Ilunga poursuivit. On ne posait que des questions annexes, d'après lui. Il importait davantage de revenir à ce *nous* que l'on voulait protéger des Sinistrés. Les propos de ceux des mikalayi qui avaient pris la parole ne le laissaient pas indifférent, lui-même avait partagé leurs réserves. Simplement, il lui apparaissait à présent que, comme l'avait souligné le Conseil par la voix de Ndabezitha, la politique de puissance dans laquelle on s'était engagé ne pouvait s'illustrer par la crainte des Sinistrés. La méfiance que l'on nourrissait à leur égard, en dépit de leur condition misérable, trouvait sa raison dans un passé bel et bien révolu. Ils n'avaient aucun moyen de réitérer les crimes de leurs ancêtres. Si même ils en concevaient le projet délirant, il serait aisé de les mater. Ils ne constituaient donc pas de problème à proprement parler, mais en révélaient un. *Et c'est de cela, en réalité, qu'il faut nous entretenir.* Ilunga comptait que l'on épuise au cours de cette séance la question de savoir quelle part de ce *nous-mêmes* représentaient les Sinistrés. C'était en répondant avec la plus grande clarté que l'on pouvait déterminer la politique idoine. *C'est ce que je pense avoir fait avant d'agir.* Dans cette partie du Continent où ils résidaient, les étrangers du pays fulasi avaient entretenu, avec les populations locales, des liens aussi affectifs que politiques. Cette histoire où se mêlaient – de part et d'autre – séduction et aversion, amour et haine, fournissait bien des réponses, pour peu que l'on accepte de la lire sans en sauter une ligne. Aujourd'hui, l'asymétrie des rapports profitait à Katiopa, sur son sol ou en pays fulasi où l'ostracisme avait vécu. De quoi pouvait-on se plaindre et qu'y avait-il à craindre ? Ilunga ne croyait pas à l'idée selon laquelle une essence fulasi, transmise à travers les générations, faisait de ces gens un danger permanent pour l'État. *Je ne pense pas exagérer en affirmant qu'ils n'ont été dotés d'aucun pouvoir surnaturel et que nous nous sommes rendus maîtres de nos terres...* Le sujet qui les occupait, il voulait y insister, n'était donc pas celui d'une éventuelle menace fulasi. La question était de savoir si on avait fait la paix avec la part de Fulasi et, par extension, de Pongo à l'intérieur de soi. *Il me semble que le problème est là, dans notre capacité à accepter que ce fameux* nous-mêmes *à défendre et à élever se soit formé dans le contact avec les agresseurs d'hier, dans le long frottement des peaux et des cultures.* En prenant le pouvoir, l'Alliance avait renommé le Continent pour témoigner de la conscience de soi retrouvée. Elle avait mis en place, dans tous les domaines, une série de mesures illustrant cela, instauré des pratiques nouvelles pour inscrire cette attitude dans le quotidien des Katiopiens. Il convenait cependant de ne pas se faire d'illusions. Cette œuvre que l'on avait commencé à concrétiser en faisant main basse sur la Fédération Moyindo voulait inventer un futur sans tout renier du passé. Sculptés pour honorer ceux dont on se réclamait, les bronzes de *La quintessence* représentaient des immortels pour lesquels cette région du monde n'avait souvent eu d'autre nom que son appellation coloniale. Ils n'appartenaient au Katiopa unifié que pour une raison : le monde dont ils procédaient avait enfanté celui-ci. *Convient-il de rappeler que, tous ici, nous avons vu le jour dans les spasmes de cet autre environnement et que c'est pour cette raison que nous avons pu en concevoir un nouveau ?*

Ilunga voulait en venir à un point aussi précis qu'incontestable : reconnaître comme matrice l'ancien monde, c'était admettre une filiation extracontinentale. Ceux de Pongo avaient baptisé l'espace habité par les ancêtres, qui n'avaient pas récusé cette appellation. Elle avait tapissé les rêves, fécondé les utopies, alimenté les radicalités. Or, qui nommait sinon le créateur ? Qui, sinon les ascendants ? Que l'on se

soit choisi un nom ne suffisait pas à effacer les faits :
nous-mêmes était encore constitué d'une part signi-
ficative de Pongo. La manière dont on traitait les
évadés du pays fulasi révélait le confort ou l'intran-
quillité dans lesquels on se trouvait pour affronter
cette vérité : qu'ils étaient des membres de la famille.
Qu'ils le nient ou ne le sachent pas était sans effet
sur la réalité. Ilunga se tut et apprécia le silence qui
s'était abattu sous le toguna. Quelques mois plus tôt,
pareille analyse l'aurait décontenancé. Toutefois, il ne
se serait pas dérobé devant sa justesse. Il se versa un
peu d'eau, laissa ses propos faire leur chemin dans les
esprits. Bien sûr, on pouvait lui objecter que les étrangers n'avaient que faire de cette fraternité façonnée
dans le fracas de l'histoire. Il répondrait que telle avait
été l'origine du Sinistre : le refus de cette autre présence à l'intérieur de soi, la résistance aux transformations qui s'étaient produites aussitôt que l'on avait
posé les yeux sur l'autre, avant de le toucher. En les
enjoignant de quitter Katiopa s'ils ne l'aimaient pas,
on se gardait d'avoir à guérir ceux des Sinistrés que
taraudait encore la vieille affliction, on ne perdait
pas de temps. De ce qu'il venait de dire, on pouvait
faire une lecture politique, froidement réaliste. Pour
l'heure, le mokonzi du Katiopa unifié réservait ces
arguments. Ils lui permettraient de l'emporter plus tard
dans la matinée, lorsque chacun se serait fait entendre.
Alors, il plaiderait une dernière fois pour sa stratégie,
la présentant comme telle. Il rappellerait ces éléments
trop fréquemment oubliés et que lui-même se gardait d'évoquer. On n'était tenu par aucune obligation
envers les cours internationales, mais l'État avait ses
lois. S'ils étaient malins, les Sinistrés se tourneraient

vers un avocat. Celui-ci n'aurait pas de mal à déceler la faille et à s'y engouffrer. Il ferait savoir l'impossibilité d'expulser des gens vers un pays sans représentation sur place, avec lequel tous les liens avaient été rompus. Ses clients n'auraient pas les moyens de le rétribuer, mais une affaire Communauté fulasi contre Katiopa unifié ferait grand bruit. S'il se trouvait, sur le territoire, un tribunal assez audacieux pour débouter l'État, les Fulasi resteraient. Il faudrait recourir à la force pour les assimiler. Ce serait un mauvais début pour qui envisageait de rayonner un jour. Sa proposition était la plus raisonnable, il en était convaincu. L'homme reposa son verre et attendit. C'était maintenant que commenceraient les débats.

*

Il était écrit que cette journée ne serait pas la plus reposante. Lorsque Boya passa enfin le portique de sécurité de l'université, lorsqu'elle fut devant son bureau, elle se figea. Non seulement la porte avait été ouverte sans son autorisation – et donc au mépris des procédures les plus élémentaires de sécurité – mais on s'était permis d'introduire quelqu'un dans les lieux. D'abord, elle pensa rebrousser chemin, ne revenir qu'accompagnée de l'un des vigiles employés par l'université. Puis, prenant soin de garder les jambes en position pour détaler s'il le fallait, elle approcha plus près, glissa prudemment la tête à l'intérieur de la pièce. Pour décider un des agents de la sécurité à quitter son poste et la suivre, il serait pertinent de lui fournir des éléments concrets. Un peu plus qu'une porte ouverte, bien que ce soit déjà un sérieux motif d'inquiétude. Son anxiété commença à se dissiper lorsqu'elle reconnut, de dos, l'épaisse chevelure grise d'Abahuza. En silence, elle avança vers l'amie qui penchait le buste en avant, comme pour lire, fouiller dans son sac à main. Le fait de l'avoir identifiée ne rendit Boya ni loquace, ni chaleureuse. Tout ceci restait tellement étrange. Abahuza n'avait aucun besoin de se présenter sur le campus pour la rencontrer. La femme rouge devait voir le visage de la visiteuse pour cesser de retenir ainsi son souffle, de se tenir sur la pointe des pieds. La perplexité lui fit lever un sourcil lorsque, s'étant approchée, elle découvrit le nourrisson dans les bras de l'ancienne. Ce spectacle eut pour effet de la paralyser à nouveau. Tout dans cette scène était extraordinaire, et tout lui semblait d'une extrême gravité, sans qu'elle soit en mesure de dire pourquoi. Au terme d'un long silence, comme leurs regards se croisaient, ce fut l'aînée qui parla : *J'ai dit aux gardes que j'étais une tante venue de la campagne. Ce n'est pas faux... Rassure-toi, ils ne m'ont pas reconnue. Un membre du Conseil n'a rien à faire ici.* Tandis que son amie parlait, le regard de Boya passait de son visage à celui de l'enfant. Un être neuf, un poussin à peine sorti de sa coquille. La pâleur de la peau, l'absolu dénuement capillaire, l'étourdissant silence dans lequel était cet enfant par ailleurs éveillé, avaient quelque chose de perturbant. Abahuza reprit la parole, ne dit que quelques mots, y joignant le geste de tendre un pli à son interlocutrice : *On*, dit-elle, *m'a laissé ceci pour toi.* Incapable de se détacher du nouveau-né, Boya demanda : *Est-ce une fille ?* Ce n'était pas cette question qu'elle souhaitait poser, mais l'autre lui échappa, tant la réponse paraissait évidente. *Oui, c'est bien une petite fille*, confirma-t-on, avant d'ajouter : *Et elle t'est confiée*. Ce fut alors seulement que la femme rouge se donna la peine de lire la lettre manuscrite, en langue fulasi. On l'avait rédigée d'une main assurée, sans doute à la plume. Les mots traduisaient une décision mûrement réfléchie.

Madame,

J'attends un enfant, et vous serez sa mère. Ne l'ayant pas désiré, n'entretenant aucune relation avec le géniteur qu'il me serait impossible de nommer, j'aurais pu remettre mon fardeau à quelque institution. Je ne peux m'y résoudre. Bien qu'il me soit pénible de l'admettre, l'enfant portera un peu de moi.

Dans ces conditions, il faut me tourner vers une personne connaissant ma langue et ma culture autant que celles de ce pays. Nulle autre que vous, à ma connaissance, ne remplit ces critères. Il faut aussi une femme encore jeune. Ne sachant comment vous approcher, je prie madame Abahuza B. de bien vouloir se faire mon intermédiaire. Je vous sais proches et m'en remets à sa bienveillance…

Une Aglaé Du Pluvinage signait le mot. Sa lecture achevée, Boya regarda au fond de l'enveloppe, elle sentait le poids d'un objet, un léger renflement aussi, dans sa main. En plus de la lettre, le pli contenait une clé de stockage à brancher sur un appareil de lecture. La femme rouge pensa qu'il s'agissait d'un enregistrement vidéo, un document qu'elle n'avait pas hâte de découvrir. Elle alla fermer la porte laissée ouverte. À pas lents, elle se dirigea ensuite vers sa table de travail, passa derrière, ouvrit la lucarne qui donnait sur l'extérieur dont elle ne voyait rien qu'une branche de flamboyant toujours plus déterminée à lui tenir compagnie. Ce matin, la parade amoureuse de l'arbre échoua à la divertir. La femme rouge tentait de comprendre ce qui lui arrivait. Assise sur le fauteuil destiné aux visiteurs, Abahuza berçait doucement le bébé qui ne faisait pas un bruit, à peine l'entendait-on respirer. La fillette n'était qu'une minuscule boule enveloppée de langes pastel. Cependant, il émanait d'elle une force qui ajouta au trouble de Boya. La situation était surréaliste, mais il y avait autre chose, elle n'aurait pu dire quoi. *Explique*, pria-t-elle. Son amie haussa imperceptiblement les épaules, toute l'histoire tenait en quelques mots. La lettre résumait cela. Elle l'avait lue, bien sûr, le billet n'étant pas cacheté. *Et je devais comprendre. Tenter au moins.* La veille, au petit matin, on avait sonné à sa porte, avec assez d'insistance pour la tirer de son troisième sommeil. Elle n'était pas de nature méfiante, mais son premier mouvement avait été de coller un œil au vasistas. L'heure, tout de même. Nuit et jour se disputaient encore le ciel, il était un peu tôt pour les visites. Celles qui avaient lieu au crépuscule du matin étaient rarement de courtoisie. Ce temps-là était celui des alarmes, des crises, des mauvaises nouvelles transmises trop tard. Même elle n'était pas pressée de se confronter au malheur du monde. Abahuza avait donc collé à l'œil-de-bœuf un des siens. Sur le perron, se trouvait son plus proche voisin. L'homme rentrait de sa course matinale, lorsqu'il avait remarqué le couffin sur la dernière marche du petit escalier. Alors, il l'avait alertée. Il ignorait pourquoi : pas un son n'émanait du panier, pas un mouvement n'était perceptible depuis la chaussée. L'homme avait eu un pressentiment. Abahuza voulait bien reconnaître que, sur le moment, il ne lui était pas venu la moindre idée pour éloigner ce voisin qui, d'habitude, se montrait plutôt discret et n'avait que peu d'intuition. C'était donc en sa présence qu'elle avait décacheté l'enveloppe rabougrie portant son nom, et que l'on avait laissée sur le linge couvrant l'enfant. L'ancienne était connue dans sa ville de province. Il n'était pas rare que l'on vienne lui soumettre des problèmes divers. Cependant, elle n'avait jamais imaginé qu'un nourrisson puisse lui être amené ainsi. Elle s'était ressaisie après avoir lu la note qui mentionnait Boya. *C'était un message à mon intention, écrit par Mama Namibi, la matrone de Vieux Pays que tu connais. Elle m'expliquait la situation, s'excusait de n'avoir pu se déplacer, mais m'avait envoyé une de ses filles.* Abahuza avait supposé que l'émissaire de l'accoucheuse observait la scène, qu'elle ne quitterait pas les lieux avant de s'assurer que l'enfant ait été récupérée par la bonne personne. *Elle aurait pu me la remettre, j'ignore ce qui se passe dans la tête des jeunes de nos jours...* L'ancienne avait rassuré son voisin, emporté le couffin et fermé la porte. Seule, elle avait fouillé entre couvertures, hochets et couches de rechange, afin de mettre la main sur la lettre destinée à Boya. On ne savait jamais, s'il s'agissait d'une mauvaise plaisanterie, du geste d'une désaxée. Prenant connaissance de ce message, peut-être plus nourri que celui qu'elle-même avait reçu, Abahuza pensait mieux appréhender la situation. La lettre contenait quelques détails sur les circonstances poussant la mère à abandonner le nouveau-né, les raisons pour lesquelles Boya avait été choisie. La femme rouge écoutait, pensant à son premier cours de la matinée, se demandant ce qu'elle pourrait faire d'un bébé, maintenant et plus tard. Les questions qui lui venaient étaient d'ordre pratique, elle s'en aperçut, comme si quelque chose en elle consentait à cette maternité inopinée. Car c'était ce dont il s'agissait.

Aglaé Du Pluvinage, dont les traits ne lui revenaient pas en mémoire et qu'elle n'était pas certaine d'avoir jamais rencontrée, la priait d'adopter la petite Amarante, venue au monde il y avait une semaine environ. Pour cette enfant qu'elle ne pouvait garder, elle avait choisi un nom. La voix d'Abahuza continuait de résonner dans la pièce, tandis que la femme rouge tentait de réfléchir. Sa journée était pleine, elle ne pouvait retourner à la résidence pour remettre l'enfant à Zama. Et ce ne serait peut-être pas la meilleure idée, la gouvernante n'étant pas bien disposée à l'égard de ce qui pouvait ressembler à un Sinistré. Lorsque Boya se rendrait à Vieux Pays, son attention serait pour Mama Luvuma. Elle n'aurait pas le temps de prendre soin de la petite. *Depuis qu'on me l'a apportée, elle n'a pas pleuré une seule fois. Elle n'est pourtant pas sevrée, à cet âge*, ajouta Abahuza d'un ton calme. Boya la fixa des yeux, et ce ne fut plus l'amie de toujours qui lui faisait face. C'était la première fois qu'elle venait ici. Depuis qu'elles se connaissaient. La toute première fois. Boya sut qu'elle n'avait à se soucier ni du temps qui passait, ni du confort de l'enfant. Elle se présenterait en classe à l'heure dite, et la petite Amarante serait entre de bonnes mains. *Je ne pouvais t'annoncer tout cela à distance, chercher à te voir à la résidence*, conclut la visiteuse. La femme rouge s'adossa à son siège. D'une voix tranquille, elle dit : *Tu as fait un long chemin.* Le voisin d'Abahuza pourrait témoigner, si nécessaire, lorsqu'il s'agirait de dire comment Amarante était entrée dans la vie de Boya. La lettre d'Aglaé Du Pluvinage confirmerait son souhait de voir la femme rouge prendre en charge sa progéniture. Mais il y avait une vérité au-delà de ces événements. Boya regarda son interlocutrice hocher la tête. Elle avait fait un long chemin, il était vrai. Elle avait franchi la porte séparant deux mondes pour venir à sa rencontre, lui faire tenir sa fille. Boya demanda si elle pouvait porter le nourrisson. Joignant le geste à la parole, la femme rouge se leva, fit quelques pas pour se retrouver de l'autre côté du bureau, tendre les bras. Penchant à nouveau les yeux sur l'enfant, ce ne furent pas les traits d'un bébé fulasi qu'elle vit. Boya se demanda si Ilunga reconnaîtrait lui aussi l'âme qui s'était logée dans ce corps frêle, s'il accepterait ce nouveau bouleversement, peu de temps avant l'annonce de leurs noces. À voix haute, elle dit : *Je dois en parler à Ilunga.* La visiteuse répliqua par le silence, mais Boya entendit son autre voix, celle qui venait de l'endroit d'où s'était échappée l'enfant. La petite Amarante leur était destinée, qu'ils veuillent ou non l'engendrer. Ils le savaient tous deux. Et, surtout, le clan estimait que Boya devait être accompagnée, veillée, et qu'il fallait pour cela qu'un membre de sa famille réside auprès d'elle. Nul ne se méfierait d'une enfant.

Tenant dans ses bras la petite fille, Boya eut l'impression de voir se dessiner, sur ses lèvres neuves, le sourire espiègle d'une gamine albinos pleine d'assurance et de vitalité. Elle imposait une autorité tranquille, rappelait un ordre des choses que l'on pouvait qualifier d'archaïque sans être en mesure de le défaire. Il était là, comme les parties du corps humain que l'évolution n'avait pas déplacées au fil des millénaires, des ères géologiques, des migrations oubliées. Ainsi, l'âme à naître choisissait-elle ses ascendants, ces derniers n'ayant pas leur mot à dire. Ils pouvaient ne s'être pas aimés, ne s'être pas vraiment connus, n'avoir gardé aucun souvenir du moment de la conception parce que leurs corps s'étaient emboîtés dans l'inconscience d'un soir de beuverie, cela ne changeait rien. L'âme se logeait où elle l'avait décidé. Si elle ne se ravisait pas, laissant près de la parturiente le corps sans vie d'un nourrisson ou prenant la fuite bien avant le terme prévu de la gestation, l'enfant paraissait. Il était plus rare, cependant, que le nouvel être se fasse remarquer comme c'était le cas en ce moment. On pouvait parler d'une entrée théâtrale. La femme rouge ne put s'empêcher de sourire en secouant la tête. Jamais elle n'avait envisagé de devenir mère. La sienne lui avait trop manqué, leur relation avait été trop chaotique pour qu'elle pense la réparer en donnant elle-même la vie. De plus, elle ne trouvait en général que peu d'intérêt aux nouveau-nés. L'ampleur de leurs besoins et leur mode de communication la privaient de ses moyens. C'était aussi pour tenter de transcender cette aversion qu'elle entretenait une relation suivie avec des fillettes sans famille. Elle les voyait en fin de compte assez peu, prenait des nouvelles, s'acquittait des frais relatifs à leur entretien. C'était à ses yeux le degré de maternité le plus élevé, plus qu'une extrémité, un au-delà. Pour elle, jusqu'à cet instant, il ne pouvait rien y avoir de plus. Le nombre de ces fillettes, le fait qu'elle les voie toujours ensemble lui permettaient de ne s'attacher à aucune en particulier.

La femme rouge n'interrogeait pas ses sentiments vis-à-vis de ces gamines infortunées. Elle appréciait leur compagnie, se plaisait à partager leurs jeux, recevoir leurs confidences, leur offrir robes et souliers, les emmener au spectacle. Elle aimait s'entretenir avec leurs institutrices, savoir comment se déroulaient leurs journées au foyer. Mais ce n'était là qu'une sorte de tutorat, un engagement à temps partiel, proche de ce qu'elle faisait avec ses étudiants. Sa relation avec les fillettes avait l'avantage de répondre à un besoin personnel et de confirmer, aux yeux de certains, l'utilité de sa présence en ce monde. Elle était femme et avait charge d'enfants, peu importait la forme, seul le fond entrait en ligne de compte. Ce semblant de maternité sociale ne lui coûtait rien.

L'abysse que constituaient les attentes déçues de sa jeunesse l'incitait à penser que les enfants espéraient plus d'une mère. Était-elle en mesure de donner ce qui lui avait manqué ? Pouvait-elle même le définir aujourd'hui ? Il y avait simplement eu, en elle, cette espèce de crevasse. La rencontre avec sa mèsre lui avait ôté sa dangerosité, mais ne l'avait pas remplie. Leurs retrouvailles étaient trop récentes. La femme rouge devait encore apprendre à faire fructifier, dans le monde des vivants, les ressources acquises dans l'autre dimension. Peut-être voulait-on la pousser plus avant sur cette voie… Les paroles de Mampuya dont la voix s'était glissée dans celle d'Abahuza, l'attitude de l'enfant elle-même, lui faisaient comprendre que la question ne se posait plus. *Et elle t'est confiée*, avait-on dit. Boya ignorait comment désigner l'émotion qui lui venait, cette sorte de peur panique tellement intense qu'elle en était glacée. La femme rouge affichait donc l'attitude la plus flegmatique, à mesure

que remontaient en elle des souvenirs amers, la promesse qu'elle s'était faite de ne jamais procréer. Elle
s'y était tenue. Pour le couple qu'elle souhaitait former
avec Ilunga, la matérialisation de l'amour ne devait
pas s'effectuer de cette façon. Ils se voulaient l'un
pour l'autre, la chose était entendue. Lorsqu'ils étaient
rentrés de leur dernière visite aux aïeules de la femme
rouge où ils avaient rencontré une fillette albinos ravie
de désigner ses parents, ils avaient abordé la question en peu de mots. Ce n'était même pas un sujet.
La femme rouge avait gardé Amarante dans ses bras
lorsque, se rasseyant, elle demanda dans un souffle :
Pourquoi fallait-il qu'elle ait cette physionomie ?
Cette interrogation futile ne perturba pas la visiteuse
qui haussa les épaules : *Le géniteur est un homme du*
pays. Elle devrait foncer un peu, mais le legs maternel
ne s'estompera pas. Rien de grave, nous ne parlons
ici que de son apparence. Toi et moi savons qui est
ta fille... Dans le silence qui suivit, la question proprement dite trouva une réponse. Ce que Boya voulait
savoir sans parvenir à le formuler, c'était ce qui lui
valait de devoir accueillir son enfant sous ces traits. Si
d'aventure elle acceptait cette obligation nouvelle, si
cette enfant était élevée dans la demeure du mokonzi,
ceux qui la soupçonnaient d'entente avec les Sinistrés
auraient un argument de plus. Cela pourrait nuire à
Ilunga. Et, à vrai dire, cette situation n'avait pas de
sens. Il était fait mention du géniteur dans le courrier, on pouvait comprendre le geste d'Aglaé, mais
elle aurait pu se tourner vers un orphelinat, en appeler
aux valeurs chrétiennes de sa communauté. Rien ne
se déroulait de façon rationnelle, car toute cette histoire dépassait ceux qui en étaient les protagonistes

apparents. C'était pour cette raison que la conversation se faisait maintenant sans paroles, qu'elles ne se trouvaient même plus dans ce bureau, ni sur le campus.

Celle qui n'était plus Abahuza, l'amie de toujours, mais Mampuya, l'ancêtre qui avait révélé à la femme rouge la signification de son nom, lui rappela qu'il ne s'était pas agi d'une fantaisie. Lorsqu'elle avait exigé que l'une de ses descendantes soit baptisée d'un nom inconnu, forgé dans l'appropriation d'un langage étranger, d'une figure de femme lointaine, c'était en prévision de ce moment. Par là, elle n'entendait pas évoquer l'instant immédiat mais l'époque, ce temps où il faudrait faire la paix avec une part de soi honnie. Bien que le respect dû aux humains leur soit d'emblée accordé, les Sinistrés ne valaient pas pour eux-mêmes, mais pour ce qu'ils disaient de l'être profond de Katiopa. D'ailleurs, il ne s'agissait pas uniquement de cette communauté fulasi dont le repli sur elle-même frisait la caricature et ne méritait pas que l'on s'y attarde. La question de fond, qu'illustraient à gros traits les Sinistrés, se rapportait à la relation que l'on entretiendrait avec Pongo. Pour être plus précise, Mampuya ajouta qu'elle faisait référence, non pas à cet autre continent situé tout près de Katiopa, mais à une région de l'être katiopien. Plus on brutalisait les étrangers, plus on affirmait sa fragilité devant le passé qui avait mis les peuples en relation. Or, l'histoire de la rencontre, aussi douloureuse ait-elle été, avait fait pénétrer chacun dans le corps de l'autre, de façon concrète. Aussi, prétendant régler leur compte aux puissants d'autrefois, c'était soi-même que l'on combattait. Et à dire vrai, on allait de défaite en défaite. Il n'y avait pas de victoire possible dans cet affrontement. Le sujet n'était pas géopolitique, il n'avait rien à voir non plus avec la Sécurité intérieure ou si peu… C'était une question spirituelle. À Pongo, on dirait sans doute *psychologique* afin de ne pas se complaire dans des raisonnements métaphysiques et de se tenir à bonne distance des superstitions dont raffolaient les peuplades arriérées. Elle n'allait pas lui faire un dessin, Boya comprenait. Ce n'était pas par hasard qu'elle s'était intéressée aux Fulasi, quand la société connaissait d'autres groupes marginaux. Ce n'était pas par hasard que son chemin avait croisé celui des membres d'une même famille. Les Du Pluvinage formaient une microsociété, tout en contrastes et en complexité. Ils étaient en quelque sorte des notables au sein de leur communauté, des repères. Mais ils étaient d'abord des individus, des êtres singuliers. Que leurs différentes trajectoires se croisent dans ce groupe de gens unis par les liens du sang soulignait une vérité qui valait pour l'ensemble, pour tous les humains. On était contraint de voir chacun, de le regarder, de le comprendre. Amaury était épris de Mawena avec laquelle il s'était immergé dans la culture locale. Cela pouvait arriver, cela n'avait cessé de se produire à travers les siècles. Les idéologies, les traditions, ne pesaient jamais bien lourd devant les sentiments, le désir. Amaury vivait une aventure immémoriale, l'odyssée de l'homme et de la femme. Une affaire sans couleur ni territoire puisqu'elle les arborait toutes, les traversait tous. Pour Aglaé, il en était allé tout autrement, mais son malheur plongeait lui aussi ses racines dans l'aube des temps. La vie lui avait donné un rôle dans un des nombreux épisodes du drame de la violence, une tragédie dont les actes ne pouvaient être comptés :

la déraison de qui se voulait le plus fort, la grande illusion de la domination.

Grosse des œuvres d'un inconnu qui l'avait agressée alors qu'elle rentrait d'une promenade, la jeune femme avait été délaissée par son fiancé. Meurtrie par le viol et par le rejet de son futur époux, elle ne s'était confiée à personne. Sa foi chrétienne, l'importance qu'accordaient les Fulasi à la procréation lui avaient imposé de mener à terme sa grossesse. Elle l'avait vécue recroquevillée sur elle-même, incapable de dire un mot pour sa propre défense, de réunir la communauté pour plaider sa cause. Aglaé avait laissé dire, s'était laissé regarder par en dessous, tandis qu'elle devenait le sujet de commérages. Dans sa solitude, elle n'avait cessé d'y penser. Cet homme, qui était-il ? Était-ce l'un de ceux qui provoquaient parfois les jeunes de la communauté, les filles surtout ? Ils clamaient : *Mwasi ya Orania, Femmes d'Orania*, s'étranglaient de rire. Ils n'étaient pas plus vieux qu'elles. Orania avait été rasé lors de la Deuxième Chimurenga, celle dont personne ne parlait, celle durant laquelle l'Alliance avait fait preuve de désaliénation. Tel était le sens donné aux meurtres, aux attentats, lorsqu'ils visaient la descendance des colons d'autrefois. C'était l'acte de libération suprême, celui que l'on n'avait jusque-là jamais osé : la mise à mort de ceux qui avaient été avant-hier les maîtres. Aglaé n'avait pas vu le visage de l'individu. Il l'avait attaquée de dos, lui appliquant une main ferme sur les lèvres, lui tordant le bras, l'attirant à l'écart du chemin. Elle avait eu trop peur pour tenter de résister, pour envisager de lutter. Il l'avait entraînée dans les fourrés bordant la route. Personne n'y passait à cette heure. Il n'y avait qu'elle, certains soirs où la jeune femme avait besoin d'air. Et cet homme le savait. Il avait tout prévu. L'étoffe jetée à terre permettrait que les vêtements d'Aglaé ne portent aucune trace, pas un brin d'herbe, pas un grain de poussière. Qu'il la maintienne sur le ventre l'empêcherait de l'identifier. Son regard avait-il un jour croisé le sien ? Qu'y avait-il décelé ? S'était-il senti autorisé à la prendre, invité à lui chuchoter : *Mwasi ya Orania*, tandis qu'il la forçait ? Lequel était-ce ? Il avait dit encore quelques mots dans sa langue qu'elle comprenait mal, comme une salutation, un remerciement, avant de la laisser là, étendue à plat ventre, les cheveux épars, le cœur en lambeaux. Il avait gémi en défaisant son chignon, avait ensuite glissé les doigts dans les longues mèches, semblant presque s'étourdir à leur contact. *Mwasi ya Orania*, n'avait-il cessé de murmurer, comme on fredonne une mélopée désespérée. Longtemps, elle s'était demandé ce qui l'avait poussée à se lever, à arranger sa tenue, à regagner la communauté. Un mois plus tard, elle constatait son état. Presque sans surprise. Tandis que l'inconnu s'en prenait à elle, Aglaé avait eu le sentiment d'une invasion totale de son être, une pénétration dont les traces ne pourraient qu'être durables. Elle avait annoncé sa grossesse et ses fiançailles avaient aussitôt été rompues avant qu'il ait été possible de dire un mot de plus. La jeune femme n'avait plus quitté sa chambre qu'à de rares occasions. On avait mis son humeur bilieuse sur le compte de la rupture amoureuse. Nul ne s'était étonné qu'aucun homme de la communauté ne vienne se déclarer, prendre ses responsabilités de père. Les descendants d'évadés du pays fulasi tournaient le dos à cet égalitarisme contre nature qui conférait aux femmes des droits équivalents à ceux dont jouissaient les hommes. Elles ne devaient en connaître qu'un, seulement après l'avoir épousé. Il leur revenait de préserver leur hymen. Les femmes, c'était bien connu, cela s'empêchait.

Aglaé était seule lorsqu'elle avait perdu les eaux. Sans rien dire à personne, elle était sortie comme autrefois, avant la mélancolie, avant la honte et la solitude. Nul ne lui avait rien demandé, à peine l'avait-on saluée d'un discret hochement de tête. Il était tôt, peu de gens l'avaient vue. La jeune femme ne s'était pas rendue au dispensaire. Elle n'y avait pas fait suivre sa grossesse, s'en remettant au Tout-Puissant. Ce matin-là, tandis que les contractions se rapprochaient, lui tordant les entrailles, elle avait marché, lente et raide, en direction du premier arrêt du baburi, vers un lieu connu des femmes de la région. Elle comptait y mettre au monde l'enfant. Le train de ville s'était arrêté, elle avait fait à pied le reste du chemin. Aglaé avait rédigé à l'avance sa lettre, s'y était cramponnée le long du chemin, froissant l'enveloppe, un peu plus à chaque nouvelle contraction. Elle avait pensé que la vie s'écoulerait peut-être de son corps au moment de mettre au monde le rejeton qu'elle ne pourrait aimer. C'était la première possibilité, étant donné l'état déplorable de sa santé. La seconde option pariait sur sa survie. *Son intention était d'accoucher, de laisser passer quelques jours avant de rentrer comme elle était sortie : seule.* Alors, elle aurait eu, avec les siens, la conversation jusque-là différée. Sa marche l'avait conduite dans la cour d'une matrone réputée du quartier Vieux Pays. Des femmes désireuses de mettre au monde leurs enfants dans un environnement traditionnel se pressaient là. Aglaé avait à peine fait un pas qu'elle s'effondrait dans la cour partagée de la concession qu'habitait l'accoucheuse. Elle était sous-alimentée, son corps était redevenu celui d'une préado-lescente. Qu'elle se soit déplacée comme elle l'avait fait tenait du miracle. Avant d'agoniser, elle avait trouvé la force de dire son nom, celui dont elle souhaitait que sa progéniture soit baptisée s'il s'agissait d'une fille, celui de la femme rouge qui devait la recueillir. Elle avait fait répéter ses propos, jurer sur ce que l'on avait de plus sacré. La jeune femme avait pris la peine de dire ce qu'elle avait écrit, de le faire devant témoin. Jugeant cela insuffisant, la matrone avait eu la présence d'esprit d'enregistrer les dernières volontés d'Aglaé. Faisant venir une de ses filles, elle l'avait priée de filmer les ultimes moments de la jeune accouchée. On disposait donc d'un document visuel, d'une déclaration incontestable. C'était ce que contenait la clé de stoc-kage. La communauté fulasi avait été avertie du décès d'Aglaé. Plusieurs jours s'étaient écoulés avant qu'ils daignent répondre, se présenter, récupérer la dépouille. Ils ne s'étaient pas enquis de l'enfant. Boya reporta son attention sur la petite Amarante. Elle ne put s'empêcher de rire. Sa vie était folle. Le mieux était de ne pas se crisper. Se braquer de façon systématique, c'était attirer à soi des rudesses insoupçonnées. Tout en face, autour, épousait la rigidité que l'on y opposait. Tout se durcis-sait en réponse au raidissement par lequel on espérait se protéger. Entre deux accès de franche hilarité, elle dit : *Bon, il faut quand même que j'en parle à Ilunga… Peux-tu la garder encore quelques jours ?*

Lorsque Boya regagna la résidence du mokonzi, la nuit avait franchi la moitié de son parcours. Elle était gênée d'avoir retenu Ikemba si tard, le chauffeur devrait coucher dans les dépendances, ne revoir sa famille que le lendemain. Kabeya mettait en route le système de surveillance qui lui permettait de se reposer quelques heures, quand elle était arrivée. Une minute plus tard, l'accès aux appartements d'Ilunga lui aurait été fermé. La règle était stricte, Kabeya la faisait respecter sans fléchir. La femme rouge avait pensé qu'Ilunga serait peut-être endormi, que ce ne serait pas grave. Elle avait à lui dire des choses trop importantes pour ne pas attendre qu'il lui accorde toute son attention. Il était éveillé cependant, installé sur un des larges coussins de sol, dans la pénombre du ndabo. L'homme avait revêtu un pantalon de pyjama qu'il gardait rarement sous les draps. Boya avait ôté ses sandales, s'était approchée, assise à ses côtés. *Ta journée ?* s'était-elle enquise dans un souffle. Haussant les épaules, il avait relaté les événements par bribes, de façon décousue, en commençant par la fin. C'était ainsi que Boya décelait chez lui l'épuisement. Lorsque cet esprit affûté, ce cœur serein, commençait à perdre le fil de sa pensée, c'était qu'il n'en pouvait plus. De façon générale, l'intensité de la fatigue repoussait le sommeil. Cela n'arrivait pas souvent. À vrai dire, elle n'en menait pas plus large. L'attirant à elle, Boya écouta Ilunga qui disait : *Tu te rends compte qu'il a fallu mentionner ces militants indépendantistes du Fako qui, après la défaite, se sont exilés en terre fulasi. Ils y avaient eu des camarades, des frères de lutte. Ce qu'ils voulaient, c'était la justice, pas la ségrégation raciale...* Ilunga n'en voulait pas aux frères. Lui aussi avait eu une vue étroite de ces questions avant sa rencontre avec Boya. Il avait ri : *Je n'allais pas le leur dire, on se serait réjoui d'avoir confirmation officielle de ta mauvaise influence.* Elle l'avait écouté imiter la voix suave de la dénommée Botshelo sans cesse revenue à la charge au sujet de sa future épouse. Elle avait souri pendant qu'il répétait la déclaration lapidaire de Thiam, le responsable de l'Alliance en pays fulasi : *Frères, ça fait trop longtemps qu'on couche ensemble, ces gens et nous. Ceux que vous avez là-bas sont depuis longtemps retournés en poussière. On ne va pas balayer des siècles d'intimité pour quelques petits cailloux. D'autant que c'est dans notre sens que la roue tourne à présent.* Ces propos avaient apporté de l'eau à son moulin, peut-être un peu trop. Les radicaux libres n'étaient pas les plus nombreux, à vrai dire. La plupart des identitaires ne tenaient pas à se faire remarquer et n'avaient pas de bonne raison de montrer les crocs. Après tout, on serait débarrassé d'une partie des Fulasi captifs d'eux-mêmes en terre étrangère. Les autres resteraient parce qu'ils auraient décidé de se déprendre de leurs attaches ancestrales pour s'en donner de nouvelles. On attendrait de voir. Il serait tout de même étonnant que des hordes de Sinitrés descendent dans la rue pour réclamer le droit de rester au Katiopa unifié, surtout s'ils n'entendaient pas changer leur mode de vie. On savait les Sinistrés divisés. C'était prévisible. À tous, le mokonzi avait offert la possibilité de s'épanouir : ici ou ailleurs. La balle était dans leur camp. Déjà, on observait des mouvements, le mikalayi de la région recevait les premières demandes de naturalisation. Ceux qui en étaient les auteurs ne le criaient pas sur les toits. La procédure avait été accélérée, mais les choses ne se feraient pas du jour au lendemain. Il faudrait d'abord les inscrire à des cours de langue, un préalable à leur intégration. Cette première génération de Fulasi devenus Katiopiens ne pourrait prétendre aux positions sociales les plus élevées, c'était évident. Néanmoins, en se refusant à croupir dans les marges de la société, elle accéderait à une existence plus riche à tous points de vue et offrirait de belles chances à sa descendance. *Nous ne manquons pas de noblesse en leur faisant cette proposition, et ils ne se déshonoreront pas de l'accepter*, avait remarqué Ilunga. Ils auraient dû y penser plus tôt. On avait trop longtemps abandonné ces Sinistrés à leur pathologie.

Comme prévu, les bandeko avaient voté la confiance. Et comme prévu, le kalala s'était abstenu, prétextant que ses attributions ne lui permettaient pas de prendre part au vote, même au titre de sa place au sein de l'Alliance. En tant que responsable de la Défense, qui comprenait deux des départements les plus vitaux pour l'État, il en référait au mokonzi et ne pouvait le juger. Ilunga était le chef des armées. Il présidait aussi le Conseil de la Sécurité intérieure. Le kalala, qui avait en charge les questions opérationnelles, ne pouvait voter la défiance si cela n'aboutissait pas à la révocation du mokonzi. Or, il était prématuré de l'exiger. Le fait qu'Ilunga ait agi dans l'affaire des Sinistrés sans respecter les usages – qui n'étaient pas les lois de l'État – n'invalidait pas ses mérites. La décision prise par lui de réunir les bandeko afin de s'expliquer quand nul ne l'y enjoignait, et de mettre son titre en jeu, témoignait de son assurance. C'était un geste d'autorité. Igazi n'attaquerait pas de front, mais il ne tarderait pas à le faire. La cause de son éreintement était là. Ilunga était fatigué d'avance, parce que la bataille aurait lieu, parce qu'elle serait rude et surtout déloyale : l'adversaire avançait masqué, le contraignant à en faire autant. Cet épuisement était l'autre versant de son désenchantement. Jamais il n'aurait imaginé affronter un des frères, un des plus grands, le seul qu'il aurait sans mal accepté de seconder. Il ne pouvait se résoudre à une mise à mort, mais c'était ce que préparait Igazi, d'une façon ou d'une autre. *Ça devait arriver. Un jour. Ce corps à corps.* Ces mots avaient été prononcés dans un soupir, l'homme s'était tu un instant. Sans y réfléchir vraiment, Boya s'était emparée de ce silence afin d'y introduire des paroles simples qui résumaient l'annonce qu'elle avait d'abord voulu reporter : *Nous allons avoir un enfant.* Autant tout mettre à plat maintenant, il n'y avait pas de hiérarchie, toutes les questions qu'ils évoqueraient seraient cruciales. Au regard interrogateur d'Ilunga, elle fit savoir que non, elle n'était pas enceinte. Ils allaient tout de même devenir parents. Ilunga se redressa, se tourna vers elle pour tenter de trouver, sur les traits de son visage, les signes de la dérision. Mais elle ne plaisantait pas. Soupirant à nouveau, l'homme se leva, lui tendit la main pour qu'elle en fasse autant. *Je vais me faire un jebena buna*, dit-il. *De toute façon, je n'ai pas sommeil. Toi non plus. Viens, tu vas m'expliquer.*

La conversation s'était déroulée dans le plus grand calme. Le temps n'était plus ni aux appréhensions, ni aux interrogations. Lovés l'un contre l'autre sur une des chaises longues de la terrasse, celle à deux places que Boya avait fait installer, ils s'étassient parlé à voix basse. Ils avaient examiné les événements liés à la présence sinistrée dans leur quotidien comme dans la société, s'étaient bien sûr attardés sur les Du Pluvinage. Leurs sensibilités diverses exposaient les contrastes de la communauté fulasi, ses contradictions même. À travers eux, se dessinait l'impossibilité pour le groupe de réaliser le projet des ancêtres évadés vers le confort du pré carré, son impéritie au rêve. Privés de l'agrément qu'aurait dû conférer la zone d'influence, ils s'étaient révélés inaptes à se réinventer. Il n'était resté que l'identité, ses multiples supports offrant l'illusion du sens. La langue, la race, la religion, quelques pratiques supplémentaires que l'on avait voulu préserver sous le toit d'un autre, à qui l'on concédait du bout des lèvres la qualité d'être humain. L'hallucination collective des Sinistrés en avait fait une petite tribu en route vers le silence, une disparition dont nul ne se souviendrait. Avec un peu de patience, on aurait vu le cadavre des Fulasi sombrer dans les eaux du Lualaba, mais on leur avait prêté plus de vitalité qu'ils ne savaient, plus de force encore qu'ils n'en avaient. C'était cela, dans le fond, toutes ces mesures prises pour les affaiblir, les contenir. L'adresse d'Ilunga avait eu le mérite d'interrompre ce pas de deux morbide. Elle avait ramené tous les protagonistes du côté de la vie. Et, en cela, elle avait épousé les attentes secrètes de jeunes gens qui, pour avoir vu le jour parmi les Sinistrés, n'envisageaient pas pour autant de mourir enchaînés à des ombres inconnues. La femme rouge et son compagnon avaient parlé d'Amaury/Mubiala. Mawena regardait la télévision quand le visage du garçon était apparu sur l'écran. Elle avait bondi, poussé des cris stridents, de longues onomatopées dont ses gestes n'élucidaient pas le mystère. Rire et larmes s'enlaçaient, jurons et exclamations réjouies s'élevaient à l'unisson, tandis que, s'étant roulée à terre, la jeune femme se relevait pour esquisser un pas de danse, bras tendus vers le poste de télévision. Par chance pour sa famille qui assistait à la scène sans y rien comprendre, elle était sortie de sa transe au bout de quelques minutes. Mawena avait pris une douche, s'était vêtue, parée et parfumée comme pour aller au bal. Ce n'était pourtant ni le jour, ni l'heure. Sur le seuil de la porte, elle s'était retournée pour expliquer : *Je vais le chercher. Nous rentrerons ensemble. Le mokonzi a parlé pour nous.* Sans se préoccuper de la réponse, elle avait foncé vers le plus proche arrêt du baburi. C'était de Funeka que Boya tenait ces informations. À l'accueil de l'hôpital, la jeune femme avait eu du mal à persuader le personnel de la laisser approcher celui qui s'était présenté à la télévision sous le nom de Mubiala. En fin de compte, on l'avait conduite à sa chambre. L'infirmière y avait d'abord pénétré seule, laissant Mawena derrière la grande vitre ouvrant sur le couloir. Montrant du doigt la visiteuse, elle avait demandé : *Connaissez-vous cette personne ?* Amaury avait hoché la tête : *J'ai cru qu'elle ne me retrouverait jamais.* Prudente face au garçon qui avait manifesté son désir de sortir à tout prix et dans les pires conditions, l'infirmière avait voulu s'assurer qu'il ne soit pas remis entre des mains inamicales. Alors, elle l'avait prié de nommer l'inconnue, ce qu'il avait fait, donnant en plus toutes les informations communiquées par Mawena. Son nom complet qui n'avait pas été rendu public, sa profession, son adresse.

On était venu voir cette jeune femme vêtue d'un ensemble en bazin riche de couleur bleue, ce jeune homme dont le bùbá rouge de patient descendait jusqu'aux genoux, le baiser indécent dont ils s'étaient mutuellement gratifiés. Ils se parlaient d'amour dans la langue de la région, caressaient chacun le visage de l'autre comme pour en découvrir les contours à l'aveugle. Les vêtements d'Amaury lui avaient été rendus, nettoyés, repassés. Les amoureux avaient quitté ensemble le Mukwege, pris le baburi, pénétré chez les parents de la jeune femme. Tant d'aplomb avait intimidé son entourage. On avait accepté d'attendre que Mawena trouve un logement ou, comme elle se proposait de le faire si ce premier projet échouait, qu'elle emmène son protégé où bon lui semblerait, même loin de Mbanza. On avait bien vu, de toute façon, qu'elle n'en ferait qu'à sa tête. Depuis que le mokonzi s'était adressé aux étrangers, des amants cachés ne cessaient de sortir du bois. On découvrait, en bonne place sur la liste typologique des amours confidentielles de la kitenta, une catégorie insoupçonnée : celle de gens du pays avec ces misérables Fulasi qui ne parlaient même pas la langue de la région. Sur ce chapitre, les remarques se faisaient tout de même en sourdine depuis que la population médusée avait vu ce jeune Sinistré à la télévision. On pouvait avoir d'autres surprises. C'étaient des voisins qui, ayant reconnu Amaury, s'étaient rendus chez les Fulasi. Sa famille le pensait chez les Gens de Benkos, dans leur village où les différences étaient abolies par le mélange. On prétendait y ériger un monde réfractaire au monde. Tout agglomérer, n'était-ce pas, à terme, tout effacer, entraver l'idée même de rencontre ? Jamais Amaury n'avait souhaité vivre là, ne l'envisageant que comme un lieu de passage. Lorsque les siens s'étaient rendus à l'hôpital, le jeune homme et sa dulcinée avaient pris la tangente. Il avait donné des nouvelles, on n'avait pas cherché à le ramener. La communauté sinistrée était occupée à décider de son avenir et, à vrai dire, elle s'effilochait comme une vieille étoffe lasse de résister en vain. Seuls quelques-uns se cramponnaient aux rêves de leurs ancêtres. Ces jusqu'au-boutistes de la pureté identitaire entendaient laisser derrière eux le Katiopa unifié, mais ce ne serait pas pour connaître enfin le pays perdu. Ils avaient entamé des pourparlers avec le plus grand parmi les territoires de l'Est à n'avoir pas rejoint le Katiopa unifié. Là, leurs compatriotes, nombreux, vivaient comme le commandait leur origine. Ils possédaient leurs écoles, leurs entreprises, leurs restaurants. Il leur était possible de vivre dans la langue de leurs pères, de n'avoir pas à en apprendre une autre. Ils se donnaient du travail par cooptation, on était certain d'en trouver. Encore fallait-il que le pays sollicité approuve la requête. Avait-il besoin de ces gens ? Ils semblaient avoir vécu hors du temps, dans leurs longères de bois, vêtus de leur batiste, dégustant leurs spécialités culinaires. On pouvait certes les considérer comme des réfugiés, mais le motif identitaire avait quelque chose d'un tantinet risible par les temps qui couraient. De plus, le territoire qui les accueillerait sur cette base prononcerait, à l'égard de ses propres cultures, une déclaration sans équivoque. On ne se hâtait donc pas. Parmi ces irréductibles, les plus âgés peinaient à dissimuler leur désarroi. Un si long voyage leur serait pénible, sans parler de l'effort à fournir pour s'acclimater à un environnement inconnu. La culture n'était pas tout, il y avait la nature, le visage des choses alentour.

Une seule certitude s'imposait aux uns comme aux autres : il y aurait des Fulasi au sein du Katiopa unifié. Leur physionomie inciterait longtemps à les désigner ainsi, jusqu'à la prochaine génération, issue de l'assimilation, enracinée dans la région de Mbanza.

On ne dirait même pas Katiopiens d'origine fulasi, ils seraient des autochtones de cette terre située entre l'océan et le grand Lualaba. *Et mobali na ngai*, avait dit la femme rouge, *il nous est proposé de recueillir sous notre toit un pan de ce futur.* Ilunga, qui passait nonchalammant une main dans le dos de Boya, n'avait pas eu un geste d'étonnement. Sans interrompre sa caresse et tandis que les doigts de Boya parcouraient les raies de son amasunzu, il avait raillé la grandiloquence du propos et prié qu'elle voulût bien éclairer sa lanterne : *En termes simples, s'il te plaît, il me reste à peine une moitié de cerveau à cette heure.* Alors, Boya avait raconté la visite de l'ancêtre chevauchant le corps d'Abahuza, la venue de leur fille dont l'âme s'était logée dans la chair d'un nouveau-né abandonné par une femme fulasi. Elle avait relaté les circonstances de la conception, les tribulations de la parturiente. C'était une fois ces détails épuisés que la femme rouge avait dévoilé l'identité de la génitrice, le nom choisi pour la fillette. Ilunga était resté pensif un instant, avant d'interroger : *Veux-tu élever cette enfant ?* Boya avait hoché la tête en répondant que oui, s'il était à ses côtés. S'appuyant sur un coude pour la regarder dans les yeux, l'homme avait insisté. Sa réponse le touchait, mais elle devait se prononcer sans penser à lui. Son métier l'exposait à toutes sortes de dangers, visibles et invisibles. Il ne le souhaitait pas, mais un événement malheureux pouvait les séparer de façon brutale. Alors, elle serait seule avec la petite. *Ce serait pareil pour moi, d'ailleurs, si j'acceptais d'en devenir le père. Et tu sais, notre vie changera, même avec de l'aide.* Ils pourraient continuer à roucouler, moins bruyamment, les portes closes. Ilunga s'était tu afin de laisser ses mots faire leur chemin. Après un bref silence, la femme rouge avait murmuré : *Mon cœur a déjà accepté notre fille. J'aimerais la garder, la voir grandir.* L'homme avait affirmé qu'à lui aussi, la gamine pleine de vie qui était venue à sa rencontre dans le ku bakisi de Boya avait bien plu. Il était impatient de découvrir la manière dont elle se révélerait à eux. Et puisqu'elle était la sentinelle dépêchée par Mampuya auprès de la femme rouge, l'ancêtre trouverait le moyen de la faire revenir, sous la forme d'un margouillat si nécessaire. Ilunga préférait de loin un bébé dont il faudrait changer les couches et endurer les poussées dentaires. *Mwasi na ngai, veux-tu alors renoncer à notre lune de miel ?* Boya s'était offusquée de la question. Abahuza ou même Funeka pourrait garder l'enfant en leur absence. Tout était affaire d'organisation. Elle prendrait un congé de maternité, mais ne comptait pas cesser de travailler. L'université disposait d'une crèche pour son personnel. *Elle ne pleure pas, tu verras. C'est un ange.* Ilunga avait ri. Le plus grand esprit, s'il n'avait pour véhicule qu'un corps de nouveau-né, serait contraint de hurler de temps à autre. Au moins pour rester crédible. Cette gosse braillerait comme le faisaient ses congénères, et quelquefois, ce serait seulement pour attirer leur attention. Énonçant ces paroles de conclusion, l'homme avait glissé une main sous le bùbá de la femme et s'était appliqué à lui pétrir le sein gauche. De son autre main, il avait trouvé la ceinture de son iro, en avait défait les plis, libéré la taille de Boya, puis les cuisses. Se laissant doucement étourdir par ses caresses et ses baisers, la femme rouge avait apporté son concours à l'entreprise de son amant en agitant les jambes pour se défaire du vêtement.

Quand elle avait fait mine de se lever, il avait murmuré : *Non, faisons l'amour ici.* Quand elle s'assiérait là pour bercer leur fille, il voulait que le rouge lui monte aux joues, qu'elle se souvienne de la jouissance qui les avait tous deux démantelés là, une nuit, sur la terrasse. Nul ne verrait ce rouge à ses joues, mais elle le sentirait et revivrait cet instant, interminablement.

Comme souvent le matin, Ilunga avait le premier ouvert les yeux sur la naissance du jour. Il avait peu dormi et se sentait pourtant reposé. Il se souvint d'avoir pensé, après leur premier rendez-vous, que cette femme bouleverserait sa vie, que ce serait pour le meilleur. Évidemment, il était loin d'imaginer que cela puisse avoir quelque rapport avec les Sinistrés, qu'elle l'amènerait à réviser son jugement, qu'ils adopteraient l'enfant d'une femme fulasi. Cela produirait son petit effet sur Igazi qui verrait là une corruption définitive du mokonzi. Boya ne faisait rien qu'être là, et le monde autour de lui en était métamorphosé. La veille, ils avaient parlé de tout, sauf de Seshamani. L'homme n'y tenait pas. C'était son affaire, il comptait la régler, faire de la place pour l'avenir, ses adieux à ce qui avait vécu. *Boyadishi*, chuchota-t-il, baisant la nuque de la femme endormie. Ce nom, qui n'avait pas de signification dans les langues de Katiopa dont il avait pourtant les sonorités, lui allait à ravir. Et comme souvent les noms, il avait un pouvoir, indiquait une voie. Elle l'avait suivie sans en rien savoir, mue par ses intuitions. Mampuya lui avait révélé que son nom avait été forgé à partir de celui d'une reine des Icènes, tribu oubliée de Pongo. Une guerrière rousse appelée Boadicée qui s'était dressée contre Rome. Il ne s'était pas agi, pour l'ancêtre, de la faire revivre

608

sur le sol de Katiopa, d'y implanter sa mémoire quand les siens ne la célébraient pas. Sachant que les temps viendraient de transformer la relation de Katiopa avec la part de Pongo dont l'histoire l'avait doté, l'aïeule, par ce nom recréé, avait proposé un office à sa descendante. Boya n'aurait pu dire pourquoi, de tous les marginaux, de tous les étrangers – car il y en avait au sein des frontières de l'État bien qu'ils soient souvent issus du Continent –, c'étaient ceux-là qu'elle avait voulu connaître. Elle n'aurait pu décrire la nature de l'appel auquel il lui avait fallu répondre. Et plus elle avait avancé, plus le chemin s'était précisé. À lui aussi, cela apportait désormais quelque chose. Ilunga avait oublié que le vieux Ntambwe, qui les avait recrutés Kabeya et lui, s'extasiait plus qu'à son tour sur la beauté qu'avaient su arracher les colonisés d'autrefois au langage imposé par les envahisseurs. De cette période, ils avaient abhorré la violence, lui résistant en capturant le moindre éclat se présentant à eux. Alors, ils avaient serti leur malheur de ces joyaux tirés de la boue, convaincus que l'ensauvagement prendrait fin, que les humains se retrouveraient, se reconnaîtraient un matin. On se réveillerait désireux de vivre plus que de se venger, ce serait cela, la revanche. Kabeya et lui réprimaient leurs bâillements lorsque Ntambwe récitait les poèmes des anciens, les vers soutirés à la langue qui n'était pas celle des colons car elle avait précédé leur égarement. À force d'en écouter la musique, Kabeya et lui s'étaient laissé habiter par elle, l'associant plus aux conquêtes poétiques d'écrivains katiopiens qu'à la démence prédatrice des pourvoyeurs de civilisation. La langue, comme la terre, ne se possédait pas. Elle s'appartenait, ne se donnait que selon son bon vouloir. Ilunga n'avait plus écrit le fulasi depuis ces années-là. Il désirait le faire à présent, coucher sur le papier une brassée de mots pour Boya, lui offrir quelques lignes d'une de ces poésies d'autrefois. En y pensant, il regrettait que *La quintessence* ne rende pas hommage aux faiseurs de beauté, qu'ils aient été radiés de la mémoire, laquelle n'avait plus conservé que le nom des puissants ou celui des militants. Il faudrait réviser cela aussi, convoquer toute la lumière possible. Le mokonzi du Katiopa unifié sortit sur la pointe des pieds pour s'asseoir à son bureau et rédiger, en caractères katiopiens, des syllabes dont la femme rouge reconnaîtrait la musique et décrypterait le sens. Elle lirait :

Tu dors
Et je veille sur notre amour (…)
Je suis le vieux guetteur
Qui monte la garde sur les remparts
J'ai dans les yeux les aurores des temps anciens
Et dans la tête, la chanson des temps futurs

Au bas de la page, il nota que le poème s'intitulait *Tu dors*, que son auteur était Bernard Dadié, que ces phrases s'étaient rappelées à lui au lever du jour. Peut-être saurait-elle pourquoi. Ilunga retourna dans la chambre, laissa sur son oreiller une enveloppe cachetée de bleu qui ferait sourire Boya. De retour dans le bureau, il appela Seshamani. C'était le moment.

24

La nuit offrait encore quiétude et discrétion. La femme devrait néanmoins se hâter, regagner ses quartiers avant l'aurore. Sans rien laisser paraître de son inquiétude, elle souhaitait que cette réunion prenne fin. Mais l'heure était grave, et le sujet débattu ne pouvait être survolé. Une inconnue était entrée dans la vie du mokonzi dont la raison, peu à peu, s'était mise à vaciller. Le nom de cette créature n'était jamais prononcé au sein du cercle. On ne l'appelait que *la Rouge* ou *l'Impératrice*. L'ironie, cependant, n'émoussait pas les préoccupations : qui dominait l'âme du mokonzi commanderait un jour à l'État. Non seulement avait-elle ravi le cœur et la tête de l'un des plus implacables combattants qui se soient illustrés sur le Continent depuis des temps immémoriaux, mais elle l'incitait, par-dessus le marché, à une imprudente mansuétude à l'égard des exilés du pays fulasi. Claustrés de fait dans leur fief de Matuna, les Gens de Benkos posaient en fin de compte des problèmes secondaires. Leur village confinait des communes rurales au sein desquelles nul n'avait à redire sur ce voisinage. Si leurs prédécesseurs avaient eu autrefois le goût de la miscégénation, ceux de cette génération se réclamaient de Katiopa. Certes, leur logique déréglée les conduisait à voir, dans cette appartenance, une raison d'étreindre le monde entier, de l'incorporer, mais ils vivaient entre eux cette folie. Il en allait autrement des Fulasi. C'était avec un certain effarement et de manière fortuite que l'on avait découvert leur malice. Jusque-là, on s'était accommodé de leur présence, tout projet de rapatriement ayant été rejeté. On avait eu beau argumenter, exposer les raisons objectives pour lesquelles ces personnes devaient quitter le territoire, deux parmi les trois grandes institutions de l'État s'y opposaient. On avait perdu du temps et, ce faisant, laissé prospérer le danger.

Lorsqu'il l'avait approchée pour lui confier la tâche délicate de trouver des éléments prouvant la traîtrise de la Rouge, Igazi, membre éminent du Gouvernement, détenait déjà des pièces accablantes. Sans rien en espérer de très précis, il avait fait surveiller un Fulasi plus étrange que les autres et dont les agissements inhabituels avaient été remarqués. Le résultat ne s'était pas fait attendre, et lui-même n'en avait pas cru ses oreilles. Dès lors, la nécessité d'écarter la femme rouge s'était imposée. Le soutien qu'apportait la fiancée du mokonzi aux Sinistrés compromettrait à terme la sécurité intérieure. Que ce ne soit pas là son intention n'arrangeait rien. Elle agissait selon son cœur, se piquait d'humanisme et de générosité, ne soupçonnant pas les conséquences de ses actes. Par sa légèreté – car on était certain que les décisions du mokonzi à cet égard émanaient d'elle –, les Fulasi étaient désormais invités à se fondre dans la chair des peuples de Katiopa. Pour donner l'exemple, le chef de l'État et la rouge impératrice qui gouvernait son cœur adopteraient bientôt l'enfant d'une Sinistrée. Les familles de la région seraient incitées à en faire autant, à s'ouvrir à ces étrangers, à voir en eux des égaux. On ramènerait ainsi les colons d'autrefois au centre de l'univers, on partagerait avec eux le présent comme l'avenir, sans même qu'ils aient lutté pour cela. On oublierait les violences dont ils étaient les héritiers, le mépris qui était jusque dans leur langue, la manière inqualifiable qu'ils avaient eue de se replier sur eux-mêmes tant était puissante leur aversion pour Katiopa et pour ses populations. Ces circonstances ne laissaient pas le choix à ceux qui se réunissaient cette nuit. Sans faire des identités ancestrales un credo, ils entendaient affirmer le droit à la pérennité de leur être tel qu'ils le concevaient à présent. Tout ce qui pouvait troubler cette refondation de soi serait combattu, on ne se déroberait devant aucun abysse pour garantir cela. Les Sinistrés étaient un poison dans l'eau, une substance insipide et néanmoins létale. La source à laquelle s'abreuveraient les habitants du Katiopa unifié n'était peut-être pas celle des origines, mais elle jaillissait de l'âme des peuples natifs, de la volonté que l'on avait, en ces temps nouveaux, d'élaborer ce fluide par le mélange du meilleur de chaque aire culturelle du Continent. Longtemps, les populations de la Terre Mère, séparées par des frontières taillées à même la peau de leurs aïeux, n'avaient plus pensé avoir en commun que la blessure, l'empreinte coloniale. Le seul éclat leur parvenant alors provenait du rayonnement artificiel que diffusaient les épandeurs de civilisation. Puis, la lumière factice s'était affaiblie et on avait découvert, entre deux clignotements, la nudité

des rois du monde. On s'était extirpé de sous l'empile-
ment de mensonges, on avait ramassé un à un les morceaux de soi répandus çà et là, on s'était redressé.

Alors que l'on s'était remis en route, il n'était pas
question d'emprunter des détours, ni même de voir se
tracer un chemin parallèle que des inconsistants – ils
ne manquaient nulle part – pourraient avoir l'idée de
suivre. C'était ainsi, les humains étaient prompts à se
laisser saisir par la fantaisie, l'œuvre à laquelle on les
conviait requérant trop de rigueur. On préférait encore,
s'ils devaient faillir à leur devoir, qu'ils aillent se terrer
chez les Gens de Benkos où se parlaient les langues de
Katiopa, où les types exogènes, phagocytés par ceux
du cru, n'avaient laissé que des marques peu visibles.
D'ailleurs, la physionomie des personnes n'était
pas le sujet, la question fondamentale était ailleurs.
Les membres de l'Alliance réunis cette nuit avaient
écouté, regardé parfois, lu les documents subtilisés à
la Rouge. L'épais dossier de la haine qu'éprouvaient
ces Sinistrés pour ceux dont l'hospitalité notoire avait
si souvent ouvert la porte aux tragédies. Nul dans
cette assemblée n'avait assisté au débarquement de
leurs aînés, lesquels fuyaient une société où la disparition de leurs traditions était devenue une évidence
irréfragable. En revanche, chacun avait entendu de
ses parents ou d'autres, le récit de cette descente aux
enfers des dieux vivants qu'étaient encore les Fulasi
dans ces parages. C'était la raison du choix qu'ils
avaient fait de Katiopa, ce domaine de la désespé-
rance qu'ils comptaient probablement éclairer et,
s'ils échouaient dans cette noble tâche, ils y vivraient
malgré tout comme des coqs en pâte. Le gallinacée
étant leur emblème, ils n'en demandaient pas plus.

Redevenir pour soi-même un soleil serait déjà un accomplissement. On n'avait donc pas eu l'occasion de contempler l'ingression des ressortissants du pays fulasi, mais on devinait l'amertume qui avait pu les étreindre lorsque, le grand État se constituant, ils avaient fait les frais de la nouvelle politique. Malgré tout, ils n'avaient pas opté pour un retour au pays ancestral, ne le connaissant plus qu'à travers les livres, les vieux films que certains visionnaient parfois, les informations qu'ils pouvaient glaner dans les pays situés au nord du Continent, quand ils s'y rendaient pour renouveler leurs documents d'identité. La patrie depuis longtemps disparue les habitait plus qu'ils n'entendaient y résider jamais, ce qui ne manquait pas de poésie, mais l'heure n'était pas aux apitoiements. Lorsque le Sinistre avait eu lieu, certaines de ses victimes avaient migré vers l'Oural, nouvelle frontière et ultime horizon. Parmi celles-là, toutes n'avaient pas atteint ces confins libérateurs, faisant halte en des aires à la rudesse moins affirmée, sauver son être nécessitant tout de même un peu de cohérence. Les autres avaient choisi la facilité, le confort du pré carré, de la zone d'influence : le privilège colonial.

Comme le dernier propos de la matriarche de la communauté sinistrée s'achevait, laissant s'installer le silence parmi les personnes présentes, Igazi, qui les recevait chez lui à l'occasion de cette rencontre imprévue, prit la parole. Il dit n'avoir rien découvert d'essentiel, rien appris dont il ne se soit douté. Si les services de la Sécurité intérieure dont il avait la charge s'étaient limités à des contrôles d'identité et à quelques interrogatoires lorsque les Sinistrés s'éloignaient de leur communauté, il n'était pas surpris d'entendre, de leur bouche, la révélation de leur profonde incompatibilité avec l'ambition du pays. Et même, il osait l'affirmer, l'antagonisme de leur nature avec celle des peuples de Katiopa. Leur mode de vie, leur insistance à se différencier de la masse se signalaient bel et bien comme une démarche politique. Le pays fulasi leur ayant échappé, ils l'avaient quitté la queue entre les jambes et la tête basse, à la recherche d'un lieu plus hospitalier où prier encore leur dieu, parler encore leur langue, se sentir encore les descendants de leurs ancêtres. Katiopa leur avait offert cela alors que la repossession de soi ne semblait y être qu'une utopie, un rêve irréalisable tant on avait été corrompu par le consumérisme et tout le reste. Ce n'était pas la première fois que le Continent fournissait une planche de salut à ces gens. À l'ère du Sinistre, on les avait accueillis sans mal. Dans cette partie du Continent, les esprits avaient été si bien modelés par la pensée coloniale que, sans s'en apercevoir, on ne savait plus vivre séparé des tortionnaires du passé. On ne faisait rien qui soit sans rapport avec eux. Qu'il s'agisse des militants appelant à l'insurrection contre les régimes iniques servant de faux-nez aux colons d'hier ou des vaincus passionnément épris de leur oppresseur, l'énergie était dirigée vers l'extérieur. Les forces s'épuisaient ainsi, quand il convenait de les tourner vers l'intérieur où résidait ce dont se nourrissait le mal. C'était ce travail qu'avait accompli l'Alliance avec patience au fil des générations. Parce qu'il fallait changer de perspective pour transformer les circonstances.

Kabundi, le chargé des Affaires diasporiques, était l'autre éminence de cette réunion nocturne. Il laissa terminer le kalala avant d'introduire, comme à son habitude, une nuance. La diplomatie étant son métier, il affichait une propension à la ruse plus qu'aux attaques frontales. *Frère*, déclara-t-il d'un ton calme, *nous aurions tort de prendre une décision sans analyser plus avant les éléments portés à notre connaissance.* Les sombres desseins des Sinistrés avaient certes été mis au jour, mais la machination qui avait été révélée était le projet d'un seul. Quelle influence ce jeune homme avait-il au sein de sa communauté ? Il était désormais en ménage avec une fille de la région et on pouvait y voir le début d'une mise en œuvre de son projet. Cependant, avant même la déclaration du mokonzi invitant les Sinistrés à épouser Katiopa, le Conseil avait désapprouvé l'expulsion des étrangers. Le mikalayi concerné par leur présence dans sa région avait, de son côté, transmis les réticences de la population et obtenu le consensus au sein du groupe de ses pairs. Or, la commission d'un génocide n'était pas envisageable. *Aucun tribunal ne nous sanctionnera, nous sommes hors de portée des cours internationales. Mais des mesures trop radicales pourraient fragiliser l'Alliance, lui retirer le soutien du peuple.* Igazi le fixa des yeux : *De quoi parles-tu ? Ici, nous ne préparons pas un plan d'éradication. Pas encore. Il s'agit pour l'heure de neutraliser l'Impératrice.* Kabundi se leva, fit quelques pas, s'arrêta derrière l'espionne du kalala, prit le temps de choisir ses mots. Les ayant pesés, l'homme s'expliqua. Il avait bien saisi cela, mais puisque ce ne serait que la première étape de l'opération, en évoquer d'ores et déjà l'aboutissement n'était pas inutile. Une fois la Rouge mise hors d'état de nuire, on devait s'accorder sur la suite des événements. *Et je veux y insister, nous ne mettrons pas ces personnes à mort. Qu'ils s'en aillent tous, tel doit être notre but.* Le maître des lieux interrompit Kabundi : *Frère, accorde-moi un semblant de crédit et imagine, si possible, que j'ai comme toi été doté d'un cerveau en état de marche.* Son interlocuteur haussa les épaules. La femme derrière laquelle il se tenait devina son geste aux inflexions de sa voix : *Tout est bien, puisque nous sommes sur la même longueur d'onde. Il serait ridicule de recourir au marteau pour combattre des abeilles. Soyons plus subtils...* Il poursuivit avant qu'Igazi ne réplique : *Notre amie va devoir nous quitter. Avant cela, il nous faut savoir qui des nôtres entravera l'avancée de la Rouge. Comme vous le savez, Ilunga a choisi le jour du San Kura pour annoncer ses noces. C'est demain, puisque la nuit, déjà, n'est plus.*

Kabundi posa des mains fermes sur les épaules de la femme. Sa mission pour le compte de l'Alliance l'avait démontré, elle était la mieux placée, celle sur qui les soupçons ne pèseraient pas, celle dont l'implication semblerait inconcevable. L'intéressée ne broncha pas. Kabundi pensait tenir l'occasion rêvée de se venger, cette femme avait eu l'audace de repousser ses avances. La finesse de ses doigts manucurés n'ôtait rien à la sensation de serres lui emprisonnant les muscles. Des bagues longues, articulées, lui couvraient presque entièrement l'index et le majeur de la main droite. En bronze, elles étaient les insignes de son rang, cette position que l'on n'atteignait pas sans avoir fait la preuve de talents hors du commun, dans la lumière et dans l'obscurité. Rompu au langage du silence comme à celui des mots, Kabundi accentuait sans effort visible la pression de ces deux doigts en particulier. C'était à elle seule qu'il en destinait le message. L'homme se servait d'une concrète de parfum aux senteurs de cuir dont le caractère confirmait ce qui se passait d'énonciation. Ce genre de cire, de fabrication plus complexe que celles aux fragrances florales, était l'apanage des personnes de haut rang. Le moindre mouvement de recul, la plus petite interrogation de sa part auraient attiré à cette femme la méfiance du groupe entier. Chacun savait que l'acte posé, qu'il était inutile de décrire, serait pour elle le sacrifice de la pureté. Comme ceux qui se trouvaient là, elle se salirait les mains et plus encore. Il n'était pas envisageable de se soustraire à l'épreuve. À la cause, elle avait consacré du temps, des ressources intellectuelles, rien de coûteux. Il fallait faire plus, donner des gages de fiabilité. Elle était la dernière venue au sein de ce cercle, la seule à n'avoir pas été une combattante. On l'y avait admise à la demande du kalala, mais la défiance persistait. C'était d'ailleurs pour cette raison qu'il ne lui avait pas encore été donné de prendre part à des rencontres particulières, bien plus déterminantes. Il se murmurait parmi les personnes bien informées que ces réunions-là se déroulaient sur d'autres plans, là où l'esprit, débarrassé du corps, révélait sa nature profonde, lui laissant libre cours. Hochant la tête, Igazi approuva la proposition de Kabundi. Celui-ci relâcha son emprise, se déplaça une fois de plus. S'approchant du maître des lieux, il fit face à la femme. Les regards convergèrent vers lui. Elle se demanda comment se manifestait, dans cette autre dimension où la chair n'était plus, la force d'un homme à ce point incarné. Il chérissait chaque millimètre de son corps, choisissait avec le plus grand soin les costumes soulignant sa sveltesse, la hauteur de sa taille, le brun foncé de sa peau.

Igazi s'adressa à elle : *Notre frère a raison. C'est le moment de mettre à profit ta position. La verras-tu aujourd'hui ?* Ce n'était pas pour rien qu'il était le kalala, Responsable des opérations militaires et Chargé de la Sécurité intérieure. Il était rare de l'entendre poser des questions dont la réponse lui soit inconnue. En cette veille du San Kura, avant l'annonce que ferait le chef de l'État, il était évident que la Rouge s'entretiendrait avec la gouvernante de la résidence du mokonzi. C'était depuis ce lieu que la nouvelle serait proclamée. Une collation serait ensuite offerte aux membres du Conseil qui seraient présents afin d'indiquer leur approbation. C'était à elle qu'il reviendrait d'organiser cet instant de célébration encore sobre, avant les noces proprement dites. Afin de ne pas entendre la voix de ferraille que lui conférait l'appareil phonatoire, elle eut recours aux signes, indiqua que l'intéressée passerait la voir peu avant le dernier repas. *Alors, c'est décidé*, ponctua Igazi. *Rentre te reposer, je te donnerai mes instructions dans la matinée.* Son acte aurait une signification, des conséquences pour elle. S'il l'avait bien jugée, elles seraient gratifiantes. La femme obtiendrait plus, beaucoup plus que des avantages. Les yeux enfoncés dans les siens, il devança avec habileté ses questions : *Tu aurais peut-être préféré un passage sous le toguna, mais nous n'en avons pas le temps. Il faudrait convoquer les absents de cette nuit. Bien sûr, tu peux refuser.* Détachant son regard de celui de l'homme, elle reporta son attention sur les membres de l'Alliance réunis dans le ndabo d'Igazi. En plus du maître de céans, de

Kabundi et d'elle-même, ils étaient six. Deux femmes et quatre hommes, installés en demi-cercle face au grand écran et aux appareils d'écoute ayant servi pour découvrir les enregistrements sonores. Par une proxémique dont les règles se passaient d'être rappelées, la femme se trouvait à l'extrémité gauche, Kabundi et Igazi à droite. Ceux du centre gardaient le silence, les langues se délieraient après son départ, elle en avait la certitude. *Tu peux refuser*, venait de déclarer Igazi. Lui n'en prendrait pas ombrage, mais d'autres verraient autrement les choses. Elle résolut de ne pas leur donner trop vite la satisfaction de l'écarter. Se levant à son tour, elle fit savoir à Igazi que sa réponse lui serait communiquée sous peu, lorsqu'il la contacterait. Si elle se retirait, il aurait tout le temps de prendre ses dispositions, nul ne doutait de sa célérité. Ce San Kura 6362 ne passerait pas sans qu'il ait agi.

Elle prit congé d'un hochement de tête, veillant à la souplesse du mouvement. Il convenait de ne pas sembler hostile. Igazi l'accompagna à l'extérieur. Ils traversèrent ensemble le jardin minéral se déployant devant sa demeure. S'y côtoyaient des galets d'obsidienne spéculaire en grande quantité, des billes d'aragonite, des morceaux de bois fossilisé. L'état de ces pierres faisait l'objet d'une attention aiguë, on les remplaçait aussitôt leur magnétisme épuisé. Comme souvent dans la kitenta, c'était à l'arrière de la maison que se trouvait le jardin végétal. On en voyait une partie depuis le ndabo, une aire luxuriante au centre de laquelle trônait un moabi centenaire, une essence devenue rare. La présence de plantes était de rigueur dans les enceintes du Continent, quelles qu'elles soient. Peu à peu, on avait renoué avec la terre les relations anciennes, ce qui s'était révélé salvateur. Pas pour tous, puisque des contrées entières du Continent avaient vu un temps progresser le désert, situation que les agronomes commençaient à maîtriser. Cela avait engendré un exode quelques années durant, d'abord vers les territoires préservés de la Terre Mère, mais aussi vers les pays de Pongo où résidaient déjà de nombreuses communautés issues du Continent. Ceux qui s'en étaient allés seraient partis de toute façon. On ne s'était pas alarmé de leur départ, au contraire. D'abord, cela faisait moins de bouches à nourrir. Ensuite, ayant bénéficié des pratiques de réarmement identitaire et de permanence mémorielle en vogue sur le Continent dès la fin de la Première Chimurenga, ils seraient, à l'étranger, des agents hardis de sa puissance. Contrairement à ceux qui les avaient précédés sur le chemin de l'émigration au cours des siècles antérieurs, ils ne s'y rendaient que pour survivre, perpétuer en un lieu confortable ce qu'ils portaient en eux. Igazi les évoquait comme des manipules envoyés derrière les lignes ennemies, milliers de centuries d'autant plus efficaces qu'elles accompliraient leur mission sans en avoir reçu l'ordre, sans même en avoir conscience. En terre étrangère, la culture qu'elles feraient prospérer leur tiendrait lieu de glaive, et la démocratie telle que comprise à Pongo serait leur bouclier. On s'était fait fort de répudier cette idéologie qui n'avait pas sa place au sein du Katiopa unifié, lui préférant une adaptation des conceptions participatives d'autrefois, un aménagement des procédés ancestraux. Bien que trop longtemps, le Katiopien colonisable avait vécu. Face à la longue dérive des oppresseurs d'autrefois, on se sentait parfois le cœur plein de pitié, car on connaissait le fond de l'abîme qu'ils découvraient à présent. À chacun revenait cependant la charge de sa destinée. On s'occupait ici de renaître.

La grille s'ouvrit sur la voie privée qu'il fallait emprunter pour regagner la rue. Igazi la retint là, prit dans les siennes les deux mains de la femme, parla comme il le faisait quand nul ne les voyait : *Zama, ce sera la fin de ton initiation. Tout s'est passé comme prévu. Nous parlerons tout à l'heure.* Sans attendre de réponse, il tourna les talons, soulevant un peu de sable rouge. Zama pressa le pas, se trouva vite sur l'avenue quasiment déserte à cette heure. Elle débouchait sur la place Mbuya Nehanda, une des plus larges de la ville, la seule dont le mur végétalisé n'avait été planté que d'herbes médicinales. Une passerelle mécanique reliant au centre-ville la zone protégée où logeait Igazi lui aurait permis de regagner plus vite ses appartements, mais il n'était pas exclu d'y croiser quelqu'un. Travailleurs matinaux, marchands de primeurs ou fêtards attardés pouvaient y monter, ce qui illuminerait aussitôt l'engin. L'énergie emmagasinée le jour sous l'effet du soleil éclairait la passerelle lorsqu'elle était utilisée la nuit. Son visage n'était pas connu du quidam, Zama préférait qu'il en soit ainsi. La femme s'éloigna de l'artère, préférant se glisser derrière les arbres bordant le trottoir, des flamboyants au tronc robuste. Ses pas la conduisirent bientôt derrière le jardin suspendu des *Stèles de la Maafa*. Son cœur battit de nouveau à une cadence raisonnable, la résidence était assez proche. Comme certains soirs, elle avait porté leur dernier repas aux sentinelles qui n'ouvriraient pas l'œil avant le point du jour. Igazi lui avait procuré une poudre sédative qui ne l'avait jamais trahie. Au réveil, les gardes ne se souvenaient que de s'être régalés. Ne trouvant plus auprès d'eux leurs assiettes, ils pensaient les lui avoir rapportées. Zama les avait récupérées à son retour. Elle expira en repoussant la porte de l'élévateur reliant son ndabo au vestibule du premier étage. Depuis peu, la gymnastique à laquelle il fallait se soumettre pour circuler dans la bâtisse lui apparaissait dans toute son absurdité. La sécurité. Le secret. Son logement ne communiquait ni avec les autres pièces du rez-de-chaussée, ni avec l'entresol ou le sous-sol, ni même vraiment avec l'extérieur puisqu'il n'y avait qu'une terrasse ouvrant sur un bout de jardin clôturé. Elle n'avait d'autre choix que celui de se rendre au premier étage, avec toutes les précautions du monde, de descendre ensuite par une des deux issues. Jusque-là, elle n'avait pas perçu le ridicule de la situation.

Puis, Igazi était apparu, au bon moment. Il s'écoulerait un peu plus de deux heures avant la lamentation du coq, les pépiements de l'oiseau du matin. C'était trop peu pour se mettre au lit, elle ne dormirait pas. S'étant déchaussée, Zama se rendit dans la chambre. Là, elle quitta son ensemble, se noua sous les aisselles une étoffe légère, s'installa sur la terrasse pour attendre la sortie de l'astre du jour. D'anciennes fables disaient qu'il se couchait à l'ouest pour se lever à l'est, suggérant ainsi l'idée d'un repos intranquille. Le soleil, pour ceux qui avaient donné foi à ces billevesées, était un dormeur agité, un somnambule que d'inconscientes pérégrinations entraînaient d'ouest en est, depuis le premier crépuscule. Les gens d'ici savaient qu'il n'en était rien. Le soleil était un voyageur d'une tout autre sorte. Son périple le soustrayait un temps au regard d'une partie de l'humanité. Il était cependant une puissance inaccessible à l'épuisement. C'était pourquoi les légendes ancestrales avaient conçu l'image d'un affrontement au cours duquel, dans les abîmes du monde, il défiait un monstre pour reparaître victorieux à l'aurore. Les abysses étaient aussi le lieu où s'en allaient séjourner les morts lorsque leur vie n'avait guère eu d'éclat. Ceux dont l'existence n'était jamais advenue. Ceux qui, ne pouvant devenir des références, ne seraient pas élevés au rang d'ancêtres. Ces profondeurs renvoyaient à la médiocrité de vies qui ne s'étaient pas osées. En cette heure pourpre qui précédait le surgissement solaire, il lui semblait avoir trop longtemps tutoyé ces tristes enfoncements. Maintenant, alors que la maturité lui déposait sur les hanches, sur les cuisses, des épaisseurs supplémentaires qui invitaient à remballer les lubies de jeunesse, il lui prenait une envie d'action. Elle aimait mieux se formuler ainsi les choses, se penser inaccessible à ces crises du vieillissement, ne pas chercher à rattraper, à cinquante ans passés, une adolescence dont les joies lui avaient été dérobées. Fixant ses pensées sur les événements de la nuit, elle revit le visage d'Igazi. Parce qu'il l'avait introduite dans le cercle, les plus suspicieux parmi les membres s'étaient efforcés de refouler leurs protestations. S'ils dardaient sur elle des regards éloquents pour lui rappeler sa condition et l'obscénité de sa présence à leurs côtés, ils ravalaient leurs injures. Igazi était un homme respecté. Elle ne souhaitait pas que leur amour soit connu, cela ternirait l'aura de cet homme exceptionnel. Ils étaient bien ainsi, dans l'ombre et le silence. Ayant contemplé la naissance du jour, Zama se rendit dans la salle de bains, se déshabilla. Elle se demanda quelles puissances étaient à l'œuvre pour que la Rouge soit devenue, sans en avoir la moindre idée, une affaire d'État. Il n'y avait pas de hasard. Elle ne pourrait la sauver, ne le devait pas.

*

La journée s'acheminait tranquillement vers ses derniers instants. Bientôt, ce serait la descente du soleil, l'heure mauve d'avant la nuit. Igazi n'était pas venu à la rencontre de Zama. Elle l'attendait tôt dans la matinée, lorsque les membres de l'Alliance réunis chez lui s'en seraient allés. Jamais encore il n'avait manqué de rendez-vous, et ce silence non plus ne lui ressemblait pas. C'était la canicule, et elle se sentait glacée. Voyant le soleil à son zénith, elle avait dû quitter ses appartements, rejoindre le personnel de la cuisine, préparer le menu du lendemain. Ensuite, Seshamani l'avait réclamée. Depuis son arrivée à la résidence, l'épouse du mokonzi se terrait dans ses quartiers, prenant tout juste la peine de se débarbouiller, d'enfiler un déshabillé. Elle l'avait trouvée élégante et défaite à la fois, vêtue de taffetas rose, les yeux rougis, les mains tremblantes. La gouvernante avait doucement refermé la porte derrière elle, peu disposée pour une fois à se faire le réceptacle d'une douleur qui n'était pas la sienne. Seul la préoccupait le sort d'Igazi, car il était arrivé quelque chose de grave, elle en était certaine. Se dirigeant vers la baie vitrée, elle avait tiré les rideaux, fait pénétrer dans la pièce la lumière, l'air, tout ce qui manquait depuis que Seshamani était là. Puis, elle s'était tenue droite, silencieuse, le regard dans celui de la femme dont le parfum

626

emplissait les lieux. Assise en tailleur sur son lit, dans sa robe du soir, Seshamani avait cette allure de grande fleur qui l'avait toujours attendrie. Mieux que quiconque, elle connaissait le drame intérieur de l'épouse, l'aversion que lui inspirait son désir pour les femmes, le besoin qu'elle avait de soumettre Ilunga, d'occuper dans sa vie tout l'espace possible. Aujourd'hui, rien de tout cela ne l'avait émue, Zama n'avait pas eu envie de comprendre, d'ouvrir les bras, de consoler d'une voix douce. Elle avait attendu. Seshamani ne pleurait pas, elle lui était reconnaissante de lui avoir épargné le spectacle de ses larmes. *Il demande le divorce*, avait dit l'épouse qui ne le serait plus, s'en tenant à ces mots, levant les yeux vers le visage de celle qui, au cours des années, lui avait tenu la main et protégé ses secrets. Zama n'avait pas répondu selon les vœux de son interlocutrice. Elle n'avait pas dit ce qu'elle disait toujours, *Il ne ferait pas tout ça s'il ne t'aimait pas.* Elle n'avait pas voulu engager une longue conversation, donner de la force en perdant la sienne. C'était d'un ton calme que Zama avait indiqué : *Il te rend ta liberté.* Puis, tournant les talons, elle avait laissé la femme à son chagrin qui passerait. À elle, personne ne tendrait la main. Si l'amour de sa vie était perdu, il lui faudrait prendre une décision, elle ignorait laquelle. La vie dans la résidence, au service du mokonzi, de sa nouvelle épouse, de leur enfant adoptée, lui paraissait désormais inconcevable. Le lendemain, devant le jour, alors que l'on s'apprêterait à filmer, dans les salons de la résidence, l'annonce des noces du mokonzi, elle serait loin. Sans nouvelles d'Igazi, sans consigne claire de sa part, c'était à cela qu'elle s'était résolue. Elle saurait ce qu'il était advenu. Quelle que soit la réponse à cette interrogation, elle trouverait le moyen d'agir. Pour elle aussi, l'heure était venue de reprendre sa liberté.

*

Kabongo tournait en rond. Cela faisait plusieurs jours qu'il n'était pas rentré chez lui, laissant sa sœur Biuma s'occuper des enfants. C'était la première fois qu'il ne donnait pas de nouvelles, la première fois qu'il ne souhaitait pas les voir. Le désenvoûtement escompté avait tourné court. Non seulement ne s'était-il pas délivré de l'emprise qu'avait sur lui la femme rouge, mais le mal s'était aggravé. Kabongo ne se souvenait pas d'avoir été jamais la proie d'un tel abattement, une espèce de dégoût de vivre en contradiction totale avec son tempérament. En principe, il ignorait tout des attachements enfiévrés, des passions désespérées, de la dépendance affective. Ça, c'était la vie des autres. Il connaissait le désir et son assouvissement, les moindres détours du chemin se déroulant entre ces deux pôles. Ce voyage, parfois de courte durée, résumait à ses yeux la relation entre homme et femme. Lorsqu'il s'était uni à Zanele, c'était pour procréer dans un cadre normé dont les enfants bénéficieraient, une structure reconnue comme nécessaire et positive. Peut-être s'était-il agi là de sa première erreur, une concession stupide aux règles sociales communément admises, une infidélité à sa vision des rapports entre les sexes. Presque aussitôt après l'avoir épousée, il n'avait plus désiré Zanele, ne s'était même plus vraiment souvenu des raisons pour lesquelles cette femme l'avait attiré. Elle voulait des enfants, lui aussi,

ils étaient disponibles. Elle ne manquait ni d'intelligence ni de culture. Elle était plantureuse, conçue pour
la gestation et l'enfantement. Zanele s'était remise à lui
corps et biens, espérant de sa part un investissement
similaire. Il avait tenu autant que possible, voyant dans
cette image de famille ordinaire la meilleure couverture pour un agent de la Sécurité intérieure. Elle n'avait
pas compris qu'il veuille divorcer, tout allait bien pourtant, en voyait-il une autre. Non, mais voilà, c'était fini.
Encore aujourd'hui, elle ne comprenait pas. Zanele ne
l'avait pas connu, il ne le lui avait pas permis.

Puis, il y avait eu Boya. Une histoire banale a
priori, qui s'était simplement offert des débuts singuliers. Il ne l'avait pas vue venir et ne cessait de la
sentir passer. Ils s'étaient parlé souvent et ne s'étaient
rien dit. Il l'avait prise maintes fois et ne l'avait pas
possédée. Il avait eu toutes les autres, pas celle-là.
Au cours de leurs ébats, il en était certain à présent,
ce n'était pas à lui qu'elle s'abandonnait. La femme
rouge l'appelait, non pour le voir, mais afin d'apaiser
une tension intérieure : il défaisait ses nœuds. Elle
lui en était reconnaissante, le payait d'un repas après
l'exercice. Lorsqu'il avait passé la porte, qu'elle
l'avait refermée dans son dos, la femme rouge congé-
diait sa chaleur, son odeur. Elle s'asseyait à sa table
de travail, prenait à bras le corps les travaux qu'une
fièvre toute hormonale avait différés. Sa sensualité débordait quelquefois, l'homme ne servait qu'à
éponger ce qui s'était répandu. Longtemps, il avait vu
les choses autrement, s'était figuré que l'accord particulier de leurs tempéraments sexuels éclairait ce qu'ils
étaient l'un pour l'autre. Qu'ils faisaient l'amour sans
le dire, surtout parce qu'ils ne le disaient pas, que leur

silence contenait plus de sentiments qu'il n'y en aurait jamais dans les mots. Depuis quelques jours, Kabongo admettait la validité de ce terme pour désigner ce qui les poussait l'un vers l'autre : l'amour. Pour l'homme qu'il était, aimer une femme, c'était éprouver le besoin de revenir à elle, à sa peau, à sa manière particulière de réagir à ses caresses, à ses pénétrations. Cela avant tout. Ensuite, c'était dérailler en découvrant l'impossibilité de la retrouver. Perdre le nord et les autres directions. L'obsession de Kabongo n'était pas celle de la conversation, de la vie à deux, des sorties au restaurant. Son sentiment de perte se cristallisait autour de la vision unique d'une chose non advenue : Boya lui faisant une fellation. L'image, construite par son imagination, n'avait cessé de le persécuter, produisant ses propres variations qui, toutes, lui dévoraient la raison. Quoi qu'il fasse, sa concentration s'évadait au bout d'un moment, la représentation de sa queue entre les lèvres de Boya surgissait soudain et se plantait là, bien au centre, repoussant toute autre pensée à la périphérie. Déterminé à guérir de sa pathologie, il s'était souvenu du *One Love* où il n'avait plus mis les pieds depuis des années. Ce n'était pas le seul endroit de la ville proposant des divertissements à caractère sexuel avec des personnes récusant la concordance admise du sexe et du genre. Au *One Love*, cependant, toutes étaient des hommes au regard de la loi, bien qu'elles ne se présentent pas comme tels. C'était ce qu'il recherchait. Le *One Love* s'était fait une spécialité le démarquant davantage, puisque ses prestataires de service présentaient toujours une complexion peu commune, qu'il s'agisse du noir bleuté, du crème albinique ou de la clarté rouge qu'arborait Boya. Pour ajouter à cette originalité, les travailleuses du *One Love* étaient à leur façon des artistes, capables de se glisser dans la peau de quiconque leur était décrit. L'une d'elles ressemblait à Boya, presque à s'y méprendre, si l'on ne mesurait pas la conséquence du postérieur qui s'affranchissait des hanches étroites de la femme rouge.

Kioni était taillée pour l'emploi, il le savait pour l'avoir plusieurs fois aperçue. Un seul élément lui était inconnu, le son de sa voix qui aurait pu tout gâcher. Après avoir vérifié que ce ne serait pas le cas, il l'avait rejointe derrière la vitre sans tain. Dans le jeu de rôle qu'il avait commandé, Kioni serait sans le savoir une Boya le recevant un soir, comme cela s'était souvent produit. Une poignée de minutes avait suffi pour que Ehema, tenancière avisée du *One Love*, saisisse tout de l'ambiance dans laquelle il souhaitait évoluer et dirige Kioni vers l'espace adéquat. Le *One Love* disposait de plusieurs cabines, toutes différentes, afin de proposer une variété satisfaisante de décors, extérieurs et intérieurs. Et là, contrairement à d'autres endroits de ce type, l'illusion n'était pas obtenue grâce à la technologie seule, jeux de lumière, images projetées, qui ne trompaient qu'à bonne distance. Il avait eu de la chance que la chambre n'ait pas été prise, que Kioni soit disponible. Sa bonne fortune s'était arrêtée là. À peine les lèvres de Kioni avaient-elle approché le gland de sa verge, qu'elle bondissait en arrière, clamant que ce ne serait pas possible, qu'elle regrettait. Bien sûr, il n'aurait rien à débourser. Elle s'était tenue coite, évitant son regard, l'air d'attendre qu'il s'en aille. Contenant sa fureur, Kabongo avait exigé des explications. Elle avait haussé les épaules : *La patronne a dû vous prévenir, j'ai des manifestations.*

C'était vrai, ces mots avaient bien été prononcés, mais il n'y avait prêté que peu d'attention. La formule était pourtant assez étrange, il aurait dû s'y attarder. Devant son regard interrogateur, Kioni s'était assise sur le lit, délaissant son personnage pour n'être plus qu'elle-même, sifflant une deuxième fois la fin de la partie. Eh bien, les manifestations étaient des visions, c'était la manière la plus simple de les présenter. Elle ne les avait pas avec tous les clients, loin de là, seuls quelques-uns les provoquaient. Elle les touchait et se sentait happée par un tourbillon qui la déposait dans un lieu indéfinissable, toujours le même, où la terre était rouge, où la teinte du ciel était celle d'un orage immobile. Là, les secrets des hommes lui étaient révélés. *Je vous ai vu avec cette femme. Celle que vous aimeriez oublier... Vous ne le pourrez pas. Vous devez la servir.* Kabongo n'avait pas voulu en entendre davantage.

Il avait quitté la cabine puis le *One Love* à grandes enjambées, descendant les marches par quatre au risque de se rompre les os, ne s'autorisant à respirer qu'une fois dehors, dans ce quartier préhistorique où subsistaient encore des immeubles en béton. La nuit s'était épaissie. Le centre-ville était distant, mais il n'avait pas pris le baburi, préférant marcher. Il ne s'était pas demandé ce que ces mots signifiaient. Kioni avait évoqué la femme qu'il souhaitait oublier, mais ce devait être, dans le fond, une chose assez commune. Elle avait pu lui jouer la comédie. Néanmoins, ces propos avaient perturbé Kabongo. Un temps, il ne s'était plus soucié d'être suivi. Traversant la ville à une allure d'escargot, il avait atteint la place Mmanthatisi, l'avait dépassée pour continuer d'avancer, d'abord sans but. Puis, il avait pensé aux locaux de la Sécurité intérieure, s'y était rendu sans se presser, poursuivant sa marche sans rien voir, ni de la kitenta, ni de ses habitants. Sur le boulevard Rei Amador, il avait de nouveau levé les yeux au ciel, regardé autour de lui, se replaçant peu à peu dans la réalité. Le jour allait se lever quand il s'était soumis aux contrôles de sécurité. À cette heure, les agents de permanence étaient peu nombreux, il n'y en avait que deux à l'accueil. Ils l'avaient regardé se placer devant l'appareil de reconnaissance oculaire, poser ensuite l'index droit comme indiqué, passer le sas. Impassibles, ils s'étaient contentés de hocher la tête pour le saluer, ce qui lui avait convenu. Dans l'élévateur, il avait introduit son badge. L'objet ressemblait à une de ces cartes de membre fournies par les clubs, qu'ils soient sportifs ou libertins. Prenant place dans l'espace de travail partagé, près de la fenêtre donnant sur le jardin végétal, il avait un peu mieux respiré. Lorsque le personnel administratif avait commencé à arriver, Kabongo s'était levé. La matinée allait se dérouler comme d'habitude, le kalala passerait peut-être par là. Il irait le voir plus tard, de son propre chef. Avant, il lui fallait parler à Boya. La suivre ne serait pas le meilleur moyen d'y parvenir, il se ferait repérer. À l'université, elle serait entourée et son chauffeur l'enlèverait aussitôt sa journée terminée. Il n'y avait qu'ici, à Vieux Pays, qu'il avait une chance de l'approcher. Elle y venait, il le savait, pour les réunions d'un groupe de femmes. On l'y conduisait, mais les véhicules motorisés ne pouvaient pénétrer dans le quartier et quiconque l'accompagnait devait la quitter devant la Maison des femmes. Les hommes n'y étaient pas admis. C'était là qu'il s'était faufilé, trois nuits plus tôt, la tête enturbannée, vêtu d'un bùbá aux manches bouffantes, la taille ceinte d'une étoffe imprimée qu'il

633

s'était procurée un après-midi, une fois son plan mis au point. Les petites artères de Vieux Pays étaient désertes à l'instant de son passage, mais il avait avancé non sans angoisse, craignant de croiser quelqu'un dans ce quartier où tous se connaissaient. Grimé en femme, le kèmbè qu'il portait sous l'étoffe lui dessinant des rondeurs avantageuses, Kabongo avait avancé jusqu'à la Maison des femmes dont il avait trouvé l'emplacement sur un plan. C'était un de ces lieux que nul n'osait approcher sans y être convié et dont l'accès n'était pas protégé. Il lui avait suffi de pousser le portail. Ayant inspecté l'endroit, il s'était terré dans un abri de jardin contenant des outils. Boya finirait par passer dans les parages. Elle serait seule. Elle entrerait dans le sanctuaire. Alors, il se glisserait à l'extérieur et l'attendrait près du portail. Sans turban, sans tralala. Il n'y aurait que lui, face à la femme rouge. Kabongo entendit des voix, des rires, le babil d'un nouveau-né. On venait. Dans le jour finissant, le portail de la Maison des femmes grinça. Il retint son souffle.

*

Igazi était assis face à la vieille sangoma. Elle l'avait cueilli aux premières heures du jour, alors qu'il se dirigeait vers la résidence du mokonzi où l'attendait Zama. Nul mieux qu'elle ne connaissait le talisman dont il se servait pour se déplacer rapidement et sans être vu. Elle avait sur ce chapitre un avantage sur lui : celui de savoir en annuler les effets. Alors qu'il atteignait sa vitesse de croisière, qu'il allait passer sans effort par-dessus la clôture séparant le jardin de la gouvernante de la nzela, il s'était senti reculer, s'était vu remonter en sens inverse l'avenue Ménélik II, traverser Mbanza. Puis, il avait chu. Là, dans sa maison accrochée à une falaise, aux confins de la KwaKangela. Depuis, il ne lui avait pas décoché une parole, elle non plus, c'était inutile. L'homme se reprochait son inconséquence. Comment avait-il pu oublier que le mokonzi jouissait de protections exceptionnelles, de jour comme de nuit ? Il s'était de plus attaché les services d'une sangoma redoutable que sa position au sein du Conseil rendait encore plus puissante. Elle incarnait cette instance dont les membres uniraient leurs pouvoirs pour la tirer d'affaire si elle était menacée. À vrai dire, aucune force n'était à même de la terrasser. Ils se regardaient, les yeux dans les yeux, en silence depuis des heures. Dans la demeure de cette femme, Igazi n'avait pas plus de défenses qu'un ver de terre, mais il gardait son calme. S'il avait été question de l'éliminer, ce serait déjà fait, elle n'aurait pas pris la peine de l'attirer dans son antre. On avait besoin de lui. Il ne serait pas aisé de le remplacer et cela ne se ferait pas dans l'urgence. Il aurait un peu de temps, mais pour le moment, tout ce qu'il avait prévu était compromis. Le lendemain, on célébrerait l'an neuf, Ilunga annoncerait ses noces. Soit. Ce qui lui importait le plus était de rassurer Zama, mais ses pensées semblaient figées en lui. Depuis des heures, il tentait sans relâche de lui en adresser une, même toute petite, afin de lui faire savoir qu'il se portait bien, que rien n'était changé, qu'il la verrait bientôt. Il soupira mais ne baissa ni la tête, ni le regard. La pièce dans laquelle ils se trouvaient était aveugle, sans autre ouverture sur l'extérieur que la porte. Il ne pouvait donc voir la couleur du ciel, mais pensait savoir l'heure. S'il avait bien compté, le soleil amorcerait sous peu sa descente. Quoi qu'elle ait fait

635

dans la journée, Zama devait avoir regagné son logis. Elle ne dînerait pas ce soir, ne fermerait sans doute pas l'œil de la nuit. La voix de Ndabezitha le fit tressaillir intérieurement, mais il ne cilla pas. Elle secoua la tête : *Je t'écoute depuis que tu es là, fils. Tu as de si belles qualités. Cependant, il te manque la bonté. Pas la capacité d'aimer, mais la bonté. Ce n'est pas uniquement parce qu'il était marié que nous avons choisi Ilunga. La nature de l'homme nous a importé. Tu penses que seul le feu permet de créer de grandes choses, et tu as raison. Encore faut-il connaître tous ses caractères... Mais laissons cela. Tu te fais du souci pour celle que tu aimes. Eh bien, voyons ce qu'il en est.* Aussitôt que l'ancienne eut prononcé ces paroles, un brasier s'alluma entre eux. Les flammes s'écartèrent pour dévoiler un cercle qu'elles entouraient. Là, sur le sol de terre battue, il vit la demeure du mokonzi. Les hommes de la garde effectuaient leur ronde. Une femme qu'il ne reconnut pas immédiatement arpentait le jardin, vêtue d'une longue robe rose. Elle était pieds nus et s'approchait du lac. *Seshamani*, murmura-t-il. Elle était seule et paraissait désorientée, comme ivre ou sous l'emprise de quelque substance. Elle trébucha sur un caillou, poussa un cri. Zama apparut alors, se hâtant autant qu'elle le pouvait. Quand elle fut à son tour au bord du lac, Seshamani s'y enfonçait doucement, sans l'avoir cherché, sans rien faire pour échapper à la noyade. Zama se pencha, lui tendit la main. Il y avait entre elles trop d'espace, une distance trop importante. Zama s'approcha plus près, parvint à saisir la main de Seshamani qui se débattit violemment. Quand elle l'eut ramenée sur la terre ferme, Zama perdit l'équilibre et les flammes s'éteignirent. Igazi hurla son nom. Elle ne savait pas nager.

Boya étreignit Mama Namibi, qui venait de pousser le portail de la Maison des femmes. Elle embrassa ensuite Abahuza, qui tenait dans ses bras un bébé au regard vif. L'enfant était volubile, accompagnant ses tirades de mouvements saccadés des bras. Elle passerait la nuit dans le sanctuaire et serait accueillie dans la demeure du mokonzi après l'annonce du mariage. Pour l'heure, il s'agissait de la protéger, de *la blinder*, comme disaient les gens du pays. Il y en aurait pour quelques jours. Les anciennes s'étaient concertées avant de suggérer à Boya de leur confier cette tâche. Elle n'assisterait donc pas à tous les rites, ne se présentant que pour le dernier, durant lequel la petite recevrait un autre nom. Celui choisi par sa génitrice serait conservé, mais il importait de la nommer de façon à l'ancrer dans la terre de Katiopa et à permettre que les esprits de sa lignée ne perdent pas sa trace. Car elle était venue de quelque part avant de se glisser dans un corps de nouveau-né. L'opération serait renouvelée quelques années plus tard, afin que le nom soit confirmé, le lien avec les ancêtres renforcé. Ayant salué les deux aînées, la femme rouge se mit en marche vers la grand-route. La berline d'Ilunga y était garée, l'homme l'y attendait. Contre l'avis de Kabeya, il avait pris lui-même le volant. Ils avaient retrouvé Abahuza et Amarante à la gare, s'étaient ensuite dirigés vers Vieux Pays. À présent, ils seraient seuls à nouveau, elle lui demanderait de faire un petit tour à travers la ville. La nuit était tombée, déroulant sur Mbanza ses promesses, ses mystères. Boya voulut voir l'océan. Embrassant Ilunga, elle le lui fit savoir. Il eut un rire : *Tu veux me faire étrangler par Kabeya, ou quoi ?* Elle protesta. Il conduisait cette berline équipée de systèmes de protection divers, mais il n'avait pas été question de les laisser sortir sans escorte. Les véhicules de la garde n'étaient pas vraiment discrets. Ilunga fit démarrer la voiture. Il allait lui répondre lorsque la sonnerie de son communicateur retentit. Il mit le haut-parleur. C'était Kabeya. Un accident s'était produit. Seshamani et Zama avaient manqué se noyer dans le lac. Les gardes les avaient secourues, on avait appelé le médecin. Elles étaient hors de danger, mais devraient se reposer quelques jours. *Seshamani avait pris des tranquillisants, une trop forte dose. Elle a glissé dans l'eau. Zama lui est venue en aide, mais s'est laissé entraîner.* Le visage d'Ilunga se crispa. Il garda le silence un instant avant de prendre congé. Les yeux fixés sur la chaussée, l'homme s'adressa à Boya : *Mwasi na ngai, j'espère que tu t'es un peu endurcie…* Ils avaient bien mérité une promenade au bord de l'océan. Quand ils rentreraient, les heures les séparant du lendemain n'appartiendraient qu'à eux, quoi qu'il advienne. Et même si le ciel décidait de se vautrer sur la kitenta, leurs noces seraient annoncées. Boya approuva ces dispositions d'un ton calme. Elle espérait les voir maintenues pendant leur lune de miel. Ilunga posa la main sur la jambe de sa compagne sans ajouter un mot. Ils s'étaient demandé quel était ce gouffre, celui du premier songe, mais ne se poseraient plus la question. Ce qui importait n'était pas la présence du précipice, mais le fait de l'enjamber ensemble et de trouver, de l'autre côté, la beauté qui leur était offerte.

GLOSSAIRE

Le texte emploie quelques mots issus de langues africaines diverses qui ne seront pas mentionnées ici. Il s'agit de la langue de cette histoire écrite dans l'écho de plusieurs cultures. Les acceptions mentionnées ci-dessous s'entendent avant tout pour ce roman. Nous ne traduisons pas tous les termes relatifs aux vêtements, coiffures et parures, lorsqu'il est aisé de les trouver à l'aide d'un moteur de recherche.

Agodjie : guerrière du royaume Danxomè
Amasunzu : style de coiffure
Ankh : croix égyptienne, dite *croix de vie*
Aso oke : étoffe à rayures bariolées
Asrafo : guerrier
Autre bord : territoires de déportation (Amériques, Caraïbes)
Babalawo : responsable de culte
Bandeko : frères, pairs (sing : *ndeko*)
Bhârat : Inde
Bukaru : construction de forme circulaire, ouverte, au toit conique
Bwende : circoncision
Chimurenga : lutte de libération
Chosŏn : Corée du Nord

Continent (le) : Afrique

Descendants : Afrodescendants

Djed : pilier égyptien, symbole de stabilité et de permanence

Fulasi : français

Gele : coiffe

Hanguk : Corée du Sud

Ibora : manteau ou veste longue

Impi : guerrier

Indlovukazi : reine

Indoda : homme

Ingrisi (peut se dire *inglisi*) : anglais

Iporiyana : parure masculine, sorte de plastron

Isizwe Abamnyama : royaume de l'homme noir

Jebena buna : café (dont la préparation requiert en principe un cérémonial)

Kadima : ministre de l'Agriculture

Kakona : ministre des Finances et du Budget

Kalala : responsable de la Sécurité intérieure et chef d'État-Major

Katiopa : Afrique

Kèmbè : pantalon large

Khat : coiffe égyptienne simple, portée au quotidien

Kiobo : case où sont rangés boucliers et armes

Kiskeya : Haïti

Kitambala : foulard

Kitenta : capitale

Ku bakisi : le monde des morts, des esprits

Kushti : lutte indienne

Kwanga : également appelé *chikwang*, pâte de manioc fermentée, cuite dans des feuilles

Maafa : Déportation transatlantique des Subsahariens

Mbenge : l'Ouest ; ici, l'Amérique du Nord

Menat : grand collier associé à la fécondité, un des emblèmes de la déesse Hathor

Mfundu : arrière-cour

Mikalayi : gouverneur de région

Mindele : les Européens (sing : *mundele*)

Mobali : homme

Mobali makasi : homme puissant

Mobali na ngai : mon homme

Mokonzi : chef de l'État

Moran : guerrier

Moringue : art martial et danse

Moyindo : noir (pl : *bayindo*)

Mputu : Portugal

Mswaki : bâtonnet de bois servant notamment à se nettoyer les dents

Mubenga car : voiture à hydrogène créée par Sandrine Mubenga

Muntu : humain (pl : *bantu*)

Musuba : incirconcis

Mwambi : porte-parole du Gouvernement

Mwasi : femme

Mwasi ya mokonzi : épouse du chef de l'État

Mwasi na ngai : ma femme

Mwasi ya Orania : femme originaire d'Orania

Ndabo : salle de séjour

Negus : titre porté par les souverains éthiopiens

Ngai ngai ya musuka : sauce à l'oseille et aux noix de palme

Ngoma : instrument à cordes, dit *harpe fang*

Nguba : cape

Nkozi : roi, seigneur ; s'emploie aussi pour désigner Dieu

Nzambi : dieu créateur

Nzela : allée, chemin

Odigba Ifa : collier dit de divination, porté par le *babalawo*

Orania : ville afrikaner fondée par des ségrégationnistes

Oudjat : œil d'Heru

Owesifazane : femme

Palenque : village fondé par des marrons

Parenté à plaisanterie : pratique sociale visant à promouvoir la fraternité entre des groupes, notamment lorsqu'un différend (parfois grave) les a opposés

Pongo : Europe

Po Tolo : dite aussi *Digitaria* ; étoile sœur de Sirius, invisible à l'œil

Project Coast : programme sud-africain de fabrication d'armes bactériologiques destinées à n'éliminer que les Noirs

Quilombola : habitant(e) d'un quilombo, communauté marronne du Brésil

Sangoma : guérisseuse, devineresse, médiatrice entre le visible et l'invisible

Semeki ya mobali : frère de mon époux

Shen : anneau (boucle) égyptien

Shoowa : étoffe de raphia à la texture de velours, dite *velours du Kasaï*

Sodabi : liqueur obtenue en distillant le vin de palme

Sokoto : pantalon étroit

Tengade : chapeau peuhl

Toguna : lieu où se tiennent des débats décisifs pour la communauté, improprement appelé *case à palabres*

Tuba : rituel de défloration

Umdali : dieu créateur

« Un voyage étonnant, mené par une vraie sorcière littéraire. »

Patrick Williams
— ELLE

Léonora MIANO
LA SAISON
DE L'OMBRE

Au cœur de la brousse subsaharienne, un incendie a ravagé les cases du clan Mulongo. Depuis lors, douze hommes manquent à l'appel – les fils aînés pour la plupart. Pendant que les mères cherchent en songe les réponses à leur chagrin, le Conseil interroge les ancêtres, scrute les mystères de l'ombre : que signifie cette disparition ? Le chef Mukano et quelques autres partent à leur recherche. Peu d'entre eux atteindront l'océan – par où les « hommes aux pieds de poule » emportent leurs enfants...

Prix Femina et Grand prix du roman métis

Retrouvez toute l'actualité de Pocket sur :
www.pocket.fr

Ouvrage composé par
PCA 44400 Rezé

Imprimé en France par **CPI**
en juillet 2020
N° d'impression : 3039151

S30810/01